“十二五”国家重点图书出版规划项目

CHINA WETLANDS RESOURCES
Yunnan Volume

中国湿地资源

云南卷

◎ 国家林业局组织编写

中国林業出版社

图书在版编目（CIP）数据

中国湿地资源·云南卷／国家林业局组织编写；温庆忠分册主编．－北京：中国林业出版社，2015.12

“十二五”国家重点图书出版规划项目

ISBN 978-7-5038-8299-9

Ⅰ．①中… Ⅱ．①国… ②温… Ⅲ．①湿地资源－研究－云南省 Ⅳ．① P942.078

中国版本图书馆 CIP 数据核字（2015）第 296655 号

审图号：云 S（2016）030 号

总 策 划：金　旻

策划编辑：徐小英

主要编辑：徐小英　刘香瑞　李　伟　何　鹏　于界芬

美术编辑：赵　芳

出版发行 中国林业出版社（100009　北京西城区刘海胡同 7 号）

http://lycb.forestry.gov.cn

E-mail:forestbook@163.com　电话：(010)83143515、83143543

设计制作 北京捷艺轩彩印制版有限公司

印刷装订 北京中科印刷有限公司

版　　次 2015 年 12 月第 1 版

印　　次 2015 年 12 月第 1 次

开　　本 787mm × 1092mm　1/16

字　　数 575 千字

印　　张 22.5

定　　价 145.00 元

中国湿地资源系列图书
编撰工作领导小组

顾　问： 陈宜瑜　李文华　刘兴土

组　长： 张永利

副组长： 马广仁

成　员： （按姓氏笔画排序）

王文宇　王忠武　王海洋　韦纯良　邓乃平　邓三龙
兰宏良　刘建武　刘艳玲　刘新池　李　兴　李三原
李永林　来景刚　吴　亚　张宗启　陆月星　陈则生
陈传进　陈俊光　林云举　呼　群　金　旻　金小麒
周光辉　降　初　孟　沙　侯新华　夏春胜　党晓勇
徐济德　奚克路　阎钢军　程中才　雷桂龙　蔡炳华
樊　辉

中国湿地资源系列图书
编撰工作领导小组办公室

主　任： 马广仁

副主任： 鲍达明　唐小平　熊智平　马洪兵

成　员： 王福田　姬文元　刘　平　闫宏伟　李　忠　田亚玲
王志臣　张阳武　但新球　刘世好　王　侠　徐小英

《中国湿地资源·云南卷》编辑委员会

《中国湿地资源·云南卷》编写组

主　　编：温庆忠

副 主 编：华朝朗　彭　华　杨晓君　余昌元

编 著 者：（按姓氏笔画排序）

王　勇　王应祥　王泽欢　伍和启　华朝朗　杜丽娜

李　嵘　李玲芬　杨忠兴　杨晓君　余昌元　宋劲忻

张绍辉　陈　丽　陈小勇　郑进烜　钟明川　饶定齐

袁思棋　陶　晶　彭　华　董洪进　蒋文静　蒋学龙

辉　洪　喻[illegible]坤　温庆忠

主　　审：郭辉军

地图编绘：宋劲忻　王　勇

照片收集：李　清　杨忠兴

总　序

湿地是地球表层系统的重要组成部分，是自然界最具生产力的生态系统和人类文明的发祥地之一。在联合国环境规划署（UNEP）委托世界自然保护联盟（IUCN）编制的《世界自然资源保护大纲》中，湿地与森林和海洋一起并称为全球三大生态系统。湿地具有类型多样、分布广泛的特点；湿地更重要的是还具有多种供给、调节、支持与文化服务功能，是人类重要的生存环境和资源资本。湿地与人类生产生活和社会经济发展息息相关。湿地的重要性受到世界各国和国际社会的普遍关注。早在1971年，国际社会就建立了全球第一个政府间多边环境公约，即《关于特别是作为水禽栖息地的国际重要湿地公约》（简称《湿地公约》）。同时，该公约也是全球最早针对单一生态系统保护的国际公约。1992年中国加入《湿地公约》，自此我国湿地保护事业进入了新的发展时期。

我国加入《湿地公约》后，在国家林业局设立了专门的湿地保护和履约机构，对内负责组织、协调、指导和监督全国湿地保护工作，对外负责《湿地公约》的履约工作。近年来，中国各级政府在湿地保护方面开展了大量卓有成效的工作，采取了一系列保护和合理利用湿地资源的措施，在湿地保护规划和重点工程建设、财政补贴政策制定实施、法规制度建设、保护体系建设、科研监测、宣传教育和国际合作等方面取得了长足进步。但我国湿地生态系统仍然面临着盲目围垦与改造、污染、水土流失、泥沙淤积、生物资源过度利用等多种因素的破坏和威胁，导致面积减少，生态功能下降，生物多样性丧失。因此，切实保护和合理利用湿地资源，既是保障生态安全和国土安全的当务之急，更是中国实施可持续发展战略势在必行的要务。

开展湿地资源调查，摸清湿地资源家底，把握湿地资源动态，是所有湿地保护工作的基础，也是履行《湿地公约》各项工作的根基。2009～2013年，在中央财政的支持下，国家林业局组织开展了第二次全国湿地资源调查工作。在此期间，我有幸作为第二次全国湿地资源调查专家技术委员会的主任委员，和其他专家一起全程参与了此次湿地资源调查的主要技术环节和成果鉴定。

我认为此次调查具有以下几个特点：一是，此次调查的湿地分类、界定标准、调查方法基本与《湿地公约》规定相接轨，使得调查数据符合《湿地公约》的要求，调查成果易于被国际认可，便于国际间的对比和交流。二是，制定了内容全面、方法科学、符合国际标准的统一技术规程《全国湿地资源调查技术规程（试行）》，进行了同标准、同口径的分期分批调查。三是，本次调查利用“3S”技术与现地验证相结合的技术方法，查清了全国范围内（未包括香港、澳门、台湾）8 公顷以上的湿地资源基本情况。四是，湿地调查分为一般调查和重点调查。重点调查包括，国际重要湿地、国家重要湿地、自然保护区（含自然保护小区）和湿地公园内的湿地以及其他特有、分布濒危物种和红树林等具有特殊保护价值的湿地。五是，组织保障有力。国家层面上，成立了第二次全国湿地资源调查领导小组、专家技术委员会、中央技术支撑单位和国家质量检查组；省级层面上，分别成立了湿地调查专职机构，组建了省级专业调查队伍。

需要指出的是，第二次全国湿地资源调查期间，我国湿地保护事业发展迅速。2009 年，中央启动了“湿地生态效益补偿试点”工作；2010 年开始，中央财政设立了湿地保护补助专项资金；2012 年，党的十八大将建设生态文明纳入中国特色社会主义事业“五位一体”总体布局，提出要“扩大森林、湖泊、湿地面积，保护生物多样性”。期间，国家林业局会同相关部门认真实施了《全国湿地保护工程实施规划 (2005 ~ 2010 年)》和《全国湿地保护工程“十二五”实施规划》。2013 年，国家林业局出台的《推进生态文明建设规划纲要》划定了湿地保护红线，到 2020 年中国湿地面积不少于 8 亿亩。2013 年，国家林业局出台了第一部国家层面的湿地保护部门规章《湿地保护管理规定》。应该说，历时 5 年的湿地资源调查与同期湿地保护事业的发展，是休戚相关，相互促进的。

第二次全国湿地资源调查取得了丰硕成果。在全球范围内，我国率先完成了《湿地公约》倡导的国家湿地资源调查，首次科学、系统地查明了《湿地公约》所定义的我国湿地资源情况。建立了完整的全国湿地资源空间数据库和属性数据库，掌握了近 10 年来湿地资源动态变化情况，建立了稳定的湿地资源调查专业队伍和专家团队，形成了较为完整的湿地资源调查监测技术规范，完成了全国湿地资源总报告、分省报告和多个专题报告，编制了系列成果图。调查成果达到国际先进水平。

党的十八大对建设生态文明作出了全面部署，强调把生态文明建设放在突出地位，融入经济建设、政治建设、文化建设、社会建设各方面和全过程。在全国第二次湿地资源调查成果的基础上，系统编著形成了中国湿地资源系列图书，为新时期我国湿地保护事业奠定了坚实基础。希望本系列图书能够为我国湿地工作者在开展湿地研究、保护与合理利用工作时提供参考和借鉴。

中国科学院院士 陈宜瑜

2015 年 9 月

前言

湿地与森林、海洋并称为全球三大生态系统，被誉为“地球之肾”，具有调节气候、缓洪防旱、净化水质、保育生物多样性、碳储存等重要生态功能，是自然界生物多样性富集，生产力较高的生态系统。加强湿地保护，扩大湿地面积，增强湿地功能，对于维护生态平衡，改善生态状况，实现人与自然和谐及促进经济社会可持续发展，具有极其重要的意义，是建设生态文明的重要内容和必要举措。云南省委、省政府高度重视湿地保护工作，在“生态立省”“森林云南”建设和构建西南生态安全屏障等重大战略中，均将湿地保护及其生态修复作为重要内容。

云南省湿地类型多样，湿地总面积约占国土总面积的 1.5%。低纬高海拔的自然地理环境使湿地具有鲜明的地域特色：河流湿地集水区狭长，河流落差大，河槽深切，水流湍急，河流水量及含沙量等季节变化较大，水资源、鱼类和浮游生物丰富，但湿地植物不发育，且多国际性河流；湖泊湿地均为淡水湖，湖泊数量多，但面积较小，且孤立分散在高原面上，相互之间无水道相通，多数为断陷浅水湖或冰蚀湖，生物多样性丰富，特有种多；沼泽湿地主要为高山和亚高山沼泽化草甸及湖滨沼泽，沼泽化草甸主要分布在滇西北、滇东北高山和亚高山残存的高原面上，数量多，面积小而分散，湖滨沼泽零星分布在湖泊边缘，生物多样性丰富，是水禽迁徙的重要生境。云南湿地生态系统极其脆弱，又面临着水能开发、无序旅游、污染加剧、垦殖、过度捕捞、外来有害种入侵等威胁，并受到全球气候变化和极端天气的影响，亟需保护与恢复。

为满足我国及云南省湿地保护管理需要，准确掌握湿地资源及其生态变化情况，为湿地保护管理和划定生态红线提供科学依据，云南省按照国家的统一安排部署，于 2012 年组织开展全省第二次湿地资源调查工作。为加强对本次湿地资源调查工作的组织领导，省人民政府成立了“云南省第二次湿地资源调查工作领导小组”，于 2012 年 6 月 5 日下发了《云南省人民政府办公厅关于成立云南省第二次湿地资源调查工作领导小组的通知》，领导小组组长由联系林业工作的省政府副秘书长担任，省林业厅厅长为副组长，省发改、财政、国土、环保、农业、水利、气象等部门的有关领导为成员。同时，成立了全省第二次湿地资源调查专家技术委员会，由来自各高校、科研院所及相关部门的 22 位专家组成。本次湿地资源调查由云南省林业厅负责组织实施，国家林业局中南林业调查规划设计院（简称中南院）作为国家技术指导单位，云南省林业调查规划院（简称省林业规划院）作为省级牵头实施单位和技术支持单位，中国科学院昆明植物研究所（简称昆明植物所）和中国科学院昆明动物研究所（简称昆明动物所）分别承担植物专题和动物专题调查任务，各州（市）、县（市、区）成立地方调查队伍，在省林业规划院指导下负责区域内一般调查和部分重点调查任务。2011 年 8 月，云南省林业厅组织审查通过了《云南省湿地资源调查实施细则》和《云南省湿地资源调查工作方案》，并根据国家林业局要求作了修改完善，于 2012 年 4 月定稿。同时，省林业规划院编撰完成《云南省主要湿地植物群落与建群种图鉴》，作为野外调查工作手册。2012 年 7 月初，省林业厅组织省级调查队伍 80 余人开展调查培训，同年 7 月 12 日，组织召开全省第二次湿地资源调查启动暨培训会，国家技术支持单位、省级相关部门有关领导和专家、湿地资源调查专家技术委员会专家、省级调查队伍主要成员，以及全省 16 个州（市）、129 个县（市、区）林业局分管领导及技术负责人等 260 余人参加了会议。之后，大部分州（市）、县（市、区）相继组织调查培训，全省培训人数达 6790 人。

此次湿地调查充分应用了遥感、地理信息系统等先进技术。按照国家林业局的安排，2011 年 12 月至 2012 年 1 月，中南院组织技术人员，在省林业规划院协助下，以全省 1：50000 DLG（数字线划地图）为基础，利用 CBERS-CCD（中巴资源遥感卫星）数据对云南省湿地斑块进行遥感解译。2012 年 3 ～ 4 月，省林业规划院利用高分辨率 SPOT5 卫星数据对解译结果及重点、难点区域进行了修正和辅助解译，并将湿地遥感解译成果按县（市、区）和重点调查湿地分别制作成图，打印作为野外调查工作用图。2012 年 8 月至 10 月中旬，全面开展外业调查工作。内业阶段通过调查表格录入，资料集中检查、修改完善等环节，至 2013 年 2 月底，完成资料汇总、调查报告编制和专题图制作，形成初步成果。2013 年 3 月，由中国科学院东北地理与农业生态研究所专家组成的国家质量检查组对我省湿地资源调查质量进行检查。检查组采取听汇报、看档案、现地核查等形式，对我省湿地资源调查的组织管理、外业调查和统计成果等内容进行了检查、评分，全省综合分值为 95.18 分，质量评定等级为“优”。云南省湿地资源调查成果先后通过了省级评审和国家鉴定。

本次调查，全省共投入 5325 人，副高以上职称专家 142 人，完成湿地斑块调查验证 15158 个，共布设植物调查样方 3380 个，动物调查样方（带）102 个，拍摄湿地资源照片 10 万余张，获取成果数据 75.8 万余条，基本摸清了全省湿地类型、分布、面积、资源保护和受威胁状况，建立了湿地资源信息数据库，填补了我省湿地资源数据空缺。

按照国家林业局“中国湿地资源系列图书”编撰方案和统一要求，以第二次湿地资源调查取得的各项成果为基础，充分吸纳和参考了第一次湿地资源调查成果及云南湿地相关的调查、监测、研究资料，编著完成了《中国湿地资源 · 云南卷》。本书较为系统全面地介绍了全省湿地资源，内容丰富，数据翔实，具有较高的学术和应用价值，可为全省湿地保护管理决策、法规政策制定、规划编制、资源合理利用等提供科学依据，也有助于公众认识和了解湿地，普及湿地知识、传播湿地文化。

《中国湿地资源 · 云南卷》编辑委员会

2015 年 12 月

目　录

第一章 基本情况

第一节 自然概况及行政区划

1 地理位置及行政区划

云南省简称“滇”或“云”，地处中国西南边陲，位于东经97°31′39″～106°11′47″和北纬21°08′32″～29°15′08″之间，北回归线横贯本省南部。全省东西最大横距864.9公里，南北最大纵距990公里，总面积39.4万平方公里，占全国陆地总面积的4.1%，居全国第8位。

云南东部与广西壮族自治区和贵州省为邻，北部同四川省相连，西北紧靠西藏自治区，西部与缅甸接壤，南部与老挝、越南两国毗邻。全省有25个县(市)分别与老挝、越南、缅甸交界，国境线长达4060公里。其中，中缅段1997公里，中老段710公里，中越段1353公里(云南省人民政府办公厅等，2012)。

云南省辖16个市(州)。其中有8个省辖市，8个民族自治州，分别为昆明市、曲靖市、玉溪市、保山市、昭通市、丽江市、普洱市、临沧市、楚雄彝族自治州(以下简称“楚雄州”)、红河哈尼族彝族自治州(以下简称“红河州”)、文山壮族苗族自治州(以下简称“文山州”)、西双版纳傣族自治州(以下简称“西双版纳州”)、大理白族自治州(以下简称“大理州”)、德宏傣族景颇族自治州(以下简称“德宏州”)、怒江傈僳族自治州(以下简称“怒江州”)、迪庆藏族自治州(以下简称“迪庆州”)。共有县级行政区划单位129个，其中，13个市辖区、11个县级市、76个县、29个民族自治县(云南省统计局，2013)(表1-1)。本书各表行政区排序均依据《云南省统计年鉴》。

表1-1 云南省行政区划

市(州)	县(市、区)名称	数量
昆明市	呈贡区、五华区、盘龙区、官渡区、西山区、东川区、晋宁县、富民县、宜良县、石林彝族自治县、嵩明县、禄劝彝族苗族自治县、寻甸回族彝族自治县、安宁市	14

（续）

市(州)	县(市、区)名称	数量
曲靖市	麒麟区、马龙县、陆良县、师宗县、罗平县、富源县、会泽县、沾益县、宣威市	9
玉溪市	红塔区、江川县、澄江县、通海县、华宁县、易门县、峨山彝族自治县、新平彝族傣族自治县、元江哈尼族彝族傣族自治县	9
保山市	隆阳区、施甸县、腾冲市、龙陵县、昌宁县	5
昭通市	昭阳区、鲁甸县、巧家县、盐津县、大关县、永善县、绥江县、镇雄县、彝良县、威信县、水富县	11
丽江市	古城区、玉龙纳西族自治县、永胜县、华坪县、宁蒗彝族自治县	5
普洱市	思茅区、宁洱哈尼族彝族自治县、墨江哈尼族自治县、景东彝族自治县、景谷傣族彝族自治县、镇沅彝族哈尼族拉祜族自治县、江城哈尼族彝族自治县、孟连傣族拉祜族佤族自治县、澜沧拉祜族自治县、西盟佤族自治县	10
临沧市	临翔区、凤庆县、云县、永德县、镇康县、双江拉祜族佤族布朗族傣族自治县、耿马傣族佤族自治县、沧源佤族自治县	8
楚雄彝族自治州	楚雄市、双柏县、牟定县、南华县、姚安县、大姚县、永仁县、元谋县、武定县、禄丰县	10
红河哈尼族彝族自治州	蒙自市、个旧市、开远市、屏边苗族自治县、建水县、石屏县、弥勒市、泸西县、元阳县、红河县、金平苗族瑶族傣族自治县、绿春县、河口瑶族自治县	13
文山壮族苗族自治州	文山市、砚山县、西畴县、麻栗坡县、马关县、丘北县、广南县、富宁县	8
西双版纳傣族自治州	景洪市、勐海县、勐腊县	3
大理白族自治州	大理市、漾濞彝族自治县、祥云县、宾川县、弥渡县、南涧彝族自治县、巍山彝族回族自治县、永平县、云龙县、洱源县、剑川县、鹤庆县	12
德宏傣族景颇族自治州	芒市、瑞丽市、梁河县、盈江县、陇川县	5
怒江傈僳族自治州	泸水县、福贡县、贡山独龙族怒族自治县、兰坪白族普米族自治县	4
迪庆藏族自治州	香格里拉市、德钦县、维西傈僳族自治县	3

注：本书中此后出现的图表中，各自治州都用简称，如“楚雄彝族自治州”简称“楚雄州”。

2 地质地貌

2.1 地 质

云南位于印度板块与欧亚板块的结合带上，全省划分为扬子准地台、滇西褶皱带、滇东南拗陷褶皱带和松潘甘孜褶皱系 4 个一级构造单元。云南省所处区域地质构造复杂，地壳运动强烈，褶皱和断裂相当发育。滇西为北西或北北西向构造发育区，滇中发育南北向构造，滇东则以北东向构造为主。活动断裂中规模较大的有近 20 条，其中以哀牢山断裂、澜沧江断裂和小江断裂规模最大，对全省沉积、岩浆和构造发育起了极大的控制作用，也对形成怒江、澜沧江、金沙江等具有水流湍急、河谷变化较大的河流起了决定性作用。云南地层序列齐全，除太古界地层尚未发现外，从下元古界至第四系皆有出露。大体形成扬子区、华南区、藏东滇西区和秦岭昆仑区4个地层区。即：哀牢山和云岭山地东侧、个旧—乌达—八大河一线以北，川滇、川黔两省交界线以西和以南的地区为“扬子区”；个旧—乌达—腻脚—八大河一线以南、元江以东为“华南区”；哀牢山及苍山、白汉场一线以西，中缅、中老国界线以东、以北为“藏东滇西区”；迪庆藏族自治州东部、丽江市西部倒三角形地区为“秦岭昆仑区”。复杂多样的地质结构，使云南成为我国著名的“地质博物馆”(云南省地方志编纂委员会，1998)。

云南省出露的地层，以沉积岩、变质岩分布面积最大，岩浆活动频繁，有规模不一的侵入，也有强度不一的喷溢。变质岩可分区域变质岩和混合岩两大类，是在吕梁期、晋宁期、加里东期、华力西期、印支期、燕山期6个主要变质时期，经受埋深变质、区域低温动力变质与区域动力热流变质等作用形成的。岩浆岩类型复杂，酸性岩、中性岩、基性岩、超基性岩和碱性岩都有，各期岩浆岩的分布和演化，与区域地质构造，尤其是与深大断裂有较为密切的联系。云南基岩分布的基本重点是：东部主要分布有沉积岩和火山岩，中部为沉积岩、火山岩、变质岩和少量岩浆侵入岩，西部以变质岩为主，并有大量的岩浆岩和沉积岩(云南省地方志编纂委员会，1998)。

2.2 地 貌

云南省地貌是地质活动内营力和外营力矛盾运动的结果。自中生代的燕山运动以后，直至新生代的第三纪中新世，经过漫长的夷平作用，形成了广大的云南准平原。由于构造抬升的幅度在各地互不相同，从北向南递减，形成了云南高原地势西北高、东南低的倾斜面，自西北向东南呈阶梯状逐级下降，全省海拔高低相差悬殊。海拔最高点为滇藏交界的德钦县境内梅里雪山主峰卡瓦格博峰，海拔6740米；最低点在河口县境内南溪河、红河交汇且与越南交界处，海拔76.4米。两地直线距离约990公里，高低相差6663.6米(图1-1)。

云南地处横断山地、滇中红色高原与滇东喀斯特高原三大地貌单元。西部横断山地的北段山高谷深，高黎贡山、怒山、云岭等山脉和怒江、澜沧江、金沙江等大河相间排列，形成著名的三江并流景观；南段的山川间距逐渐加大，属于中山宽谷和中山盆地类型。滇中红色高原分布有宽广的古夷平面，盆地与湖泊星罗棋布，东侧坐落有省会城市昆明，西缘红河为横断山地与云南高原的分界线。滇东喀斯特高原，北部以乌蒙山和五莲峰山两大山脉为主体，构成西南高、东北低的倾斜地形，高原面上有断陷盆地；中部丘状山峦起伏，发育有珠江源；南部出露大量碳酸盐岩类地层，丘陵盆地绵延，地下暗河发育。全省土地面积的84%是山地，10%是高原，坝子(盆地、河谷)面积仅占6.5%，面积在1平方公里以上的坝子有1848个，大于5平方公里的有553个，大于100平方公里的有51个。

自中新世晚期以来新构造运动激烈，地貌结构由广泛的夷平面、高山深谷和盆地等交错分布而成，湖泊的空间分布格局深受构造与水系的控制。区内一些大的湖泊都分布在断裂带或各大水系的分水岭地带。整体地貌组合大致以金沙江上段，以苍山、哀牢山和元江为界，分为外部形态和地质构造截然不同的两个部分。东部为云南高原，西部则是横断山脉地区。云南高原为云贵高原的主体部分。主要山脉有北部的乌蒙山，中部的梁王山、牛首山，东南部的六诏山。高原面海拔由北部的2000米下降到南部的1600米左右，山体的脉状分布不明显。由于长期侵蚀的结果，

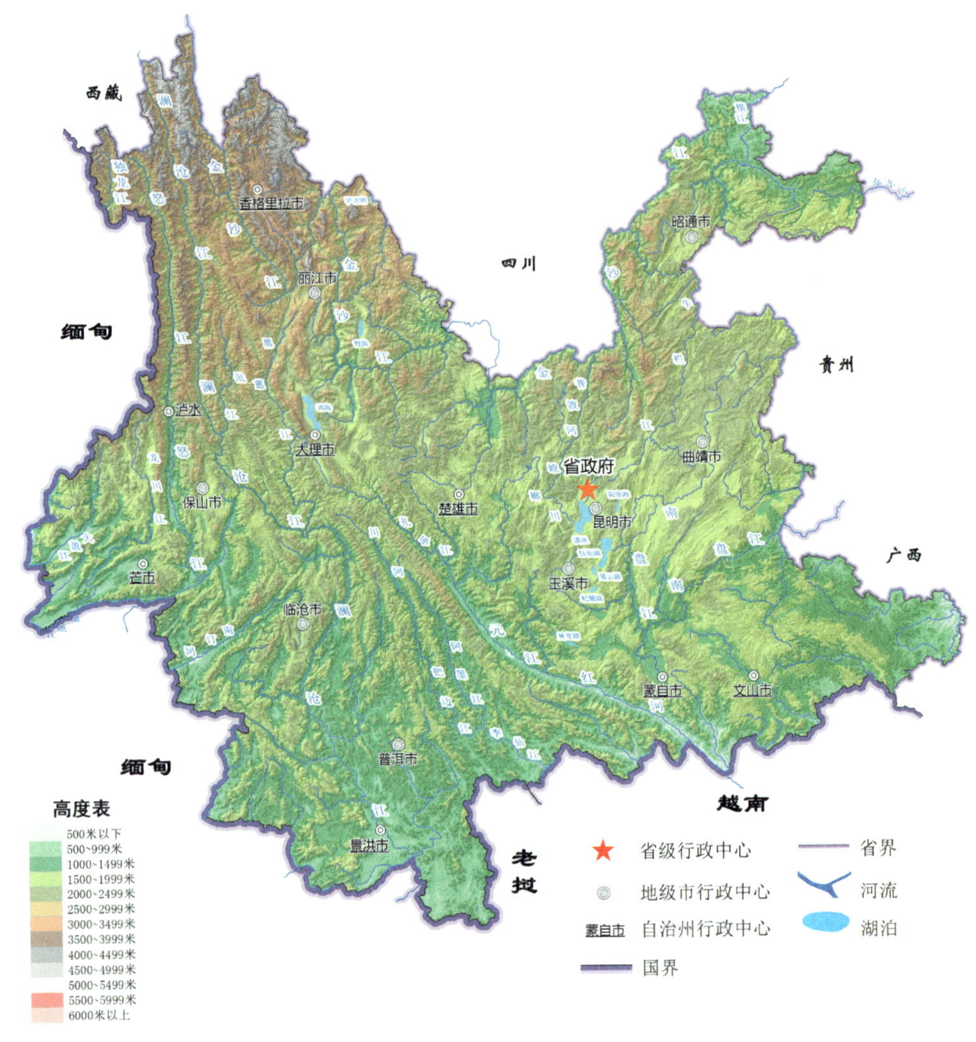

图 **1-1** 云南省地貌示意

高原多呈浑圆状的丘陵与低矮山地，相对高差 100～600 米。高原上分布有许多断陷盆地和湖泊。盆地周围有多级阶地，盆地内有低丘分布。高原南北边缘，被江河强烈切割，支流纵横，山河相间，地形较为破碎。

西部横断山脉属我国横断山系的中下段。地形特征是一条条山岭与河流相间并列，是山系水系密集的地区。境内山脉及江河有高黎贡山、怒山、云岭及怒江、澜沧江、金沙江等。江河的主流顺着北高南低的山势，从北流向南，怒江、澜沧江、瑞丽江、元江、南盘江等河流呈扇状分开，两江之间的距离愈来愈宽，因而称为"帚状山系"。以保山附近为分界线，南北及西部区域具有不同的地貌特征。保山以北是南北纵贯的横断山及深切的峡谷，主要山体海拔在 3000 米以上，若干高山超过 5000 米，谷岭相对高差达 1500～2000 米；保山以南为中切割、浅切割的中山和山间盆地组成的宽谷地貌。保山以西的伊洛瓦底江水系，由浅切割的中山、低山和山间盆地组成宽谷地貌(云南省地方志编纂委员会，1998)。

3 气 候

云南气候属于低纬高原季风气候。由于地形复杂和垂直高差大等原因，立体气候特点显著，类型多样。最突出的是年温差小、日温差大，干湿季节分明，气温随地势高低呈垂直变化异常明显。滇西北地区属寒带型气候，长冬无夏，春秋较短；滇中属温带型气候，四季如春，遇雨成冬；北回归线以南的滇南、滇西南的低热河谷区，长夏无冬，一雨成秋。在1个省区内，同时具有寒、温、热(包括亚热带)三带气候，这是其他省区所少见的。同时，因境内多山，而河床受侵蚀不断加深，不少地区山高谷深，气温垂直高差显著，由河谷到山顶存在着因高度上升而产生的气候类型差异。一般高度每上升 100 米，温度平均递减 0.5 ~0.6℃。“一山分四季，十里不同天”，就是云南立体、多样的气候类型写照。

全省平均气温在4.7 ~23.7℃之间，最热(7 月)月平均气温在 11.9 ~26.8℃之间，最冷(1 月)月平均气温在 -2.9 ~16.6℃之间，年温差一般只有 10 ~15℃。从一天的温度变化来看，早晚较凉，中午较热，尤其是冬、春两季，日温差可达12 ~20℃。全省大部分地区年降水量不足1000 毫米，但在季节上和地域上的分配是极不均匀的。85%的雨量集中在 5 ~10 月的雨季，11 月至翌年4 月为旱季，其降水量只占全年的5% ~15%，天晴日暖的时间也较长。降水地区差异较大，其一般规律是南多北少，西多东少，降水量最多的地区是西部大盈江中缅边境一带海拔大于2000 米的山区，多年平均降水量不低于4000 毫米；降水量最少的是金沙江河谷的奔子栏一带，多年平均降水量仅为300 毫米。

云南无霜期长，南部边境全年无霜，偏南地区无霜期为300 ~330 天，中部约为250 天，比较寒冷的滇西北和滇东北也达210 ~220 天(云南省人民政府办公厅等，2012)。

4 水 文

云南陆地水类型齐全。有分别汇往太平洋、印度洋的六大河流；有分布在山间盆地之中的、面积大于1 平方公里的44 个高原湖泊；有在地表以下，分别赋存于五大含水岩组中的三大类型地下水；还有在滇西北高原的雪山上，覆盖有100 平方公里左右的山岳冰川(云南河湖编纂委员会，2010)。

4.1 河 流

云南省河流众多，共有长江(金沙江)、珠江、红河(元江)、澜沧江、怒江和伊洛瓦底江六大水系。云南又是我国国际河流最多最集中的省份，珠江、红河、澜沧江、怒江与伊洛瓦底江均为国际河流，在全国水系中属于西南诸河。在六大水系中，东部流出省境的有长江和珠江，中部向南流出国境的有红河与澜沧江，这四大水系最终注入太平洋。西部向南流出国境的水系有怒江与伊洛瓦底江，最终注入印度洋。据《云南省水资源综合规划》成果，全省境内的入境水量为1649.6 亿立方米，省内多年平均年径流量为2210 亿立方米，出境水量为3834.5 亿立方米。根据《云南河流状况》普查，云南省流域面积在10000 平方公里以上的河流有10 条，分别为金沙江、普渡河、横江、牛栏江、南盘江、红河、李仙江、澜沧江、黑惠江与怒江；集水面积在100 平方公里以上的河流有908 条，其中有47 条省际河流和37 条国际河流。全省境内集水面积大于100 平方公里以上的一级支流分布广泛，共计有254条(云南河湖编纂委员会，2010)。

4.1.1 长 江

长江(金沙江)位于云南省北部，是云南省六大流域中面积最大的流域(图1-2)。省内面积109524.6平方公里，多年平均年径流量424.1亿立方米。省内集水面积在100平方公里以上的各级支流共有297条。其中一级支流72条，二级139条，三级61条，四级15条，五级3条，六级4条，封闭湖泊3个。省际河流30条。以省境内的集水面积计，10000平方公里以上的河流3条，5000~10000平方公里的河流1条，1000~5000平方公里的河流28条，500~1000平方公里的河流25条，100~500平方公里的河流240条。按水系可分为4个区域，分别为金沙江上段、金沙江下段、长江上游干流与乌江。其中，金沙江上段(石鼓以上)集水面积14063.3平方公里，金沙江下段(石鼓以下)为91974.7平方公里。干流金沙江为过境河流，从西藏流入云南，向南转东流入四川。在金沙江下段中包含有雅砻江支流乌木河与宁蒗河。

图1-2 长江第一湾(张绍辉摄)

4.1.2 珠 江

珠江位于云南省的东部与东南部。省内流域面积58610.8平方公里，多年平均年径流量229.0亿立方米。省内集水面积在100平方公里以上的各级支流有121条，其中一级支流34条，二级54条，三级31条，四级2条。其中，省际河流15条。以省境内集水面积计，5000~10000平方公里的河流4条，1000~5000平方公里的河流13条，500~1000平方公里的河流11条，100~500平方公里的河流93条。按水系分有南盘江、北盘江、郁江3个区。其中，干流南盘江区集水面积43181.4平方公里，北盘江区集水面积5587.4平方公里，郁江(右江)区集水面积9842平方公里。南盘江发源于曲靖市乌蒙山脉的马雄山，向南转东流入广西。北盘江区有北盘江上源革香河，河源毗邻南盘江，有“南北同源”之说。郁江区发源有右江上源驮娘江。

4.1.3 红 河

红河位于云南省的中部与东南部。省内流域面积74244.5平方公里，多年平均年径流量449.1亿立方米(图1-3)。省内集水面积在100平方公里以上的各级支流共有172条。其中，一级支流50条，二级65条，三级49条，四级7条，五级1条。流域南部与越南交界，有多条单独出境的支流，如李仙江、藤条江、盘龙河与南利河等。其中，集水面积大于100平方公里以上的国际河流共计有13条。以省境内的集水面积计，10000平方公里以上的河流有1条，5000~10000平方公里的河流有3条，1000~5000平方公里的河流有15条，500~1000平方公里的河流有14条，100~500平方公里的河流有139条。红河水系可分为元江、李仙江与盘龙河3个区。其中，干流元江区集水面积37079.7平方公里，李仙江区集水面积23541.1平方公里，盘龙河区集水面积

13623.7 平方公里。红河干流又称元江，发源于大理白族自治州巍山县，向东南流入越南。李仙江区内包含单独出境的藤条江，盘龙河区内包含单独出境的南利河水系。

图 1-3 红河元阳段(马晓峰摄)

4.1.4 澜沧江

澜沧江纵贯云南省西部。省内流域面积 88478.1 平方公里，多年平均年径流量 516.2 亿立方米。省内集水面积在 100 平方公里以上的各级支流总计有 197 条，其中一级支流 58 条，二级 95 条，三级 43 条，四级 2 条。流域南部与缅甸、老挝交界，集水面积大于 100 平方公里的国际河流共有 8 条。以省境内的集水面积计，10000 平方公里以上的河流有 1 条，5000～10000 平方公里的河流有 3 条，1000～5000 平方公里的河流有 18 条，500～1000 平方公里的河流有 18 条，100～500 平方公里的河流有 157 条。干流为过境河流，由西藏流入云南，向南流出国境后称湄公河。澜沧江流经中国、缅甸、老挝、泰国、柬埔寨与越南，为亚洲流经国家最多的国际河流。

4.1.5 怒 江

怒江纵贯云南省西部，省内流域面积 33357.0 平方公里，多年平均年径流量 322.8 亿立方米。省内集水面积在 100 平方公里以上的各级支流总计有 76 条。其中，一级支流 32 条，二级 26 条，三级 13 条，四级 4 条，五级 1 条。流入缅甸的国际河流 6 条。以省境内的集水面积计，5000～10000 平方公里的河流有 2 条，1000～5000 平方公里的河流有 5 条，500～1000 平方公里的河流有 9 条，100～500 平方公里的河流有 60 条。干流为过境河流，由西藏流入云南，向南流出国境后称萨尔温江。该江流经缅甸与泰国，于缅甸毛淡棉市注入安达曼海。

4.1.6 伊洛瓦底江

伊洛瓦底江位于云南省西部边陲。省内流域面积 18993.2 平方公里，多年平均年径流量 268.9 亿立方米。省内集水面积在 100 平方公里以上的各级支流共有 39 条。其中，一级支流 8 条，二级 22 条，三级 8 条，四级 1 条。流入缅甸的国际河流有 7 条。以省境内的集水面积计，5000～10000 平方公里的河流 2 条，1000～5000 平方公里的河流 3 条，500～1000 平方公里的河流 3

图 1-4 独龙江(张子翼摄)

条，100～500 平方公里的河流 31 条。干流独龙江(图 1-4)为过境的国际河流，位于云南省西北隅，由西藏流入云南，向南转西流入缅甸，下游称伊洛瓦底江，注入安达曼海。省境内的集水面积以支流为大，大盈江与瑞丽江的集水面积占全流域的 82%。

4.2 湖 泊

云南省面积 1 平方公里以上的天然湖泊共有 44 个，多数为断陷湖泊，大体分布在元江谷地及东云岭山地以南，多数在高原区内，水面约 1134 平方公里，占全省总面积的 0.28%，总蓄水量约 300 亿立方米。根据地域分布，可分为滇中湖群、滇西湖群、滇东湖群和滇南湖群。滇中湖群分布于滇中高原面上，有清水海、杨林海、阳宗海、滇池、抚仙湖、星云湖与杞麓湖等。滇西湖群位于横断山地，有碧塔海、属都湖、纳帕海、泸沽湖(图 1-5)、拉市海、程海、剑湖、茈碧湖与洱海等。滇东湖群多为分布在南盘江流域的小型湖泊，目前有的沼泽化，有的被拦水垦殖，现存的有遮谷海、长湖、月湖等。滇南湖群分布在北回归线附近，如长桥海、大屯海、异龙湖等。在众多的湖泊中，滇池、阳宗海、抚仙湖、星云湖、杞麓湖、异龙湖、洱海、程海与泸沽湖为云南省著名的九大高原湖泊(云南河湖编纂委员会，2010)。

图 **1-5** 泸沽湖(马晓峰摄)

4.3 地下水

云南省地下水的类型有孔隙水、喀斯特水(岩溶水)和裂隙水 3 种，主要靠大气补给，其贮量、分布还受水文地质条件的制约。全省地下水平均地下径流模数为 19.7 万立方米/平方公里，地下径流总量 754 亿立方米，占全省河川径流总量的 34.4%。在空间分布上分为滇东高原湖盆孔隙喀斯特水区、滇中红色高原裂隙水区和滇西横断山系裂隙水区。地下水的年内分配受降雨季节变化控制，5～11 月汛期的地下径流占年总量的 60%～70%，12 月至翌年 4 月枯水期，地下径流占年总量的 30%～40%。径流的高峰期出现在 8～11 月，最枯期出现在 2～4 月。地下水的年际变化随降水的丰、平、枯而变化，变差系数介于 0.10～0.40 之间(云南省地方志编纂委员会，1998)。

4.4 冰 川

云南省是一个高原省份，横断山脉屹立在滇西北高原，梅里雪山、哈巴雪山、玉龙雪山、白马雪山海拔高程达5300～6740米，远远超过了横断山区的雪线高度(4600～5100米)，山顶形成常年积雪。据掌握的不完全资料统计，境内冰川覆盖面积约100平方公里。其中，梅里雪山的冰川面积最大，达73.5平方公里；玉龙雪山约20平方公里；哈巴雪山不足10公里。这些冰川属低纬度、高海拔、海洋性现代冰川，具有气温偏高(约－4～－2℃)、水汽丰沛、降雪量丰富、消融强烈、冰川融水径流模数大、所补给的河流均属外流河水系的特点。冰川融水对金沙江、澜沧江、怒江三江上游河和高原冰蚀湖泊具有补给作用(云南省地方志编纂委员会，1998)。

5 土 壤

云南省的土壤类型多样，土壤类型的分布情况与气候的垂直地带性分布有密切关系。全省共有土壤面积3522.87万公顷，分为7个纲14个亚纲19个土类34个亚类(云南省地方志编纂委员会，1998)，见表1-2。其中，铁铝土纲(砖红壤、赤红壤、红壤、黄壤)占土壤总面积的55.32%；淋溶土纲(黄棕壤、棕壤、暗棕壤、棕色针叶林土)占19.72%；半淋溶土纲(燥红土、褐土)占1.43%；初育土纲[紫色土、石灰(岩)土、火山灰土、新积土]占18.17%；水成土纲(沼泽土)占0.02%；高山土纲(亚高山草甸土、高山草甸土、高山寒漠土)占1.92%；人为土纲(水稻土)占3.87%。

表1-2 云南土壤分类系统

土 纲	亚 纲	土 类	亚 类
铁铝土	湿热铁铝土	砖红壤	砖红壤
			黄色砖红壤
			褐色砖红壤
		赤红壤	赤红壤
			黄色赤红壤
			赤红壤性土
		红壤	山原红壤
			红壤
	湿温铁铝土		黄红壤
			红壤性土
		黄壤	暗黄壤
			黄壤性土
淋溶土	湿暖淋溶土	黄棕壤	暗黄棕壤
	湿暖温淋溶土	棕壤	棕壤
	湿温淋溶土	暗棕壤	暗棕壤
	湿寒温淋溶土	棕色针叶林土	棕色针叶林土
半淋溶土	半温热半淋溶土	燥红土	燥红土
			褐红土
	半湿暖温半淋溶土	褐土	褐土性土

（续）

<table>
<tr><th>土 纲</th><th>亚 纲</th><th>土 类</th><th>亚 类</th></tr>
<tr><td rowspan="9">初育土</td><td>土质初育土</td><td>新积土</td><td>冲积土</td></tr>
<tr><td rowspan="8">石质初育土</td><td rowspan="3">紫色土</td><td>酸性紫色土</td></tr>
<tr><td>中性紫色土</td></tr>
<tr><td>石灰性紫色土</td></tr>
<tr><td rowspan="3">石灰(岩)土</td><td>红色石灰土</td></tr>
<tr><td>黑色石灰土</td></tr>
<tr><td>黄色石灰土</td></tr>
<tr><td>火山灰土</td><td>火山灰土</td></tr>
<tr><td>水成土</td><td>水成土</td><td>沼泽土</td><td>泥炭沼泽土</td></tr>
<tr><td rowspan="3">高山土</td><td rowspan="2">湿寒高山土</td><td>亚高山草甸土</td><td>亚高山草甸土</td></tr>
<tr><td>高山草甸土</td><td>高山草甸土</td></tr>
<tr><td>寒冻高山土</td><td>高山寒漠土</td><td>高山寒漠土</td></tr>
<tr><td rowspan="3">人为土</td><td rowspan="3">水稻土</td><td rowspan="3">水稻土</td><td>淹育型水稻土</td></tr>
<tr><td>潴育型水稻土</td></tr>
<tr><td>潜育型水稻土</td></tr>
</table>

云南省湿地土壤类型主要有砖红壤、赤红壤、红壤、黄壤、黄棕壤、棕壤、暗棕壤、棕色针叶林土、燥红土、紫色土、新积土、石灰土、火山灰土、沼泽土、泥炭土、亚高山草甸土、高山寒漠土和水稻土等 18 种。

6 动植物

云南省的生物物种种类及特有类群数量均居全国之首，生物多样性在全国乃至全世界均占有重要的地位。云南省除素有“动物王国”“植物王国”美誉外，还被誉为“竹类故乡”“药材的宝库”“香料博物馆”“天然大花园”“菌类大世界”等。全省有竹类资源 28 属 220 种，属、种数分别占全国总数的 75% 和 55%，占世界总数的 40% 和 25%；药材、花卉、香料、菌类的种类均居全国之首。

6.1 植 物

云南省植物区系处在泛北极植物区与古热带植物区的过渡地带，种类丰富，为全国之冠。植物起源古老，具有多古植物后裔、地区特有属和特有种多、地理成分复杂、联系面广的特点。目前，全省已知高等植物 433 科 3008 属 16201 种(《云南植物志》)，占全国植物总数 34042 种(《中国植物志》)的 47.6%，占全世界植物总数 285750 种的 5.7%(表 1-3)。

表 1-3　云南省植物物种数量

类　别	云南种数	全　国		全世界	
		种数	云南占%	种数	云南占%
苔藓植物	1611	2900	55.6	23000	7.0
蕨类植物	1266	2549	49.7	12000	10.6
裸子植物	92	237	38.8	750	12.3
被子植物	13232	28356	46.7	250000	5.3
总　计	16201	34042	47.6	285750	5.7

1999 年，经国务院批准发布的《国家重点保护野生植物名录》(第一批)共包括 246 种 8 类(种以上分类单元)，云南就有 114 种，占国家发布种数的 46.3%，并具有全部 8 类种以上分类单元(35 种)。根据种的统计，真菌类 2 种，为国家发布种类的 100%；蕨类植物 11 种，为国家发布种类的 84.6%；裸子植物 15 种，占国家发布种类的 41.7%；被子植物 86 种，占国家发布种类的 43.1%。按保护级别分，Ⅰ级保护植物 22 种，Ⅱ级保护植物 92 种，居全国第一位(表 1-4)。

表 1-4　云南省分布的国家重点保护植物

保护级别	蕨　类	裸子植物	被子植物	真菌类	合　计
Ⅰ	2	6	14		22
Ⅱ	9	9	72	2	92
总　计	11	15	86	2	114

6.2　动　物

云南省动物区系处在古北界与东洋界两大地理区的过渡地带，具有种类丰富、特有种多的特点。当前已知哺乳类动物 309 种(《中国哺乳动物分布》张荣祖等，1997)，隶属 11 目 38 科，占全国总数的 47.5%；鸟类计有 903 种(《云南鸟类志》杨岚、杨晓君，2008)，隶属 20 目 71 科，约占全国总数的 67.0%；爬行类计有 162 种(《云南两栖爬行动物》杨大同、饶定齐，2008)，隶属 2 目 16 科，占全国总数的 42.2%；两栖类计有 127 种(同上)，隶属 3 目 11 科，占全国总数的 42.1%(表 1-5)；淡水鱼类 579 种(《云南鱼类志》褚新洛等，1989)，隶属 11 目 40 科，其中土著鱼种 555 种，占全国淡水鱼类总数的 37.1%。已记载昆虫 1.8 万种(《云南省生物多样性保护规划研究》华朝朗、赵元藩，2012)，估计种类在 10 万~15 万种。

表 1-5　云南省陆生脊椎动物物种数量

类　别	云南种数	全　国		全世界	
		种数	云南占%	种数	云南占%
哺乳类	309	650	47.5	5416	5.7
鸟　类	903	1348	67.0	8976	10.1
爬行类	162	412	39.3	6300	2.5
两栖类	127	302	42.1	4010	3.2

全省有国家重点保护野生动物228种，占全国重点保护野生动物种数的55.4%。其中，Ⅰ级保护动物57种，哺乳类29种，鸟类24种，爬行类4种；Ⅱ级保护动物171种（表1-6），其中哺乳类30种，鸟类136种，爬行类2种，两栖类3种。其中，亚洲象、野牛、白颊长臂猿、白掌长臂猿、戴帽叶猴、灰叶猴、威氏小鼷鹿、豚鹿、绿孔雀、赤颈鹤等25种哺乳类、108种鸟类、20种爬行类和55种两栖类在我国仅分布于云南。

表1-6 云南省分布的国家重点保护动物

保护级别	哺乳类	鸟 类	爬行类	两栖类	合 计
Ⅰ	29	24	4	0	57
Ⅱ	30	136	2	3	171
总 计	59	160	6	3	228

第二节 社会经济状况

1 人口与民族

2012年年末，全省常住人口总数为4659.0万人（不包括中国人民解放军现役军人和居住在省内的港澳台居民以及外籍人员），共有家庭1354.9万户，人口自然增长率6.22‰。全省常住人口按性别分，男性为2417.6万人，占总人口的51.9%；女性为2241.4万人，占总人口的48.1%。按城乡分，城镇人口为1831.5万人，占总人口的39.3%；乡村人口为2827.5万人，占总人口的60.7%。人口密度118.2人/平方公里（云南省统计局，2013）。各市（州）人口情况见表1-7。

表1-7 云南各市（州）常住人口

市（州）	人口数（万人）	2001～2012年平均增长率（%）
昆明市	653.3	3.30
曲靖市	593.6	0.71
玉溪市	233.0	1.40
保山市	254.0	0.70
昭通市	529.6	0.60
丽江市	126.2	1.32
普洱市	257.5	1.07
临沧市	246.3	1.39
楚雄州	271.9	0.71
红河州	456.1	1.45

（续）

市(州)	人口数(万人)	2001～2012 年平均增长率(%)
文山州	356.1	0.81
西双版纳州	114.9	3.29
大理州	349.3	0.51
德宏州	122.9	1.88
怒江州	53.8	1.50
迪庆州	40.5	2.10
总　计	4659.0	0.80

全省有汉族、彝族、白族、哈尼族、壮族、傣族、苗族、傈僳族、回族、拉祜族、佤族、纳西族、瑶族、藏族等 26 个世居民族。全省总人口中，汉族人口为 3103.36 万人，占总人口的 66.6%；各少数民族人口为 1555.64 万人，占总人口的 33.4%。少数民族人口数量在 10 万人以上的有：彝族人口为 509.68 万人，占总人口的 10.9%；白族人口为 158.41 万人，占总人口的 3.4%；哈尼族人口为 165.39 万人，占总人口的 3.6%；壮族人口为 123.00 万人，占总人口的 2.6%；傣族人口为 123.93 万人，占总人口的 2.7%；苗族人口为 122.07 万人，占总人口的 2.6%；傈僳族人口为 67.56 万人，占总人口的 1.5%；回族人口为 70.82 万人，占总人口的 1.5%，拉祜族人口为 47.99 万人，占总人口的 1.0%；佤族人口为 40.53 万人，占总人口的 0.9%；纳西族人口为 31.22 万人，占总人口的 0.7%；瑶族人口为 23.26 万人，占总人口的 0.5%；藏族人口为 14.44 万人，占总人口的 0.3%；景颇族人口为 14.44 万人，占总人口的 0.3%；布朗族人口为 11.65 万人，占总人口的 0.3%（云南省统计局，2013）。

2 经济发展及工农业生产

根据《2012 年云南省国民经济和社会发展统计公报》，2012 年，全省生产总值（GDP）达 10309.80 亿元，比上年增长 13.0%，高于全国 5.2 个百分点。其中，第一产业增加值 1654.60 亿元，增长 6.7%；第二产业增加值 4419.10 亿元，增长 16.2%；第三产业增加值 4236.14 亿元，增长 11.4%。三次产业结构由上年的 15.9∶42.5∶41.6 调整为 16.0∶42.9∶41.1。全省人均生产总值（GDP）达 22195 元（折合 3531 美元），比上年增长 12.3%。非公经济增加值实现 4546.62 亿元，占全省生产总值的比重达 44.1%，比上年提高 2.0 个百分点。全省经济总量突破万亿元大关，成功加入全国万亿 GDP 俱乐部，实现了经济发展新跨越。全年财政总收入达 2624.20 亿元，比上年增长 16.2%。全省地方公共财政预算收入 1337.98 亿元，比上年增长 20.4%。全省地方公共财政预算支出完成 3573.41 亿元，比上年增长 22.0%。城镇居民人均可支配收入 21075 元，实际增长 10.2%；农民人均纯收入 5417 元，实际增长 12.1%。全省居民消费价格指数（CPI）为 102.7，比上年上涨 2.7%。全省城镇新增就业人数 29.3 万人，新增转移就业的农村劳动力 39.5 万人次；年末全省城镇实有登记失业人数 17.4 万人，城镇登记失业率为 4.03%。

全省农业总产值达 2680.1 亿元，比上年增长 7.0%。其中，种植业产值 1381.8 亿元，增长 5.4%；林业产值 223 亿元，增长 10.0%；畜牧业产值 929.70 亿元，增长 7.8%；渔业产值 65.35

亿元，增长14.1%；农林牧渔服务业产值80.27亿元，增长8.2%。全年粮食总产达1749.1万吨，比上年增长4.5%。油料产量62.84万吨，比上年增长3.4%；烤烟产量111.05万吨，增长9.1%；蔬菜产量1472.66万吨，增长9.9%；园林水果产量510.72万吨，增长26.0%；茶叶产量27.17万吨，增长14.0%；鲜切花产量72.5亿枝，增长11.5%。全年猪、牛、羊、禽肉总产量达345.86万吨，比上年增长7.6%；牛奶产量53.69万吨，增长2.5%；禽蛋产量22.1万吨，增长2.2%。

全年全部工业实现增加值3450.72亿元，比上年增长15.1%；其中，规模以上工业增加值3084.96亿元，增长15.6%。在规模以上工业中，轻工业增加值1353.79亿元，增长17.1%；重工业增加值1731.17亿元，增长14.4%。全年规模以上工业中，烟草制品业增加值976.25亿元，比上年增长13.2%；电力生产和供应业增加值332.49亿元，增长10.1%。六大高耗能行业增加值1303.17亿元，比上年增长12.0%。全年规模以上工业发电量1533.94亿千瓦·小时，增长14.5%；粗钢产量1526.69万吨，增长14.6%；钢材产量1600.40万吨，增长16.8%；十种有色金属产量286.46万吨，增长5.0%；水泥产量7793.66万吨，增长17.3%；卷烟产量768.23万箱，增长5.2%；成品糖产量205.93万吨，增长21.6%。全年规模以上工业企业累计实现利税1640.24亿元，比上年增长3.9%。其中实现利润507.71亿元，下降10.6%。全年全社会建筑业增加值968.38亿元，比上年增长21.0%。

全省固定资产投资(不含农户)达7553.51亿元，比上年增长27.3%。全省实现社会消费品零售总额3541.60亿元，比上年增长18.0%。全省外贸进出口总额达210.05亿美元，比上年增长31.0%。其中，出口总额100.18亿美元，增长5.8%；进口总额109.87亿美元，增长67.6%。全年共批准利用外资项目121个，下降25.8%；合同利用外资10.95亿美元，下降49.2%；实际使用外商直接投资21.89亿美元，增长26.0%。全年接待海外入境旅客(包括口岸入境一日游)886.4万人次，比上年增长16.1%，实现旅游外汇收入19.47亿美元，增长21.0%。全年接待国内游客1.96亿人次，增长20.2%，实现国内旅游收入1579.49亿元，增长32.1%。全省实现旅游业总收入1702.54亿元，增长31.2%。

年末全省水利工程蓄水总量69.62亿立方米，比上年末增长46.9%。全年总用水量146.03亿立方米，比上年减少0.5%。万元生产总值用水量141.6立方米，比上年下降13.1%；万元工业增加值用水量74.05立方米，下降1.0%。全省人均用水量为316.97立方米，与上年持平。城镇污水处理率达80.1%。全年化学需氧排放量比上年削减1.1%，二氧化硫排放量比上年削减2.75%。全年共完成营造林816.7万亩，启动实施4637万亩省级公益林生态效益补偿，治理水土流失面积3383平方公里。

3 湿地文化

云南省湿地文化最为突出的是少数民族湿地文化。云南是中国民族最多的省份，民族文化与生物资源、地理环境最具多样性。复杂多样的地理环境与多元的民族文化、习俗长期演化，形成了不同民族对湿地的认识，以及保护、利用湿地资源的方式方法，从而也形成了云南各民族丰富多彩的湿地文化。

有许多学者(郑晓云，2006；耿鸿江，2006；张实，2011；王云娜等，2012；黄旭林，2014)研究了云南少数民族湿地文化，归纳了与湿地相关的观念、迁徙与定居、生计、生活、宗教等方面的文化现象：

第一，云南各民族的湿地观念与其历史记忆有关，将人类的起源与水联系在一起。传说在一场大洪水之后，人类的一部分人或者一对兄妹躲藏在葫芦、大鼓等中，从而侥幸逃生。洪水退后，他们在大地上繁衍生息，人口渐渐增多，发展至今。各个民族对水一方面是敬，保护水环境；而另一方面是畏，通过宗教祭祀等途径祈求水不再危害人类的生存。

第二，很多民族在历史上都经历了频繁的迁徙，而迁徙及寻找新的定居点与湿地有直接的关系。傣族、壮族在历史上总是逐水而迁，寻找有水的地方定居。尤其是傣族，总是分布于江河流域河谷地带。在选择建设村寨的具体地点时，各个民族都考虑了水的因素。

第三，各个民族的生计都与湿地有直接的关系。傣族、壮族等种植水稻的民族，必须依赖丰富的水资源进行农作物的灌溉；而生活在山区的瑶族、彝族、哈尼族、基诺族等在历史上的农业模式是山地农业，虽然不依靠灌溉来解决种植的问题，但是他们选择建立村寨的时候，一定要考虑到有水源可供人们的日常生活。无论何地的人们都能够充分地利用水环境获得生存资料，采集鱼、虾、螃蟹、蕨类植物等水生动植物作为食物。哈尼族在插好秧后，在不同的时期先后放入鱼苗、小鸭，直到水稻收割。湿地环境造就了人们的生存知识与生活技能，这些知识与技能成为了各少数民族湿地文化的重要组成部分。

第四，湿地与各个民族的社会生活密切相关，由于不同的民族文化差异，湿地在社会生活中所扮演的角色是有差异的。水在人生礼仪中扮演着吉祥、除秽的角色。很多民族中，婴儿出生的时候要用清水沐浴，以表示吉祥。藏族、普米族等结婚前的沐浴被看做是人生的一件大事，要选择清澈的河流、湖泊来进行。很多民族在人去世的时候也要用清水洗涤遗体，然后才埋葬或火化。哈尼族、德昂族、纳西族、壮族及滇中的汉族、藏族等很多民族有在新年的第一天凌晨早早到水井或河流中取水的习俗。基诺族、佤族的新娘在新婚第二天一早就要用竹桶到水井边去背水。这些都反映了水在人们生活中富足、吉祥、平安的象征意义。

第五，湿地与各民族的宗教信仰有密切的关系，包括对湿地的敬畏与祭祀，通过宗教加强对水源的保护。在许多民族的文化观念中，普遍相信水是由神灵控制的，水神既能够带给人们充足水源，同时也可能危害人，给人带来灾难。对湿地神明的祭祀成为各民族中非常普遍的现象。彝族、纳西族、壮族中存在着祭龙潭的习俗；布朗族、傣族则有祭水沟神的民俗。很多民族都认为出水地，尤其是水源是神灵居住的地方而加以特别的保护和崇敬，如基诺族、佤族、哈尼族、彝族等主要居住在山区的民族都规定水源林内不许砍伐树木。

云南省比较典型的几个少数民族的湿地文化如下。

3.1　哈尼族梯田文化

云南哈尼族人口约有165万人，主要分布在云南南部红河南岸和澜沧江地区。哈尼族是中国历史上最早垦殖梯田的山地民族之一，其开垦梯田的历史可追溯到3000年前。在中国历史上第一部史书《尚书·禹贡》就有哈尼族先民开垦梯田的记录。

哈尼梯田是以哈尼族为主的各族人民利用“一山分四季，十里不同天”“山有多高，水有多高”的特殊地理气候，发挥聪明才智和创造精神，在哀牢山地区的崇山峻岭中开垦出来的。哈尼族开垦的梯田随山势地形变化，因地制宜，坡缓地大则开垦大田，坡陡地小则开垦小田，甚至沟边坎下石隙也开田。因而梯田大者有数亩，小者仅有簸箕大，往往一坡就有成千上万亩。红河州元阳县境内就有 17 万亩梯田，其中集中连片的达上万亩，从山脚到山顶级数高达 3000 多级(图 1-6)。

图 **1-6**　哀牢哈尼梯田(哀牢山镇沅管理局供图)

梯田是哈尼族重要的衣食之源，因此他们对水特别珍惜。为了不误农时，自古以来就有“刻木定水”的民约：根据一股山泉所能灌溉的面积，人们友好协商，拟定每块田应得的水量，按水流流经田地的先后顺序，在水沟与田块的入水口处设一横木，并在横木上将那块田应得的水量刻定位置，让水顺畅地流进田里。其原始自然的水权配置千年来从没有引起纠纷和受到破坏。哈尼人家家户户还习惯在梯田里养鱼。阳春三月栽过稻秧后，人们投入鱼苗，任其自然生长。深秋时节，在收割稻谷的同时，也收获一箩箩鲜鱼。水以这种奇特的方式流动于哈尼梯田人水和谐、鱼米共生的生态系统中。森林、村寨、梯田、水系构成良性循环的生态系统，成为人与自然高度和谐的典范。

2013 年 6 月 22 日，联合国教科文组织将红河哈尼梯田景观正式列为世界文化遗产。

3.2　傣族湿地文化

傣族主要分布在云南南部的西双版纳州、德宏州及邻近区域，人口约 124 万。傣族有“水的民族”之称，是一个爱水、恋水、惜水、敬仰水的民族。

傣族心目中的水，是孕育万物的乳汁，是生命的血源。傣族法典中规定：“建勐要有千条河”。民谚说：“泡沫跟着波浪漂，傣家跟着流水走”“寨前渔，寨后猎，依山傍水把寨立”“无山不狩猎，无河不建寨”。水源丰富，是傣族选址建寨定居的重要条件之一。所以，几乎所有傣族村寨都傍水而建。

傣族是一个有着悠久稻作历史的民族。据考证，傣族稻作起源于 3700 年前的商代。在西双版纳的景洪、南糯山等地也曾发现疣粒野生稻、药用野生稻和普通野生稻 3 种野生稻种。有的学者认为，云南是亚洲栽培稻的起源地之一，傣族是我国稻谷的最早栽培者。

傣族谚语“有林才有水，有水才有田，有田才有粮，有粮才有人”世代相传，体现了傣族文化最核心的部分——水。为了强化对水的管理，封建时期西双版纳的傣族统治者召片领就制定相关法规，对破坏水坝水渠、破坏水规、偷放水及其他妨碍水利灌溉的行为，具体规定了处罚措施。

傣历新年在傣历六月十五日，公历 4 月中旬左右。这个节日是西双版纳最隆重的传统节日，也是傣族人最欢乐的年节——泼水节。泼水节期间，人们相互泼水祝福，年轻人敲着象脚鼓，人人尽享美食，处处欢歌狂舞。傣家人常说：“一年一度泼水节，看得起谁就泼谁。”人们把一切烦恼、忧伤都用这吉利的圣水冲得干干净净。

3.3　纳西族古城水文化

纳西族居住于金沙江中游，云南、四川、西藏交汇处的丽江市，人口约 31 万人。纳西族生活的小城丽江及其文化被联合国分别收入世界文化遗产、世界自然遗产、世界记忆遗产名录(图 1-7)。水是丽江古城的血液，没有水就没有今天的古城。

图 **1-7**　丽江大研古城(马晓峰摄)

为了保护能直接饮用的河水，古城人每天早上 10 点前不能到河里洗东西，不准倾倒污物。大年初一清晨要到河边井口点香买水，当天用的水要在头天即年三十挑完。先人发明的“三眼井”在丽江古城里也一直在沿用着：最上面的水井是饮用泉水；中间的水池是淘米洗菜的；最下面一个水池是洗衣物的。水凭借自然的坡度，从源头流出来以后，流满第一潭，然后流到第二潭、第三潭。饮用→洗菜→洗衣→刷地的卫生节水系统自然生成。以大研古镇为例，玉龙雪山上的雪水融化后汇集到了黑龙潭，经过黑龙潭的淀积蓄势贯穿古城，进入古城之水又分为中、西、东三支溪流。古城的布局，实现了对水的充分利用，街道和房屋摆脱了整齐划一，方正对称的中原建筑模式，更多的是依山就水，不对原来的地形地势做过多的改变。“以水为脉，顺其自然”，三条河像三条小龙，自然地把河水送到了每一个街巷。有街的地方就有水，有水的地方就有桥。顺着水走，就会走到南城外，逆水而行，就能回到古城的中心——四方街，只要跟着水走，就不会迷路。聪明的纳西族人民通过关闭古城西河的活动水闸，利用西高东低的自然落差，用西河水自动冲洗四方街，洗街后的河水流进中河，灌溉了丽江城南边的上万亩农田。形成了白天为市，薄暮涤场的独特街市景观。纳西人这种原始朴素的自然观在古城的建设和发展中得以充分的体现。“先理水，再修城”，水是丽江古城之魂，水使世界遗产一直“活”到今天仍然朝气蓬勃，充满灵性。

3.4　白族湿地民俗文化

白族是云南特有的少数民族，人口约 158 万人，主要分布在大理州以及丽江、保山、昆明、兰坪等地。白族是一个与湿地亲近的民族，聚居的区域高原湖泊较多，如洱海、茈碧湖、剑湖、母屯海等。其民间风俗、传说等有很多与湖泊、溪流、泉水有关(图 1-8)。

图 **1-8**　白族群众祈福(洱源西湖管理所供图)

龙是炎黄子孙的图腾，龙文化是中华文明的重要组成部分。生息在西南边陲的古南诏和大理国的白族先民对龙的崇拜甚至超过内地。水是白族心中圣洁之物，龙是水的化身。白族先人对水的依赖寄托于龙的庇护。白族的龙崇拜就是对水的崇拜。白族人将村庄附近的山泉称为龙泉、龙井。并在出水口处建龙王庙，久旱无雨时，村民"耍水龙""摆龙牌"，祭龙祈雨。当风调雨顺之年，栽秧之后，便杀牲畜献龙王，俗称"谢水"。龙泉是水源之地，被白族人看成是龙的居所，神圣不可侵犯。因此他们世代呵护着龙潭及周边的环境，形成诸多约定成俗的禁忌。严禁在龙潭中扔垃圾、洗澡和洗涤衣物；严禁牲畜到龙潭饮水；严禁挖掘龙潭和洱海水边的泥土和砍伐树木等。

第二章 湿地类型

第一节 湿地类型及面积

1 概 述

1.1 湿地概况

按《湿地公约》定义，湿地是指天然或人工、长久或暂时之沼泽、湿原、泥炭地或水域地带，带有静止或流动、淡水、半咸水或咸水的水体，包括低潮时水深不超过6米的水域的潮湿或浅积水地带发育的水生生物群和水成土壤的地理综合体。是沼泽、流水、静水、河口和海洋系统中各种沼生、湿生区域的总称。

云南省湿地资源分布如图2-1。

云南省重点调查湿地分布如图2-2。

云南省复杂多样的自然地理环境造就了云南湿地具有类型多、分布广、区域差异显著、生物多样性丰富等鲜明的地域特色(图2-3 至图2-18)。云南省面积在8公顷及以上的湿地分为4类14型，总面积56.35万公顷，占国土面积的1.47%。其中，自然湿地(包括湖泊湿地、河流湿地、沼泽湿地)39.25万公顷，占湿地总面积的69.67%；人工湿地17.10万公顷，占湿地总面积的30.33%。本次调查对省内符合条件的85处湿地进行了重点调查(附录3)。重点调查湿地总面积25.34万公顷，占全省湿地面积的44.97%。

1.2 湿地类型及面积

云南省的湿地类包括河流湿地、湖泊湿地、沼泽湿地和人工湿地4类。从湿地类面积来看，河流湿地24.18万公顷，占湿地总面积的42.92%；湖泊湿地11.85万公顷，占湿地总面积的21.03%；沼泽湿地3.22万公顷，占湿地总面积的5.72%；人工湿地17.10万公顷，占湿地总面积的30.33%。

河流湿地包含的湿地型中，永久性河流229491.58公顷，占湿地总面积的40.72%；季节性河

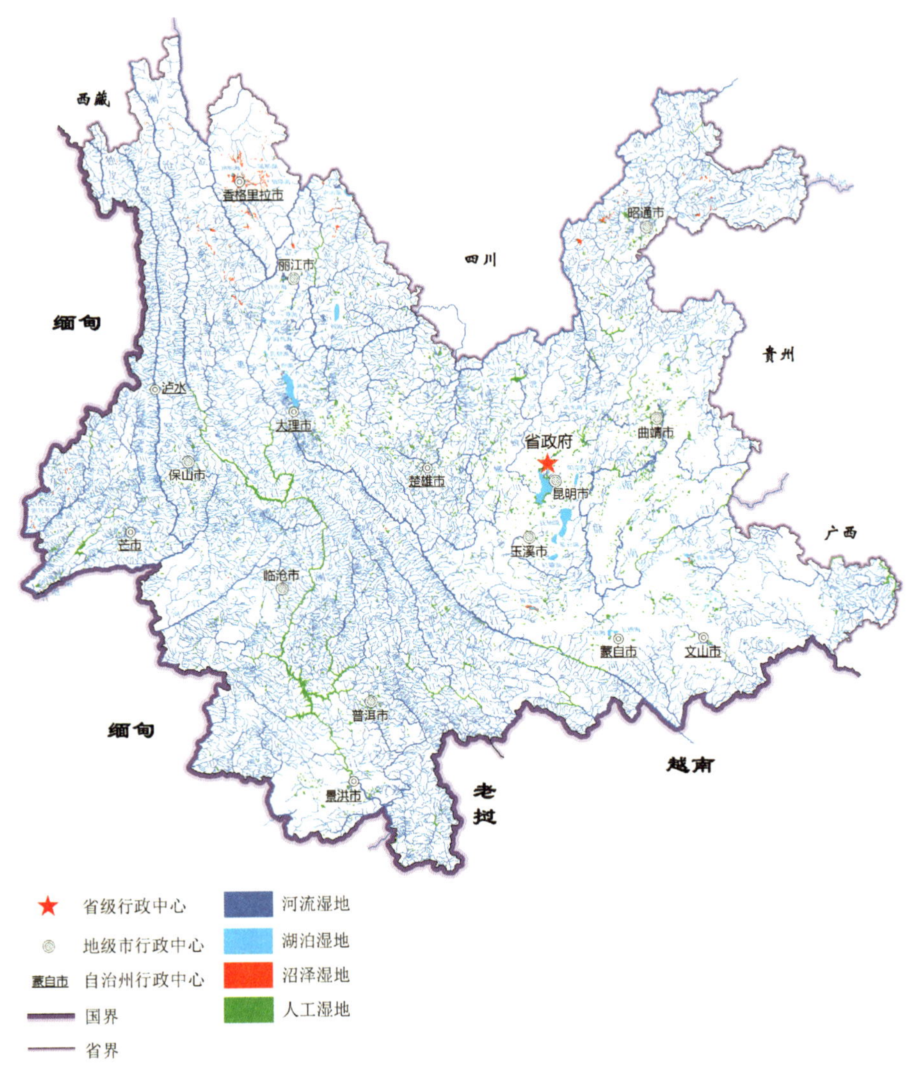

图 **2-1** 云南省湿地资源分布

流 3551.25 公顷，占湿地总面积的 0.63%；喀斯特溶洞湿地 84.93 公顷，占湿地总面积的 0.02%；洪泛湿地 8719.75 公顷，占湿地总面积的 1.55%。

湖泊湿地包含的湿地型中，永久性淡水湖 116189.35 公顷，占湿地总面积的 20.62%；季节性淡水湖 2296.91 公顷，占湿地总面积的 0.41%。

沼泽湿地包含的湿地型中，草本沼泽 7298.92 公顷，占湿地总面积的 1.30%；灌丛沼泽 2517.04 公顷，占湿地总面积的 0.45%；森林沼泽 1879.79 万公顷，占湿地总面积的 0.33%；沼泽化草甸 20458.13 公顷，占湿地总面积的 3.63%；淡水泉/绿洲湿地 58.22 公顷，占湿地总面积的 0.01%。

人工湿地包含的湿地型中，库塘湿地 164519.55 公顷，占湿地总面积的 29.19%；运河/输水河 4881.55 公顷，占湿地总面积的 0.87%；水产养殖场 1527.53 公顷，占湿地总面积的 0.27%。

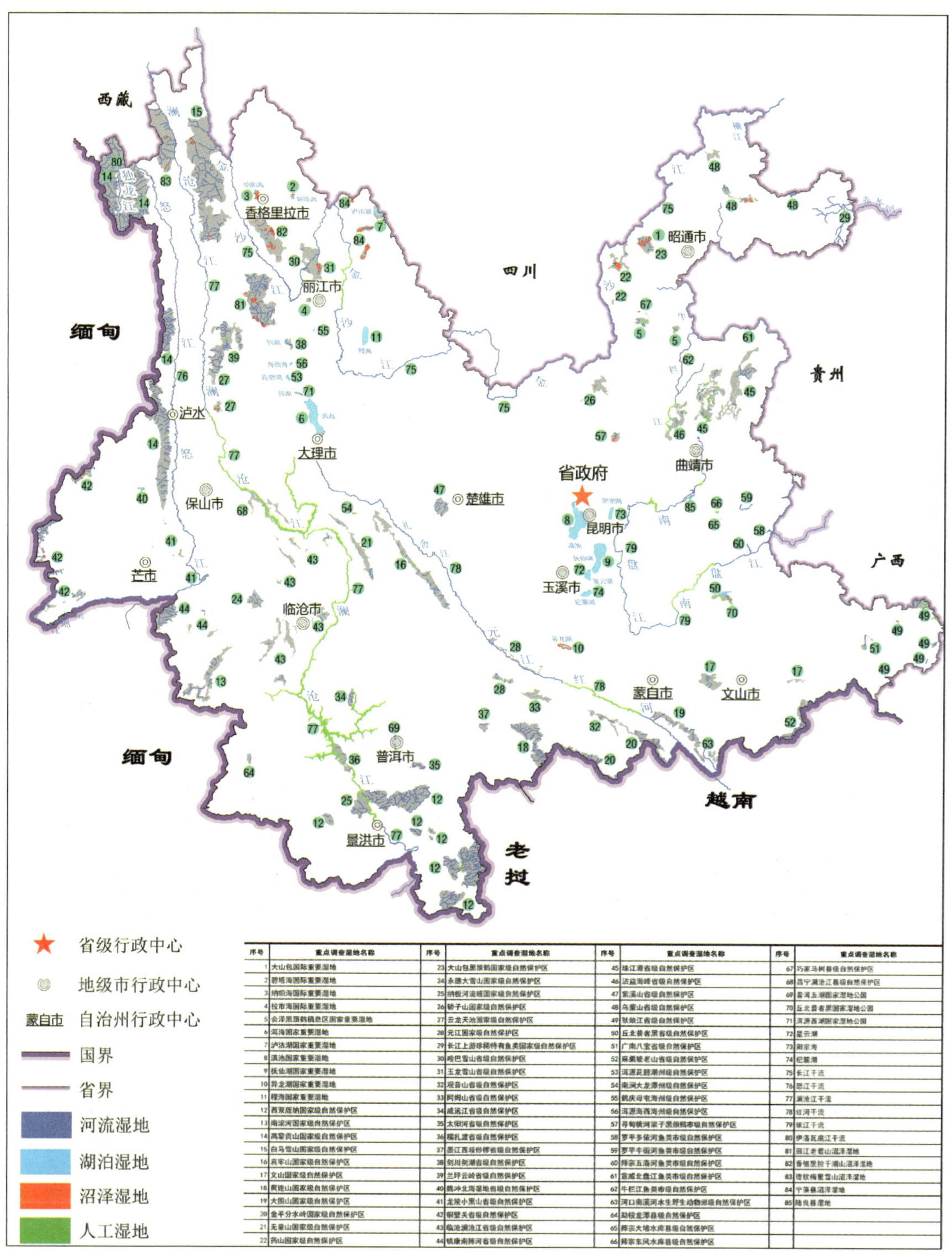

序号	重点调查湿地名称	序号	重点调查湿地名称	序号	重点调查湿地名称	序号	重点调查湿地名称
1	大山包国际重要湿地	23	大山包黑颈鹤国家级自然保护区	45	珠江源省级自然保护区	67	巧家马树县级自然保护区
2	碧塔海国际重要湿地	24	永德大雪山国家级自然保护区	46	沾益海峰省级自然保护区	68	昌宁澜沧江县级自然保护区
3	纳帕海国际重要湿地	25	纳板河流域国家级自然保护区	47	紫溪山省级自然保护区	69	普洱五湖国家湿地公园
4	拉市海国际重要湿地	26	轿子山国家级自然保护区	48	乌蒙山省级自然保护区	70	丘北普者黑国家湿地公园
5	会泽黑颈鹤栖息区国家重要湿地	27	云龙天池国家级自然保护区	49	驮娘江省级自然保护区	71	洱源西湖国家湿地公园
6	洱海国家重要湿地	28	元江国家级自然保护区	50	丘北普者黑省级自然保护区	72	星云湖
7	泸沽湖国家重要湿地	29	长江上游珍稀特有鱼类国家级自然保护区	51	广南八宝省级自然保护区	73	阳宗海
8	滇池国家重要湿地	30	哈巴雪山省级自然保护区	52	麻栗坡老山省级自然保护区	74	杞麓湖
9	抚仙湖国家重要湿地	31	玉龙雪山省级自然保护区	53	洱源茈碧湖州级自然保护区	75	长江干流
10	异龙湖国家重要湿地	32	观音山省级自然保护区	54	南涧大龙潭州级自然保护区	76	怒江干流
11	程海国家重要湿地	33	阿姆山省级自然保护区	55	鹤庆母屯海州级自然保护区	77	澜沧江干流
12	西双版纳国家级自然保护区	34	威远江省级自然保护区	56	洱源海西海州级自然保护区	78	红河干流
13	南滚河国家级自然保护区	35	太阳河省级自然保护区	57	寻甸横河梁子黑颈鹤市级自然保护区	79	珠江干流
14	高黎贡山国家级自然保护区	36	糯扎渡省级自然保护区	58	罗平多依河鱼类市级自然保护区	80	伊洛瓦底江干流
15	白马雪山国家级自然保护区	37	墨江西歧桫椤省级自然保护区	59	罗平牛街河鱼类市级自然保护区	81	丽江老君山沼泽湿地
16	哀牢山国家级自然保护区	38	剑川剑湖省级自然保护区	60	师宗五洛河鱼类市级自然保护区	82	香格里拉千湖山沼泽湿地
17	文山国家级自然保护区	39	兰坪云岭省级自然保护区	61	富源北盘江鱼类市级自然保护区	83	德钦梅里雪山沼泽湿地
18	黄连山国家级自然保护区	40	腾冲北海湿地省级自然保护区	62	牛栏江鱼类市级自然保护区	84	宁蒗县沼泽湿地
19	大围山国家级自然保护区	41	龙陵小黑山省级自然保护区	63	河口南溪河水生野生动物州级自然保护区	85	陆良县湿地
20	金平分水岭国家级自然保护区	42	铜壁关省级自然保护区	64	勐梭龙潭县级自然保护区		
21	无量山国家级自然保护区	43	临沧澜沧江省级自然保护区	65	师宗大堵水库县级自然保护区		
22	药山国家级自然保护区	44	镇康南捧河省级自然保护区	66	师宗东风水库县级自然保护区		

图 2-2　云南省重点调查湿地分布

图 **2-3**　大山包跳墩河(郑远见摄)

图 **2-4**　碧塔海(杨学光摄)

图 **2-5**　纳帕海(杨学光摄)

图 **2-6** 拉市海(李智宏摄)

图 **2-7** 会泽大桥(马晓峰摄)

图 **2-8** 滇池海埂湿地(徐学杰摄)

图 **2-9** 异龙湖(余昌元摄)

图 **2-10** 高黎贡山沼泽(和丽昆摄)

图 **2-11** 轿子雪山湖泊(马晓峰摄)

图 **2-12** 海峰湿地(尧卫摄)

图 **2-13** 八宝河(余昌元摄)

图 **2-14** 茈碧湖(马晓峰摄)

图 **2-15**　鹤庆母屯海(马晓峰摄)

图 **2-16**　孟梭龙潭(温庆忠摄)

图 **2-17**　美丽的独龙江(和丽昆摄)

图 **2-18**　星云湖(马晓峰摄)

云南省各湿地类、湿地型面积及比例分别见表2-1，图2-19、图2-20。

表2-1　云南省湿地概况

湿地类	湿地型	湿地型面积(公顷)	湿地型比例(%)	湿地类面积(公顷)	湿地类比例(%)
河流湿地	永久性河流	229491.58	40.72	241847.51	42.92
	季节性或间歇性河流	3551.25	0.63		
	洪泛湿地	8719.75	1.55		
	喀斯特溶洞湿地	84.93	0.02		
湖泊湿地	永久性淡水湖	116189.35	20.62	118486.26	21.03
	季节性淡水湖	2296.91	0.41		
沼泽湿地	草本沼泽	7298.92	1.30	32212.10	5.72
	灌丛沼泽	2517.04	0.45		
	森林沼泽	1879.79	0.33		
	沼泽化草甸	20458.13	3.63		
	淡水泉/绿洲湿地	58.22	0.01		
人工湿地	库塘	164519.55	29.19	170928.63	30.33
	运河/输水河	4881.55	0.87		
	水产养殖场	1527.53	0.27		
总　计		563474.50	100	563474.50	100

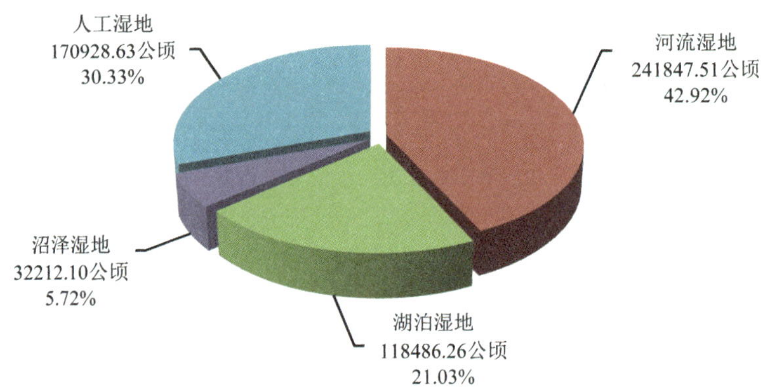

图2-19　云南省各湿地类面积与比例构成

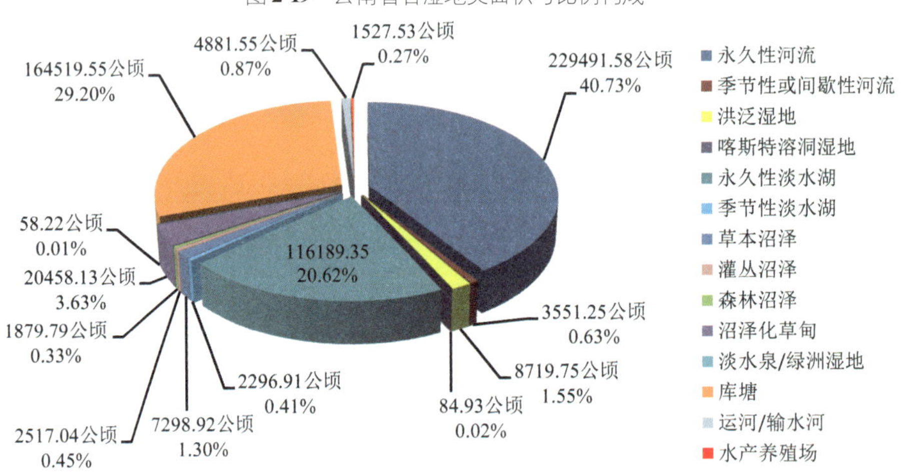

图2-20　云南省各湿地型面积与比例构成

1.3 各湿地区的湿地类及面积

根据《云南省第二次湿地资源调查实施细则》，全省共划分为164个湿地区。其中，单独区划湿地区35个，零星湿地区129个(表2-2)。在单独区划湿地区中，湿地面积最大的是澜沧江干流湿地区，其次是滇池湿地区，再次为洱海湿地区。就湿地类而言，河流湿地分布面积最大的是长江干流湿地区，湖泊湿地分布面积最大的是滇池湿地区，沼泽湿地分布面积最大的是纳帕海湿地区。在零星湿地区中，湿地面积最大的是香格里拉市零星湿地区；就湿地类而言，河流湿地分布面积最大的是盈江县零星湿地区，湖泊湿地分布面积最大的是通海县零星湿地区，沼泽湿地分布面积最大的是香格里拉零星湿地区，人工湿地在绝大部分零星湿地区中均有分布，其中分布面积最大的是富宁县零星湿地区。各湿地区湿地类及面积见表2-2。

表2-2 云南省各湿地区湿地概况(公顷)

序 号	湿地区名称	河流湿地	湖泊湿地	沼泽湿地	人工湿地	合 计
	单独区划湿地区共计	**52152.63**	**94340.39**	**7174.31**	**70631.09**	**224298.42**
1	碧塔海湿地区			180.37	77.02	257.39
2	大山包湿地区	113.84		1229.38	409.84	1753.06
3	纳帕海湿地区		520.73	2715.29		3236.02
4	拉市海湿地区		1073.41	43.76	47.57	1164.74
5	洱海湿地区		24948.13	95.32		25043.45
6	会泽黑颈鹤栖息区湿地区	29.45		33.36	653.44	716.25
7	泸沽湖湿地区		2621.77			2621.77
8	滇池湿地区		29762.84			29762.84
9	抚仙湖湿地区		21604.42			21604.42
10	异龙湖湿地区		2377.67	1249.84		3627.51
11	程海湿地区		7589.48			7589.48
12	西双版纳国家级自然保护区湿地区	1969.57			770.12	2739.69
13	南滚河国家级自然保护区湿地区	229.45			71.88	301.33
14	高黎贡山国家级自然保护区湿地区	1989.71	275.80	585.42		2850.93
15	白马雪山国家级自然保护区湿地区	728.11	18.73	456.60		1203.44
16	哀牢山国家级自然保护区湿地区	145.91		110.35	118.46	374.72
17	文山国家级自然保护区湿地区	37.97			25.54	63.51
18	大围山国家级自然保护区湿地区	145.89				145.89
19	无量山国家级自然保护区湿地区	31.20		11.50		42.70
20	纳板河流域国家级自然保护区湿地区	73.84			499.24	573.08
21	轿子山国家级自然保护区湿地区			25.04		25.04
22	长江上游珍稀特有鱼类国家级自然保护区湿地区	717.77				717.77
23	糯扎渡省级自然保护区湿地区	43.05				43.05
24	铜壁关省级自然保护区湿地区	680.66		201.18		881.84
25	临沧澜沧江省级自然保护区湿地区	81.74			2982.36	3064.10
26	珠江源省级自然保护区湿地区	238.67	225.09		2084.15	2547.91

（续）

序 号	湿地区名称	河流湿地	湖泊湿地	沼泽湿地	人工湿地	合 计
27	乌蒙山国家级自然保护区湿地区	76.27		340.25	58.53	475.05
28	曲靖牛栏江鱼类市级自然保护区湿地区	1559.62			401.25	1960.87
29	阳宗海湿地区		3141.95			3141.95
30	长江干流湿地区	18135.87			1977.74	20113.61
31	怒江干流湿地区	8403.91				8403.91
32	澜沧江干流湿地区	6602.38			53456.07	60058.45
33	红河干流湿地区	5907.24			3412.68	9319.92
34	珠江干流湿地区	3558.89			3662.22	7221.11
35	伊洛瓦底江干流湿地区	651.62				651.62
	零星湿地区共计	**189694.88**	**24145.87**	**25037.79**	**100297.54**	**339176.08**
1	五华区零星湿地区	12.24	24.37		177.97	214.58
2	盘龙区零星湿地区	25.81			507.54	533.35
3	官渡区零星湿地区	100.11	9.25		767.35	876.71
4	西山区零星湿地区	242.23	63.53	14.26	290.83	610.85
5	东川区零星湿地区	2987.21			300.57	3287.78
6	呈贡区零星湿地区	33.41	38.73		900.27	972.41
7	晋宁县零星湿地区	12.34	53.36	11.31	1648.99	1726.00
8	富民县零星湿地区	546.10			121.35	667.45
9	宜良县零星湿地区	698.55	180.36		574.31	1453.22
10	石林彝族自治县零星湿地区	130.03	709.46		949.18	1788.67
11	嵩明县零星湿地区	230.10	11.43		2092.38	2333.91
12	禄劝彝族苗族自治县零星湿地区	2389.44			2911.60	5301.04
13	寻甸回族彝族自治县零星湿地区	1918.22	823.74	246.61	689.56	3678.13
14	安宁市零星湿地区	986.46	11.31		1227.84	2225.61
15	麒麟区零星湿地区	312.53			2301.92	2614.45
16	马龙县零星湿地区	365.07			984.35	1349.42
17	陆良县零星湿地区	759.19	429.68	39.07	2529.39	3757.33
18	师宗县零星湿地区	411.57	78.63		799.65	1289.85
19	罗平县零星湿地区	1448.73			640.31	2089.04
20	富源县零星湿地区	1088.33	17.26	77.17	778.17	1960.93
21	会泽县零星湿地区	3503.77			2749.84	6253.61
22	沾益县零星湿地区	281.04	558.67	161.47	1938.68	2939.86
23	宣威市零星湿地区	2884.67	341.39		593.98	3820.04
24	红塔区零星湿地区	149.72	37.11		784.30	971.13
25	江川县零星湿地区	93.48	3527.20		510.77	4131.45
26	澄江县零星湿地区	122.36			388.48	510.84
27	通海县零星湿地区	255.85	3671.63		188.93	4116.41
28	华宁县零星湿地区	387.78			188.48	576.26
29	易门县零星湿地区	783.92			624.88	1408.80
30	峨山彝族自治县零星湿地区	746.89	17.71		383.23	1147.83
31	新平彝族傣族自治县零星湿地区	2185.38			766.70	2952.08
32	元江哈尼族彝族傣族自治县零星湿地区	1248.32			832.56	2080.88

（续）

序 号	湿地区名称	河流湿地	湖泊湿地	沼泽湿地	人工湿地	合 计
33	隆阳区零星湿地区	2268.05	9.79		1258.56	3536.40
34	施甸县零星湿地区	972.41			547.55	1519.96
35	腾冲市零星湿地区	4582.42	158.93	84.90	915.47	5741.72
36	龙陵县零星湿地区	1591.44	86.53		759.65	2437.62
37	昌宁县零星湿地区	2538.26		8.13	2339.80	4886.19
38	昭阳区零星湿地区	1280.33	21.16		1738.33	3039.82
39	鲁甸县零星湿地区	1140.70		144.27	631.73	1916.70
40	巧家县零星湿地区	1960.87		1739.42	245.92	3946.21
41	盐津县零星湿地区	2175.04			218.30	2393.34
42	大关县零星湿地区	1594.85		16.26	70.65	1681.76
43	永善县零星湿地区	1129.86	22.44	520.28	98.01	1770.59
44	绥江县零星湿地区	403.79			15.03	418.82
45	镇雄县零星湿地区	1634.98			63.01	1697.99
46	彝良县零星湿地区	2044.43	41.25	1509.47	58.90	3654.05
47	威信县零星湿地区	675.41			58.88	734.29
48	水富县零星湿地区	490.28			84.45	574.73
49	古城区零星湿地区	348.29	45.67	61.23	169.66	624.85
50	玉龙纳西族自治县零星湿地区	2174.97	85.15	3375.23	647.51	6282.86
51	永胜县零星湿地区	2302.27			970.02	3272.29
52	华坪县零星湿地区	1090.20		44.51	500.58	1635.29
53	宁蒗彝族自治县零星湿地区	3317.69	117.04	1810.95	288.02	5533.70
54	思茅区零星湿地区	1835.46			1174.24	3009.70
55	宁洱哈尼族彝族自治县零星湿地区	2616.82	10.33		1166.67	3793.82
56	墨江哈尼族自治县零星湿地区	3668.46			1734.44	5402.90
57	景东彝族自治县零星湿地区	3018.95			196.83	3215.78
58	景谷傣族彝族自治县零星湿地区	5292.27			1856.96	7149.23
59	镇沅彝族哈尼族拉祜族自治县零星湿地区	3115.41			394.55	3509.96
60	江城哈尼族彝族自治县零星湿地区	3418.26			957.60	4375.86
61	孟连傣族拉祜族自治县零星湿地区	1693.07			332.10	2025.17
62	澜沧拉祜族自治县零星湿地区	4913.24			311.43	5224.67
63	西盟佤族自治县零星湿地区	700.43	53.91		12.42	766.76
64	临翔区零星湿地区	1362.92			349.90	1712.82
65	凤庆县零星湿地区	1831.39			88.73	1920.12
66	云县零星湿地区	2394.50			187.83	2582.33
67	永德县零星湿地区	1631.03		74.90	416.74	2122.67
68	镇康县零星湿地区	675.36			161.69	837.05
69	双江拉祜族佤族布朗族傣族自治县零星湿地区	888.53			437.86	1326.39
70	耿马傣族佤族自治县零星湿地区	2373.79	30.60		420.09	2824.48
71	沧源佤族自治县零星湿地区	1068.71			166.03	1234.74
72	楚雄市零星湿地区	2564.36	106.75		1341.97	4013.08
73	双柏县零星湿地区	3108.40	8.87	78.01	682.19	3877.47
74	牟定县零星湿地区	633.96			936.94	1570.90

（续）

序 号	湿地区名称	河流湿地	湖泊湿地	沼泽湿地	人工湿地	合 计
75	南华县零星湿地区	1338.45			790.73	2129.18
76	姚安县零星湿地区	571.71			1111.74	1683.45
77	大姚县零星湿地区	2196.50			886.86	3083.36
78	永仁县零星湿地区	1270.98			837.45	2108.43
79	元谋县零星湿地区	1928.89		13.27	778.98	2721.14
80	武定县零星湿地区	1314.53	8.32	10.65	1004.74	2338.24
81	禄丰县零星湿地区	2125.96			2117.54	4243.50
82	个旧市零星湿地区	266.37	572.07		957.66	1796.10
83	开远市零星湿地区	195.78	93.38		839.90	1129.06
84	蒙自市零星湿地区	68.31	2525.05		679.07	3272.43
85	屏边苗族自治县零星湿地区	918.45			139.15	1057.60
86	建水县零星湿地区	1030.04	226.05		1540.51	2796.60
87	石屏县零星湿地区	578.46	11.62	51.14	662.47	1303.69
88	弥勒县零星湿地区	543.05			2182.37	2725.42
89	泸西县零星湿地区	343.89	120.77		1792.36	2257.02
90	元阳县零星湿地区	972.26			34.97	1007.23
91	红河县零星湿地区	925.65			260.28	1185.93
92	金平苗族瑶族傣族自治县零星湿地区	2257.91			1035.89	3293.80
93	绿春县零星湿地区	1669.89			437.70	2107.59
94	河口瑶族自治县零星湿地区	664.52			12.64	677.16
95	文山市零星湿地区	511.76	247.10		545.54	1304.40
96	砚山县零星湿地区	744.92	1975.42		3026.36	5746.70
97	西畴县零星湿地区	429.11	37.78		96.38	563.27
98	麻栗坡县零星湿地区	1343.53	12.35		145.24	1501.12
99	马关县零星湿地区	837.18	170.37		415.67	1423.22
100	丘北县零星湿地区	1558.92	1682.62	437.69	1655.07	5334.30
101	广南县零星湿地区	2621.70	93.98		518.03	3233.71
102	富宁县零星湿地区	3141.55		37.04	3064.18	6242.77
103	景洪市零星湿地区	2186.78			1271.79	3458.57
104	勐海县零星湿地区	1387.35	73.02		1165.98	2626.35
105	勐腊县零星湿地区	4679.72			357.26	5036.98
106	大理市零星湿地区	812.48	57.28	104.05	705.15	1678.96
107	漾濞彝族自治县零星湿地区	1046.98			156.98	1203.96
108	祥云县零星湿地区	753.91	708.39		1964.83	3427.13
109	宾川县零星湿地区	1338.69	327.15		1290.60	2956.44
110	弥渡县零星湿地区	792.72			718.73	1511.45
111	南涧彝族自治县零星湿地区	920.40			105.25	1025.65
112	巍山彝族回族自治县零星湿地区	1111.60			524.65	1636.25
113	永平县零星湿地区	1420.88			59.78	1480.66
114	云龙县零星湿地区	2497.80	118.52	280.85	7.46	2904.63
115	洱源县零星湿地区	1134.84	1605.19	113.43	262.51	3115.97
116	剑川县零星湿地区	1198.93	579.67		279.25	2057.85

（续）

序 号	湿地区名称	河流湿地	湖泊湿地	沼泽湿地	人工湿地	合　计
117	鹤庆县零星湿地区	1521.54	276.04		468.73	2266.31
118	瑞丽市零星湿地区	1141.01			697.76	1838.77
119	芒市零星湿地区	2605.70		11.21	2769.71	5386.62
120	梁河县零星湿地区	1310.90			225.4	1536.30
121	盈江县零星湿地区	6764.44	268.06	892.06	401.56	8326.12
122	陇川县零星湿地区	1246.67	12.53		2799.73	4058.93
123	泸水县零星湿地区	1129.53		24.62	45.19	1199.34
124	福贡县零星湿地区	1092.38	42.88		6.93	1142.19
125	贡山独龙族怒族自治县零星湿地区	861.04	11.35			872.39
126	兰坪白族普米族自治县零星湿地区	2253.60	8.74	323.52	159.30	2745.16
127	香格里拉市零星湿地区	2135.65	775.80	11678.25	119.07	14708.77
128	德钦县零星湿地区	785.54		151.67		937.21
129	维西傈僳族自治县零星湿地区	1330.82	101.13	890.89	12.86	2335.70
总　计		241847.51	118486.26	32212.10	170928.63	563474.50

1.4　流域的湿地类及面积

根据《全国湿地资源调查技术规程(试行)》，云南省水系划分为3个一级流域、9个二级流域、17个三级流域。云南省各流域湿地概况见表2-3。

1.4.1　一级流域

一级流域包括西南诸河、珠江区、长江区3个。

1.4.1.1　西南诸河

西南诸河在云南划分为3个二级流域8个三级流域，处于云南西北部至东南部，涉及怒江、德宏、保山、临沧、普洱、西双版纳6市(州)全境和迪庆、丽江、大理、楚雄、昆明、玉溪、红河、文山8个市(州)的部分区域，是云南最主要的湿地分布区。湿地总面积28.60万公顷，占全省湿地总面积的50.76%。该区拥有大面积的河流、湖泊、沼泽及人工湿地。其中，河流湿地14.61万公顷，湖泊湿地3.19万公顷，沼泽湿地0.49万公顷，人工湿地10.30万公顷。

1.4.1.2　珠江区

珠江区处于云南东部至东南部，划分为2个二级流域3个三级流域，涉及昆明、玉溪、曲靖、红河和文山5个市(州)的部分区域。湿地总面积9.40万公顷，占云南湿地面积的16.69%。其中，河流湿地2.16万公顷，湖泊湿地4.05万公顷，沼泽湿地0.06万公顷，人工湿地3.13万公顷。主要河流湿地有南盘江、北盘江、右江等。

该流域以河流湿地、湖泊湿地、人工湿地为主，是云南省喀斯特地貌最集中的分布区。

1.4.1.3　长江区

长江区处于滇西北至滇东北，在云南划分为4个二级流域6个三级流域，涉及昭通市全境和迪庆、丽江、大理、楚雄、昆明、曲靖6个市(州)的部分区域，湿地总面积18.34万公顷，占云南湿地面积的32.55%。其中，河流湿地7.41万公顷，湖泊湿地4.60万公顷，沼泽湿地2.67万公顷，人工湿地3.66万公顷。主要河流湿地有关河、牛栏江、普渡河等。

表 2-3　云南省各流域湿地概况(公顷)

一级流域	二级流域	三级流域	湿地类				合　计
			河流湿地	湖泊湿地	沼泽湿地	人工湿地	
西南诸河区	红河	李仙江	17165.38			6320.78	23486.16
		盘龙江	4257.09	962.52		3080.41	8300.02
		元江	24180.28	2520.93	1489.34	11957.87	40148.42
	澜沧江	沘江口以上	10400.54	228.39	1191.02	1066.65	12886.60
		沘江口以下	45059.70	27335.73	372.50	69143.72	141911.65
	怒江及伊洛瓦底江	怒江勐古以上	7903.75	154.05	455.26	65.77	8578.83
		怒江勐古以下	16564.20	201.52	54.94	3410.24	20230.90
		伊洛瓦底江	20618.73	540.90	1344.13	7981.46	30485.22
	共　计		146149.67	31944.04	4907.19	103026.90	286027.80
长江区	金沙江石鼓以上	直门达至石鼓	8626.62	908.15	11004.80	110.25	20649.82
	金沙江石鼓以下	石鼓以下干流	60602.46	42370.54	14412.91	35880.59	153266.50
		雅砻江	2441.35	2738.81	1296.23	525.13	7001.52
	乌江	思南以上	827.48			23.24	850.72
	宜宾至宜昌	赤水河	924.48			39.77	964.25
		宜宾至宜昌干流	659.63			34.00	693.63
	共　计		74082.02	46017.50	26713.94	36612.98	183426.44
珠江区	南北盘江	北盘江	2543.49	303.07	53.65	747.85	3648.06
		南盘江	14508.14	40188.54	500.28	27192.27	82389.23
	郁江	右江	4564.19	33.11	37.04	3348.63	7982.97
	共　计		21615.82	40524.72	590.97	31288.75	94020.26
总　计			241847.51	118486.26	32212.10	170928.63	563474.50

1.4.2　二级流域

二级流域包括西南诸河的红河、澜沧江、怒江和伊洛瓦底江；珠江区的南北盘江和郁江；长江区的金沙江石鼓以上、金沙江石鼓以下、乌江和宜宾至宜昌，共9个。

1.4.2.1　红　河

红河流域湿地总面积7.20万公顷。其中，河流湿地4.56万公顷，湖泊湿地0.35万公顷，沼泽湿地0.15万公顷，人工湿地2.14万公顷。

1.4.2.2　澜沧江

澜沧江流域湿地总面积15.48万公顷。其中，河流湿地5.546万公顷，湖泊湿地2.756万公顷，沼泽湿地0.156万公顷，人工湿地7.02万公顷(图2-21)。

图 2-21　澜沧江德钦段(马晓峰摄)

1.4.2.3　怒江和伊洛瓦底江

怒江和伊洛瓦底江流域湿地总面积

5. 93 万公顷。其中，河流湿地 4. 51 万公顷，湖泊湿地 0. 09 万公顷，沼泽湿地 0. 185 万公顷，人工湿地 1. 145 万公顷。

1. 4. 2. 4　南北盘江

南北盘江流域湿地总面积 8. 60 万公顷。其中，河流湿地 1. 70 万公顷，湖泊湿地 4. 05 万公顷，沼泽湿地 0. 055 万公顷，人工湿地 2. 79 万公顷(图 2-22)。

图 **2-22**　珠江源(沾益县林业局供图)

1. 4. 2. 5　郁　江

郁江流域湿地总面积 0. 80 万公顷，涉及广南县及富宁县境内的驮娘江流域。其中，河流湿地 0. 46 万公顷，人工湿地 0. 34 万公顷，湖泊湿地 0. 003 万公顷，沼泽湿地 0. 004 万公顷。

1. 4. 2. 6　金沙江石鼓以上

金沙江石鼓以上流域湿地总面积 2. 06 万公顷。其中，河流湿地 0. 86 万公顷，湖泊湿地 0. 09 万公顷，沼泽湿地 1. 10 万公顷，人工湿地 0. 01 万公顷。

1. 4. 2. 7　金沙江石鼓以下

金沙江石鼓以下流域湿地总面积 16. 03 万公顷。其中，河流湿地 6. 31 万公顷，湖泊湿地 4. 52 万公顷，沼泽湿地 1. 57 万公顷，人工湿地 3. 64 万公顷。

1. 4. 2. 8　乌　江

乌江流域湿地总面积 0. 08 万公顷，涉及镇雄县境内的以萨河流域。其中，河流湿地 0. 08 万公顷，人工湿地 0. 002 万公顷。

1. 4. 2. 9　宜宾至宜昌

宜宾至宜昌流域湿地总面积 0. 17 万公顷，涉及昭通市境内的横江流域及赤水河流域。其中，河流湿地 0. 16 万公顷，人工湿地 0. 01 万公顷。

1. 5　各行政区的湿地类及面积

1. 5. 1　各市(州)级行政区的湿地类及面积

全省 16 个各市(州)级行政区的湿地总面积排在前三位的分别是普洱市、昆明市和大理州，面积分别为 6. 93 万公顷、6. 04 万公顷和 5. 96 万公顷，占全省湿地面积的 33. 61%；湿地面积排在后三位的分别是怒江州、西双版纳州和德宏州，其面积分别为 1.44 万公顷、1.83 万公顷和 2.21 万公顷，占全省湿地面积的 9.71%。河流湿地面积最大的市(州)为普洱市，面积为 3.04 万公顷，占全省河流湿地面积的 12.57%；湖泊湿地面积最大的市(州)为昆明市，面积 3.36 万公顷，占全省湖泊湿地面积的 28.38%；沼泽湿地面积最大的市(州)为迪庆州，面积 1.60 万公顷，占全省沼泽湿地面积的 49.58%；人工湿地面积最大的市(州)为普洱市，面积 3.88 万公顷，占全省人工湿地面积的 22.69%。各市(州)湿地分布状况见表 2-4，图 2-23。

表 2-4　云南省 16 个市(州)级行政区湿地概况(公顷)

行政区名称	河流湿地	湖泊湿地	沼泽湿地	人工湿地	合　计
昆明市	12314.87	33625.24	297.22	14218.19	60455.52
曲靖市	14496.54	1650.72	311.07	17137.99	33596.32
玉溪市	8275.49	30063.16	50.61	4685.30	43074.56
保山市	16075.05	321.06	93.03	8789.87	25279.01
昭通市	19805.94	84.85	5499.33	3751.58	29141.70
丽江市	14742.32	11532.52	5335.68	4601.10	36211.62
普洱市	30393.08	64.24	40.44	38781.13	69278.89
临沧市	12844.36	30.60	74.90	16152.75	29102.61
楚雄州	20443.46	123.94	132.73	10587.77	31287.90
红河州	13410.24	5926.61	1300.98	14961.44	35599.27
文山州	11279.71	4219.62	474.73	10422.16	26396.22
西双版纳州	12356.58	73.02		5778.82	18208.42
大理州	16602.10	28620.37	593.65	13823.02	59639.14
德宏州	13821.35	280.59	1104.45	6894.16	22100.55
怒江州	12994.77	272.96	933.56	211.42	14412.71
迪庆州	11991.65	1596.76	15969.72	131.93	29690.06
总　计	241847.51	118486.26	32212.10	170928.63	563474.50

(1)昆明市：昆明市位于云南省中东部，金沙江流域南岸。全市辖 1 市 6 区 7 县，湿地面积 6.04 万公顷，占全省湿地总面积的 10.73%。其中，河流湿地面积 1.23 万公顷，湖泊湿地面积 3.36 万公顷，沼泽湿地面积 0.03 万公顷，人工湿地面积 1.42 万公顷。昆明市为全省湖泊湿地面积最大的市(州)，湖泊湿地是构成全市湿地资源的主体，典型高原湖泊有滇池、阳宗海、寻甸清水海、石林长湖、月湖等湖泊；沼泽湿地主要分布于湖泊周围的湖滨沼泽湿地，目前 80% 以上的湖滨沼泽已改变为陆地，只残留有滇池草海等湖滨沼泽湿地；横河梁子、轿子山零星分布有沼泽化草甸；长江干流、珠江干流流经本区，地势起伏和缓、人口集中，湖泊和河流污染严重。境内分布的滇池是云贵高原最大的淡水湖泊，南北长 40 公里，东西平均宽约 8 公里，面积为 297.63 平方公里，上游有盘龙江等 20 余条河流注入，在西南出海口向北流经螳螂川、普渡河入金沙江。此外，位于宜良、呈贡和澄江三县交界处的阳宗海为高原断陷湖泊，南北长 12.7 公里，东西宽约 3 公里，湖岸长 32.2 公里，湖面积 31 平方公里。昆明市河流分属金沙江、南盘江、元江三大水

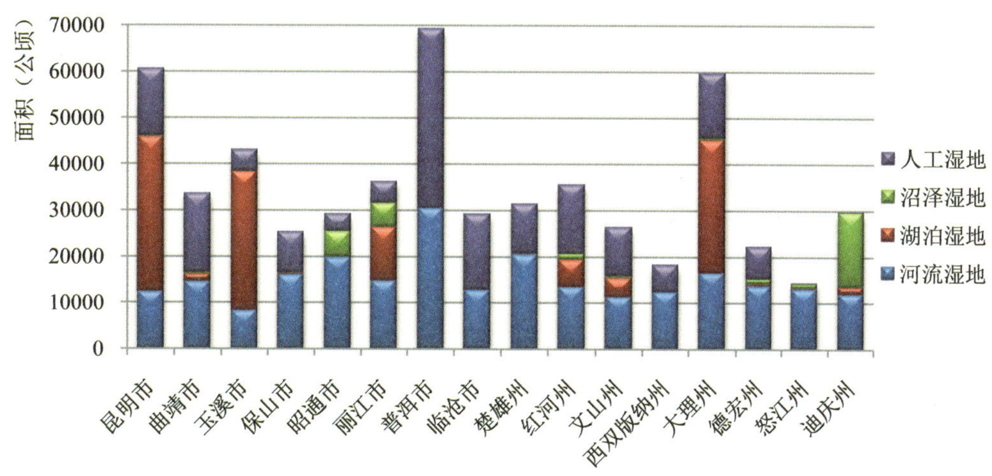

图 **2-23**　云南省各市级行政区湿地面积构成

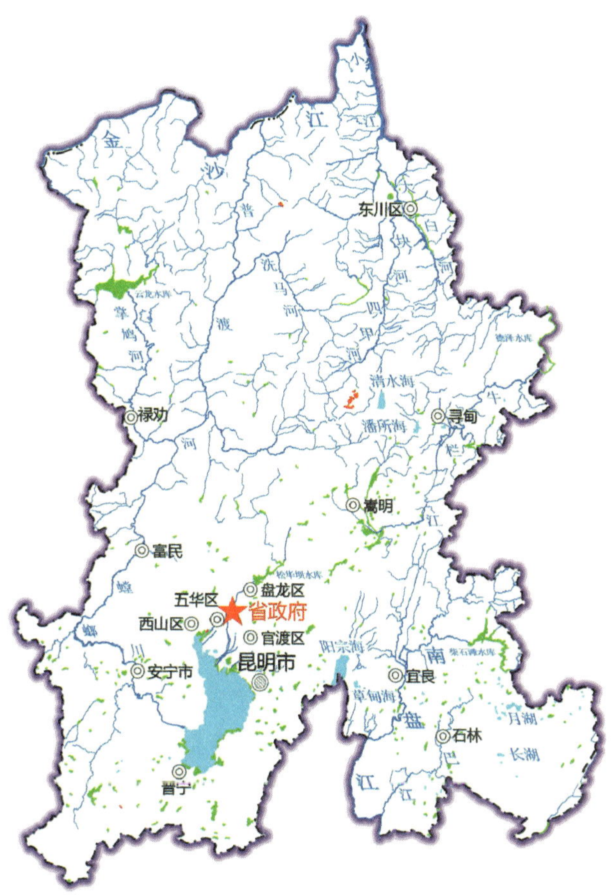

图 **2-24**　昆明市湿地资源分布

系，河流众多，除普渡河、南盘江在昆明境内流程较长外，其余河流流程均较短，有的河流长度只有几公里到几十公里。境内分布的主要保护地有轿子山国家级自然保护区、寻甸黑颈鹤省级自然保护区和滇池国家重要湿地(图 2-24)。

(2)曲靖市：曲靖市地处云南省东部，云贵高原中部，东部和东北部与贵州省接壤，境内分属金沙江和珠江水系，为珠江水系的发源地。全市辖 1 市 1 区 7 县，湿地面积 3.36 万公顷，占全省湿地总面积的 5.96%。其中，河流湿地面积 1.45 万公顷，湖泊湿地面积为 0.17 万公顷，沼泽湿地面积 0.03 万公顷，人工湿地面积 1.71 万公顷。市内湿地资源以人工和河流湿地为主，所有人工湿地的湿地型在该区均有分布。由于地处珠江源头，发育于喀斯特地貌上的河流湿地生态系统，流域生态意义十分重要，目前受人为干扰较大。境内分布有会泽黑颈鹤国家级自然保护区和珠江源、沾益海峰湿地两个省级自然保护区，另有多个鱼类市级自然保护区。其中，会泽黑颈鹤国家级自然保护区同属国家重要湿地，也是全省范围内黑颈鹤等越冬水禽的最重要栖息地之一(图2-25)。

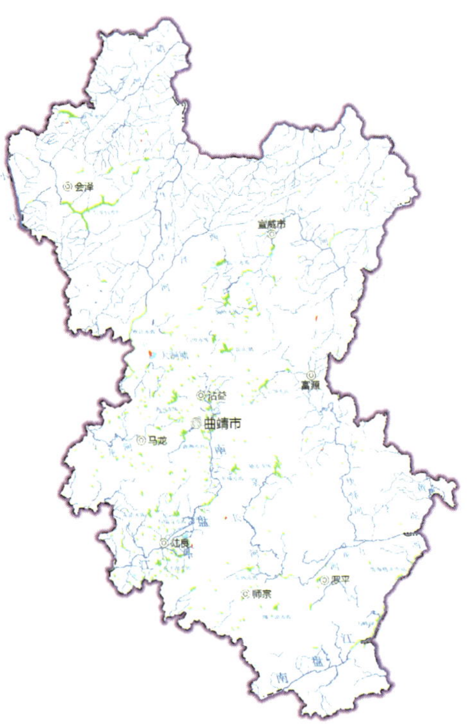

图2-25 曲靖市湿地资源分布

(3)玉溪市：玉溪市位于云南省中部，昆明市南部。大部分区域属珠江水系，另有部分区域处于红河水系。全市辖1区8县。湿地面积4.31万公顷，占全省湿地总面积的7.64%。玉溪市的湿地主要为湖泊湿地，面积3.01万公顷，占全市湿地总面积的69.79%；其次为河流湿地和人工湿地，面积分别为0.83万公顷和0.47万公顷，而沼泽湿地面积仅50.61公顷。玉溪市分布有全省九大高原湖泊中的抚仙湖、杞麓湖、星云湖3个湖，皆为断陷构造湖。其中抚仙湖为我国第二深的淡水湖，其最深处达155米，水资源蕴藏量大。另外，玉溪市境内还分布有多条发源于哀牢山的中小河流和南盘江、元江的众多支流。境内分布有哀牢山国家级自然保护区(玉溪片)等保护地和抚仙湖国家重要湿地(图2-26)。

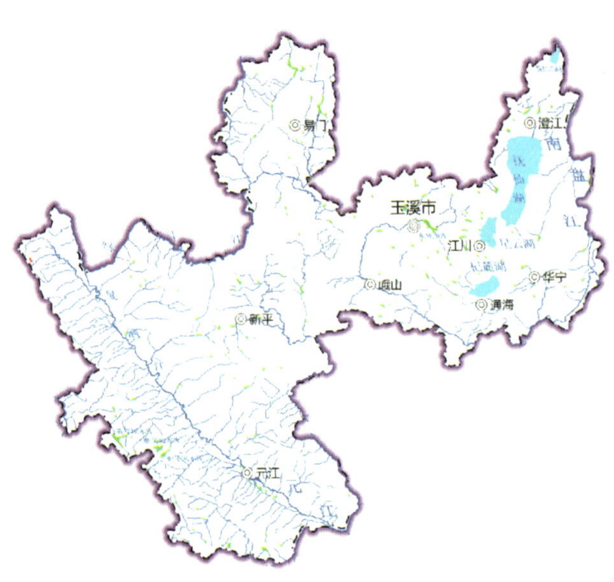

图2-26 玉溪市湿地资源分布

(4)保山市：保山市地处云南省西部，横断山的南缘，自西向东涉及伊洛瓦底江、怒江和澜沧江水系。全市辖1区4县，湿地面积2.53万公顷，占全省湿地总面积的4.49%。其中河流湿地面积1.61万公顷，湖泊湿地面积0.03万公顷，沼泽湿地面积0.009万公顷，人工湿地面积0.88万公顷。湿地资源以河流湿地为主，怒江干流和澜沧江干流穿过此区，为河流湿地的主要组成部分。湖泊湿地主要为腾冲北海湿地和高黎贡山国家级自然保护区内的高山湖泊，龙陵县和隆阳区也有少量分布。沼泽湿地主要位于腾冲市，以腾冲北海草本湿地为主。境内的高黎贡山国家级自然保护区和小黑山省级自然保护区依托大面积良好的森林植被以及其所发挥出的强大的水源涵养功能，成为保山市重要的水源林区(图2-27)。

(5)昭通市：昭通市位于云南省东北部云贵高原与四川盆地的过渡地带，其西部、北部和东部与四川省接壤，东南部与贵州省相连，全境均属于长江水系。全市辖1区10县，湿地面积2.91万公顷，占全省湿地总面积的5.17%。其中，河流湿地面积1.98万公顷，湖泊湿地面积0.008万公顷，沼泽湿地面积0.55万公顷，人工湿地面积0.37万公顷。昭通市湿地资源以河流和沼泽湿地为主，沼泽湿地主要为高山沼泽湿地(以沼泽化草甸为主)。境内分布有大山包、药山、乌蒙山和长江中上游珍稀特有鱼类4个国家级自然保护区。其中，大山包国家级保护区所在区域同时属国际重要湿地，是全省范围内以黑颈鹤为代表的越冬水禽最主要的栖息地之一(图2-28)。

图2-27　保山市湿地资源分布

(6)丽江市：丽江市地处云南省西北偏东，为青藏高原向云南高原的过渡区域，其西部为“三江并流”世界自然遗产地区域，东北部与四川省接壤，境内全为金沙江水系。全市辖1区4县，湿地总面积3.62万公顷，占全省湿地总面积的6.42%。其中，河流湿地面积1.48万公顷，湖泊湿地面积1.15万公顷，沼泽湿地面积0.53万公顷，人工湿地面积0.46万公顷。丽江市湿地资源以河流和湖泊湿地为主，沼泽与人工湿地平分秋色，长江干流从境内蜿蜒穿过，高原断陷封闭型湖泊特色明显。该市为全省灌丛沼泽和森林沼泽主要集中分布区域。境内分布有拉市海、泸沽湖、玉龙雪山3个省级自然保护区和丽江老君山国家公园。而拉市海还是国际重要湿地；泸沽湖和程海为国家重要湿地(图2-29)。

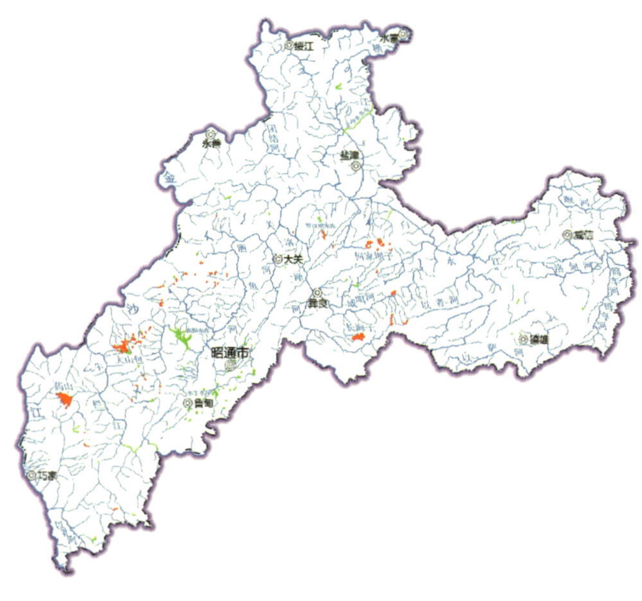

图2-28　昭通市湿地资源分布

(7)普洱市：普洱市位于云南省中部至南部，西南部和东南部分别与缅甸和老挝部分接壤，多为澜沧江水系，少量涉及红河水系。全市湿地面积6.93万公顷，占全省湿地总面积的12.30%，湿地面积名列全省第一。其中，河流湿地面积3.04万公顷，湖泊湿地面积0.006万公顷，沼泽湿地面积0.004万公顷，人工湿地面积3.88万公顷。除人工湿地外，河流湿地是构成普洱市湿地资源的主体，人工湿地和河流湿地在全省均居首位。普洱市地处云岭山脉的南缘，无量山、哀牢山两座山系分别自北向南坐落，河流纵横，大小水库、库塘星罗棋布，尤其是澜沧江上的梯级电站建设，使得全市库塘湿地所占比重增大，产生大面积的人工湿地。境内分布有无量山和哀牢山 2 个国家级自然保护区的部分区域，其河流湿地大多发源于此，为普洱市最主要的水源涵养区。另外，境内还分布有糯扎渡、太阳河等多个省级及州市级自然保护区，皆是澜沧江及其支流的重要水源涵养地。位于普洱市区周边的普洱五湖国家湿地公园则是普洱市区水源的供给地(图 2-30)。

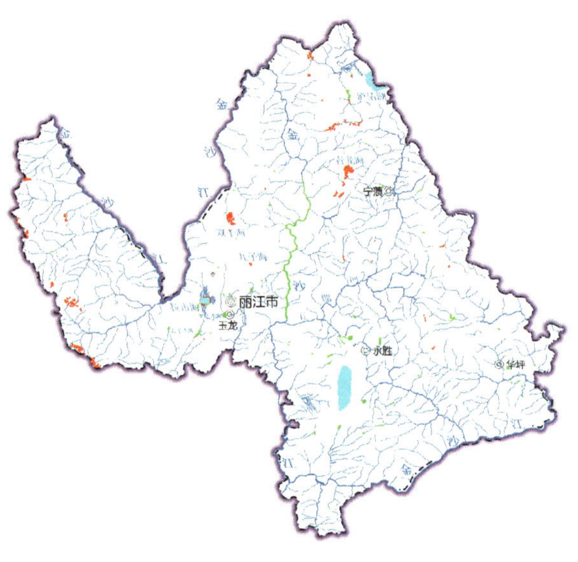

图 **2-29**　丽江市湿地资源分布

(8)临沧市：临沧市地处云南省西南部边陲，其西南部与缅甸接壤，自西向东分属怒江和澜沧江水系。全市辖 1 区 7 县，湿地面积 2.91 万公顷，占全省湿地总面积的 5.16%。其中河流湿地面积 1.28 万公顷，人工湿地面积 1.62 万公顷，湖泊湿地和沼泽湿地面积均不足百公顷。怒江干流和澜沧江干流穿过此区。怒江干流及南汀河为河流湿地主体。澜沧江干流上诸多电站的修建形成库区，是产生大量人工湿地的主要根源。境内的南滚河、大雪山两个国家级自然保护区及澜沧江省级自然保护区是澜

图 **2-30**　普洱市湿地资源分布

沧江、怒江干流及其支流的重要水源地(图2-31)。

(9)楚雄州：楚雄州地处云南省中部，昆明市西部，属典型的滇中高原，分属金沙江和红河两大水系。全州辖1市9县，湿地面积3.13万公顷，占全省湿地总面积的5.55%。其中，河流湿地面积2.04万公顷，湖泊湿地面积0.01万公顷，沼泽湿地面积0.01万公顷，人工湿地面积1.06万公顷。州内湿地资源以河流湿地为主，人工湿地为辅，湖泊和沼泽湿地面积所占比例很小，较大的高原断陷湖泊在境内基本没有发育，仅在哀牢山国家级自然保护区(楚雄片)零星分布有少量的沼泽湿地，主要为沼泽化草甸(图2-32)。

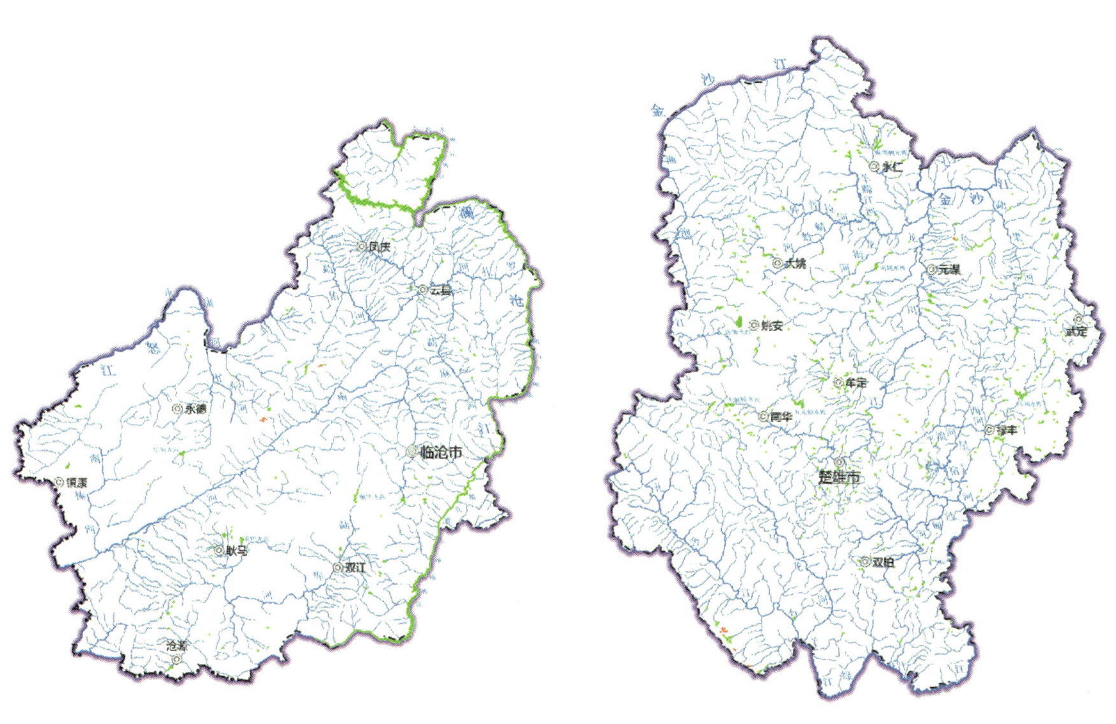

图2-31 临沧市湿地资源分布　　图2-32 楚雄州湿地资源分布

(10)红河州：红河州处于云南省南部偏东，为滇中高原向滇南中低山山地过渡的区域，其南部与老挝和越南接壤，横跨红河和珠江两大水系。全州辖3市10县，湿地面积3.56万公顷，占全省湿地总面积的6.32%。其中，河流湿地面积1.34万公顷，湖泊湿地面积0.59万公顷，沼泽湿地面积0.13万公顷，人工湿地面积1.50万公顷。州内湿地资源以人工湿地和河流湿地为主。珠江干流、红河干流流经此区，干流上建有多个水电站，导致人工湿地面积增大。典型湖泊湿地为异龙湖、蒙自长桥海、大屯海等。沼泽湿地主要为异龙湖湖滨沼泽，草本沼泽分布较广。境内分布有大围山、分水岭、黄连山3个具有强大水源涵养功能的国家级自然保护区和元阳观音山、红河阿姆山2个为红河哈尼梯田国家湿地公园提供水源的省级保护区(图2-33)。

(11)文山州：文山州地处云南省东南部边缘，其东北部、东部和东南部与广西壮族自治区接壤，南部与越南相连，分属红河和珠江水系。全州辖1市7县，湿地总面积2.64万公顷，占全省湿地总面积的4.68%。其中，河流湿地面积1.13万公顷，湖泊湿地面积0.42万公顷，沼泽湿地

图 **2-33** 红河州湿地资源分布

面积 0. 047 万公顷，人工湿地面积 1. 04 万公顷。全州湿地资源以河流湿地与人工湿地居多，且平分秋色，珠江干流流经此区，但并不是河流湿地主体；人工湿地均为库塘湿地型且广布于全州；湖泊湿地主要集中分布于砚山县、丘北县和广南县，为喀斯特岩溶湖群；沼泽湿地主要集中于丘北县，为草本沼泽湿地。文山州由于喀斯特地貌分布较广，为全省喀斯特溶洞湿地发育最多的市(州)。最为著名的是普者黑湿地，目前已在此区域建立省级自然保护区和国家湿地公园(图 2-34)。

(12)西双版纳州：西双版纳州地处云南省南部边陲，属滇南低山山地，整体处于澜沧江流域在云南境内的下游，西南部和东南部分别与缅甸和老挝接壤，全境均属澜沧江水系。全州辖 1 市 2 县，湿地面积 1. 82 万公顷，占全省湿地总面积的 3. 23%。其中，河流湿地面积 1. 24 万公顷，湖泊湿地面积 73. 02 万公顷，人工湿地面积 0. 58 万公顷，无沼泽湿地。州内湿地资源以河流湿地占绝对优势。澜沧江干流流经此区，干流上建有多个水电站，使得人工湿地面积占有一定比例。而湖泊湿地全部分布在勐海县境内。境内分布有西双版纳和纳板河流域两个国家级自然保护区，其较高的森林覆盖率成为澜沧江流域重要的水源涵养区(图 2-35)。

(13)大理州：大理州位于云南省中部偏西，涉及澜沧江、金沙江、红河和怒江水系，在云南六大水系中，是唯一一个地跨 4 个水系的市(州)。州内辖 1 市 11 区，湿地面积 5. 96 万公顷，占全省湿地总面积的 10. 58%。以湖泊湿地、河流湿地和人工湿地为多，湖泊湿地面积为 2. 86 万公顷，列全省同类湿地中第三，河流湿地面积 1. 66 万公顷，沼泽湿地 0. 06 万公顷，人工湿地面积

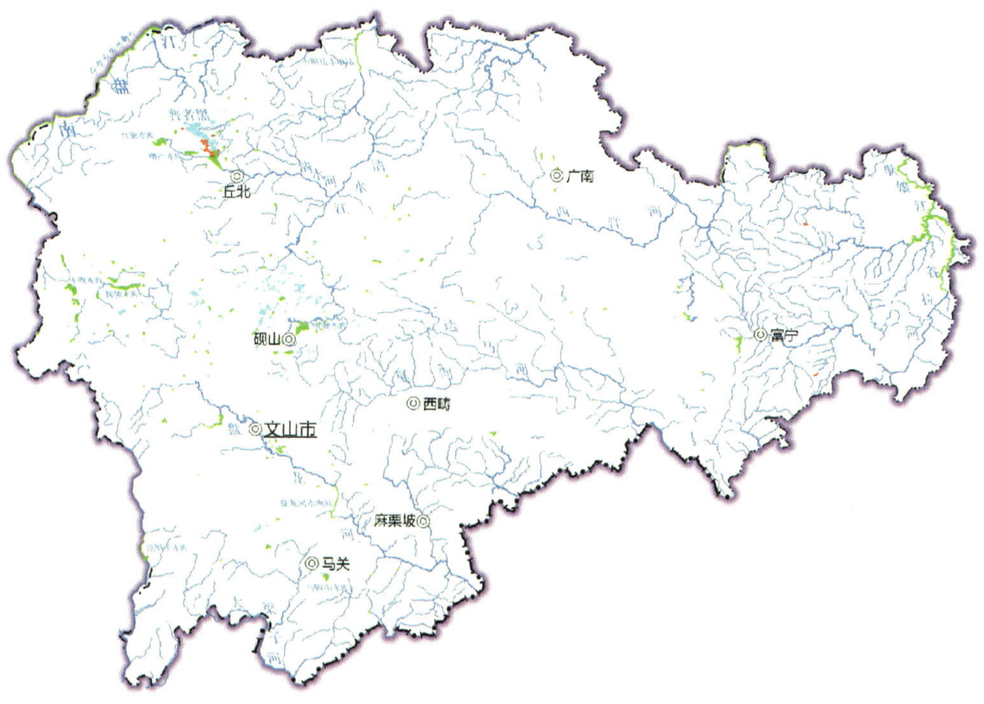

图 **2-34**　文山州湿地资源分布

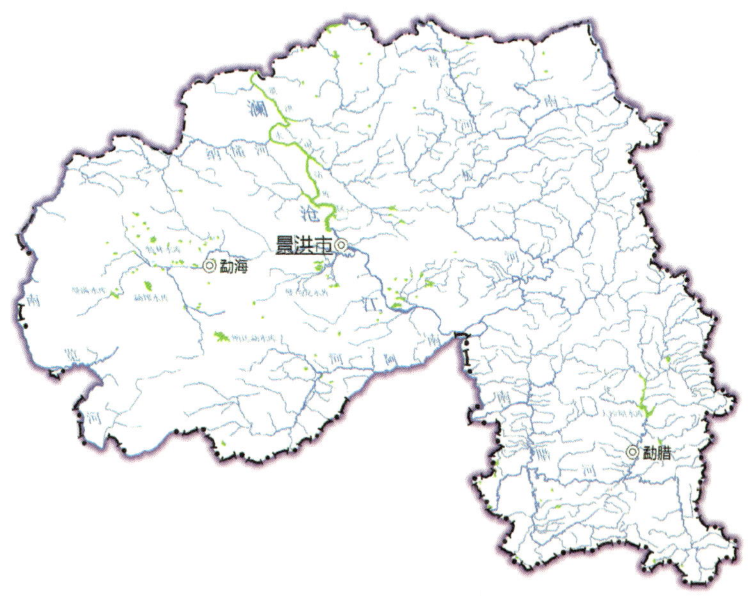

图 **2-35**　西双版纳州湿地资源分布

1.38 万公顷。境内河流纵横，大小湖泊星罗棋布。其湿地资源以湖泊湿地为主，为高原断陷湖；怒江、澜沧江、红河、长江干流流经此区，以澜沧江流域面积最广；沼泽湿地主要为零星分布的高原湖泊湖滨沼泽湿地；人工湿地主体为澜沧江干流上的库塘和电站。州内的洱海为云南省九大高原湖泊之一，且为国家级自然保护区和国家重要湿地。以湿地为主的保护地还有洱源西湖和鹤庆东草海国家湿地公园、剑川剑湖湿地省级自然保护区等(图 2-36)。

图 **2-36**　大理州湿地资源分布

(14)德宏州：德宏州地处云南省西部边陲，其北面、西面和南面均与缅甸接壤，仅东面连接保山市，境内多为伊洛瓦底江水系，东南部少量涉及怒江水系。全州辖 2 市 3 县，湿地总面积 2.21 万公顷，占全省湿地总面积的 3.92%。其中，河流湿地面积 1.38 万公顷，湖泊湿地面积 0.028 万公顷，沼泽湿地面积 0.11 万公顷，人工湿地面积 0.69 万公顷。其湿地资源以河流湿地为主；其次为人工湿地；沼泽湿地主要分布在铜壁关省级自然保护区和盈江县零星湿地区；湖泊湿地仅有凯邦亚湖，位于盈江县(图 2-37)。

(15)怒江州：怒江州地处云南省西北部青藏高原南延部分横断山脉纵谷地带的怒江、澜沧江、独龙江峡谷，同属滇西北横断山“三江并流”的腹心区，其西部沿高黎贡山山脉与缅甸接壤，境内从西至东分别贯穿伊洛瓦底江、怒江和澜沧江三大水系，其中以怒江水系面积最大、范围最广。全州辖 4 个县。湿地总面积 1.44 万公顷，占全省湿地总面积的 2.56%，属全省湿地资源最少的市(州)。其中，河流湿地面积 1.30 万公顷，湖泊湿地面积 0.027 万公顷，沼泽湿地面积 0.09 万公顷，人工湿地面积 0.02 万公顷。州内湿地资源以河流湿地占绝对优势(占全州湿地总面积的

90.16%），高山沼泽湿地（皆为草本沼泽）为零星分布。州内分布有全省面积最大的高黎贡山国家级自然保护区和兰坪云岭省级自然保护区。保护区良好的森林植被成为怒江流域重要的水源涵养区。另外，分布于怒江、澜沧江流域之间的碧罗雪山也是全省乃至东南亚重要的水土保持和水源涵养林区（图 2-38）。

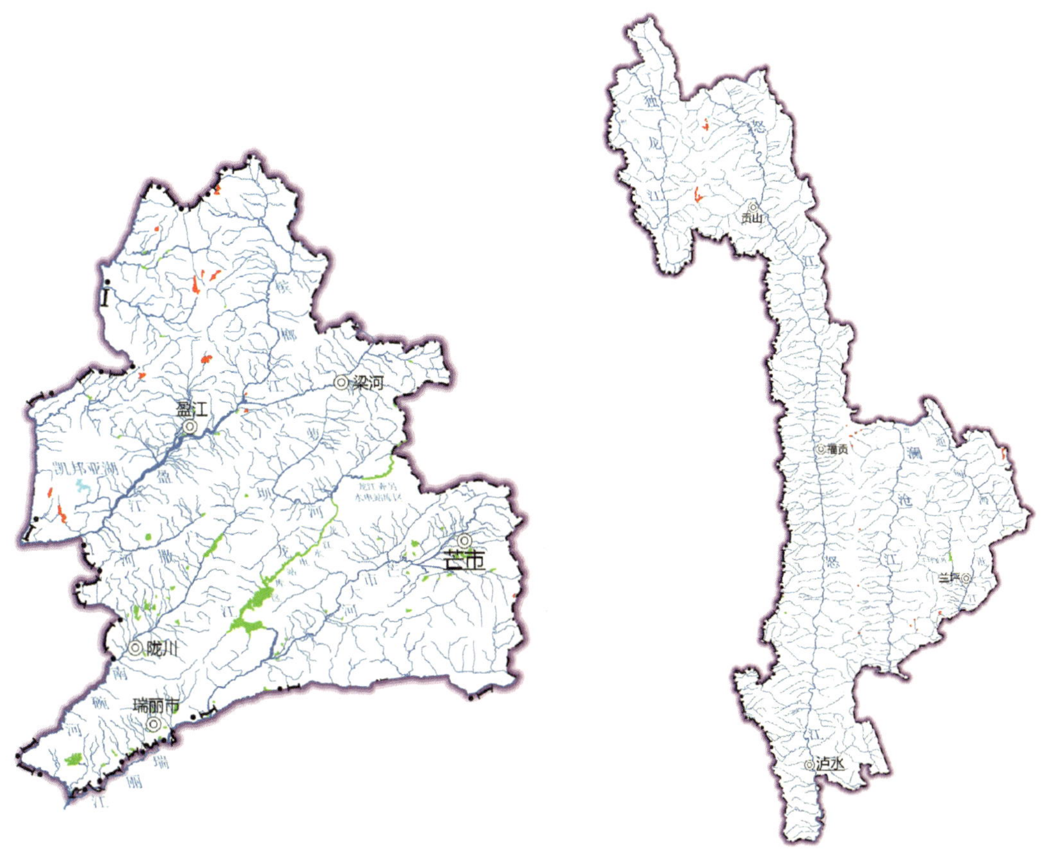

图 **2-37**　德宏州湿地资源分布　　　图 **2-38**　怒江州湿地资源分布

（16）迪庆州：迪庆州地处云南省西北部云南、四川、西藏三省的交界处，属青藏高原东南缘横断山脉的“三江并流”腹心区，分属澜沧江和金沙江水系，是澜沧江和金沙江在云南省的上游区域。全州辖 3 个县，湿地总面积 2.97 万公顷，占全省湿地总面积的 5.27%。其中，河流湿地面积 1.20 万公顷，湖泊湿地面积 0.16 万公顷，沼泽湿地面积 1.60 万公顷，人工湿地面积 0.01 万公顷。州内湿地资源以高山沼泽湿地（沼泽化草甸为主）分布面积最大且典型；冰蚀—冰碛—构造的湖泊湿地特色鲜明；河流湿地以长江、澜沧江干流并行深切为主。沼泽湿地面积占全省沼泽湿地面积的 49.58%，是迪庆州最主要的湿地类型，同时是云南省、我国乃至东南亚水塔的重要组成部分，具有极高的保护价值。州内分布有白马雪山国家级自然保护区及碧塔海、纳帕海、哈巴雪山 3 个省级自然保护区，分布有中国大陆第一个国家公园——普达措国家公园。其中，碧塔海和纳帕海为国际重要湿地（图 2-39）。

1.5.2　各县级行政区的湿地类及面积

全省 129 个县（市、区、自治县）中，湿地总面积最大的分别为大理市、香格里拉市和景谷傣

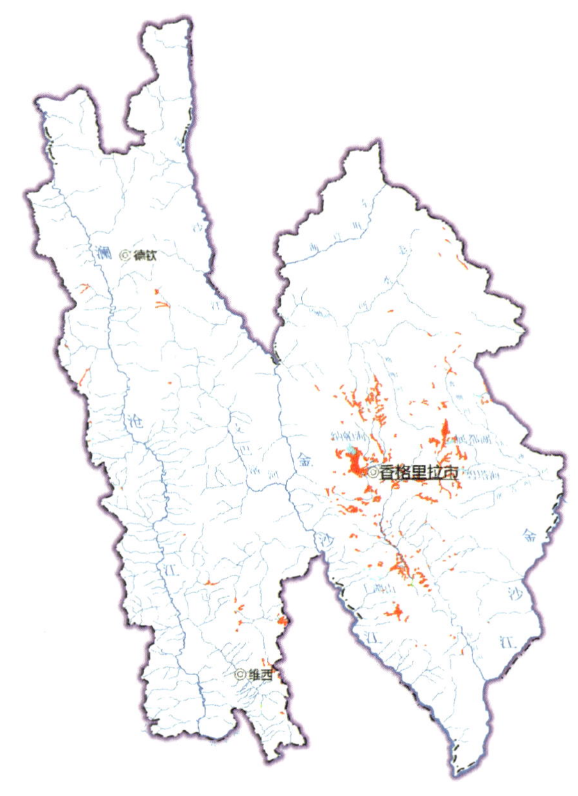

图 2-39 迪庆州湿地资源分布

族彝族自治县。从湿地类方面看，河流湿地面积最大的3个县级行政区域分别为盈江县、勐腊县和景谷傣族彝族自治县；湖泊湿地面积最大的3个县级行政区域分别为大理市、澄江县和西山区；沼泽湿地面积最大的3个县级行政区域分别为香格里拉市、玉龙纳西族自治县和彝良县；人工湿地面积最大的3个县级行政区域分别为景谷傣族彝族自治县、澜沧拉祜族自治县和凤庆县。各湿地类面积详见表2-5。

表 2-5 云南省各市、县级行政区湿地概况(公顷)

序 号	行政区	河流湿地	湖泊湿地	沼泽湿地	人工湿地	合 计
一	**昆明市**	**12314.87**	**33625.24**	**297.22**	**14218.19**	**60455.52**
1	五华区	12.24	24.37		177.97	214.58
2	盘龙区	25.81			507.54	533.35
3	官渡区	100.11	3741.51		767.35	4608.97
4	西山区	242.23	11576.84	14.26	290.83	12124.16
5	东川区	3511.31			300.57	3811.88
6	呈贡区	33.41	5443.33		900.27	6377.01

（续）

序 号	行政区	河流湿地	湖泊湿地	沼泽湿地	人工湿地	合 计
7	晋宁县	12.34	9689.99	11.31	1648.99	11362.63
8	富民县	546.10			121.35	667.45
9	宜良县	1407.28	1593.26		1632.76	4633.30
10	石林彝族自治县	130.03	709.46		949.18	1788.67
11	嵩明县	230.10	11.43		2092.38	2333.91
12	禄劝彝族苗族自治县	3159.23		25.04	2911.60	6095.87
13	寻甸回族彝族自治县	1918.22	823.74	246.61	689.56	3678.13
14	安宁市	986.46	11.31		1227.84	2225.61
二	**曲靖市**	**14496.54**	**1650.72**	**311.07**	**17137.99**	**33596.32**
15	麒麟区	576.90			2553.47	3130.37
16	马龙县	365.07			984.35	1349.42
17	陆良县	1420.65	429.68	39.07	2570.17	4459.57
18	师宗县	1014.38	78.63		799.65	1892.66
19	罗平县	1478.77			1030.84	2509.61
20	富源县	1088.33	17.26	77.17	778.17	1960.93
21	会泽县	4664.95		33.36	3453.28	8151.59
22	沾益县	441.38	647.43	161.47	3279.91	4530.19
23	宣威市	3446.11	477.72		1688.15	5611.98
三	**玉溪市**	**8275.49**	**30063.16**	**50.61**	**4685.30**	**43074.56**
24	红塔区	149.72	37.11		784.30	971.13
25	江川县	93.48	10399.00		510.77	11003.25
26	澄江县	205.85	13947.24		388.48	14541.57
27	通海县	255.85	3671.63		188.93	4116.41
28	华宁县	592.78	1990.47		205.45	2788.70
29	易门县	783.92			624.88	1408.80
30	峨山彝族自治县	746.89	17.71		383.23	1147.83
31	新平彝族傣族自治县	3388.34		50.61	766.70	4205.65
32	元江哈尼族彝族傣族自治县	2058.66			832.56	2891.22
四	**保山市**	**16075.05**	**321.06**	**93.03**	**8789.87**	**25279.01**
33	隆阳区	4488.89	75.60		1885.98	6450.47
34	施甸县	1700.80			547.55	2248.35
35	腾冲市	4666.19	158.93	84.90	915.47	5825.49
36	龙陵县	2680.91	86.53		759.65	3527.09
37	昌宁县	2538.26		8.13	4681.22	7227.61
五	**昭通市**	**19805.94**	**84.85**	**5499.33**	**3751.58**	**29141.70**

（续）

序 号	行政区	河流湿地	湖泊湿地	沼泽湿地	人工湿地	合 计
38	昭阳区	1541.44	21.16	1229.38	2148.17	4940.15
39	鲁甸县	1140.70		144.27	631.73	1916.70
40	巧家县	3529.96		1739.42	245.92	5515.30
41	盐津县	2175.04			218.30	2393.34
42	大关县	1623.99		16.26	129.18	1769.43
43	永善县	2545.10	22.44	520.28	98.01	3185.83
44	绥江县	1376.27			15.03	1391.30
45	镇雄县	2134.26			63.01	2197.27
46	彝良县	2091.56	41.25	1849.72	58.90	4041.43
47	威信县	893.90			58.88	952.78
48	水富县	753.72			84.45	838.17
六	**丽江市**	**14742.32**	**11532.52**	**5335.68**	**4601.10**	**36211.62**
49	古城区	628.45	45.67	61.23	900.81	1636.16
50	玉龙纳西族自治县	4994.15	1158.56	3418.99	943.00	10514.70
51	永胜县	4082.00	7589.48		1589.64	13261.12
52	华坪县	1416.56		44.51	500.58	1961.65
53	宁蒗彝族自治县	3621.16	2738.81	1810.95	667.07	8837.99
七	**普洱市**	**30393.08**	**64.24**	**40.44**	**38781.13**	**69278.89**
54	思茅区	1863.35			7588.56	9451.91
55	宁洱哈尼族彝族自治县	2616.82	10.33		1448.71	4075.86
56	墨江哈尼族自治县	3668.46			1734.44	5402.90
57	景东彝族自治县	3051.14		40.44	1867.84	4959.42
58	景谷傣族彝族自治县	5292.27			12115.74	17408.01
59	镇沅彝族哈尼族拉祜族自治县	3160.88			769.08	3929.96
60	江城哈尼族彝族自治县	3418.26			957.60	4375.86
61	孟连傣族拉祜族佤族自治县	1693.07			332.10	2025.17
62	澜沧拉祜族自治县	4928.40			11954.64	16883.04
63	西盟佤族自治县	700.43	53.91		12.42	766.76
八	**临沧市**	**12844.36**	**30.60**	**74.90**	**16152.75**	**29102.61**
64	临翔区	1385.27			1915.80	3301.07
65	凤庆县	1831.39			8005.61	9837.00
66	云县	2424.04			2794.97	5219.01
67	永德县	1700.48		74.90	416.74	2192.12
68	镇康县	912.85			161.69	1074.54

（续）

序号	行政区	河流湿地	湖泊湿地	沼泽湿地	人工湿地	合计
69	双江拉祜族佤族布朗族傣族自治县	910.24			2199.94	3110.18
70	耿马傣族佤族自治县	2427.44	30.60		420.09	2878.13
71	沧源佤族自治县	1252.65			237.91	1490.56
九	**楚雄州**	**20443.46**	**123.94**	**132.73**	**10587.77**	**31287.90**
72	楚雄市	3145.44	106.75		1341.97	4594.16
73	双柏县	3460.75	8.87	108.81	780.82	4359.25
74	牟定县	633.96			936.94	1570.90
75	南华县	1691.31			790.73	2482.04
76	姚安县	571.71			1111.74	1683.45
77	大姚县	2597.12			886.86	3483.98
78	永仁县	1431.14			837.45	2268.59
79	元谋县	3027.90		13.27	778.98	3820.15
80	武定县	1758.17	8.32	10.65	1004.74	2781.88
81	禄丰县	2125.96			2117.54	4243.50
十	**红河州**	**13410.24**	**5926.61**	**1300.98**	**14961.44**	**35599.27**
82	个旧市	378.10	572.07		1990.52	2940.69
83	开远市	561.84	93.38		839.90	1495.12
84	蒙自市	79.29	2525.05		746.32	3350.66
85	屏边苗族自治县	961.66			139.15	1100.81
86	建水县	1141.65	226.05		2153.30	3521.00
87	石屏县	753.29	2389.29	1300.98	740.37	5183.93
88	弥勒县	951.18			2654.56	3605.74
89	泸西县	365.11	120.77		2293.96	2779.84
90	元阳县	987.38			1399.68	2387.06
91	红河县	1133.68			358.40	1492.08
92	金平苗族瑶族傣族自治县	2637.38			1194.94	3832.32
93	绿春县	1669.89			437.70	2107.59
94	河口瑶族自治县	1789.79			12.64	1802.43
十一	**文山州**	**11279.71**	**4219.62**	**474.73**	**10422.16**	**26396.22**
95	文山市	549.73	247.10		571.08	1367.91
96	砚山县	744.92	1975.42		3026.36	5746.70
97	西畴县	429.11	37.78		96.38	563.27
98	麻栗坡县	1343.53	12.35		145.24	1501.12
99	马关县	837.18	170.37		415.67	1423.22
100	丘北县	1611.99	1682.62	437.69	2585.22	6317.52

（续）

序 号	行政区	河流湿地	湖泊湿地	沼泽湿地	人工湿地	合 计
101	广南县	2621.70	93.98		518.03	3233.71
102	富宁县	3141.55		37.04	3064.18	6242.77
十二	**西双版纳州**	**12356.58**	**73.02**	**0.00**	**5778.82**	**18208.42**
103	景洪市	4823.80			3520.40	8344.20
104	勐海县	1441.03	73.02		1578.20	3092.25
105	勐腊县	6091.75			680.22	6771.97
十三	**大理州**	**16602.10**	**28620.37**	**593.65**	**13823.02**	**59639.14**
106	大理市	812.48	25005.41	199.37	705.15	26722.41
107	漾濞彝族自治县	1046.98			599.30	1646.28
108	祥云县	753.91	708.39		1964.83	3427.13
109	宾川县	1461.05	327.15		1290.60	3078.80
110	弥渡县	954.36			718.73	1673.09
111	南涧彝族自治县	1177.29			2483.36	3660.65
112	巍山彝族回族自治县	1465.10			2305.17	3770.27
113	永平县	1420.88			1740.71	3161.59
114	云龙县	3014.34	118.52	280.85	1004.68	4418.39
115	洱源县	1134.84	1605.19	113.43	262.51	3115.97
116	剑川县	1198.93	579.67		279.25	2057.85
117	鹤庆县	2161.94	276.04		468.73	2906.71
十四	**德宏州**	**13821.35**	**280.59**	**1104.45**	**6894.16**	**22100.55**
118	瑞丽市	1286.73			697.76	1984.49
119	芒市	2677.67		11.21	2769.71	5458.59
120	梁河县	1310.90			225.40	1536.30
121	盈江县	7250.97	268.06	1093.24	401.56	9013.83
122	陇川县	1295.08	12.53		2799.73	4107.34
十五	**怒江州**	**12994.77**	**272.96**	**933.56**	**211.42**	**14412.71**
123	泸水县	2779.24		24.62	45.19	2849.05
124	福贡县	2622.36	55.34		6.93	2684.63
125	贡山独龙族怒族自治县	4158.84	208.88	585.42		4953.14
126	兰坪白族普米族自治县	3434.33	8.74	323.52	159.30	3925.89
十六	**迪庆州**	**11991.65**	**1596.76**	**15969.72**	**131.93**	**29690.06**
127	香格里拉市	5013.89	1476.90	14470.56	119.07	21080.42
128	德钦县	3499.44	18.73	435.35		3953.52
129	维西傈僳族自治县	3478.32	101.13	1063.81	12.86	4656.12
总 计		241847.51	118486.26	32212.10	170928.63	563474.50

2 河流湿地

云南省河流众多，水系发育，纵横交错。由南北走向的山脉地形分割成金沙江、珠江、红河、澜沧江、怒江和伊洛瓦底江六大江河水系。六大水系均为入海河流的上游或源头，其中汇入太平洋的河流有长江、珠江、红河、澜沧江；汇入印度洋的河流有怒江（出境后称萨尔温江）、伊洛瓦底江。除长江水系外，其余5条均属国际河流。其中省境内河流湿地集水面积在100平方公里以上的河流有908条，1000平方公里以上的河流有108条，流域面积在5000平方公里以上的支流有20条，有47条省际河流和37条国际河流（图2-40）。

图 **2-40** 河流湿地——独龙江（张绍辉摄）

2.1 河流湿地各湿地型及面积

云南省河流湿地面积24.18万公顷，包括永久性河流、季节性河流、洪泛湿地和喀斯特溶洞湿地4个湿地型。其中，以永久性河流占绝对优势。全省共有平均宽度大于10米、长度大于5公里的河流湿地斑块11280个。由于云南属高原地形，总体为西北高、东南低的态势，省内河流众多，河流湿地在全省各地都有分布，以永久性河流占绝对优势（图2-41）。

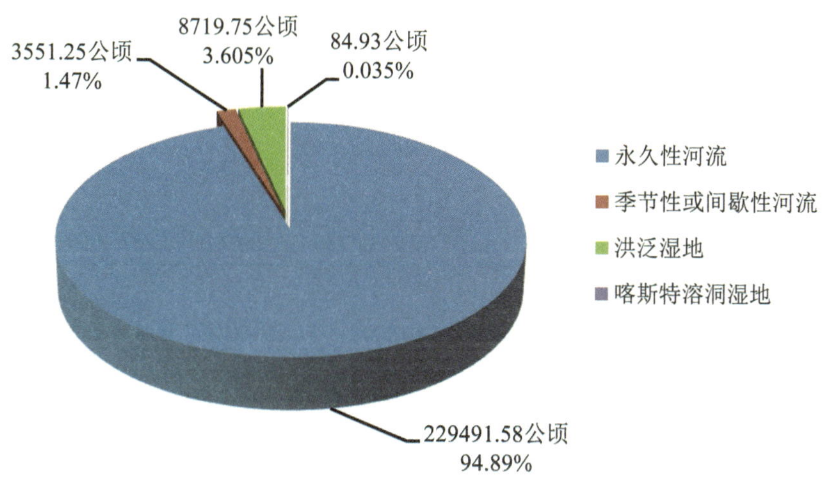

图 **2-41** 云南省河流湿地型面积与比例构成

2.1.1 永久性河流湿地

永久性河流湿地指常年有河水径流的河流，仅包括河床部分。全省永久性河流湿地面积22.95万公顷，占河流湿地总面积的94.89%。

2.1.2 季节性或间歇性河流湿地

季节性或间歇性河流湿地是指一年中只有季节性或间歇性有水径流的河流。全省季节性河流湿地面积3551.25公顷，占河流湿地总面积的1.47%。

2.1.3　洪泛湿地

洪泛湿地指在丰水季节有洪水泛滥的河滩、河心洲、河谷、季节性泛滥的草地以及保持了常年或季节性被水浸润的内陆三角洲。全省洪泛湿地面积 8719.75 公顷，占河流湿地总面积的 3.61%。

2.1.4　喀斯特溶洞湿地

喀斯特溶洞湿地是指喀斯特地貌下形成的溶洞集水区或地下河、溪。全省喀斯特溶洞湿地面积 84.93 公顷，占河流湿地总面积的 0.03%。

2.2　各流域的河流湿地型及面积

全省河流湿地涉及 3 个一级流域 9 个二级流域 17 个三级流域。其中，西南诸河河流湿地面积 14.61 万公顷，长江区河流湿地面积 7.41 万公顷，珠江区河流湿地面积 2.16 万公顷。云南省河流众多，以西南诸河流域面积最大，区内有大量河流分布。各流域的湿地型及面积分布详见表 2-6。

表 2-6　云南省各流域河流湿地各湿地型分布概况(公顷)

一级流域	二级流域	三级流域	永久性河流	季节性河流	洪泛湿地	喀斯特溶洞湿地	合　计
西南诸河区	红河	元江	23120.16	323.83	736.29		24180.28
		李仙江	17019.69	49.88	95.81		17165.38
		盘龙江	4164.25	92.84			4257.09
	澜沧江	沘江口以上	10252.70		147.84		10400.54
		沘江口以下	44334.51	123.05	602.14		45059.70
	怒江及伊洛瓦底江	怒江勐古以上	7851.93		51.82		7903.75
		怒江勐古以下	15543.06	41.65	979.49		16564.20
		伊洛瓦底江	19516.69	11.10	1090.94		20618.73
珠江区	南北盘江	北盘江	2429.27	114.22			2543.49
		南盘江	14137.83	370.31			14508.14
	郁江	右江	4466.45	29.28		68.46	4564.19
长江区	金沙江石鼓以上	直门达至石鼓	7163.79	84.18	1378.65		8626.62
	金沙江石鼓以下	雅砻江	2441.35				2441.35
		石鼓以下干流	54638.31	2310.91	3636.77	16.47	60602.46
	乌江	思南以上	827.48				827.48
	宜宾至宜昌	宜宾至宜昌干流	659.63				659.63
		赤水河	924.48				924.48
总　计			229491.58	3551.25	8719.75	84.93	241847.51

2.3　各湿地区的河流湿地型及面积

全省河流湿地共涉及湿地区153个，其中单独区划湿地区24个，零星湿地区129个。云南地处六大江河中上游。湿地区中河流湿地面积最大的为长江干流湿地区，面积1.81万公顷，占河流湿地总面积的7.50%；其次，为怒江干流湿地区，面积0.84万公顷，占河流湿地总面积的3.47%；第三是盈江县零星湿地区，河流湿地面积0.68万公顷，占河流湿地总面积的2.80%。永久性河流面积最大的湿地区为长江干流湿地区，面积1.57万公顷，占河流湿地总面积的6.51%；季节性或间歇性河流面积最大的湿地区为会泽县零星湿地区，面积0.06万公顷，占河流湿地总面积的0.24%；洪泛湿地面积最大的湿地区为长江干流湿地区，面积0.24万公顷，占河流湿地总面积的0.99%。各湿地区河流湿地的面积分布见表2-7。

表2-7　云南省各湿地区河流湿地各湿地型分布概况(公顷)

序号	湿地区名称	永久性河流	季节性河流	洪泛湿地	喀斯特溶洞湿地	合计
	单独区划湿地区共计	**47796.26**	**41.02**	**4315.35**		**52152.63**
1	大山包湿地区	50.85		62.99		113.84
2	会泽黑颈鹤栖息区湿地区	22.87	6.58			29.45
3	西双版纳国家级自然保护区湿地区	1969.57				1969.57
4	南滚河国家级自然保护区湿地区	229.45				229.45
5	高黎贡山国家级自然保护区湿地区	1989.71				1989.71
6	白马雪山国家级自然保护区湿地区	728.11				728.11
7	哀牢山国家级自然保护区湿地区	145.91				145.91
8	文山国家级自然保护区湿地区	37.97				37.97
9	大围山国家级自然保护区湿地区	145.89				145.89
10	无量山国家级自然保护区湿地区	31.20				31.20
11	纳板河流域国家级自然保护区湿地区	73.84				73.84
12	长江上游珍稀特有鱼类国家级自然保护区湿地区	717.77				717.77
13	糯扎渡省级自然保护区湿地区	43.05				43.05
14	铜壁关省级自然保护区湿地区	680.66				680.66
15	临沧澜沧江省级自然保护区湿地区	81.74				81.74
16	珠江源省级自然保护区湿地区	204.23	34.44			238.67
17	乌蒙山省级自然保护区湿地区	76.27				76.27
18	曲靖牛栏江鱼类市级自然保护区湿地区	1549.65		9.97		1559.62
19	长江干流湿地区	15743.97		2391.90		18135.87
20	怒江干流湿地区	7700.26		703.65		8403.91
21	澜沧江干流湿地区	5970.30		632.08		6602.38
22	红河干流湿地区	5392.48		514.76		5907.24

（续）

序 号	湿地区名称	永久性河流	季节性河流	洪泛湿地	喀斯特溶洞湿地	合 计
23	珠江干流湿地区	3558.89				3558.89
24	伊洛瓦底江干流湿地区	651.62				651.62
	零星湿地区共计	**181695.32**	**3510.23**	**4404.40**	**84.93**	**189694.88**
25	五华区零星湿地区	12.24				12.24
26	盘龙区零星湿地区	25.81				25.81
27	官渡区零星湿地区	100.11				100.11
28	西山区零星湿地区	242.23				242.23
29	东川区零星湿地区	1862.09	31.52	1093.60		2987.21
30	呈贡区零星湿地区	33.41				33.41
31	晋宁县零星湿地区	12.34				12.34
32	富民县零星湿地区	546.10				546.10
33	宜良县零星湿地区	683.87	14.68			698.55
34	石林彝族自治县零星湿地区	130.03				130.03
35	嵩明县零星湿地区	221.38	8.72			230.10
36	禄劝彝族苗族自治县零星湿地区	2298.74	16.67	74.03		2389.44
37	寻甸回族彝族自治县零星湿地区	1808.60	109.62			1918.22
38	安宁市零星湿地区	738.69		247.77		986.46
39	麒麟区零星湿地区	312.53				312.53
40	马龙县零星湿地区	365.07				365.07
41	陆良县零星湿地区	746.89	12.30			759.19
42	师宗县零星湿地区	404.18	7.39			411.57
43	罗平县零星湿地区	1375.65	73.08			1448.73
44	富源县零星湿地区	1071.57	16.76			1088.33
45	会泽县零星湿地区	2270.38	580.88	652.51		3503.77
46	沾益县零星湿地区	262.07	18.97			281.04
47	宣威市零星湿地区	2684.81	199.86			2884.67
48	红塔区零星湿地区	149.72				149.72
49	江川县零星湿地区	52.51	40.97			93.48
50	澄江县零星湿地区	100.02	22.34			122.36
51	通海县零星湿地区	234.73	21.12			255.85
52	华宁县零星湿地区	387.78				387.78
53	易门县零星湿地区	768.87	15.05			783.92
54	峨山彝族自治县零星湿地区	746.89				746.89
55	新平彝族傣族自治县零星湿地区	2058.19	8.46	118.73		2185.38
56	元江哈尼族彝族傣族自治县零星湿地区	1240.29		8.03		1248.32

（续）

序号	湿地区名称	永久性河流	季节性河流	洪泛湿地	喀斯特溶洞湿地	合　计
57	隆阳区零星湿地区	2268.05				2268.05
58	施甸县零星湿地区	933.45	21.27	17.69		972.41
59	腾冲市零星湿地区	4528.95	11.10	42.37		4582.42
60	龙陵县零星湿地区	1574.34		17.10		1591.44
61	昌宁县零星湿地区	2445.94		92.32		2538.26
62	昭阳区零星湿地区	1237.70	42.63			1280.33
63	鲁甸县零星湿地区	870.97		261.38	8.35	1140.70
64	巧家县零星湿地区	1666.00	85.57	209.30		1960.87
65	盐津县零星湿地区	2175.04				2175.04
66	大关县零星湿地区	1577.21	9.52		8.12	1594.85
67	永善县零星湿地区	1129.86				1129.86
68	绥江县零星湿地区	398.47	5.32			403.79
69	镇雄县零星湿地区	1634.98				1634.98
70	彝良县零星湿地区	1890.92	153.51			2044.43
71	威信县零星湿地区	675.41				675.41
72	水富县零星湿地区	490.28				490.28
73	古城区零星湿地区	331.20	17.09			348.29
74	玉龙纳西族自治县零星湿地区	2110.14	64.83			2174.97
75	永胜县零星湿地区	2171.52	130.75			2302.27
76	华坪县零星湿地区	1064.39	25.81			1090.20
77	宁蒗彝族自治县零星湿地区	3317.69				3317.69
78	思茅区零星湿地区	1835.46				1835.46
79	宁洱哈尼族彝族自治县零星湿地区	2607.85		8.97		2616.82
80	墨江哈尼族自治县零星湿地区	3630.34	18.84	19.28		3668.46
81	景东彝族自治县零星湿地区	3018.95				3018.95
82	景谷傣族彝族自治县零星湿地区	5292.27				5292.27
83	镇沅彝族哈尼族拉祜族自治县零星湿地区	3058.30		57.11		3115.41
84	江城哈尼族彝族自治县零星湿地区	3418.26				3418.26
85	孟连傣族拉祜族自治县零星湿地区	1693.07				1693.07
86	澜沧拉祜族自治县零星湿地区	4900.72		12.52		4913.24
87	西盟佤族自治县零星湿地区	700.43				700.43
88	临翔区零星湿地区	1362.92				1362.92
89	凤庆县零星湿地区	1794.98		36.41		1831.39
90	云县零星湿地区	2394.50				2394.50
91	永德县零星湿地区	1562.28	20.38	48.37		1631.03

（续）

序号	湿地区名称	永久性河流	季节性河流	洪泛湿地	喀斯特溶洞湿地	合计
92	镇康县零星湿地区	675. 36				675. 36
93	双江拉祜族佤族布朗族傣族自治县零星湿地区	888. 53				888. 53
94	耿马傣族佤族自治县零星湿地区	2229. 28		144. 51		2373. 79
95	沧源佤族自治县零星湿地区	1068. 71				1068. 71
96	楚雄市零星湿地区	2517. 81	46. 55			2564. 36
97	双柏县零星湿地区	3014. 35	13. 38	80. 67		3108. 40
98	牟定县零星湿地区	589. 98	43. 98			633. 96
99	南华县零星湿地区	1324. 35		14. 10		1338. 45
100	姚安县零星湿地区	571. 71				571. 71
101	大姚县零星湿地区	2167. 07	29. 43			2196. 50
102	永仁县零星湿地区	1261. 22	9. 76			1270. 98
103	元谋县零星湿地区	1607. 11	309. 81	11. 97		1928. 89
104	武定县零星湿地区	1289. 25	25. 28			1314. 53
105	禄丰县零星湿地区	2057. 25	68. 71			2125. 96
106	个旧市零星湿地区	266. 37				266. 37
107	开远市零星湿地区	121. 37	74. 41			195. 78
108	蒙自市零星湿地区	68. 31				68. 31
109	屏边苗族自治县零星湿地区	859. 63	58. 82			918. 45
110	建水县零星湿地区	1023. 18	6. 86			1030. 04
111	石屏县零星湿地区	578. 46				578. 46
112	弥勒县零星湿地区	504. 65	38. 40			543. 05
113	泸西县零星湿地区	343. 89				343. 89
114	元阳县零星湿地区	972. 26				972. 26
115	红河县零星湿地区	925. 65				925. 65
116	金平苗族瑶族傣族自治县零星湿地区	2216. 42	31. 04	10. 45		2257. 91
117	绿春县零星湿地区	1669. 89				1669. 89
118	河口瑶族自治县零星湿地区	656. 22	8. 30			664. 52
119	文山市零星湿地区	471. 00	40. 76			511. 76
120	砚山县零星湿地区	690. 15	54. 77			744. 92
121	西畴县零星湿地区	419. 47	9. 64			429. 11
122	麻栗坡县零星湿地区	1320. 95	22. 58			1343. 53
123	马关县零星湿地区	825. 80	11. 38			837. 18
124	丘北县零星湿地区	1558. 92				1558. 92
125	广南县零星湿地区	2516. 87	36. 37		68. 46	2621. 70
126	富宁县零星湿地区	3141. 55				3141. 55

（续）

序 号	湿地区名称	永久性河流	季节性河流	洪泛湿地	喀斯特溶洞湿地	合 计
127	景洪市零星湿地区	2186.78				2186.78
128	勐海县零星湿地区	1387.35				1387.35
129	勐腊县零星湿地区	4679.72				4679.72
130	大理市零星湿地区	800.85	11.63			812.48
131	漾濞彝族自治县零星湿地区	1025.38	21.60			1046.98
132	祥云县零星湿地区	753.91				753.91
133	宾川县零星湿地区	1101.93	236.76			1338.69
134	弥渡县零星湿地区	774.40	18.32			792.72
135	南涧彝族自治县零星湿地区	920.40				920.40
136	巍山彝族回族自治县零星湿地区	974.34	137.26			1111.60
137	永平县零星湿地区	1420.88				1420.88
138	云龙县零星湿地区	2497.80				2497.80
139	洱源县零星湿地区	1060.32	14.23	60.29		1134.84
140	剑川县零星湿地区	1162.10	36.83			1198.93
141	鹤庆县零星湿地区	1293.09	228.45			1521.54
142	瑞丽市零星湿地区	1069.71		71.30		1141.01
143	芒市零星湿地区	2533.75		71.95		2605.70
144	梁河县零星湿地区	1213.12		97.78		1310.90
145	盈江县零星湿地区	5974.00		790.44		6764.44
146	陇川县零星湿地区	1246.67				1246.67
147	泸水县零星湿地区	1104.76		24.77		1129.53
148	福贡县零星湿地区	1092.38				1092.38
149	贡山独龙族怒族自治县零星湿地区	861.04				861.04
150	兰坪白族普米族自治县零星湿地区	2253.60				2253.60
151	香格里拉市零星湿地区	2081.85	53.80			2135.65
152	德钦县零星湿地区	779.43	6.11			785.54
153	维西傈僳族自治县零星湿地区	1322.14		8.68		1330.82
总 计		229491.58	3551.25	8719.75	84.93	241847.51

2.4 各市(州)级行政区的河流湿地型及面积

云南省16个市(州)中，河流湿地面积最大的市(州)为普洱市，面积3.04万公顷，居16个市(州)之首；楚雄州河流湿地2.04万公顷，居第二位；昭通市河流湿地面积1.98万公顷，居第三位(表2-8)。

表 2-8 云南省各市(州)级行政区河流湿地各湿地型分布概况(公顷)

序 号	行政区名称	永久性河流	季节性河流	洪泛湿地	喀斯特溶洞湿地	合 计
1	昆明市	10699.15	182.21	1434.51		12314.87
2	曲靖市	12883.80	950.26	662.48		14496.54
3	玉溪市	7560.95	107.94	606.60		8275.49
4	保山市	15176.33	32.37	866.35		16075.05
5	昭通市	18661.93	296.55	830.99	16.47	19805.94
6	丽江市	13539.48	238.48	964.36		14742.32
7	普洱市	30276.36	18.84	97.88		30393.08
8	临沧市	12562.84	20.38	261.14		12844.36
9	楚雄州	19564.89	546.90	331.67		20443.46
10	红河州	13161.61	217.83	30.80		13410.24
11	文山州	11035.75	175.50		68.46	11279.71
12	西双版纳州	11888.73		467.85		12356.58
13	大理州	15836.73	705.08	60.29		16602.10
14	德宏州	12789.88		1031.47		13821.35
15	怒江州	12970.00		24.77		12994.77
16	迪庆州	10883.15	59.91	1048.59		11991.65
总 计		229491.58	3551.25	8719.75	84.93	241847.51

3 湖泊湿地

云南的湖泊皆为高原淡水湖泊，多为半封闭型。湖泊面积一般较小，且较分散，多处于海拔 1280～3400 米的高原面上，在断裂陷落的基础上经溶蚀、流水侵蚀或冰川侵蚀等外力作用影响形成(图 2-42)。

图 2-42 哈巴雪山冰蚀湖——黑海(杨学光摄)

在这些湖泊中，以滇池的水域面积为最大，抚仙湖水位最深、蓄水量最多。较大湖泊的长轴方向多与构造线一致(北—南向或西北—东南向)，湖岸平直陡峭，湖水较深，湖滨平原狭窄，如抚仙湖、洱海、程海等。在石灰岩分布区的湖泊多以喀斯特等外力作用为主形成，湖盆平浅，湖水不深，湖面积较小，湖泊略呈圆形或不规则形状(图2-43)。

云南省湖泊水量主要由降水及周围河流和地下水补给。由于湖泊多位于盆地之中，距河流源地较近，汇水面积小，入湖径流少，各湖的补给系数介于4~10之间。受高原气候影响，湖面蒸发常高于湖面降水。多数湖泊仅有一条天然出水河流，少数湖泊因水位逐年下降，地表已无出水口，而靠暗河或潜流排泄。湖泊的最高水位一般出现在9~12月间，最低水位出现在汛前的5~6月，水位的年际变化基本与年降水量的丰、平、枯一致或稍滞后。湖水含盐量不高，湖深水清，对提供附近城镇工农业用水、生活用水起着举足轻重的作用。湖区风景秀丽，不少湖泊已成为省内重要的旅游景点。

图**2-43** 沾益海峰喀斯特湖泊(崔瑰芬摄)

3.1 湖泊湿地各湿地型及面积

云南省境内湖泊湿地的湿地型为永久性淡水湖和季节性淡水湖两种。如湖泊周围有堤坝的，则将堤坝范围内的水域、岛屿、湖滩等统计为湖泊湿地；如湖泊周围无堤坝的，将湖泊在调查期内的历年最高水位所覆盖的范围统计为湖泊湿地。全省≥8公顷湖泊湿地面积11.85万公顷，占湿地总面积的21.03%。

3.1.1 永久性淡水湖

永久性淡水湖指由淡水形成的永久性湖泊。全省永久性淡水湖面积11.62万公顷，占全省湖泊湿地的98.06%。

3.1.2 季节性淡水湖

季节性淡水湖指由淡水形成的季节性或间歇性淡水湖(泛滥平原湖)。全省季节性淡水湖面积0.23万公顷，占全省湖泊湿地的1.94%。

3.2 各流域的湖泊湿地型及面积

全省湖泊湿地按照一级流域分，西南诸河流域区内面积3.19万公顷，珠江区4.05万公顷，长江区4.61万公顷。各流域湖泊湿地情况见表2-9。

表 2-9 云南省各流域湖泊湿地分布概况(公顷)

<table>
<tr><th>一级流域</th><th>二级流域</th><th>三级流域</th><th>永久性淡水湖</th><th>季节性淡水湖</th><th>合 计</th></tr>
<tr><td rowspan="8">西南诸河区</td><td rowspan="3">红河</td><td>元江</td><td>2520. 93</td><td></td><td>2520. 93</td></tr>
<tr><td>李仙江</td><td></td><td></td><td></td></tr>
<tr><td>盘龙江</td><td>715. 96</td><td>246. 56</td><td>962. 52</td></tr>
<tr><td rowspan="2">澜沧江</td><td>沘江口以上</td><td>228. 39</td><td></td><td>228. 39</td></tr>
<tr><td>沘江口以下</td><td>27327. 53</td><td>8. 20</td><td>27335. 73</td></tr>
<tr><td rowspan="3">怒江及伊洛瓦底江</td><td>怒江勐古以上</td><td>154. 05</td><td></td><td>154. 05</td></tr>
<tr><td>怒江勐古以下</td><td>201. 52</td><td></td><td>201. 52</td></tr>
<tr><td>伊洛瓦底江</td><td>540. 90</td><td></td><td>540. 90</td></tr>
<tr><td rowspan="3">珠江区</td><td rowspan="2">南北盘江</td><td>北盘江</td><td>13. 28</td><td>289. 79</td><td>303. 07</td></tr>
<tr><td>南盘江</td><td>39123. 43</td><td>1065. 11</td><td>40188. 54</td></tr>
<tr><td>郁江</td><td>右江</td><td>19. 71</td><td>13. 40</td><td>33. 11</td></tr>
<tr><td rowspan="6">长江区</td><td>金沙江石鼓以上</td><td>直门达至石鼓</td><td>908. 15</td><td></td><td>908. 15</td></tr>
<tr><td rowspan="2">金沙江石鼓以下</td><td>雅砻江</td><td>2738. 81</td><td></td><td>2738. 81</td></tr>
<tr><td>石鼓以下干流</td><td>41696. 69</td><td>673. 85</td><td>42370. 54</td></tr>
<tr><td>乌江</td><td>思南以上</td><td></td><td></td><td></td></tr>
<tr><td rowspan="2">宜宾至宜昌</td><td>宜宾至宜昌干流</td><td></td><td></td><td></td></tr>
<tr><td>赤水河</td><td></td><td></td><td></td></tr>
<tr><td colspan="3">总 计</td><td>116189. 40</td><td>2296. 91</td><td>118486. 26</td></tr>
</table>

3. 3 各湿地区的湖泊湿地型及面积

云南省有湖泊湿地分布的湿地区共 73 个，其中单独区划湿地区 13 个，零星湿地区 62 个。湿地区中湖泊湿地面积最大的为滇池湿地区，面积 2. 98 万公顷，占湖泊湿地总面积的 25. 12%；其次为洱海湿地区，面积 2. 49 万公顷，占湖泊湿地总面积的 21. 06%；第三是抚仙湖湿地区，湖泊湿地面积 2. 16 万公顷，占湖泊湿地总面积的 18. 23%。这 3 个高原湖泊面积占全省湖泊湿地的 60% 以上。永久性湖泊面积最大的湿地区依然为滇池湿地区；季节性湖泊面积最大的湿地区为砚山县零星湿地区，面积 858. 79 万公顷，占湖泊湿地总面积的 0. 72%。各湿地区湖泊湿地的面积分布详见表 2-10。

表 2-10 云南省各湿地区湖泊湿地分布概况(公顷)

序 号	湿地区名称	永久性淡水湖	季节性淡水湖	合 计
	单独区划湿地区共计	**94183. 18**	**157. 21**	**94340. 39**
1	碧塔海湿地区	180. 37		180. 37
2	纳帕海湿地区	520. 73		520. 73
3	拉市海湿地区	1073. 41		1073. 41
4	洱海湿地区	24948. 13		24948. 13
5	泸沽湖湿地区	2621. 77		2621. 77
6	滇池湿地区	29762. 84		29762. 84

（续）

序 号	湿地区名称	永久性淡水湖	季节性淡水湖	合　计
7	抚仙湖湿地区	21604.42		21604.42
8	异龙湖湿地区	2377.67		2377.67
9	程海湿地区	7589.48		7589.48
10	高黎贡山国家级自然保护区湿地区	275.80		275.80
11	白马雪山国家级自然保护区湿地区	18.73		18.73
12	珠江源省级自然保护区湿地区	67.88	157.21	225.09
13	阳宗海湿地区	3141.95		3141.95
	零星湿地区共计	**22006.17**	**2139.7**	**24145.87**
14	五华区零星湿地区	24.37		24.37
15	官渡区零星湿地区	9.25		9.25
16	西山区零星湿地区	63.53		63.53
17	呈贡区零星湿地区	38.73		38.73
18	晋宁县零星湿地区	53.36		53.36
19	宜良县零星湿地区	180.36		180.36
20	石林彝族自治县零星湿地区	668.50	40.96	709.46
21	嵩明县零星湿地区	11.43		11.43
22	寻甸回族彝族自治县零星湿地区	823.74		823.74
23	安宁市零星湿地区	11.31		11.31
24	陆良县零星湿地区	429.68		429.68
25	师宗县零星湿地区	60.30	18.33	78.63
26	富源县零星湿地区		17.26	17.26
27	沾益县零星湿地区	534.60	24.07	558.67
28	宣威市零星湿地区	127.70	213.69	341.39
29	红塔区零星湿地区	37.11		37.11
30	江川县零星湿地区	3527.20		3527.20
31	通海县零星湿地区	3671.63		3671.63
32	峨山彝族自治县零星湿地区	17.71		17.71
33	隆阳区零星湿地区	9.79		9.79
34	腾冲市零星湿地区	158.93		158.93
35	龙陵县零星湿地区	86.53		86.53
36	昭阳区零星湿地区	21.16		21.16
37	永善县零星湿地区	22.44		22.44
38	彝良县零星湿地区	41.25		41.25
39	古城区零星湿地区		45.67	
40	玉龙纳西族自治县零星湿地区	85.15		85.15
41	宁蒗彝族自治县零星湿地区	117.04		117.04

（续）

序 号	湿地区名称	永久性淡水湖	季节性淡水湖	合 计
42	宁洱哈尼族彝族自治县零星湿地区	10.33		10.33
43	西盟佤族自治县零星湿地区	53.91		53.91
44	耿马傣族佤族自治县零星湿地区	30.60		30.60
45	楚雄市零星湿地区	106.75		106.75
46	双柏县零星湿地区	8.87		8.87
47	武定县零星湿地区	8.32		8.32
48	个旧市零星湿地区	572.07		572.07
49	开远市零星湿地区	10.29	83.09	93.38
50	蒙自市零星湿地区	2525.05		2525.05
51	建水县零星湿地区	201.28	24.77	226.05
52	石屏县零星湿地区	11.62		11.62
53	泸西县零星湿地区	92.69	28.08	120.77
54	文山市零星湿地区	220.16	26.94	247.10
55	砚山县零星湿地区	1116.63	858.79	1975.42
56	西畴县零星湿地区	37.78		37.78
57	麻栗坡县零星湿地区		12.35	12.35
58	马关县零星湿地区	36.95	133.42	170.37
59	丘北县零星湿地区	1682.62		1682.62
60	广南县零星湿地区	19.71	74.27	93.98
61	勐海县零星湿地区	73.02		73.02
62	大理市零星湿地区	57.28		57.28
63	祥云县零星湿地区	422.34	286.05	708.39
64	宾川县零星湿地区	37.72	289.43	327.15
65	云龙县零星湿地区	118.52		118.52
66	洱源县零星湿地区	1605.19		1605.19
67	剑川县零星湿地区	579.67		579.67
68	鹤庆县零星湿地区	267.84	8.20	276.04
69	盈江县零星湿地区	268.06		268.06
70	陇川县零星湿地区	12.53		12.53
71	福贡县零星湿地区	42.88		42.88
72	贡山独龙族怒族自治县零星湿地区	11.35		11.35
73	兰坪白族普米族自治县零星湿地区	8.74		8.74
74	香格里拉市零星湿地区	775.80		775.80
75	维西傈僳族自治县零星湿地区	101.13		101.13
总 计		116189.35	2296.91	118486.26

3.4 各市(州)级行政区的湖泊湿地型及面积

湖泊湿地在全省16个市(州)均有分布。其中，分布面积最大的为昆明市，为3.36万公顷；玉溪市湖泊湿地3.01万公顷，居第二位；大理州湖泊湿地面积2.86万公顷，居第三位。云南九大高原湖泊大多分布于这3个市(州)(表2-11)。

表2-11 云南省各市(州)级行政区湖泊湿地分布概况(公顷)

序 号	行政区名称	永久性淡水湖	季节性淡水湖	合 计
1	昆明市	33584.28	40.96	33625.24
2	曲靖市	1220.16	430.56	1650.72
3	玉溪市	30063.16		30063.16
4	保山市	321.06		321.06
5	昭通市	84.85		84.85
6	丽江市	11532.52		11532.52
7	普洱市	64.24		64.24
8	临沧市	30.60		30.60
9	楚雄州	123.94		123.94
10	红河州	5790.67	135.94	5926.61
11	文山州	3113.85	1105.77	4219.62
12	西双版纳州	73.02		73.02
13	大理州	28036.69	583.68	28620.37
14	德宏州	280.59		280.59
15	怒江州	272.96		272.96
16	迪庆州	1596.76		1596.76
总 计		116189.35	2296.91	118486.26

4 沼泽湿地

云南省温热多雨，有利于沼泽形成，而地形陡峻又不利于沼泽发育，因此总体上仍属于沼泽较少的省份。由于人为活动，许多沼泽已垦为农田，天然沼泽日益减少。云南省的沼泽湿地主要有两种类型：一种为湖泊、水库及河流边缘浅滩湿地以及湖泊、河流退化形成的沼泽湿地，其分布不但与湖泊和河流的分布密切相关，而且与汛期和枯水期有明显的联系。在汛期，这些沼泽大多被水淹没，在外观上不能显示出明显的沼泽特征。但在枯水期，则明显地表现出沼泽特征。这些沼泽地通常是湿地野生动物的重要栖息地和植物的生长地，也是当地居民渔猎和放牧的场所。另一种是亚高山沼泽湿地，这些高山台地上的亚高山沼泽化草甸湿地主要分布于滇西北和滇东北的亚高山中上部海拔3000~4000米的山间低洼、排水不畅地带，属亚高山和冻原湿地类型。这些沼泽类型单一，面积小而且分散。由于气候条件恶劣，冰雪覆盖期长，生态环境单一的限制，野生动植物的种类相对贫乏，但有一部分沼泽湿地也是当地居民放牧的场所之一。

沼泽湿地是一种特殊的自然综合体，云南省境内凡同时具有以下 3 个特征的均统计为沼泽湿地：①受淡水的影响，地表经常过湿或有薄层积水；②生长有沼生和部分湿生或水生植物；③有泥炭积累，或虽无泥炭积累，但土壤层中具有明显的潜育层。

4.1 沼泽湿地各湿地型及面积

云南省共分布有沼泽湿地 3.22 万公顷，涉及 5 种湿地型，斑块数量共计 528 个。云南省沼泽湿地各湿地型面积与比例构成见图 2-44。

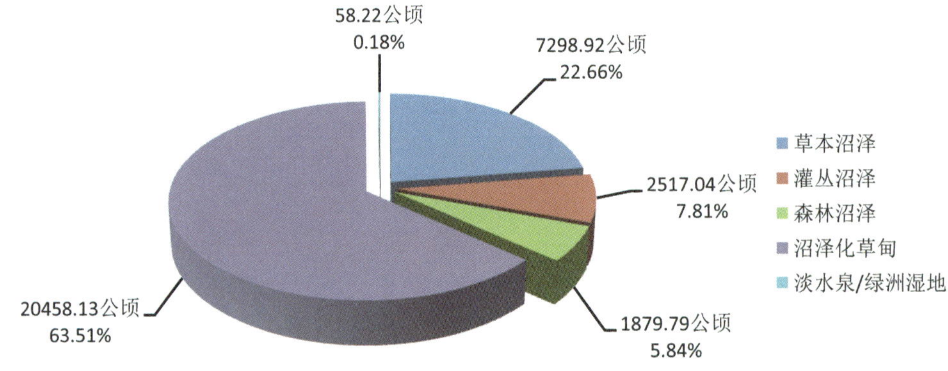

图 **2-44** 云南省沼泽湿地各湿地型面积与比例构成

4.1.1 草本沼泽

草本沼泽指由水生和沼生的草本植物组成优势群落的淡水沼泽。面积 7298.92 公顷，占全省沼泽湿地总面积的 22.66%（图 2-45）。

4.1.2 灌丛沼泽

灌丛沼泽指以灌丛植物为优势群落的淡水沼泽。面积 2517.04 公顷，占全省沼泽湿地总面积的 7.81%（图 2-46）。

图 **2-45** 大山包草本沼泽（郑远见摄）

图 **2-46** 丽江老君山灌丛沼泽（张绍辉摄）

4.1.3 森林沼泽

森林沼泽指以乔木森林植物为优势群落的淡水沼泽。面积 1879.79 公顷，占全省沼泽湿地总面积的5.84%(图2-47)。

4.1.4　沼泽化草甸

沼泽化草甸是典型草甸向沼泽植被的过渡类型，是在地势低洼、排水不畅、土壤过分潮湿、通透性不良等环境条件下发育而成的。在云南主要为高山和高原地区具有高寒性质的沼泽化草甸，面积2.04万公顷，占全省沼泽湿地总面积的63.51%(图2-48)。

图**2-47**　香格里拉森林沼泽(温庆忠摄)

图**2-48**　高山沼泽化草甸(余武龙摄)

4.1.5　淡水泉/绿洲湿地

淡水泉/绿洲湿地指有露头地下泉水补给为主的沼泽。面积58.22公顷，占全省沼泽湿地总面积的0.18%。

4.2　各流域的沼泽湿地型及面积

从一级流域来看，长江区沼泽湿地面积2.67万公顷，占全省沼泽湿地总面积的82.93%。全省各级流域沼泽湿地各湿地型分布详见表2-12。

表2-12　**云南省各流域沼泽湿地各湿地型分布概况**(公顷)

一级流域	二级流域	三级流域	草本沼泽	灌丛沼泽	森林沼泽	沼泽化草甸	淡水泉/绿洲湿地	合　计
西南诸河区	红河	元江	1429.60			59.74		1489.34
		李仙江						
		盘龙江						
	澜沧江	沘江口以上	605.29	33.32	128.23	424.18		1191.02
		沘江口以下	321.72			50.78		372.50
	怒江及伊洛瓦底江	怒江勐古以上	455.26					455.26
		怒江勐古以下	54.94					54.94
		伊洛瓦底江	1136.98			207.15		1344.13
珠江区	南北盘江	北盘江	53.65					53.65
		南盘江	500.28					500.28
	郁江	右江	18.90		18.14			37.04

（续）

一级流域	二级流域	三级流域	草本沼泽	灌丛沼泽	森林沼泽	沼泽化草甸	淡水泉/绿洲湿地	合　计
长江区	金沙江石鼓以上	直门达至石鼓	295.60	1057.77	1048.83	8602.60		11004.80
	金沙江石鼓以下	雅砻江	176.23	677.02		442.98		1296.23
		石鼓以下干流	2250.47	748.93	684.59	10670.70	58.22	14412.91
	乌江	思南以上						
	宜宾至宜昌	宜宾至宜昌干流						
		赤水河						
总　计			7298.92	2517.04	1879.79	20458.13	58.22	32212.10

4.3 各湿地区的沼泽湿地型及面积

云南省分布有沼泽湿地的湿地区共48个。其中，单独区划的湿地区14个，零星湿地区34个。在湿地区中，沼泽湿地面积最大的为香格里拉市零星湿地区，面积1.168万公顷，占沼泽湿地总面积的36.25%；第二为玉龙纳西族自治县零星湿地区，面积0.34万公顷，占沼泽湿地总面积的10.47%；第三是纳帕海湿地区，面积0.27万公顷，占沼泽湿地总面积的8.42%。排名前三的湿地区沼泽湿地面积超过全省沼泽湿地总面积的55%。从沼泽湿地型看，草本沼泽面积最大的为异龙湖湿地区，面积1249公顷，占沼泽湿地总面积的3.88%；灌丛沼泽面积最大的为玉龙纳西族自治县零星湿地区，面积0.09公顷，占沼泽湿地总面积的2.77%；森林沼泽面积最大的为玉龙纳西族自治县零星湿地区，面积0.13万公顷，占沼泽湿地总面积的4.04%；沼泽化草甸面积最大的为香格里拉市零星湿地区，面积1.077万公顷，占沼泽湿地总面积的33.44%；淡水泉/绿洲湿地只分布于香格里拉市零星湿地区，面积58.22公顷(表2-13)。

表2-13　云南省各湿地区沼泽湿地各湿地型分布概况(公顷)

序号	湿地区名称	草本沼泽	灌丛沼泽	森林沼泽	沼泽化草甸	淡水泉/绿洲湿地	合　计
	单独区划湿地区共计	**2489.17**	**172.93**	**127.58**	**4384.63**		**7174.31**
1	碧塔海湿地区				77.02		77.02
2	大山包湿地区				1229.38		1229.38
3	纳帕海湿地区				2715.29		2715.29
4	拉市海湿地区	43.76					43.76
5	洱海湿地区	95.32					95.32
6	会泽黑颈鹤栖息区湿地区	33.36					33.36
7	异龙湖湿地区	1249.84					1249.84
8	高黎贡山国家级自然保护区湿地区	585.42					585.42
9	白马雪山国家级自然保护区湿地区	69.37	172.93	127.58	86.72		456.60
10	哀牢山国家级自然保护区湿地区	50.61			59.74		110.35

（续）

序号	湿地区名称	草本沼泽	灌丛沼泽	森林沼泽	沼泽化草甸	淡水泉/绿洲湿地	合　计
11	无量山国家级自然保护区湿地区				11. 50		11. 50
12	轿子山国家级自然保护区湿地区				25. 04		25. 04
13	铜壁关省级自然保护区湿地区	21. 24			179. 94		201. 18
14	乌蒙山省级自然保护区湿地区	340. 25					340. 25
	零星湿地区共计	**4809. 75**	**2344. 11**	**1752. 21**	**16073. 50**	**58. 22**	**25037. 79**
15	西山区零星湿地区	14. 26					14. 26
16	晋宁县零星湿地区	11. 31					11. 31
17	寻甸回族彝族自治县零星湿地区				246. 61		246. 61
18	陆良县零星湿地区	39. 07					39. 07
19	富源县零星湿地区	77. 17					77. 17
20	沾益县零星湿地区	161. 47					161. 47
21	腾冲市零星湿地区	84. 9					84. 90
22	昌宁县零星湿地区	8. 13					8. 13
23	鲁甸县零星湿地区				144. 27		144. 27
24	巧家县零星湿地区	91. 73			1647. 69		1739. 42
25	大关县零星湿地区	16. 26					16. 26
26	永善县零星湿地区	520. 28					520. 28
27	彝良县零星湿地区	620. 66			888. 81		1509. 47
28	古城区零星湿地区	61. 23					61. 23
29	玉龙纳西族自治县零星湿地区	249. 54	775. 56	1299. 94	1050. 19		3375. 23
30	华坪县零星湿地区	44. 51					44. 51
31	宁蒗彝族自治县零星湿地区	232. 44	843. 01	238. 13	497. 37		1810. 95
32	永德县零星湿地区	74. 90					74. 90
33	双柏县零星湿地区	78. 01					78. 01
34	元谋县零星湿地区	13. 27					13. 27
35	武定县零星湿地区	10. 65					10. 65
36	石屏县零星湿地区	51. 14					51. 14
37	丘北县零星湿地区	437. 69					437. 69
38	富宁县零星湿地区	18. 90		18. 14			37. 04

（续）

序号	湿地区名称	草本沼泽	灌丛沼泽	森林沼泽	沼泽化草甸	淡水泉/绿洲湿地	合 计
39	大理市零星湿地区	64. 77			39. 28		104. 05
40	云龙县零星湿地区	280. 85					280. 85
41	洱源县零星湿地区	113. 43					113. 43
42	芒市零星湿地区	11. 21					11. 21
43	盈江县零星湿地区	864. 85			27. 21		892. 06
44	泸水县零星湿地区	24. 62					24. 62
45	兰坪白族普米族自治县零星湿地区	311. 42		12. 10			323. 52
46	香格里拉市零星湿地区	173. 29	674. 46		10772. 28	58. 22	11678. 25
47	德钦县零星湿地区	35. 54		116. 13			151. 67
48	维西傈僳族自治县零星湿地区	12. 25	51. 08	67. 77	759. 79		890. 89
总 计		7298. 92	2517. 04	1879. 79	20458. 13	58. 22	32212. 10

4.4 各市(州)级行政区的沼泽湿地型及面积

云南省16个市(州)的沼泽湿地面积分布见表2-14。沼泽湿地面积最大的为迪庆州，面积1.60万公顷，接近全省沼泽湿地面积的50%，居16个市(州)之首；昭通市沼泽湿地0.55万公顷，居第二位；丽江市沼泽湿地面积0.53万公顷，居第三位。3个市(州)沼泽湿地面积占全省沼泽湿地面积的83.21%。而西双版纳州无沼泽湿地分布；玉溪市、保山市、普洱市和临沧市的沼泽湿地总面积均不足100公顷。

表2-14 云南省各市(州)级行政区沼泽湿地各湿地型分布概况(公顷)

序 号	行政区名称	草本沼泽	灌丛沼泽	森林沼泽	沼泽化草甸	淡水泉/绿洲湿地	合 计
1	昆明市	25. 57			271. 65		297. 22
2	曲靖市	311. 07					311. 07
3	玉溪市	50. 61					50. 61
4	保山市	93. 03					93. 03
5	昭通市	1589. 18			3910. 15		5499. 33
6	丽江市	631. 48	1618. 57	1538. 07	1547. 56		5335. 68
7	普洱市				40. 44		40. 44
8	临沧市	74. 90					74. 90
9	楚雄州	101. 93			30. 80		132. 73
10	红河州	1300. 98					1300. 98

（续）

序　号	行政区名称	草本沼泽	灌丛沼泽	森林沼泽	沼泽化草甸	淡水泉/绿洲湿地	合　计
11	文山州	456.59		18.14			474.73
12	西双版纳州						
13	大理州	554.37			39.28		593.65
14	德宏州	897.30			207.15		1104.45
15	怒江州	921.46		12.10			933.56
16	迪庆州	290.45	898.47	311.48	14411.10	58.22	15969.72
总　计		7298.92	2517.04	1879.79	20458.13	58.22	32212.10

5　人工湿地

5.1　人工湿地各湿地型及面积

云南省人工湿地包括面积不小于8公顷的库塘、运河/输水河和水产养殖场(不含稻田/冬水田)。全省人工湿地17.09万公顷，主要有库塘、运河/输水河和水产养殖场3种类型，面积分别为16.45万公顷、0.49万公顷和0.15万公顷，分别占人工湿地总面积的96.25%、2.86%和0.89%。其中，以库塘为绝对优势(图2-49)。

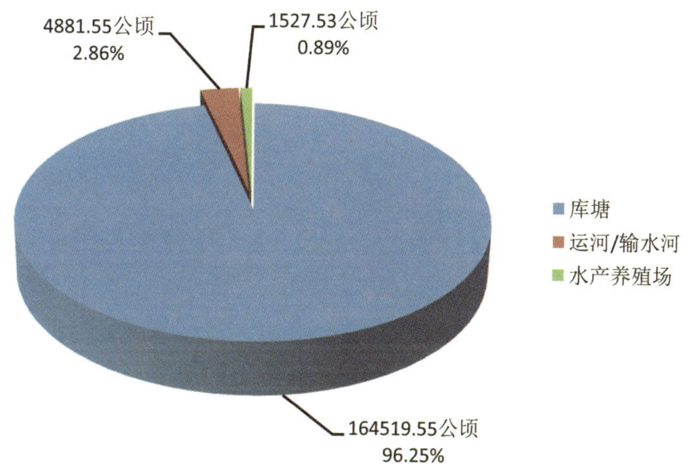

图**2-49**　云南省人工湿地面积与比例构成

5.1.1　库　塘

库塘湿地主要指为灌溉、水电、防洪等目的而建造的面积不小于8公顷的人工蓄水区。该类型属云南省最主要的人工湿地型。全省有库塘湿地面积16.45万公顷，占全省人工湿地总面积的96.25%(图2-50)。

5.1.2　运河/输水河

运河/输水河包括为水运、输水而建造的人工河流湿地以及以灌溉、疏浚等为主要目的的沟、渠。人工河流在全省各地均有分布，很多历史久远的人工河流已经具有自然河流的属性。全省运

图 2-50 会泽毛家村水库(马晓峰摄)

河/输水河面积 0.49 万公顷，占全省人工湿地总面积的 2.86%。

5.1.3 水产养殖场

水产养殖场指以水产养殖为主要目的而建造的人工湿地。云南省虽然淡水资源丰富，但水产养殖业不甚发达。全省水产养殖场面积 0.15 万公顷。

5.2 各流域的人工湿地型及面积

全省人工湿地面积 17.09 万公顷。从一级流域层面分析，西南诸河面积 10.30 万公顷，占全省人工湿地的 60.27%。其中，库塘 10.06 万公顷，运河/输水河 0.15 万公顷，水产养殖场 0.09 万公顷。珠江区面积 3.13 万公顷，占全省人工湿地的 18.31%。其中，库塘 2.98 万公顷，运河/输水河 0.10 万公顷，水产养殖场 0.05 万公顷。长江区面积 3.66 万公顷，占全省人工湿地的 21.42%。其中，库塘 3.41 万公顷，运河/输水河 0.24 万公顷，水产养殖场 0.01 万公顷(表 2-15)。

表 2-15 云南各流域人工湿地各湿地型分布概况(公顷)

一级流域	二级流域	三级流域	库 塘	运河/输水河	水产养殖场	合 计
西南诸河区	红河	元江	11699.13	181.68	77.06	11957.87
		李仙江	6273.04	47.74		6320.78
		盘龙江	2981.71	98.70		3080.41
	澜沧江	沘江口以上	1028.30	38.35		1066.65
		沘江口以下	68060.74	659.71	423.27	69143.72
	怒江及伊洛瓦底江	怒江勐古以上	45.19	20.58		65.77
		怒江勐古以下	3139.65	254.19	16.40	3410.24
		伊洛瓦底江	7412.08	189.26	380.12	7981.46
珠江区	南北盘江	北盘江	747.85			747.85
		南盘江	25671.86	1035.11	485.30	27192.27
	郁江	右江	3342.86	5.77		3348.63

（续）

一级流域	二级流域	三级流域	库 塘	运河/输水河	水产养殖场	合 计
长江区	金沙江石鼓以上	直门达至石鼓	10.75	99.50		110.25
	金沙江石鼓以下	雅砻江	463.09	62.04		525.13
		石鼓以下干流	33546.29	2188.92	145.38	35880.59
	乌江	思南以上	23.24			23.24
	宜宾至宜昌	宜宾至宜昌干流	34.00			34.00
		赤水河	39.77			39.77
总 计			164519.55	4881.55	1527.53	170928.60

5.3 各湿地区的人工湿地型及面积

全省164个湿地区中，分布有人工湿地的湿地区共143个，其中单独区划湿地区16个，零星湿地区127个。在湿地区中，人工湿地面积最大的为澜沧江干流湿地区，面积5.35万公顷，占人工湿地总面积的31.27%；其次为珠江干流湿地区，人工湿地面积0.37万公顷；第三是红河干流湿地区，人工湿地面积0.34万公顷。可以看出，唯有澜沧江干流湿地区人工湿地面积占据绝对优势。从湿地型分析，库塘面积最大的为澜沧江干流湿地区，面积5.35万公顷，占人工湿地总面积的31.27%；运河/输水河面积最大的为大理市零星湿地区，面积0.04万公顷，占人工湿地总面积的0.25%；水产养殖场面积最大为麒麟区零星湿地区，面积0.03万公顷，占人工湿地总面积的0.19%。近年来，随着澜沧江、金沙江、红河及珠江干流上梯级电站的建设，这些江河原来的自然河道由于修筑高坝而变成人工湿地——库塘，使得澜沧江干流的人工湿地面积剧增，从而也大大增加了全省库塘的面积(表2-16)。

表2-16 云南省各湿地区人工湿地各湿地型分布概况(公顷)

序 号	湿地区名称	库 塘	运河/输水河	水产养殖场	合 计
	单独区划湿地区共计	**70631.09**			**70631.09**
1	大山包湿地区	409.84			409.84
2	拉市海湿地区	47.57			47.57
3	会泽黑颈鹤栖息区湿地区	653.44			653.44
4	西双版纳国家级自然保护区湿地区	770.12			770.12
5	南滚河国家级自然保护区湿地区	71.88			71.88
6	哀牢山国家级自然保护区湿地区	118.46			118.46
7	文山国家级自然保护区湿地区	25.54			25.54
8	纳板河流域国家级自然保护区湿地区	499.24			499.24
9	临沧澜沧江省级自然保护区湿地区	2982.36			2982.36
10	珠江源省级自然保护区湿地区	2084.15			2084.15
11	乌蒙山省级自然保护区湿地区	58.53			58.53
12	曲靖牛栏江鱼类市级自然保护区湿地区	401.25			401.25

（续）

序 号	湿地区名称	库 塘	运河/输水河	水产养殖场	合 计
13	长江干流湿地区	1977.74			1977.74
14	澜沧江干流湿地区	53456.07			53456.07
15	红河干流湿地区	3412.68			3412.68
16	珠江干流湿地区	3662.22			3662.22
	零星湿地区共计	**93888.46**	**4881.55**	**1527.53**	**100297.54**
17	五华区零星湿地区	157.65	20.32		177.97
18	盘龙区零星湿地区	507.54			507.54
19	官渡区零星湿地区	767.35			767.35
20	西山区零星湿地区	275.68	15.15		290.83
21	东川区零星湿地区	167.19	30.70	102.68	300.57
22	呈贡区零星湿地区	619.06	281.21		900.27
23	晋宁县零星湿地区	1648.99			1648.99
24	富民县零星湿地区	112.52	8.83		121.35
25	宜良县零星湿地区	478.76	95.55		574.31
26	石林彝族自治县零星湿地区	949.18			949.18
27	嵩明县零星湿地区	1938.29	154.09		2092.38
28	禄劝彝族苗族自治县零星湿地区	2800.40	111.20		2911.60
29	寻甸回族彝族自治县零星湿地区	656.67	32.89		689.56
30	安宁市零星湿地区	1099.53	128.31		1227.84
31	麒麟区零星湿地区	1890.72	81.74	329.46	2301.92
32	马龙县零星湿地区	952.06	32.29		984.35
33	陆良县零星湿地区	2422.33	107.06		2529.39
34	师宗县零星湿地区	785.08	14.57		799.65
35	罗平县零星湿地区	640.31			640.31
36	富源县零星湿地区	718.23	59.94		778.17
37	会泽县零星湿地区	2664.24	85.60		2749.84
38	沾益县零星湿地区	1926.13	12.55		1938.68
39	宣威市零星湿地区	593.98			593.98
40	红塔区零星湿地区	749.22	35.08		784.30
41	江川县零星湿地区	409.83	100.94		510.77
42	澄江县零星湿地区	220.53	167.95		388.48
43	通海县零星湿地区	163.70	25.23		188.93
44	华宁县零星湿地区	188.48			188.48
45	易门县零星湿地区	606.69	18.19		624.88
46	峨山彝族自治县零星湿地区	356.62		26.61	383.23

（续）

序号	湿地区名称	库塘	运河/输水河	水产养殖场	合计
47	新平彝族傣族自治县零星湿地区	754.84	11.86		766.70
48	元江哈尼族彝族傣族自治县零星湿地区	752.98	54.80	24.78	832.56
49	隆阳区零星湿地区	1158.05	100.51		1258.56
50	施甸县零星湿地区	438.20	109.35		547.55
51	腾冲市零星湿地区	907.69	7.78		915.47
52	龙陵县零星湿地区	725.93	33.72		759.65
53	昌宁县零星湿地区	2339.80			2339.80
54	昭阳区零星湿地区	1634.11	104.22		1738.33
55	鲁甸县零星湿地区	558.26	30.77	42.70	631.73
56	巧家县零星湿地区	205.40	40.52		245.92
57	盐津县零星湿地区	218.30			218.30
58	大关县零星湿地区	70.65			70.65
59	永善县零星湿地区	67.57	30.44		98.01
60	绥江县零星湿地区		15.03		15.03
61	镇雄县零星湿地区	63.01			63.01
62	彝良县零星湿地区	58.90			58.90
63	威信县零星湿地区	58.88			58.88
64	水富县零星湿地区	84.45			84.45
65	古城区零星湿地区	129.13	40.53		169.66
66	玉龙纳西族自治县零星湿地区	425.71	221.80		647.51
67	永胜县零星湿地区	868.14	101.88		970.02
68	华坪县零星湿地区	325.65	174.93		500.58
69	宁蒗彝族自治县零星湿地区	268.67	19.35		288.02
70	思茅区零星湿地区	869.67		304.57	1174.24
71	宁洱哈尼族彝族自治县零星湿地区	1102.68	63.99		1166.67
72	墨江哈尼族自治县零星湿地区	1734.44			1734.44
73	景东彝族自治县零星湿地区	196.83			196.83
74	景谷傣族彝族自治县零星湿地区	1844.96		12.00	1856.96
75	镇沅彝族哈尼族拉祜族自治县零星湿地区	394.55			394.55
76	江城哈尼族彝族自治县零星湿地区	957.60			957.60
77	孟连傣族拉祜族自治县零星湿地区	332.10			332.10
78	澜沧拉祜族自治县零星湿地区	235.37	76.06		311.43
79	西盟佤族自治县零星湿地区	12.42			12.42
80	临翔区零星湿地区	330.84	19.06		349.90
81	凤庆县零星湿地区	77.83	10.90		88.73

（续）

序 号	湿地区名称	库 塘	运河/输水河	水产养殖场	合 计
82	云县零星湿地区	187.83			187.83
83	永德县零星湿地区	416.74			416.74
84	镇康县零星湿地区	161.69			161.69
85	双江拉祜族佤族布朗族傣族自治县零星湿地区	423.77		14.09	437.86
86	耿马傣族佤族自治县零星湿地区	381.65	22.04	16.40	420.09
87	沧源佤族自治县零星湿地区	166.03			166.03
88	楚雄市零星湿地区	1315.52	26.45		1341.97
89	双柏县零星湿地区	682.19			682.19
90	牟定县零星湿地区	856.22	80.72		936.94
91	南华县零星湿地区	767.05	23.68		790.73
92	姚安县零星湿地区	1065.11	46.63		1111.74
93	大姚县零星湿地区	866.38	20.48		886.86
94	永仁县零星湿地区	831.58	5.87		837.45
95	元谋县零星湿地区	700.50	78.48		778.98
96	武定县零星湿地区	951.72	53.02		1004.74
97	禄丰县零星湿地区	2109.74	7.80		2117.54
98	个旧市零星湿地区	828.72		128.94	957.66
99	开远市零星湿地区	827.06		12.84	839.90
100	蒙自市零星湿地区	630.29	48.78		679.07
101	屏边苗族自治县零星湿地区	139.15			139.15
102	建水县零星湿地区	1492.47	48.04		1540.51
103	石屏县零星湿地区	622.74		39.73	662.47
104	弥勒县零星湿地区	2164.24	18.13		2182.37
105	泸西县零星湿地区	1607.39	184.97		1792.36
106	元阳县零星湿地区	34.97			34.97
107	红河县零星湿地区	260.28			260.28
108	金平苗族瑶族傣族自治县零星湿地区	1035.89			1035.89
109	绿春县零星湿地区	437.70			437.70
110	河口瑶族自治县零星湿地区	12.64			12.64
111	文山市零星湿地区	539.28	6.26		545.54
112	砚山县零星湿地区	2903.79	122.57		3026.36
113	西畴县零星湿地区	96.38			96.38
114	麻栗坡县零星湿地区	111.84	33.40		145.24
115	马关县零星湿地区	415.67			415.67
116	丘北县零星湿地区	1655.07			1655.07

（续）

序 号	湿地区名称	库 塘	运河/输水河	水产养殖场	合 计
117	广南县零星湿地区	512.26	5.77		518.03
118	富宁县零星湿地区	3064.18			3064.18
119	景洪市零星湿地区	1256.63	15.16		1271.79
120	勐海县零星湿地区	1165.98			1165.98
121	勐腊县零星湿地区	328.78		28.48	357.26
122	大理市零星湿地区	205.61	435.41	64.13	705.15
123	漾濞彝族自治县零星湿地区	156.98			156.98
124	祥云县零星湿地区	1885.04	79.79		1964.83
125	宾川县零星湿地区	1184.10	106.50		1290.60
126	弥渡县零星湿地区	692.49	26.24		718.73
127	南涧彝族自治县零星湿地区	105.25			105.25
128	巍山彝族回族自治县零星湿地区	524.65			524.65
129	永平县零星湿地区	59.78			59.78
130	云龙县零星湿地区		7.46		7.46
131	洱源县零星湿地区	250.80	11.71		262.51
132	剑川县零星湿地区	214.59	64.66		279.25
133	鹤庆县零星湿地区	256.55	212.18		468.73
134	瑞丽市零星湿地区	680.41		17.35	697.76
135	芒市零星湿地区	2530.87		238.84	2769.71
136	梁河县零星湿地区	203.62	21.78		225.40
137	盈江县零星湿地区	158.67	118.96	123.93	401.56
138	陇川县零星湿地区	2783.29	16.44		2799.73
139	泸水县零星湿地区	45.19			45.19
140	福贡县零星湿地区		6.93		6.93
141	兰坪白族普米族自治县零星湿地区	120.95	38.35		159.30
142	香格里拉市零星湿地区	119.07			119.07
143	维西傈僳族自治县零星湿地区	12.86			12.86
总 计		164519.55	4881.55	1527.53	170928.63

5.4 各市(州)级行政区的人工湿地型及面积

人工湿地在云南省16个市(州)均有分布，但分布面积区域差异较大。其中，分布面积最大的为普洱市，分布面积3.88万公顷；曲靖市人工湿地1.71万公顷，居第二位；临沧市人工湿地面积1.62万公顷，居第三位(表2-17)。其原因为澜沧江梯级电站的开发建设，使得普洱市和临沧市的库塘面积增长较快；而曲靖市则为境内建有较多的大、中、小型水库的缘故。

表 2-17 云南省各市(州)级行政区人工湿地分布概况(公顷)

序 号	行政区名称	库 塘	运河/输水河	水产养殖场	合 计
1	昆明市	13237.26	878.25	102.68	14218.19
2	曲靖市	16414.78	393.75	329.46	17137.99
3	玉溪市	4219.86	414.05	51.39	4685.30
4	保山市	8538.51	251.36		8789.87
5	昭通市	3487.90	220.98	42.70	3751.58
6	丽江市	4042.61	558.49		4601.10
7	普洱市	38324.51	140.05	316.57	38781.13
8	临沧市	16070.26	52.00	30.49	16152.75
9	楚雄州	10244.64	343.13		10587.77
10	红河州	14480.01	299.92	181.51	14961.44
11	文山州	10254.16	168.00		10422.16
12	西双版纳州	5735.18	15.16	28.48	5778.82
13	大理州	12814.94	943.95	64.13	13823.02
14	德宏州	6356.86	157.18	380.12	6894.16
15	怒江州	166.14	45.28		211.42
16	迪庆州	131.93			131.93
总 计		164519.55	4881.55	1527.53	170928.63

第二节 湿地分布规律

1 湿地特点

1.1 湿地类型多样

云南省湿地有 4 个湿地类 14 个湿地型,是我国内陆湿地类型最多的省份之一。全省湿地总面积56.35 万公顷,占全省国土总面积的1.47%。其中,河流湿地占湿地总面积的42.92%;人工湿地占湿地总面积的 30.33%;湖泊湿地占湿地总面积的 21.03%;沼泽湿地占湿地总面积的5.72%。自然湿地(包括湖泊湿地、河流湿地、沼泽湿地)占湿地总面积的 69.67%,人工湿地占湿地总面积的 30.33%。境内的湿地资源形成了以河流湿地为主体,人工湿地和湖泊湿地为辅,沼泽湿地为补充的面积分布格局。

1.2 湿地资源分布不均

按湿地区统计,在单独区划的湿地区中,湿地分布面积最大的是澜沧江干流湿地区,其次是滇池湿地区，第三为洱海湿地区；从湿地类看，河流湿地分布面积最大的是长江干流湿地区，湖泊湿地分布面积最大的是滇池湿地区，沼泽湿地分布面积最大的是纳帕海湿地区。在零星湿地区中，面积最大的是香格里拉市零星湿地区，其次为盈江县零星湿地区；河流湿地分布面积最大的是盈江县零星湿地区，湖泊湿地分布面积最大的是通海县零星湿地区，沼泽湿地分布面积最大的是香格里拉零星湿地区。人工湿地在绝大部分零星湿地区中均有分布，其中分布面积最大的是富宁县零星湿地区。

按流域统计，西南诸河区属云南省最主要的湿地分布区，湿地面积28.60万公顷，占全省湿地总面积的50.76%。该区拥有大面积的河流、湖泊、沼泽及人工湿地。其中，河流湿地14.61万公顷，湖泊湿地3.19万公顷，沼泽湿地0.49万公顷，人工湿地10.30万公顷。在三级流域中，以金沙江石鼓以下干流和澜沧江沘江口以下湿地面积最大，分布的湿地面积分别为15.33万公顷和14.19万公顷，分别为全省湿地面积的27.20%和25.19%，这两个流域的面积之和占全省湿地面积的一半以上。

按市(州)统计，全省16个市(州)湿地总面积排在前三位的分别是普洱市、昆明市和大理州，面积分别为6.93万公顷、6.04万公顷和5.96万公顷。3个市(州)湿地面积占全省湿地面积的33.61%。湿地面积排在后三位的分别是怒江州、西双版纳州和德宏州，其面积分别为1.44万公顷、1.83万公顷和2.21万公顷，占全省湿地面积的9.71%。河流湿地分布面积最大的为普洱市，面积3.04万公顷，占全省河流湿地总面积的12.57%。湖泊湿地面积最大的为昆明市，面积3.36万公顷，占全省湖泊湿地总面积的28.38%。沼泽湿地分布面积最大的为迪庆州，面积为1.60万公顷，占全省沼泽湿地总面积的49.58%。人工湿地分布面积最大的为普洱市，面积为3.88万公顷，占全省人工湿地面积的22.69%。

按县级行政区域统计，湿地分布面积最大的为大理州大理市，面积2.67万公顷，占全省湿地面积的4.74%；湿地分布面积最小的为昆明市五华区，面积0.02万公顷，占全省湿地面积的0.04%。河流湿地分布面积最大的为德宏州盈江县，面积0.73万公顷，占全省河流湿地面积的3%。湖泊湿地分布面积最大的为大理州大理市，面积2.50万公顷，占全省湖泊湿地面积的21.10%。沼泽湿地分布面积最大的为迪庆州香格里拉市，面积1.45万公顷，占全省沼泽湿地面积的44.92%。人工湿地分布面积最大的为普洱市景谷傣族彝族自治县，面积1.21万公顷，占全省人工湿地面积的7.09%。在全省129个县级行政区中，4种湿地类皆有分布的仅有24个。

由此可以看出，云南的湿地资源具有显著的区域差异性。

1.3　河流湿地特色鲜明

云南省河流众多，水系发育，纵横交错，密度高，分布较为均匀。省境内河流湿地流域面积在100平方公里以上的河流有908条，1000平方公里以上的河流有108条，流域面积在5000平方公里以上的支流有20条。云南平均年降水量4820.8亿立方米，河川径流量2222亿立方米，平均每平方公里产水58万立方米。地下水资源为742亿立方米/年。冰川雪山静贮水量约10亿立方米。湖泊静贮水量近300亿立方米。2011年，全省入境水量1531亿立方米，出境水量3382亿立方米，人均和亩均占有水量均高于全国。其中金沙江、澜沧江、怒江等水系可供开采潜力巨大。

云南处于长江、珠江、红河、澜沧江等六大水系的源头或上游，河流具有明显的山区性特征。如岸坡陡峭，河床落差极大，河流在高山峡谷间奔驰，水流湍急，多瀑布和险滩等。除地势开阔地区和较大支流的汇口处外，河岸两旁很少有沼泽等湿地发育。河流流经较大的平坝区时，由于水流减慢，河岸边以及河床中常出现沙洲等冲、淤积扇，易形成河漫滩等湿地。各河流流域的水资源量不同，也影响着河流湿地的发育；水量多，水面面积大。云南省河流湿地除珠江、红河的源头在省境内，其余均为发源于青藏高原的过境河流。六大江河及其支流水系集水面积遍及全省，河流资源十分丰富。境内的六大水系中，珠江、金沙江为由西向东流向的国内河流，而伊洛瓦底江、怒江、澜沧江、红河则为由北向南流向的国际河流，分别流经老挝、缅甸、泰国、柬埔寨、越南等国入海，如此复杂的水资源组合是其他省份所没有的。另外，云南省河流湿地的河谷一般切割深，落差大，集水区狭长，水流湍急，多瀑布和浅滩，河流水量及含沙量等季节变化较大，水资源、鱼类和浮游生物丰富，但灌溉功能较弱，湿地植物不发育。

云南省河流湿地的水量补给方式较为复杂，多为高山融雪、湖泊补给、大气降水，由于受高山、深谷等特殊地形的影响，降水的空间分布极为不均，因此河流湿地的水文分布规律较为复杂。河流水量的一般规律是南多北少，西多东少，且水量分配季节分明。河流湿地与其他湿地联系紧密，在水量上，它与湖泊、沼泽、地下水等联系紧密，相互补充。由于洪水涨落的原因，河流湿地的边界很难确定。河流湿地水量随季节变化，并通过水的流动性和溶解性发挥作用；水流不断冲刷或淤积于地表，形成独特的湿地地貌，并且溶解自然界中的营养物质，从而促进河流湿地生物的生长繁殖。但是云南的河流湿地比较特别，这主要与云南的地形有关。云南有94%的山区，山区河流坡降大，河流一般以侵蚀为主，因此这些地区的河流湿地主要是河道以及支流汇口处的冲淤积扇。在平缓地区的河流湿地就比较复杂，会出现平原河滩、较大的河流沙洲以及伴生的洼地沼泽等，湿地发育程度较好，生物种类也比较丰富。

工业化以来，人类对河流湿地的影响较大，主要表现在在大江河及其支流上兴修水电工程。在河流干道上修建水坝，这会改变河流的水文特性，使河流的水文周期失去天然性。水坝蓄水使上游地区水面变宽、淹没增加，改变了原有湿地的结构以及湿地内的生物种类。对河流下游湿地的影响就更大，由于水坝形成的水库对河流水量的调节，使水坝下游河道水量丧失了自然特性。洪水季节水位涨幅小，枯水季节水量又增加，这不利于原来河流岸边的水生和湿生生物的生长，将使原伴生的河流湿地逐渐衰亡。

另外一种情况就是以防洪为目的在河流两岸修建人工河堤（城市上游最常见）。牢固的河堤占据了原有湿地的位置，并缩窄河道，使水流加快，这种情况下河流两岸的旁生湿地将消失，河道本身规模也会减小。

1.4 湖泊湿地典型性突出

云南属青藏高原和云贵高原地貌区，由于特殊的地理环境，形成了众多高原湖泊。云贵高原湖区是我国五大湖区之一，该湖区绝大多数湖泊均集中在云南省（蓝红林，2002）。云南又是全国断陷湖盆集中分布的省份，其湖泊大多为晚新生代高原差异抬升、内部断陷、冰川溶蚀以及高原流水改造相互作用形成，形态大小不一。湖泊分为永久性淡水湖和季节性淡水湖两种湿地型，多为半封闭型湖泊。湖泊面积一般较小、较分散，且孤立分布于海拔1280～3400米的高原面上，在断裂陷落的基础上经溶蚀、流水侵蚀或冰川侵蚀等外力作用影响而形成。在这些湖泊中，以滇池的水域面积为最大，抚仙湖水位最深、蓄水量最多。其他较大湖泊的长轴方向多与构造线一致（北—南向或西北—东南向），湖岸平直陡峭，湖水较深，湖滨平原狭窄，如抚仙湖、洱海、程海等。在岩溶地区的湖泊湖盆平浅，湖水不深，湖面积较小，呈圆形或不规则形状。

云南湖泊水量主要由大气降水和森林涵养水源补给，补给与森林植被关系密切。由于湖泊多位于盆地之中，距河流源地较近，汇水面积小，入湖径流少。受高原气候影响，湖面蒸发常高于湖面降水。多数湖泊仅有一条天然出水河流，少数湖泊因水位逐年下降，地表已无出水口，而靠暗河或潜流排泄。湖泊的最高水位一般出现在9～12月间，最低水位出现在汛前的5～6月，水位的年际变化基本与年降水量的丰、平、枯一致或稍滞后。湖水含盐量不高，湖深水清，风景秀丽。

湖泊经过几亿年的形成演变，湿地具有良好的发育程度，结构也比较完整。湖泊湿地属静水（相对）系统。由于湖泊特殊的地形情况，湿地生态系统由湖心向湖岸呈环状分布，一般可分为水生生物带、过渡带和湿生生物带(陆地)。云南湖泊周围大都是社会经济比较发达的地区，因此湖泊湿地在形成发展过程中受人类的影响比较严重，各湖泊都存在湿地被围垦、侵占的现象。近年来，由于人类活动频繁，干扰较大，加剧了湖泊的消退。很多天然湖泊面临水位降低、面积缩小，甚至消失的威胁，有不少湖泊已向沼泽化发展。

湖泊湿地在人们的生产生活中有着重要的作用，它具有调节河川径流、控制洪水、发展渔业和航运以及降污促清等功能，而且也是工农业、生活供水的水源地。由于具有充足的水源，湖泊周围的湿地，发育较为完整。湖泊是巨大的蓄水体，本身就具有强大的自净功能；湖泊上游地区的污染物质流经湖泊时，由于流速减慢，有利于沉降和微生物的分解，但超过湖泊自净能力的污染物质会导致湖水的水质变坏。

1.5　湿地生物多样性富集

云南湿地生物多样性极为丰富，为众多生物提供了栖息环境和食物来源，是我国生物多样性最为富集的区域之一。另外，云南湖泊湿地闭合与半闭合的结构特征，有利于物种分化，孕育了大理弓鱼、中甸叶须鱼、芘碧花、波叶海菜花、高寒水韭等众多保护物种和狭域特有物种。

本次调查结果表明，全省湿地植被共有189个植物群系。共记录有湿地植物2274种，分属204科876属。其中，被子植物133科725属1974种，裸子植物4科10属11种，蕨类植物31科71属128种，苔藓植物36科70属161种。生活型较严格归于湿地植物的种类1619种，分属于171科642属。其中，包含国家Ⅰ级保护野生植物5种，国家Ⅱ级保护野生植物7种以及云南省省级保护野生植物5种和数量众多的资源植物。

记录有湿地野生脊椎动物5纲37目106科1048种(亚种)。其中，淡水鱼类13目43科629种（亚种）；两栖动物3目11科127种；爬行动物2目12科94种；水鸟11目23科162种；哺乳动物8目17科30属36种。其中，包含国家Ⅰ级保护动物19种，国家Ⅱ级保护动物50种，省级重点保护动物22种，云南特有种290种。此外，还记录有软体动物2纲4目17科159种；虾、蟹类2目6科86种(其中，虾类有2目4科50种，蟹类有1目2科36种)。

由此可见，云南的湿地生态系统不仅拥有丰富的湿地植物多样性，同时更是云南省脊椎动物最为集中的分布地之一。云南湿地生物多样性是国家重要的战略遗传种质资源和重要的物种基因库，保护湿地对维护全省乃至全国生物多样性均具有重要意义。

1.6 湿地生态区位重要，生态服务功能显著

云南地处青藏高原与长江中下游平原、中南半岛过渡的云贵高原，太平洋与印度洋地质板块和大气环流结合部，湿地生态环境和生态区位极为重要，是我国重要的湿地生态安全屏障。在国家“两屏三带”十大生态安全屏障中，云南湿地肩负着“西部高原”“长江流域”“珠江流域”三大生态安全屏障的建设任务，在国家湿地生态安全战略和国际湿地生态安全格局中具有重要的地位。

云南的湿地在涵养水源、净化水体、碳汇功能、调节小气候、调蓄洪水、防止自然灾害、减轻侵蚀及生物多样性保护等方面显示出极高的生态服务功能。云南境内的六大水系均为入海河流的上游或源头，除长江和珠江水系外，其余4条均属国际河流。境内分布有47条省际河流和37条国际河流，具有巨大的储水功能。云南多年平均入邻省区水量1808.0亿立方米，国际河流多年平均出国境水量2330.6亿立方米，是“中国水塔”和“亚洲水塔”的重要组成部分，为长江、珠江、澜沧江等流域提供了丰富的水源补给，对其中下游水位调节和水量均衡发挥着重要的功能作用。云南分布有4个国际重要湿地和7个国家重要湿地，除2个沼泽湿地外，其他均为高原湖泊湿地。云南沼泽湿地是温室气体的重要储存库，对区域碳循环以及大气温室气体的平衡起着重要作用。云南全境还分布有海拔3000米以上的湿地3万公顷。这些湿地作为长江、澜沧江、红河和珠江等河流水源的重要补给地，承接着冰雪融水和降雨后的径流，且湖水补给稳定，在有效防止和控制洪水以及对长江、澜沧江、红河和珠江中下游的水量均衡方面发挥着重要作用。云南已成为我国主要的湿地生态服务功能生产区和湿地生态效益外溢区，有着较高的国家、国际生态地位。此外，占云南国土面积1.47%的湿地周边，承载着近2000万人口，湿地资源为区域经济发展和社会稳定提供了物质基础和环境保障。

由此可见，云南的湿地生态产品在服务和支持国家生态安全、生态产品生产、战略资源保护、生态外交、边疆巩固、社会稳定等重大战略需求中具有特殊和重要的作用。

1.7 湿地景观资源丰富多样

云南高原湿地在较小的景观尺度上具有河流、湖泊、草甸、沼泽、高山、森林共同构成的复杂多样的景观类型，在我国湿地类型中独具特色，具有很高的美学、观赏、文化和艺术价值。金沙江、澜沧江、怒江等大江河，不仅自身雄奇壮丽，还拥有著名的诸如虎跳峡、金沙江第一湾、三江并流、怒江大峡谷等举世闻名的高山峡谷奇观。滇池、抚仙湖、洱海、泸沽湖等九大高原湖泊，属云南高原的璀璨明珠，湖光山色，景致宜人。大山包、拉市海等高原湖泊及沼泽湿地，作为候鸟栖息的国际重要湿地，每年吸引着大量的候鸟到此栖息，同时也是著名的观鸟、娱乐休闲之地。哈尼梯田、普者黑喀斯特湿地、洱源西湖、鹤庆草海等，虽湿地类型不尽相同，但作为国家湿地公园，特色鲜明、景观独特，是旅游休闲的上佳之地。此外，还有众多的经保护区流出的河流，水质清澈，落差大，有不少瀑布蕴含其中，在高山森林的映衬下，格外引人注目。云南复杂而独特的湿地生态景观系统和丰富的野生动植物资源，已逐渐成为人们旅游观光、休闲娱乐、度假的理想场所。

1.8　湿地生态系统脆弱性和敏感性强

云南湿地生态系统的脆弱性和敏感性主要体现在以下几个方面：

首先，云南湖泊湿地虽然数量较多，但面积小，且平均深度浅，集水区面积也不大，径流量小，受高原气候的影响使得蒸发量常高于湖面降水量，极易萎缩消失；云南湖泊湿地多为封闭型和半封闭型，被周围面山所包围，一般只有一个出水口，相互之间无水道相通，具有水资源补给方式单一，湖水置换周期长，环境容量低，生态系统具有变异敏感度高、空间转移能力弱、稳定性差等生态脆弱性特征，是环境阈值较小的敏感生态系统，受污染自净能力较其他湖泊弱，易受面源污染而富营养化，如滇池、杞麓湖、异龙湖、星云湖目前呈现的富营养化就是典型例子。封闭、半封闭型湖泊汇水面山地森林对湿地涵养功能的复杂性以及人为活动干扰的不确定性，决定了云南湖泊湿地生态系统极为脆弱、敏感和不稳定。

其次，河流湿地的河谷地区多为干热性或干暖性气候。如元江河谷、金沙江河谷都是典型的干热性河谷，植被稀疏，水土流失严重，是生态系统的脆弱地段。另一方面，云南高原湿地在空间上相互隔离，有利于物种分化却不利于种群扩散；物种多样性丰富，但在一定单位面积上的物种种类相对集中；单个物种种群数量较小，且栖息地(生境)较为狭窄，遭到干扰和破坏后极易处于濒危状态。

再次，云南的沼泽湿地以沼泽化草甸为主体，主要分布于滇西北的迪庆州、丽江市和滇东北的昭通市的高山和亚高山残存的高原面上，数量多，面积小而分散，多呈小片状分布。由于分布地大多处于海拔3000米以上的区域，水源补给方式较为单一，极易受到气候变暖、干旱等自然因素的影响而萎缩甚至消失。

1.9　以国有为主的湿地土地权属明晰

云南省湿地权属分为国有和集体两种。其中，国有权属占调查湿地总面积的89.43%，集体权属占10.57%(表2-18)。河流湿地、湖泊湿地以及人工湿地主要以国有权属为主，沼泽湿地则国有、集体权属大致相当。湿地权属的确定，决定了将来湿地管理的主体对象，为湿地资源的有效保护提供了权属方面的保障。

表2-18　各湿地类型权属一览

湿地类	湿地型	国有(公顷)	比例(%)	集体(公顷)	比例(%)	合计(公顷)
河流湿地	永久性河流	229491.58	100			229491.58
	季节性或间歇性河流	3551.25	100			3551.25
	洪泛湿地	6322.41	72.51	2397.34	27.49	8719.75
	喀斯特溶洞湿地	8.12	9.56	76.81	90.44	84.93
湖泊湿地	永久性淡水湖	116189.35	100			116189.35
	季节性淡水湖	151.75	6.61	2145.16	93.39	2296.91

（续）

湿地类	湿地型	国有(公顷)	比例(%)	集体(公顷)	比例(%)	合计(公顷)
沼泽湿地	草本沼泽	4862.20	66.62	2436.72	33.38	7298.92
	灌丛沼泽	1859.83	73.89	657.21	26.11	2517.04
	森林沼泽	1821.72	96.91	58.07	3.09	1879.79
	沼泽化草甸	7587.71	37.09	12870.42	62.91	20458.13
	淡水泉/绿洲湿地	58.22	100			58.22
人工湿地	库塘	130235.76	79.16	34283.79	20.84	164519.55
	运河/输水河	1584.68	32.46	3296.87	67.54	4881.55
	水产养殖场	189.83	12.43	1337.70	87.57	1527.53
总　计		503914.41	89.43	59560.09	10.57	563474.50

2 湿地分布规律

云南省复杂多样的地质地貌及气候特点，孕育了垂直性显著的湿地资源。全省湿地分布海拔在76.4～4473.7米之间，相对高差4397.3米，垂直分布的差异性在全国范围内属罕见。从海拔梯度看，分布海拔1000米以下的湿地面积为13.82万公顷，占24.53%；海拔1000～2000米的湿地面积为32.96万公顷，占58.50%；海拔2000～3000米的湿地面积为6.57万公顷，占11.66%；3000米以上的湿地面积为3.00万公顷，占5.31%。云南湿地资源近六成分布于海拔1000～2000米之间(图2-51)。

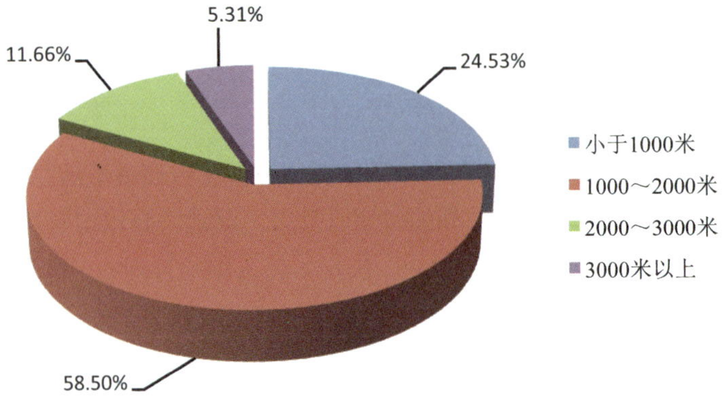

图2-51 云南省湿地各海拔区间分布面积比例构成

2.1 河流湿地

云南的河流湿地围绕六大江河水系在全省分布，以永久性河流为主体，其面积占河流湿地总面积的94.89%。整体流向为向东、东南和南部出境。受地质构造和地貌发育的影响，云南的河流分布有明显的区域差异。在云南西北部，由于受南北大断裂带的控制，怒江、澜沧江、金沙江三江并列南下，各江之间分水岭显著而狭窄，两条大江之间最窄处的水平距离不足20公里，干流下切很深，两侧支流短促，与主干流形成羽状水系；在北纬25.5°以南，随着构造线散开，各大河流向东、向东南和西南散开，支流呈树枝状。云南东部和中部高原是珠江和红河的发源地，两江河由东南部出境，水系多呈格子状或树枝状。

金沙江是云南省集水面积最大的水系，流域处于云南省的西北部至东北部(图2-52、图2-53)，流域境内地势高低悬殊，地形地貌复杂，发育有众多的支流；流域面积大于5000平方公里的有普渡河、横江、牛栏江和龙川江4条。珠江是中国的第三大水系，南盘江为珠江水系的主源，发源于云南省东部曲靖市乌蒙山脉的马雄山南麓，由北向南流经曲靖市、陆良、石林、宜良、华宁、弥勒等市县，到开远市折向东北，经泸西、罗平等县，纳入黄泥河后出省境(图2-54)；在云南省境内分北盘江、南盘江和右江3个流域，区域内地势西北高、东南低，穿越滇东高原岩溶湖盆区和滇东南高原岩溶山原区，岩溶湖盆区内有抚仙湖、星云湖、阳宗海、杞麓湖、异龙湖5大高原湖泊；流域面积在5000平方公里的主要支流有清水江、黄泥河、北盘江和右江。

图**2-52**　金沙江虎跳峡(余昌元摄)

图**2-53**　金沙江一级支流牛栏江(李文虎摄)

红河发源于大理州巍山彝族回族自治县与大理市交界的山岭，自东南从河口出境，进入越南，然后流入北部湾；省内由干流元江与西支李仙江和东支盘龙河组成，流域内主要干支流山高谷深，地形复杂，在省境内流域面积大于5000平方公里的支流有李仙江、绿汁江、盘龙河和卡渡河4条。澜沧江发源于我国青海省唐古拉山脉，出境后经过老挝、缅甸、泰国、柬埔寨，最后在越南注入南海；在云南省境内干流长1227.4公里，天然落差1768米，

图**2-54**　罗平九龙河瀑布(温庆忠摄)

为省内第二大河，其流向为典型的自北向南，贯穿云南的西北部、南部；在省内流域面积大于5000平方公里的支流有黑惠江、威远江、补远江、小黑江等。怒江水系发源于西藏唐古拉山南麓，向南流经横断山区，在云南芒市出境入缅甸，称萨尔温江，在缅甸流入印度洋；干流先后流经滇西北至滇西的怒江州、保山市和德宏州，在省内河长618公里，落差1152米；在省内集水面积在5000平方公里以上的支流有勐波罗河和南汀河。伊洛瓦底江水系发源于西藏自治区，是中、缅国际水系，干流上游在云南境内称为独龙江，于独龙乡钦郎当出境进入缅甸；省境内河长86.8公里，落差1189米；在云南省境内主要是其支流，其中较大的支流有瑞丽江和大盈江。

2.2 湖泊湿地

湖泊湿地以永久性淡水湖为主体。其中，以滇池、洱海、抚仙湖、程海、泸沽湖、杞麓湖、星云湖、异龙湖、阳宗海为主的九大高原湖泊面积为9.92万公顷，占湖泊湿地总面积的83.76%，湖面面积均在23平方公里以上。其分布特点是多为沿断裂带分布，从滇西北横断山延伸至滇中高原及以南区域，分属金沙江、珠江、红河、澜沧江四大水系，按湖泊密集的地理位置可分滇中、滇西、滇南和滇东四大湖群。滇中湖群有滇池、阳宗海、抚仙湖、清水海等；滇西湖群有洱海、程海、泸沽湖、纳帕海等；滇南湖群有异龙湖、大屯海、长桥海等；滇东湖群有者海、长湖、遮丽海等。湖泊湿地多为呈南北走向的封闭、半封闭断陷湖，大多分布于海拔1280~3400米的高原面上。较大湖泊的长轴方向多与构造线一致（北—南向或西北—东南向），湖岸平直陡峭，湖水较深，湖滨平原狭窄，如抚仙湖、洱海、程海等。在石灰岩分布区的湖泊多以喀斯特等外力作用为主形成，湖盆平浅，湖水不深，湖面积较小，湖泊略呈圆形或不规则形状（图2-55至图2-57）。

图**2-55** 碧塔海湖泊湿地（杨学光摄）

图**2-56** 抚仙湖（马晓峰摄）

图 2-57　丽江老君山九十九龙潭(徐健摄)

2.3　沼泽湿地

云南的沼泽湿地以沼泽化草甸为主，占全省沼泽湿地总面积的 63.51%，其次为草本沼泽。草本沼泽在全省除普洱市和西双版纳州外均有不同面积的分布，但分布面积较小，总体在 20～1600 公顷之间，多为湖滨沼泽。分布区域水资源量相对较多，地势平坦，由于地形条件，易积水成湖。在湖泊与河流的交汇处(入流和出流处)形成冲积扇，这些地区湖水较浅、湖流较小，有利于营养物质的沉积和水生生物的繁殖，如洱海西部、滇池北部等地区湖滨沼泽较为发育。沼泽化草甸主要分布于滇西北的迪庆州、丽江市和滇东北的昭通市。这两个区域的沼泽湿地占到全省沼泽湿地的 83.21%。其中，又以沼泽化草甸为主体，多分布于 3 个市(州)3000 米以上高山和亚高山残存的高原面上，属亚高山湿地，类型相对单一，斑块数量多，面积小而分散，多呈小片状分布(图 2-58)。

2.4　人工湿地

云南的人工湿地以库塘为主体，在全省范围内分布受人为干扰较大。各型水库在全省范围内均有分布。由于近年来澜沧江、金沙江、红河等大江河及其支流上的梯级电站开发建设，使得原来的自然河流因修筑高坝人为抬升变为大量的人工库塘湿地，且随着大江河电站建设的不断深入，人工湿地面积呈现变化上升趋势，总体呈现出沿大江河干流分布的特点。

图 2-58　香格里拉小中甸海拔 3200 米的沼泽化草甸(马晓峰摄)

2.5　海拔 3000 米以上的湿地资源分布

2.5.1　各湿地类型面积

全省海拔 3000 米以上分布的湿地面积约 3 万公顷，占全省湿地资源总面积的 5.32%。主要分布于滇西北和滇东北，在行政区域上隶属迪庆州、怒江州全境，丽江市的玉龙纳西族自治县和宁蒗彝族自治县，保山市的隆阳区和腾冲市，大理州的大理市、剑川县、洱源县和云龙县，昆明市的东川区和禄劝彝族苗族自治县，曲靖市的会泽县，昭通市的昭阳区和巧家县。

从湿地类看，分布在3000米以上的河流湿地有0.28万公顷，占3000米以上湿地面积的9.22%；湖泊湿地0.20万公顷，占6.79%；沼泽湿地2.46万公顷，占82.13%；人工湿地0.06万公顷，占1.86%。

从湿地型来看，分布在3000米以上的永久性河流有0.28万公顷，季节性河流0.003万公顷；永久性淡水湖0.20万公顷；草本沼泽0.15万公顷，灌丛沼泽0.25万公顷，森林沼泽0.19公顷，沼泽化草甸1.86万公顷，淡水泉0.01公顷；库塘湿地0.06公顷。

全省范围内的灌丛沼泽、森林沼泽和淡水泉全部分布于海拔3000米以上的区域；91.03%的沼泽化草甸也分布于该区域。

从上述数据可以看出，分布海拔在3000米以上的湿地以沼泽湿地为主体，面积占据绝对优势。虽然面积总量不大，但作为“中国水塔”和“亚洲水塔”的重要组成部分，它们的存在，将持续长久地发挥重要且不可替代的生态服务功能，应作为珍贵而特殊的湿地资源加以重点保护。

2.5.2 各湿地区、行政区的湿地类及面积

全省分布有海拔3000米以上湿地斑块的湿地区共有22个。其中，单独区划湿地区6个，零星湿地区16个(表2-19)。在单独区划的湿地区中，湿地面积最大的是纳帕海湿地区，其次是大山包湿地区，第三为高黎贡山国家级自然保护区湿地区。零星湿地区中，湿地面积最大的是香格里拉零星湿地区，其次为玉龙纳西族自治县零星湿地区，第三为宁蒗彝族自治县零星湿地区。从湿地类看，河流湿地、湖泊湿地和沼泽湿地分布面积最大的均为香格里拉零星湿地区。

表2-19 云南省各湿地区3000米以上湿地概况(公顷)

序 号	湿地区名称	河流湿地	湖泊湿地	沼泽湿地	人工湿地	合 计
	单独区划湿地区共计	**741.74**	**995.63**	**4962.23**	**361.90**	**7061.50**
1	碧塔海湿地区		180.37	77.02		257.39
2	大山包湿地区	7.40		1102.86	361.90	1472.16
3	纳帕海湿地区		520.73	2715.29		3236.02
4	高黎贡山国家级自然保护区湿地区	302.39	275.80	585.42		1163.61
5	白马雪山国家级自然保护区湿地区	431.95	18.73	456.60		907.28
6	轿子山国家级自然保护区湿地区			25.04		25.04
	零星湿地区共计	**2019.21**	**1037.26**	**19640.47**	**195.15**	**22892.09**
7	东川区零星湿地区	21.22				21.22
8	会泽县零星湿地区	37.77				37.77
9	巧家县零星湿地区			1656.47		1656.47
10	玉龙纳西族自治县零星湿地区	139.14	85.15	3318.99	30.89	3574.17
11	宁蒗彝族自治县零星湿地区	75.59		1649.32		1724.91

（续）

序　号	湿地区名称	河流湿地	湖泊湿地	沼泽湿地	人工湿地	合　计
12	大理市零星湿地区		12.21			12.21
13	云龙县零星湿地区			102.60		102.60
14	洱源县零星湿地区	23.23				23.23
15	剑川县零星湿地区	39.20				39.20
16	泸水县零星湿地区	22.89		24.62	45.19	92.70
17	福贡县零星湿地区	35.37	42.88			78.25
18	贡山独龙族怒族自治县零星湿地区	104.00	11.35			115.35
19	兰坪白族普米族自治县零星湿地区	75.89	8.74	278.50		363.13
20	香格里拉市零星湿地区	895.63	775.80	11655.84	119.07	13446.34
21	德钦县零星湿地区	436.04		151.67		587.71
22	维西傈僳族自治县零星湿地区	113.24	101.13	802.46		1016.83
	总　计	2760.95	2032.89	24602.70	557.05	29953.59

第三章 湿地生物资源

第一节 湿地植物和植被

1 湿地植物区系和植物种类

1.1 湿地植物

广义的湿地植物是指一切生长在湿地中的植物。狭义的湿地植物则仅指生长在水陆交汇处、土壤潮湿或者有浅层积水环境中的植物。从生长环境看，湿地植物可以分为水生、沼生、湿生三大类；从植物生活类型看，可以分为挺水型、浮叶型、沉水型和漂浮型；从植物生长类型看，可以分为草本类、灌木类、乔木类，但以草本类为主。狭义的湿地植物通常容易判别，而对于暂时(或季节性)积水的区域生长的植物是否为湿地植物则比较难于判断。我们认为，需要结合该物种的整体分布区、在所有生境中的出现频度和其整个生活史在湿地中所处的时期来综合考虑。

云南省的湿地主要类型为湖泊、库塘、河流和沼泽草甸。云南省相对于全国其他省区，整体海拔较高，生境复杂多样，其中比较有特色的是高原湖泊和沼泽草甸，因此其植物也具有明显的地域特色。云南湿地植物名录(附录1)基于全省的野外调查，剔除了部分仅偶见于暂时积水区域的植物。

1.2 植物多样性分析

调查范围内记录到植物2274种，分属204科876属。其中，被子植物133科725属1974种，裸子植物4科10属11种，蕨类植物31科71属128种，苔藓植物36科70属161种。其中，生活型较严格归于湿地植物的种类1619种，分属于171科642属(附录1)。本书中与植物种类

图3-1 大关乌蒙山的拟尖叶泥炭藓(李嵘摄)

相关的所有分析均仅针对上述生活型较严格的湿地植物而言(图3-1)。

1.2.1 科的统计分析

含40种以上的湿地植物大科有10个，即禾本科58属113种，菊科41属90种，莎草科16属90种，玄参科20属64种，毛茛科15属62种，虎耳草科8属62种，龙胆科16属61种，蓼科6属59种，报春花科4属55种，唇形科20属45种。这10个大科共有204属701种，占总属数的35.60%，总种数的48.05%。这10个科大多是世界广布科，或是在高山物种多样性丰富的科，它们构成了云南湿地植物的主体(图3-2)。

图3-2 腾冲北海的粗壮珍珠菜(李嵘摄)

含20~39种的较大科有11个，即丛藓科13属32种，泥炭藓科1属23种，蔷薇科11属39种，蝶形花科21属38种，伞形科18属35种，荨麻科10属29种，凤仙花科1属26种，兰科15属24种，十字花科11属24种，百合科11属21种，灯心草科2属20种。这些科本身也是物种多样性丰富的科，且多生长在湿生环境，在云南湿地上较为常见。各科所含属种数见表3-1。

表3-1 云南湿地植物科的统计

$n \geq 40$(10科)		
禾本科 Poaceae 58属113种	菊科 Compositae 41属90种	莎草科 Cyperaceae 16属90种
玄参科 Scrophulariaceae 20属64种	毛茛科 Ranunculaceae 15属62种	虎耳草科 Saxifragaceae 8属62种
龙胆科 Gentianaceae 16属61种	蓼科 Polygonaceae 6属59种	报春花科 Primulaceae 4属55种
唇形科 Lamiaceae 20属45种		
$40 > n \geq 20$(11科)		
丛藓科 Pottiaceae 13属32种	泥炭藓科 Sphagnaceae 1属23种	蔷薇科 Rosaceae 11属39种
蝶形花科 Papilionaceae 21属38种	伞形科 Umbelliferae 18属35种	荨麻科 Urticaceae 10属29种
凤仙花科 Balsaminaceae 1属26种	兰科 Orchidaceae 15属24种	十字花科 Brassicaceae 11属24种
百合科 Liliaceae 11属21种	灯心草科 Juncaceae 2属20种	
$20 > n \geq 10$(15科)		
曲尾藓科 Dicranaceae 9属15种	真藓科 Bryaceae 3属15种	提灯藓科 Mniaceae 3属13种
凤尾蕨科 Pteridaceae 1属12种	蹄盖蕨科 Athyriaceae 7属10种	石竹科 Caryophyllaceae 9属19种
柳叶菜科 Onagraceae 4属19种	鸭跖草科 Commelinaceae 8属17种	苦苣苔科 Gesneriaceae 12属15种
茜草科 Rubiaceae 6属15种	天南星科 Araceae 8属11种	大戟科 Euphorbiaceae 5属11种
紫堇科 Fumariaceae 2属11种	眼子菜科 Potamogetonaceae 2属11种	景天科 Crassulaceae 4属10种

（续）

10 > n≥5(30 科)		
钱苔科 Ricciaceae 2 属 7 种	角苔科 Anthocerotaceae 4 属 5 种	叶苔科 Jungermanniaceae 1 属 5 种
金星蕨科 Thelypteridaceae 7 属 8 种	铁线蕨科 Adiantaceae 1 属 7 种	鳞毛蕨科 Dryopteridaceae 3 属 6 种
铁角蕨科 Aspleniaceae 2 属 6 种	阴地蕨科 Botrychiaceae 3 属 5 种	木贼科 Equisetaceae 2 属 5 种
石杉科 Huperziaceae 2 属 5 种	桔梗科 Campanulaceae 6 属 9 种	茄科 Solanaceae 6 属 9 种
谷精草科 Trapaceae 1 属 9 种	水鳖科 Hydrocharitaceae 5 属 7 种	马鞭草科 Verbenaceae 5 属 7 种
姜科 Zingiberaceae 4 属 7 种	金丝桃科 Hypericaceae 1 属 7 种	爵床科 Acanthaceae 4 属 6 种
苋科 Amaranthaceae 4 属 6 种	小檗科 Berberidaceae 3 属 6 种	石蒜科 Amaryllidaceae 1 属 6 种
鸢尾科 Iridaceae 1 属 6 种	杨柳科 Salicaceae 1 属 6 种	千屈菜科 Lythraceae 4 属 5 种
紫草科 Boraginaceae 3 属 5 种	川续断科 Dipsacaceae 3 属 5 种	浮萍科 Lemnaceae 3 属 5 种
缬草科 Valerianaceae 3 属 5 种	狸藻科 Lentibulariaceae 2 属 5 种	堇菜科 Violaceae 1 属 5 种
5 > n≥2 (67 科)		
紫萼藓科 Grimmiaceae 2 属 4 种	大萼苔科 Cephaloziaceae 3 属 3 种	齿萼苔科 Geocalycaceae 2 属 3 种
裂叶苔科 Lophoziaceae 2 属 3 种	凤尾藓科 Fissidentaceae 1 属 3 种	牛毛藓科 Ditrichaceae 2 属 2 种
地钱科 Marchantiaceae 1 属 2 种	短角苔科 Notothyladaceae 1 属 2 种	葫芦藓科 Funariaceae 1 属 2 种
羽苔科 Plagiochilaceae 1 属 2 种	蛇苔科 Conocephalaceae 1 属 2 种	中国蕨科 Sinopteridaceae 3 属 4 种
金星蕨科 Thelypteridaceae 3 属 4 种	膜蕨科 Hymenophyllaceae 2 属 4 种	鳞始蕨科 Lindsaeaceae 2 属 3 种
水龙骨科 Polypodiaceae 2 属 3 种	卷柏科 Selaginellaceae 1 属 3 种	实蕨科 Bolbitidaceae 2 属 2 种
碗蕨科 Dennstaedtiaceae 2 属 2 种	鳞毛蕨科 Dryopteridaceae 2 属 2 种	裸子蕨科 Hemionitidaceae 2 属 2 种
石松科 Lycopodiaceae 2 属 2 种	瓶尔小草科 Ophioglossaceae 2 属 2 种	水韭科 Isoetaceae 1 属 2 种
水蕨科 Parkeriaceae 1 属 2 种	蕨科 Pteridiaceae 1 属 2 种	旋花科 Convolvulaceae 2 属 4 种
酢浆草科 Oxalidaceae 2 属 4 种	罂粟科 Papaveraceae 2 属 4 种	远志科 Polygalaceae 2 属 4 种
老鹳草科 Geraniaceae 1 属 4 种	水东哥科 Saurauiaceae 1 属 4 种	泽泻科 Alismataceae 3 属 3 种
杜鹃花科 Ericaceae 3 属 3 种	锦葵科 Malvaceae 3 属 3 种	松科 Pinaceae 3 属 3 种
三白草科 Saururaceae 3 属 3 种	忍冬科 Caprifoliaceae 2 属 3 种	岩梅科 Diapensiaceae 2 属 3 种
沟繁缕科 Elatinaceae 2 属 3 种	小二仙草科 Haloragidaceae 2 属 3 种	睡菜科 Menyanthaceae 2 属 3 种
雨久花科 Pontederiaceae 2 属 3 种	半边莲科 Lobeliaceae 1 属 3 种	茨藻科 Najadaceae 1 属 3 种
黑三棱科 Sparganiaceae 1 属 3 种	花蔺科 Butomaceae 2 属 2 种	黄杨科 Buxaceae 2 属 2 种
藜科 Chenopodiaceae 2 属 2 种	野牡丹科 Melastomataceae 2 属 2 种	芭蕉科 Musaceae 2 属 2 种
睡莲科 Nymphaeaceae 2 属 2 种	无患子科 Sapindaceae 2 属 2 种	杉科 Taxiodiaceae 2 属 2 种
萝藦科 Asclepiadaceae 1 属 2 种	水玉簪科 Burmanniaceae 1 属 2 种	大麻科 Cannabaceae 1 属 2 种
金鱼藻科 Ceratophyllaceae 1 属 2 种	金粟兰科 Chloranthaceae 1 属 2 种	茅膏菜科 Droseraceae 1 属 2 种
水麦冬科 Juncaginaceae 1 属 2 种	马钱科 Loganiaceae 1 属 2 种	车前科 Plantaginaceae 1 属 2 种
柽柳科 Tamaricaceae 1 属 2 种	菱科 Trapaceae 1 属 2 种	香蒲科 Typhaceae 1 属 2 种
黄谷精科 Xyridaceae 1 属 2 种		

（续）

n=1(41 科)		
苞叶苔科 Allisoniaceae 1 属 1 种	带叶苔科 Pallaviciniaceae 1 属 1 种	多囊苔科 Lepidolaenaceae 1 属 1 种
耳叶苔科 Frullaniaceae 1 属 1 种	光苔科 Cythodiaceae 1 属 1 种	合叶苔科 Scapaniaceae 1 属 1 种
壶苞苔科 Blasiaceae 1 属 1 种	壶藓科 Splachnaceae 1 属 1 种	花地钱科 Corsiniaceae 1 属 1 种
瘤冠苔科 Aytoniaceae 1 属 1 种	毛叶苔科 Ptilidiaceae 1 属 1 种	溪苔科 Pelliaceae 1 属 1 种
小叶苔科 Fossombroniaceae 1 属 1 种	星孔苔科 Sauteriaceae 1 属 1 种	藻藓科 Takakiaceae 1 属 1 种
指叶苔科 Lepidoziaceae 1 属 1 种	皱蒴藓科 Aulacomniaceae 1 属 1 种	卤蕨科 Acrostichaceae 1 属 1 种
车前蕨科 Antrophyaceae 1 属 1 种	满江红科 Azollaceae 1 属 1 种	乌毛蕨科 Blechnaceae 1 属 1 种
苹科 Marsileaceae 1 属 1 种	紫萁科 Osmundaceae 1 属 1 种	槐叶苹科 Salviniaceae 1 属 1 种
苏木科 Caesalpiniaceae 1 属 1 种	水马齿科 Callitrichaceae 1 属 1 种	柏科 Cupressaceae 1 属 1 种
胡颓子科 Elaeagnaceae 1 属 1 种	杉叶藻科 Hippuridaceae 1 属 1 种	粟米草科 Molluginaceae 1 属 1 种
紫茉莉科 Nyctaginaceae 1 属 1 种	五膜草科 Pentaphragmataceae 1 属 1 种	商陆科 Phytolaccaceae 1 属 1 种
胡椒科 Piperaceae 1 属 1 种	川薹草科 Podostemaceae 1 属 1 种	马齿苋科 Portulacaceae 1 属 1 种
檀香科 Santalaceae 1 属 1 种	尖瓣花科 Sphenocleaceae 1 属 1 种	箭根薯科 Taccaceae 1 属 1 种
瑞香科 Thymelaeaceae 1 属 1 种	角果藻科 Zannichelliaceae 1 属 1 种	

注：每一等级中，先列苔藓植物，其次蕨类植物，最后种子植物。

1.2.2　属的统计分析

苔藓植物共包含 70 属，其中含 10 种以上的属有 2 个，即泥炭藓属和匐灯藓属，共包含 33 种，占苔藓植物总种数的 20.63%。蕨类植物共包含 64 属，其中含 10 种以上的属仅 1 个，即凤尾蕨属，包含 12 种，占蕨类总种数的 10.71%。被子植物共包含 509 属，其中含 15 种以上的属有 12 个，共包含 296 种，占总种数的 20.29%（表 3-2）。排在前三位的分别为蓼属、报春花属和虎耳草属，它们都在 30 种以上。这些属主要为世界广布和在高山草甸上多样性丰富的类群，在云南的湿地中较为多见。包含种数在 20 以上的有 6 个属；包含种数 10 ~ 19 个的有 11 属；包含种数 6 ~ 10 个的有 26 属；包含种数 4 ~ 5 个的有 40 属；包含种数 2 ~ 3 个的有 146 属；其余 280 属仅包含 1 种。

表 3-2　被子植物含 15 种以上的属统计

序　号	属中文名	属拉丁名	所属科	包含种数
1	蓼属	*Polygonum*	蓼科 Polygonaceae	46
2	报春花属	*Primula*	报春花科 Primulaceae	38
3	虎耳草属	*Saxifraga*	虎耳草科 Saxifragaceae	34

（续）

序　号	属中文名	属拉丁名	所属科	包含种数
4	龙胆属	*Gentiana*	龙胆科 Gentianaceae	29
5	凤仙花属	*Impatiens*	凤仙花科 Balsaminaceae	26
6	毛茛属	*Ranunculus*	毛茛科 Ranunculaceae	23
7	马先蒿属	*Pedicularis*	玄参科 Scrophulariaceae	19
8	橐吾属	*Ligularia*	菊科 Compositae	18
9	薹草属	*Carex*	莎草科 Cyperaceae	16
10	莎草属	*Cyperus*	莎草科 Cyperaceae	16
11	灯心草属	*Juncus*	灯心草科 Juncaceae	16
12	梅花草属	*Parnassia*	虎耳草科 Saxifragaceae	15

1.2.3　维管植物种的统计分析

按照植物生活型来划分，云南省的 1459 种湿地维管束植物中，草本植物占绝对优势，木本植物较少。乔木有水杉（栽培）、水松（栽培及野生）、长苞冷杉、丽江云杉、大果红杉、四籽柳等 6 种。灌木有 66 种，常见的有高山柏、洱源小檗、云南小檗、黄花倒水莲、一把香、三春水柏枝、三春柳、尼泊尔水东哥、水柳、叶下珠、板凳果、小垫柳、长叶水麻等。

湿地草本植物共有 1387 种，可分为湿生草本和水生草本。其中，湿生植物占大多数，主要分布在湖滨带、河漫滩和高山沼泽化草甸；水生草本根据植物的生活型又可进一步分为挺水植物、浮叶植物、漂浮植物、沉水植物（图 3-3）。

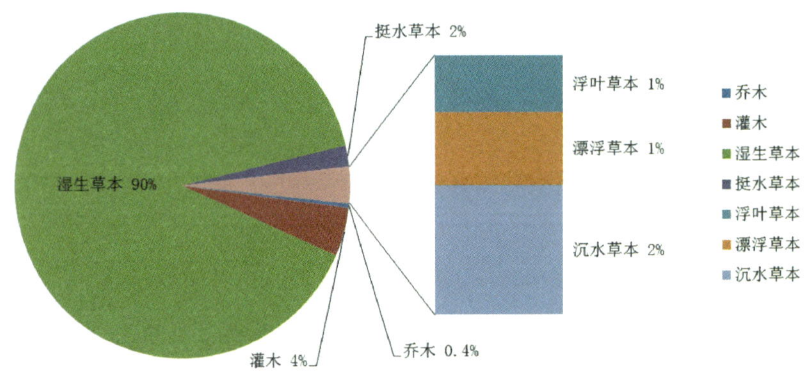

图 **3-3**　不同生活型的湿地植物物种数比例

挺水植物有 29 种，常见的有芦苇、菰、莲、睡菜、拟花蔺、黄花蔺、菖蒲、水毛花、水葱、萤蔺、泽泻、慈姑、香蒲、狭叶香蒲、石龙芮、双穗雀稗、水苦荬、水蕨、细裂水蕨等。

浮叶植物 11 种，分别为莼菜、睡莲、野菱、细果野菱、金银莲花、荇菜、水鳖、牙齿菜、异叶眼子菜、南方眼子菜、苹（图 3-4）。

漂浮植物有14种，分别为两栖蓼、大薸、凤眼莲、雨久花、鸭舌草、紫萍、浮萍、品藻、稀脉浮萍、水禾、芜萍、槐叶苹、满江红。

沉水植物有25种，常见的有菹草、光叶眼子菜、微齿眼子菜、马来眼子菜、穿叶眼子菜、丝草、红线草、角果藻、茨藻、海菜花、石龙尾、苦草、黑藻、水筛、金鱼藻等。

图3-4 玉龙雪山九子海的金银莲花(董洪进摄)

因生境多样，特殊小生境的广泛存在，在云南湿地植物中也存在较多的特有植物，共有中国特有植物489种，其中云南特有116种。云南的特有植物主要分布于云南东北部至西北部海拔3000米以上的高山草甸。

1.3 区系分析

按吴征镒先生(1991)对中国种子植物属的分布区类型划分，可将云南省湿地植物中的种子植物(苔藓植物和蕨类植物不计入区系分析)所包含的509属分成15种分布区类型，其中北温带分布型(125)、世界广布型(80)和泛热带分布型(79)占前三位，其比例分别为24.56%、15.72%和15.52%(表3-3)。

表3-3 云南湿地植物属的分布型统计

分布区类型	属 数	比例(%)
1. 世界广布	80	15.72
2. 泛热带分布	79	15.52
3. 热带亚洲和热带美洲间断分布	13	2.55
4. 旧世界热带分布	25	5.11
5. 热带亚洲至热带大洋洲分布	10	1.77
6. 热带亚洲至热带非洲分布	18	3.54
7. 热带亚洲(印度、马来西亚)分布	33	6.68
8. 北温带分布	125	24.56
9. 东亚和北美洲间断分布	13	2.55
10. 旧世界温带分布	35	6.68
11. 温带亚洲分布	10	1.96
12. 地中海、西亚至中亚分布	1	0.20
13. 中亚分布	3	0.59
14. 东亚分布	48	9.43
15. 中国特有分布	16	3.14
合 计	509	100

云南湿地植物包含中国所有的全部15个分布区类型，说明其区系成分复杂，来源广泛。

其中热带性质的属(2~7)共有179属，占总属数的35.17%；温带性质的属(8~15)共有251属，占总属数的49.31%。可见，云南湿地植物以温带性质为主，但热带性质的属也占有相当大的比例。

另外，世界广布属共有80属，占总属数的15.72%，居第二位，远高于其他自然区系中世界广布属的比例(云南省种子植物区系中世界广布属所占比例仅约4.64%)，广布成分多，而特有成分相对较少，反映了湿地的隐域特点。

东亚特有分布的48个属中，33属为中国—喜马拉雅分布，仅3属为中国—日本分布，反映了云南湿地植物区系具有更多的中国—喜马拉雅区系性质。

中国特有属共有16属，占总属数的3.14%，进一步说明了云南湿地植物有较强的地域特色。

1.4 保护植物

根据1999年国务院公布的《第一批国家重点保护野生植物名录》和1989年云南省颁布的《云南省第一批省级重点保护野生植物名录》，云南湿地植物中共有国家级重点保护野生植物12种。其中，国家Ⅰ级保护植物5种，国家Ⅱ级保护植物7种(表3-4)(国家Ⅰ级保护植物水杉在云南湿地中常见栽培，但没有野生分布，因此未计入)。

表3-4 云南湿地保护植物名录

序　号	种中文名	种拉丁名	所属科	保护等级
1	莼菜	*Brasenia schreberi*	睡莲科 Nymphaeaceae	国家Ⅰ级
2	水松	*Glyptostrobus pensilis*	杉科 Taxiodiaceae	国家Ⅰ级
3	高寒水韭	*Isoetes hypsiphila*	水韭科 Isoetaceae	国家Ⅰ级
4	云贵水韭	*Isoetes yunguiensis*	水韭科 Isoetaceae	国家Ⅰ级
5	独叶草	*Kingdonia uniflora*	毛茛科 Ranunculaceae	国家Ⅰ级
6	细裂水蕨	*Ceratopteris siliquosa*	水蕨科 Parkeriaceae	国家Ⅱ级
7	水蕨	*Ceratopteris thalictroides*	水蕨科 Parkeriaceae	国家Ⅱ级
8	拟花蔺	*Butomopsis latifolia*	花蔺科 Butomaceae	国家Ⅱ级
9	金荞麦	*Fagopyrum dibotrys*	蓼科 Polygonaceae	国家Ⅱ级
10	药用稻	*Oryza officinalis*	禾本科 Poaceae	国家Ⅱ级
11	野生稻	*Oryza rufipogon*	禾本科 Poaceae	国家Ⅱ级
12	细果野菱	*Trapa incisa*	菱科 Trapaceae	国家Ⅱ级

莼菜在本次野外调查中见于腾冲北海海拔1500米的水塘中，成小片分布。其分布范围和生长状况相比前几年调查时均有所减少和下降。初步分析认为，该地区的旅游开发以及周边的生活污水排放是其主要影响因素。细果野菱在鹤庆草海和洱源西湖有发现，成片生长，长势良好。该种在滇西北的湖群分布较为广泛，可能有人工栽培的原因。金荞麦在云南分布十分广泛，湿地中

也可偶见。水松产屏边大围山、富宁，在昆明等地也有栽培。

2　湿地植被类型和分布

湿地植被系指生活在地表过湿或有季节性或常年性积水、土壤潜育或有泥炭的地段上，以水生植物或湿生植物为主要组成物种的植物群落。简言之，湿地植被包括江河、湖泊、沼泽、水库池塘和水田等湿地上生长的各种植物群落。

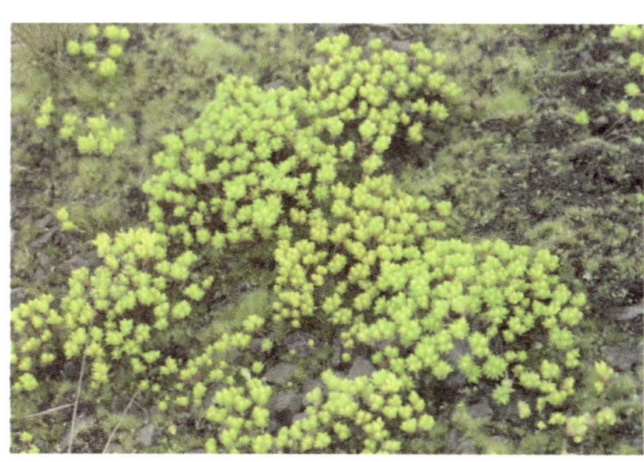

图 **3-5**　巧家药山的景天群落(李嵘摄)

云南水系众多，湖泊水面宽阔，许多河、湖地处亚热带，海拔高度和地理纬度都不高，冬季不封冻，没有低温带给植物的威胁，有利于水生植物生长，因此水生植物资源比较丰富。但同时，云南各江河水流湍急，岸坡陡峭，洪泛湿地面积小，江河中的水生高等植物很不发达，少有真正的水生植物群落发育。云南的大片沼泽也不多，现调查研究论及的沼泽大多是湖泊沼泽化地段的类型。湖泊的湿地植物相对最为丰富，特别是浅水型湖泊和湖泊边缘浅滩为水生植物的主要分布区。因此，云南的湿地植被是以湖泊水生植被为突出代表，其他多种类型湿地植被星罗棋布的格局(图 3-5)。

2.1　湿地植被类型及分布规律

2.1.1　湿地植被类型

云南省湿地植被类型共划分为 6 个植被型组 13 个植被型 18 个群系，见表 3-5。

表 3-5　云南省湿地植被类型

植被型组	植被型	群系组
一、针叶林湿地植被型组	Ⅰ. 寒温性针叶林湿地植被型	1. 大果红杉群系
		2. 长苞冷杉群系
二、阔叶林湿地植被型组	Ⅰ. 常绿阔叶林湿地植被型	1. 中华桫椤群系
	Ⅱ. 落叶阔叶林湿地植被型	1. 旱冬瓜群系
		2. 四籽柳群系
	Ⅲ. 竹林湿地植被型	1. 贡山箭竹群系
		2. 海竹群系
		3. 水竹群系
		4. 云南箭竹群系
三、灌丛湿地植被型组	Ⅰ. 常绿阔叶灌丛湿地植被型	1. 驳骨丹群系
		2. 马缨丹群系

（续）

植被型组	植被型	群系组
三、灌丛湿地植被型组	Ⅰ. 常绿阔叶灌丛湿地植被型	3. 密枝杜鹃群系
		4. 水柳群系
		5. 水麻群系
		6. 腋花杜鹃群系
		7. 肿柄菊群系
四、草丛湿地植被型组	Ⅰ. 莎草型湿地植被型	1. 百球藨草群系
		2. 短叶水蜈蚣群系
		3. 高山嵩草群系
		4. 钩状嵩草群系
		5. 华扁穗草群系
		6. 具刚毛荸荠群系
		7. 具芒碎米莎草群系
		8. 卵穗荸荠群系
		9. 毛轴莎草群系
		10. 畦畔莎草群系
		11. 球穗扁莎群系
		12. 舌叶薹草群系
		13. 水葱群系
		14. 水毛花群系
		15. 水莎草群系
		16. 碎米莎草群系
		17. 香附子群系
		18. 异型莎草群系
		19. 云南荸荠群系
		20. 云南莎草群系
		21. 云雾薹草群系
		22. 紫果蔺群系
	Ⅱ. 禾草型湿地植被型	1. 稗群系
		2. 斑茅群系
		3. 多花剪股颖群系
		4. 发草群系
		5. 刚莠竹群系
		6. 狗尾草群系
		7. 狗牙根群系

（续）

植被型组	植被型	群系组
四、草丛湿地植被型组	Ⅱ. 禾草型湿地植被型	8. 菰群系
		9. 金发草群系
		10. 荩草群系
		11. 狼尾草群系
		12. 类芦群系
		13. 李氏禾群系
		14. 柳叶箬群系
		15. 芦苇群系
		16. 芦竹群系
		17. 马唐群系
		18. 蔓生莠竹、荩草群系
		19. 芒群系
		20. 矛叶荩草群系
		21. 牛筋草群系
		22. 求米草群系
		23. 柔枝莠竹群系
		24. 双穗雀稗群系
		25. 甜根子草群系
		26. 羊茅群系
		27. 异序虎尾草群系
		28. 薏苡群系
		29. 早熟禾群系
		30. 长芒稗群系
		31. 粽叶芦群系
	Ⅲ. 杂类草湿地植被型	1. 矮地榆群系
		2. 白车轴草群系
		3. 白酒草群系
		4. 薄荷群系
		5. 菜蕨群系
		6. 草血竭群系
		7. 葱状灯心草群系
		8. 丛生荽叶委陵菜群系
		9. 粗齿冷水花群系
		10. 粗壮珍珠菜群系

（续）

植被型组	植被型	群系组
四、草丛湿地植被型组	Ⅲ. 杂类草湿地植被型	11. 翠茎冷水花群系
		12. 大山马先蒿群系
		13. 大叶冷水花群系
		14. 灯心草群系
		15. 地果群系
		16. 滇水金凤群系
		17. 东川灯心草群系
		18. 豆瓣菜群系
		19. 钝叶楼梯草群系
		20. 飞机草群系
		21. 凤仙花群系
		22. 伏毛蓼群系
		23. 辐射凤仙花群系
		24. 高原毛茛群系
		25. 贡山蓟群系
		26. 谷精草群系
		27. 管状长花马先蒿群系
		28. 鬼针草群系
		29. 海仙花群系
		30. 花葶驴蹄草群系
		31. 黄花蒿群系
		32. 黄金凤群系
		33. 火炭母群系
		34. 藿香蓟群系
		35. 积雪草群系
		36. 假楼梯草群系
		37. 渐尖楼梯草群系
		38. 节节草群系
		39. 金脉鸢尾群系
		40. 绢毛蓼群系
		41. 辣蓼群系
		42. 辣子草群系
		43. 狼杷草群系
		44. 柳叶菜群系

（续）

植被型组	植被型	群系组
四、草丛湿地植被型组	Ⅲ．杂类草湿地植被型	45. 蒌蒿群系
		46. 楼梯草群系
		47. 蒙自凤仙花群系
		48. 密穗马先蒿群系
		49. 尼泊尔蓼群系
		50. 尼泊尔酸模群系
		51. 盘托楼梯草群系
		52. 披散问荆群系
		53. 青蒿群系
		54. 杉叶藻群系
		55. 湿地银莲花群系
		56. 石筋草群系
		57. 水凤仙花群系
		58. 水芹群系
		59. 酸模叶蓼群系
		60. 穗状黑三棱群系
		61. 头花蓼群系
		62. 透茎冷水花群系
		63. 土荆芥群系
		64. 委陵菜群系
		65. 五月艾群系
		66. 西南委陵菜群系
		67. 喜旱莲子草群系
		68. 夏枯草群系
		69. 小黑三棱群系
		70. 蝎子草群系
		71. 鸭跖草群系
		72. 燕子花群系
		73. 野艾蒿群系
		74. 野芭蕉群系
		75. 茵陈蒿群系
		76. 玉龙山谷精草群系
		77. 芋群系
		78. 鸢尾群系

（续）

植被型组	植被型	群系组
四、草丛湿地植被型组	Ⅲ. 杂类草湿地植被型	79. 圆叶节节菜群系
		80. 云南马先蒿群系
		81. 长鞭红景天群系
		82. 长序冷水花群系
		83. 苎麻群系
		84. 紫茎泽兰群系
五、苔藓湿地植被型组	Ⅰ. 苔藓湿地植被型	1. 拟尖叶泥炭藓群系
六、浅水植物湿地植被型组	Ⅰ. 漂浮植物型	1. 大薸群系
		2. 凤眼莲群系
		3. 浮萍群系
		4. 满江红群系
		5. 水鳖群系
		6. 苹群系
	Ⅱ. 浮叶植物型	1. 莼菜群系
		2. 两栖蓼群系
		3. 菱群系
		4. 睡莲群系
		5. 细果野菱群系
		6 荇菜群系
		7. 鸭舌草群系
		8. 眼子菜群系
	Ⅲ. 沉水植物型	1. 穿叶眼子菜群系
		2. 光叶眼子菜群系
		3. 海菜花群系
		4. 黑藻群系
		5. 红线草群系
		6. 狐尾藻群系
		7. 金鱼藻群系
		8. 苦草群系
		9. 马来眼子菜群系
		10. 水毛茛群系
		11. 穗状狐尾藻群系
		12. 微齿眼子菜群系
		13. 菹草群系

（续）

植被型组	植被型	群系组
六、浅水植物湿地植被型组	Ⅳ．挺水植物型	1. 菖蒲群系
		2. 慈姑群系
		3. 黄花蔺群系
		4. 莲群系
		5. 石菖蒲群系
		6. 睡菜群系
		7. 香蒲群系
		8. 泽泻群系

2.1.2　湿地植被分布规律

2.1.2.1　地带性分布

湿地在空间上的地理分布，主要取决于水分和热量状况，因此，湿地植被类型及其地理分布，也具有地带性的烙印。云南的湿地植被在亚热带和热带均有分布，但是受地貌等非地带性因素的影响，并且在以湖泊水生植被为主要湿地植被的整体背景下，云南湿地植被的水平地带性表现得不如垂直地带性显著。

在横断山区，在距离不大的纬度范围内，湖泊植被的组成因海拔高度而变化，与山区陆生植被一样具有同样明显的垂直地带性。根据水生植物群落分布的上、下限，可以把云南横断山区划分为 4 个水生植被带。

(1)山地亚热带：位于海拔 2200 米以下，包括程海、洱海、茈碧湖、剑湖等。湖水四季不冻，是云南横断山区水生植被的基带。以亚热带广布的苦草群落分布上界为标志。这一带的生态类型最全，植被群落类型最多。

(2)山地暖温带：位于海拔 2200～2700 米，包括丽江黑龙潭、拉市海、白汉场水库、泸沽湖等。水生植被以海菜花群落分布上限为标志。该带的群落中绝大部分都可以在山地亚热带出现。

(3)亚高山寒温带：位于海拔 2700～3700 米，包括中甸纳帕海、碧塔海等。本带是一个跨度较大的过渡地带，世界广布的水生植被类型在横断山区以此带为分布上限，而北极—高山分布的寒带类型杉叶藻所形成的群落又始于本带基部。

(4)高山寒带和极寒带：位于海拔 3600 米以上，以冰蚀湖为主。湿地植被物种组成和结构都相对简单。

此外，云南的亚高山沼泽植被主要发育在滇西北和滇东北地区，虽然星散分布在山间低洼处，但从植物区系组成和群落类型整体来看，仍具有地带性分布的特征。

2.1.2.2　非地带性分布

浅水植被、沼泽植被都是生长在多水生境中的植物群落类型。淡水环境一致性程度较高，故生长其中的植物，广布种较多，所组成的植物群落，其分布往往是跨地带的，故称之为隐域植被。如芦苇群落、水葱群落、菹草群落等，都是极为广布的湿地植物群落，也是云南河、湖地区常见的植物群落。换言之，云南湖区的许多植物群落都属于非地带性分布的群落。

2.2　常见湿地植被类型和分布

根据此次云南省湿地资源调查的成果，结合历史资料，云南的常见湿地植被类型和分布如下。

(1)大果红杉群系：该群系分布于白马雪山垭口和U形谷中，生长在山溪两侧，溪水常从林下铺开流过。乔木层优势种为大果红杉，平均胸径约25厘米，平均高约12米；郁闭度约0.4。林内混生有少量的长苞冷杉、香柏。灌木层主要有密枝杜鹃、某种柳、亮叶忍冬、某种茶藨子、金露梅、峨眉蔷薇等；大果红杉的幼苗也多见。草本层中，沼生或喜湿的种类较山地森林中的多，常见的有灯心草、海仙花、粉条儿菜、驴蹄草等。林下苔藓地被层也很发育。

(2)长苞冷杉群系：该群系分布于滇西北3200~4100米的亚高山地段。以丽江老君山九十九龙潭湖滨带的长苞冷杉林为例：乔木层以长苞冷杉为优势种，也混生少量的阔叶树种，如青皮槭、西南花楸等。灌丛层常以多种杜鹃为主。主要的草本植物有报春花、丽江蟹甲草等。苔藓地被层较发达。

(3)密枝杜鹃群系：该群系分布于滇西北及滇中以北的山地低洼处，以白马雪山垭口的为典型。灌木层仅密枝杜鹃1种，盖度约50%，但某些地段更为稀疏，以致以草丛沼泽为主。草本层中主要有矮地榆、灯心草、驴蹄草、薹草、蔗草等物种，也是沼泽化草甸所习见的。

(4)水柳群系：该群系分布于东南的河流浅滩。优势种水柳沿河生长，但限于河漫滩的生境，分布并不连续。在靠近水中的地带，水柳常为单一优势种，并时常浸于水中。在较远离水边的地段，伴生种类则有所增加，但种类组成依地域不同而不同。水流的冲击与浸泡对植被的群落结构影响也很大。

(5)高山嵩草群系：该群系分布于哈巴雪山海拔4000米以上的河谷低洼处。优势种为高山嵩草，常伴生灯心草、花葶驴蹄草等物种，群落结构和物种组成较简单，群落也较低矮。苔藓地被层发育很好，盖度可达75%。

(6)华扁穗草群系：该群系主要分布于滇西北香格里拉、丽江一带海拔3200~4100米的亚高山山地近水湿地。以华扁穗草为优势，伴生种主要有深紫糙苏、钟花报春、花葶驴蹄草、发草等。

(7)卵穗荸荠群系：该群系分布于大山包和会泽黑颈鹤栖息地。优势种卵穗荸荠盖度为50%~60%。常见伴生种有牛毛毡、辣蓼、积雪草、泸水剪股颖、单花遍地金等。

(8)水葱群系：该群系散布于石屏异龙湖、宁蒗泸沽湖周围的湖湾、河口两侧及一些沼泽地域，通常面积不大，也有栽培于水田中。群落边缘有芦苇侵入，群落下层的沉水层主要由海菜花、光叶眼子菜等组成(图3-6)。

(9)云雾薹草群系：该群系以云雾薹草为优势种，广泛分布于云南各地。常见的伴生种有蓼、柳叶菜、白车轴草等。

图3-6　水葱群落(杨忠兴摄)

（10）发草群系：该群系分布于碧塔海、丽江老君山九十九龙潭和云龙天池，见于湖滨。发草在群落中可占绝对优势，盖度可达90%，特别是在海拔高达4000米的九十九龙潭。伴生种不多，有鸦跖花、白车轴草、委陵菜等。

（11）狗牙根群系：狗牙根为全省较广布的禾本科杂草之一。在荒滩、湖滨等处常形成以其为优势种的群落。通常狗牙根占绝对优势，偶见双穗雀稗、节节草等物种伴生。

（12）菰群系：该群系广泛分布于云南大部分湖泊的浅水区、坝区的沼泽和水塘。因其被真菌寄生而膨大的茎可作蔬菜，故多人工栽培，是滇中地区浅水湖区最常见的人工挺水植物群落。群落中常有金鱼藻、黑藻、马来眼子菜等沉水植物伴生。

（13）李氏禾群系：李氏禾和双穗雀稗经常混生在一起，有时各自形成单优群落，有时共为优势种。通常双穗雀稗多在湖滨大面积出现；而在沟边湿地多以李氏禾为主。

（14）芦苇群系：各地常见的挺水植物群落之一，分布在云南省大部分湖泊沿岸地段，如滇池、洱海、星云湖、异龙湖、茈碧湖、泸沽湖等。除分布在湖泊、水库、池塘的浅水岸边外，也见于浅水洼地以及河漫滩外缘。多呈单优群落出现，仅在丛间杂有较为低矮的挺水植物，如水葱、慈姑等，以及群落所在地域的漂浮植物和沉水植物，伴生种类很不固定，结构层次也不明显。

（15）双穗雀稗群系：广布于海拔3000米以下的水沟两旁、水塘、水库和湖边湿地。优势种为双穗雀稗，常伴生有李氏禾、辣蓼等，外缘水深较大时，也有狐尾藻等沉水植物混生。

（16）薏苡群系：分布于河边、沟旁、积水洼地和湖滨，一般面积不大。异龙湖的薏苡群落丛间有狐尾藻、马来眼子菜等沉水植物穿插。在河边、沟旁的群落组成较为复杂，有多种湿生杂草混生。

（17）长芒稗群系：分布于普者黑、杞麓湖和五洛河。优势种长芒稗盖度通常50%～90%，局部地段长势茂密，几乎形成单优群落。常见伴生种有莎草、柳叶菜、喜旱莲子草等。

（18）矮地榆群系：主要分布在滇东北乌蒙山系的各亚高山地区，以及滇西北的中甸、丽江一带，是亚高山地区沼泽化草甸中一个分布较广的类型，常与莎草沼泽化草甸交错分布或仅仅在水塘边局部地段出现。主要分布在海拔3300～3400米的水沟、河边、湖泊附近等排水不良的平坦湿地上。群落结构和物种组成较简单，优势种以矮地榆最为突出，代表性植物还有灯心草、银莲花、报春花、龙胆、薹草、剪股颖等属的喜湿种类。

（19）灯心草群系：广布于云南各地的山间洼地。优势种为灯心草，伴生种因所处地域不同而较为复杂。在滇西北地区，常见的伴生种有矮地榆、薹草、荸荠、蓼、龙胆、马先蒿、夏枯草等。

（20）豆瓣菜群系：多分布于滇西北海拔2000米以上的各江河、湖泊的小支流和溪沟的浅水带。优势种豆瓣菜常密集得使其他种类无立足之地。在植株稀疏的情况下，丛间有辣蓼、柳叶菜等稀疏挺立，外缘则常有千屈菜，群落内侧水流较深处，往往有一些沉水植物穿插其间，如黑藻、狐尾藻等。

（21）海仙花群系：分布于拉市海和云龙天池。海仙花为滇西北常见湿生植物之一，在这两处形成了以其为优势种的群落，盖度可达50%～80%。常见伴生种有荸荠、矮地榆、灯心草等。

（22）节节草群系：广布于海拔2300米以下大部分地区的浅水塘、沟边、田边、休闲水田、沼泽湿地中。群落内伴生种类不多，通常无分层现象。群落外缘常有李氏禾、双穗雀稗、慈姑、泽泻等挺水植物或眼子菜、小茨藻等浮叶和沉水植物出现。

(23)辣蓼群系：广布于云南省的湖滨、河漫滩低洼地以及田间浅水沟渠。伴生种类比较复杂，因地而异，通常为田间湿生杂草。

(24)杉叶藻群系：分布于云南西北部海拔2700～3300米的沼泽水塘、湖滨、溪流沟渠以及积水洼地中。挺水层几乎仅有群落优势种杉叶藻，沉水层主要有微齿眼子菜、狐尾藻等。

(25)酸模叶蓼群系：酸模叶蓼产云南省大部分地区，分布海拔500～3100米，在水边、溪边常形成沿岸的以其为优势种的群落。酸模叶蓼几可为单优种，也常伴生多种常见草本植物，如莎草、双穗雀稗、柳叶菜、喜旱莲子草等。

(26)小黑三棱群系：在横断山区分布有多种以黑三棱属植物为优势种的群落。小黑三棱群落也见于滇东北的大山包。优势种小黑三棱的丛间，常见伴生种有辣蓼、马先蒿等，在水中也混生水毛茛等沉水植物。

(27)玉龙山谷精草群系：以谷精草为优势种的群落目前仅见于丽江玉龙雪山九子海。该群落位于湖滨浅水带，谷精草盖度可达50%～80%，高约10厘米。伴生种较少，主要是金银莲花和高山湖泊中常见的水马齿。

(28)大薸群系：大薸在云南南部、西南部至东南部热带地区的水田、水沟和池塘内自然生长，在滇中等有霜的地区有人工栽培。在澜沧拉祜族自治县的水田中，除优势种大薸外，还有黑藻、眼子菜、鸭舌草等，局部地段有成片的牛毛毡。在水沟中，通常有满江红、槐叶苹、浮萍等漂浮植物聚集。

(29)凤眼莲群系：凤眼莲为雨久花科草本植物，原产南美洲，为引入的栽培植物。现多逸为野生，分布于海拔2300米以下的水塘和湖湾中。在滇池的湖湾和附近污水塘中，常为单优群落。在滇南一带常可见群落中有成丛的水葱、慈姑、喜旱莲子草等挺水植物。

(30)浮萍群系：广布于云南亚热带的水田、池塘、水沟以及静风的湖湾，特别是肥力高的污水坑中。在田间、水沟常有少量的满江红、槐叶苹及水鳖等伴生。但在大多数封闭的积水肥坑中，多为浮萍单种群落。

(31)满江红群系：广布于滇中、滇西北至滇东南的池塘、湖沼和水田中，是云南肥沃池塘和水田中常见的漂浮植物。优势种为满江红和槐叶苹，伴生种除紫萍和浮萍外，很少有其他成分参加。

(32)水鳖群系：零星分布于海拔2000米以下的亚热带地区水塘、田间水沟、溪流两旁和湖湾浅水滩等地。群落中常伴生有满江红、紫萍、浮萍等漂浮植物，形成不大连续的浮水层，下面有由狐尾藻、黑藻、金鱼藻、菹草等组成的沉水层(图3-7)。

图3-7 鹤庆草海的水鳖群落(王泽欢摄)

(33)苹群系：苹是云南水塘、水沟中常见的漂浮植物，以其为优势种的群落可见于滇池。群落结构简单，主要伴生种为浮萍等。

(34)莼菜群系：分布于腾冲北海湿地。优势种莼菜盖度不大，通常为20%～30%，但常为单优群落。在群落边缘，常混生睡莲、细果野菱等物种。

(35)菱群系：分布于海拔2200米以下的滇中、滇西亚热带地域，见于剑湖、茈碧湖、洱海等湖泊及水塘中。群落通常可分为两层，上层为浮水层，除菱外，有荇菜；在茈碧湖有茈碧花渗入。此外，总是有或多或少的漂浮植物，沉水层多见黑藻、狐尾藻；在茈碧湖还有石龙尾、某种轮藻、小茨藻等。沉水层植物的多寡与浮水层的多度和盖度直接相关。在群落的近岸边缘偶有香蒲和茭草等成丛挺立。

(36)睡莲群系：睡莲现多系人工栽培，而在洱源茈碧湖独有原生的茈碧花群落。水面漂浮层常有菱伴生，水下沉水层较为发育，由黑藻、海菜花、光叶眼子菜、马来眼子菜等组成。

(37)细果野菱群系：以细果野菱为优势种的群落仅见于腾冲北海湿地。优势种细果野菱盖度不大，通常为20%～30%，但常为单优群落。该群落分布于莼菜群落的边缘，在交汇处亦有物种的混生。

(38)荇菜群系：分布于海拔2200米以下的亚热带地区水塘、湖湾、沟渠中，也常作为水面观赏植物种植于公园水池中。群落通常都具有浮水层和沉水层。浮水层除荇菜外，还有眼子菜、水鳖，在浅水处有苹等浮叶植物以及凤眼莲、满江红、槐叶苹等漂浮植物伴生。沉水层以狐尾藻、苦草较为常见，其他还有穿叶眼子菜、金鱼藻、黑藻等。群落近岸一侧往往与挺水植物相毗邻，因此常有水葱、茭草、喜旱莲子草等挺水植物侵入。

(39)鸭舌草群系：分布于水塘、田间水沟，滇中、滇南及滇西南较为常见。优势种为鸭舌草，伴生的漂浮植物有大薸、满江红、紫萍等。沉水层中常见的有小茨藻等。

(40)眼子菜群系：广布于除西双版纳州以外的水田、水沟、水塘和个别湖泊中。在一般水田、水沟中，群落可分为3层，挺水层散生着鸭舌草、辣蓼、慈姑、泽泻等，岸边地段通常有双穗雀稗或李氏禾；浮水层是主要结构层次，除眼子菜外还有紫萍、苹等；沉水层主要为黑藻、小茨藻等。

(41)穿叶眼子菜群系：分布于抚仙湖、碧塔海和会泽黑颈鹤栖息地。优势种穿叶眼子菜常常占据很大的优势，伴生种不多，偶有黑藻、狐尾藻等混生。

(42)光叶眼子菜群系：分布于泸沽湖、茈碧湖、洱海、异龙湖和沾益海峰省级自然保护区。群落明显分为两层，上层优势种为光叶眼子菜，常伴生有狐尾藻、穿叶眼子菜或马来眼子菜，一般都不多；第二层深沉于水下，主要为海菜花、金鱼藻、轮藻等。

(43)海菜花群系：以海菜花为优势种的沉水植物群落分布于云南多数高原湖泊和湖区的池塘、水沟中，有时也生长到藕田、慈姑田中，是云贵高原水生植被的特色。由于长期的地理隔绝，不同的湖泊各有自己独特的海菜花类型，大体上可分出4个变种。原变种较为广布，见于滇西、滇中至滇东南的浅水湖盆；波叶海菜花为高山深水湖泸沽湖所特有；通海海菜花分布于滇中深水湖泊阳宗海和溶蚀构造湖杞麓湖；路南海菜花见于路南的雨布宜湖群(图3-8)。

(44)黑藻群系：广泛分布于本省亚热带地区的水沟、积水田、水塘及农田中，也见于洱海和茈碧湖。依生境条件的差异，可分为深水型和浅水型两个群落亚型，所伴生的种类有很大的差异。深水型主要分布在湖泊或龙潭中，通常无漂浮植物伴生；浅水型分布在水沟、水田、水塘中，组成成分除黑藻外，常有其他种类伴生，其中以菹草为最普遍，水面常有漂浮植物。

(45)红线草群系：分布于滇池、洱海、抚仙湖、程海、泸沽湖以及滇中地区的部分水塘。常见的伴生植物为菹草和狐尾藻；在程海有一些轮藻铺于水底；在泸沽湖伴生种类比较丰富，有马来眼子菜、狐尾藻、穿叶眼子菜、光叶眼子菜、眼子菜、波叶海菜花、丝草、黑藻、大茨藻、小茨藻等。

图 **3-8** 海菜花群落(董洪进摄)

(46)狐尾藻群系：广泛分布于全省各大湖泊、河沟、水塘中。群落中伴生的有马来眼子菜、穿叶眼子菜、光叶眼子菜、菹草以及红线草、黑藻、金鱼藻、微齿眼子菜等。

(47)金鱼藻群系：分布于海拔2700米以下的湖泊、水塘、水沟及水田中。最常见的伴生种是黑藻，有时共为优势种，其他的还有苦草、微齿眼子菜、海菜花等。在水沟、水塘中，其群落组成相对复杂，不但有沉水种类，还有水鳖、荇菜和眼子菜等浮叶和漂浮种类。

(48)苦草群系：广布于亚热带海拔2300米以下的高原湖泊、水塘和河沟中。常见的伴生种类有狐尾藻、光叶眼子菜、马来眼子菜、穿叶眼子菜、黑藻、金鱼藻等。在海拔4000米的丽江老君山九十九龙潭中也有分布。

(49)马来眼子菜群系：分布于洱海、剑湖、抚仙湖、杞麓湖、阳宗海以及流水河沟中。群落中常有狐尾藻、光叶眼子菜、狸藻、荇菜、穿叶眼子菜、眼子菜、菹草、金鱼藻、红线草、苦草等(图3-9)。

(50)水毛茛群系：水毛茛是广布于滇中和滇西北浅水湖泊、水库和缓流溪沟中的沉水植物群落。在横断山区，分布于海拔2320米以上的自然湖泊中，群落结构较简单，伴生种类通常仅有3~4种。在海拔3300米以下的湖泊中，狐尾藻和红线草出现率较高；在白汉场湖中，沉水层常有大量的轮藻和菹草；拉市海的沉水层杂有相当数量的马来眼子菜；纳帕海的水毛茛群落分布在个别隔离、停滞的积水凹地中，这里有明显的由杉叶藻和少量的小黑三棱、水苦荬组成的挺水层，发育着比较茂盛的由浮萍和紫萍的无数细小个体组成的漂浮层，以及狐尾藻和红丝线构成的沉水层。在海拔超过4000米的哈巴雪山黑海、黄海中，以及海拔3000多米的香格里拉千湖山的众多湖泊中，也有分布，且形成单优群落。

图 **3-9** 马来眼子菜群落(余昌元摄)

(51)微齿眼子菜群系：主要分布于滇西洱海、茈碧湖、剑湖等湖泊中。20世纪60年代在滇池尚保留有很大面积，但现在已绝迹。伴生种有金鱼藻、狐尾藻、黑藻、红线草、光叶眼子菜、马来眼子菜、海菜花、轮藻、丝草、小茨藻等。

(52)菹草群系：分布于滇池、洱海沼泽化的湖湾地段，亚热带地区的水塘、水田和小河中。在湖泊中伴生的种类有红线草、狐尾藻、苦草、黑藻、金鱼藻、微齿眼子菜、马来眼子菜、光叶眼子菜。在鱼塘、溪沟中，菹草多形成密度很大的单种群落。

(53)菖蒲群系：分布于滇池草海西岸、剑湖、茈碧湖等地的水陆交接地带。优势种为菖蒲，挺水层常杂有慈姑、泽泻和芦苇等，水面常有荇菜、两栖蓼和苹，水下的沉水植物有狐尾藻、金鱼藻、穿叶眼子菜等，当干季水底地面出露时，这些沉水种类便消失了。

(54)慈姑群系：广泛分布于云南省亚热带地区的田闲水沟、休闲秧田，是残存在水沟中的水生杂草群落。常见伴生种为低矮的鸭舌草及少数的泽泻。沉水层多由狐尾藻、金鱼藻、小茨藻等组成。水面也常有苹、满江红等漂浮。滇中及滇西各地常有水鳖形成一定的层片。热带地区多有大薸生长。

(55)睡菜群系：分布于腾冲北海湿地和巧家马树县级自然保护区。睡菜生长于湖滨沼泽带，在以其为优势种的群落中，常常伴生多种湿地植物，如水葱、莎草、水芹、黑三棱等挺水植物，其下层也常见眼子菜等浮叶植物。

(56)香蒲群系：主要分布于大理州弥苴河两侧、滇西耿马、孟定河滩，在其他湖泊、池塘浅水区也有零星分布。群落中香蒲为绝对优势种，伴生植物常见有芦苇等，与香蒲构成群落上层，群落下层的植物种类则依立地条件而有不同。沼泽湿地多为湿生挺水植物，主要为泽泻、慈姑等(图3-10)。

图**3-10**　香蒲群落(杨忠兴摄)

3　湿地植物的保护情况

湿地是地球上具有多种独特功能的生态系统，是人类赖以生存和持续发展的重要基础，而湿地植物是这一生态系统极其重要的一环。它不仅为人类提供大量食物、原料和水资源，而且在维持生态平衡、保持生物多样性和珍稀物种资源以及涵养水源、蓄洪防旱、降解污染、调节气候、补充地下水、控制土壤侵蚀等方面均起到重要作用。随着经济的发展和人类向自然的索取不断增长，湿地保护也显得越来越迫切。

云南省境内有伊洛瓦底江、怒江、澜沧江、长江、红河和珠江六大水系，滇池、抚仙湖、洱海、程海、泸沽湖、杞麓湖、异龙湖、星云湖、阳宗海等众多的高原湖泊以及面积较大的高山沼泽草甸、冰蚀湖等，其湿地类型极为丰富，且分布广泛。除了国家级和省内各级自然保护区包含的湿地外，云南还有大山包、碧塔海、纳帕海、拉市海 4 个湿地进入了国际重要湿地名录；会泽黑颈鹤栖息地、洱海、泸沽湖、滇池、抚仙湖、异龙湖和程海纳入了国家重要湿地；丘北普者黑喀斯特湿地和洱源西湖作为国家湿地公园被重点保护。人工湿地包含水稻田、库塘等，为重要的粮食作物产区和水源地，受到较好的关注。

3.1 河流湿地

流经云南省的所有一级河流都为中上游，它们大都地势陡峭、水流湍急，仅在支流和南部开阔盆地形成较为明显的河流湿地。其水生植物极少，主要为河漫滩上的湿生植物。其中部分河段纳入了澜沧江、南捧河、纳板河、驮娘江等自然保护区。南部开阔盆地也是云南主要的水稻、甘蔗种植区，构成了人工湿地的重要组成部分。另外，湿地植物中的热带成分如黄花蔺、拟花蔺、尖瓣花、五膜草、水蕨和细裂水蕨等重要物种也仅分布于与此相关联的沼泽。这些物种极为少见，但分布未必都在保护区内。

3.2 湖泊湿地

湖泊湿地是云南湿地的主体，也是水生湿地植物主要的分布区。大部分湖泊都作为自然保护区、国际重要湿地、国家重要湿地和湿地公园得到了最大的重视和保护。云南的湖泊都是断陷或冰蚀形成，数量众多，在全国独具特色，犹如云南高原上一个个耀眼的明珠。莼菜隶属睡莲科莼菜属，我国长江以南各省份有分布，被列入国家Ⅰ级保护植物，在云南仅见于腾冲北海和思茅的水塘中。海菜花隶属水鳖科海菜花属，是云贵高原特有的沉水植物，仅在花期浮于水面。其分布区以云南为主体，曾经在云南的绝大多数湖泊都曾广泛生长，可是如今在污染严重的地带，如滇池，已销声匿迹。海菜花不仅是重要的水质指示植物，也是著名的菜肴，在云南西北部的某些湖泊里有种植。睡菜隶属睡菜科睡菜属，广布于北温带，我国南北各省份皆产，曾在云南温带湿地广泛分布。本次调查在泸沽湖、纳帕海、梅里雪山、腾冲北海、巧家马树等地有发现。其他如水鳖、荇菜、金银莲花等也是重要的湿地指示植物。碧罗雪山和梅里雪山等的高山冰蚀湖几乎见不到水生植物。

3.3 沼泽湿地

沼泽湿地主要见于云南东北部和西北部。主要分布在亚高山中上部海拔3000~4000米的山地，分布面积一般很小，且都在局部低洼处，诸如高山湖泊、水沟附近。沼生乔木如长苞冷杉、丽江云杉、大果红杉多见于高山冰蚀湖附近。高海拔常见的报春花属、龙胆属、马先蒿属、蓼属、橐吾属、垂头菊属、谷精草属等是沼泽湿地上的常见类群，并且这些属也是湿地植物中多样性丰富的大属。杉叶藻、水麦冬、沼生黑三棱、红花岩梅、鼠尾岩须、黄谷精等是沼泽湿地的重要指示植物。部分沼泽湿地受到了放牧和旅游的严重威胁。

第二节
湿地动物资源

1 湿地野生动物种类和特点

湿地野生动物是指那些密切依赖于湿地，在湿地中才能生存和繁殖的种类，即其生活史的全部或一部分必须依靠湿地环境才能生存和繁衍的动物物种。湿地脊椎动物包括鱼类和两栖类中的全部种类；爬行类中适应于湿地生活的大多数龟鳖类(陆龟类的凹甲陆龟和缅甸陆龟不计)、巨蜥类、长鬣蜥、水蛇和游蛇科部分物种；鸟类中的游禽和涉禽，以及主要生活在湿地中以鱼类和水生昆虫为食的佛法僧目翠鸟科鸟类；兽类中生活在湿地环境的水獭等种类。除这些脊椎动物外，也包括水中生活的无脊椎动物，如田螺、河蚌、贝等软体动物和虾、蟹类。另外，也有一些昆虫生活在水中，但由于缺少资料，本书稿没有收入。

1.1　湿地野生动物种类组成

第二次湿地调查结果显示，云南省的湿地野生脊椎动物包括5纲37目105科1006种。

根据最新(2013年)的调查研究成果统计，云南的湿地野生脊椎动物包括有5纲37目107科1048种，占云南现有野生动物种类的49.2%(表3-6)。实际上，还有许多爬行类、鸟类和兽类栖息于湿地边缘，常到湿地饮水和取食。因此，广义的湿地动物远远超出本表统计的数据。除湿地脊椎动物外，另外还有软体动物2纲4目17科159种，节肢动物虾、蟹类1纲2目6科86种。

对所记录的湿地动物进行区系分析，说明云南省湿地动物的主要区系成分以东洋界华南区和西南区的种类占优势。

表3-6　云南湿地野生脊椎动物科属种数及所占比例

纲	云南目数	湿地目数	比例(%)	云南科数	湿地科数	比例(%)	云南种数	湿地种数	比例(%)
鱼　类	13	13	100	43	43	100	629	629	100
两栖类	3	3	100	11	11	100	127	127	100
爬行类	2	2	100	16	13	75.0	162	94	58.0
鸟　类	20	11	55.0	71	23	32.4	903	162	17.9
哺乳类	11	8	72.7	38	17	44.7	309	36	11.7
总　计	49	37	75.5	179	107	59.2	2130	1048	49.2

注：表格中鱼类数据采用了2013年最新完成的调查研究数据，较2012年调查数据增加了42种。

1.2　湿地野生动物的特点

湿地野生动物是在湿地环境中生活的野生动物。因此，它们也产生了适应湿地生活的形态特征，离开湿地就无法生存和繁衍。除此之外，云南湿地野生动物还具有以下特点。

1.2.1　地理分布不均衡

由于受江河湖泊等湿地分布的限制，湿地野生动物的地理分布也与之相对应。以鱼类为例，云南省的湖泊湿地主要分为滇西、滇中、滇东和滇南四大湖群，所以，湖泊型鱼类就集中在这4个湖区之中。在云南所产的594种(和亚种)土著种鱼类中，广布十六大水系的仅有少数几个种，不同的水系间通常也仅有十几个共有种。湖泊虽与江河相连通，但由于生态环境的差异，即使是两湖只有一河之隔，鱼类的组成也并不相同。一些特殊种类的分布地域就更加狭窄。这些都明显地限制了鱼类的分布。

1.2.2　群居性明显

由于湿地范围较为局限，同时隐蔽条件较差，容易受到敌害的攻击，因此，湿地动物中除爬行类和哺乳类外，其他类群中的很多种类多集群活动，或几种动物群居在一起，以提高群体躲避敌害的能力。尤其是越冬水鸟的集群性表现得更加突出。

1.2.3 特有种或土著种丰富

以鱼类为例，在我国，仅分布于云南的有双孔鱼科等6个科，异鲴(图3-11)等66个属，大头鲤等372个种。其中，云南特有种(指全球仅分布于云南的物种)255种，在中国仅分布于云南(即国外有分布)的有152种。云南特有种和在我国仅分布于云南的物种合称“云南分布种”，计407种。在我国仅分布于云南的科、属、种数分别占云南记录鱼类科、属、种数的13.95%、33.17%和64.71%。区域性类群所占比例之高，在我国其他省份也属罕见。

图3-11 大鳍异鲴(陈小勇摄)

2 鱼 类

2.1 云南湿地鱼类种类组成及特点

截至2012年，云南湿地第二次调查共记录到鱼类13目41科587种。截至2013年，云南全省记录到淡水鱼类13目43科199属629种和亚种，其中土著种594种和亚种，引入种35种和亚种(陈小勇，2013)。其中在云南自然湿地有分布的鱼类有13目42科196属626种。

云南鱼类区系的主体成分是鲤形目和鲇形目。鲤形目中主要是鲤科鱼类，其次是条鳅科和爬鳅科，鲇形目则以鮡科的种类为最多，鲿科和鲇科次之。除此之外的各科每科种数较少(表3-7)。

表3-7 云南省自然湿地分布的鱼类目、科、属、种统计

目	科	属 数	种 数
软骨鱼纲 CHONDRICHTHYES		1	1
Ⅰ. 魟形目 MYLIOBATIFORMES	1. 魟科 Dasyatidae	1	1
辐鳍鱼纲 ACTINOPTERYGII		198	628
Ⅱ. 鲟形目 ACIPENSERIFORMES	2. 鲟科 Acipenseridae	1	3
Ⅲ. 鳗鲡目 SALMONIFORMES	3. 鳗鲡科 Anguillidae	1	4
Ⅳ. 鲤形目 CYPRINIFORMES	4. 双孔鱼科 Gyrinocheilidae	1	1
	5. 亚口鱼科 Catostomidae	1	1
	6. 沙鳅科 Botiidae	5	10
	7. 鳅科 Cobitidae	6	7
	8. 爬鳅科 Balitoridae	11	42
	9. 条鳅科 Nemacheilidae	12	99
	10. 鲤科 Cyprinidae	104	313
	小 计	140	473
Ⅴ. 脂鲤目 CHARACIFORMES	11. 脂鲤科 Characidae	1	1
	12. 鲮脂鲤科 Prochilodontidae	1	1
	小 计	2	2

（续）

目名	科名	属 数	种 数
Ⅵ. 鲇形目 SILURIFORMES	13. 甲鲇科 Loricariidae	1	1
	14. 囊鳃鲇科 Heteropneustidae	1	1
	15. 胡子鲇科 Clariidae	1	3
	16. 鲿科 Bagridae	4	17
	17. 鲇科 Siluridae	6	10
	18. 锡伯鲇科 Schilbidae	1	3
	19. 𩷶科 Pangasiidae	1	3
	20. 长臀鮠科 Cranoglanidae	1	2
	21. 鮰科 Ictaluridae	2	2
	22. 𫚭科 Sisoridae	11	56
	23. 粒鲇科 Akysidae	1	2
	24. 钝头鮠科 Amblycipitidae	1	5
	小 计	31	105
Ⅶ. 胡瓜鱼目 OSMERIFORMES	25. 胡瓜鱼科 Osmeridae	1	1
	26. 银鱼科 Salangidae	2	2
	小 计	3	3
Ⅷ. 鲑形目 SALMONIFORMES	27. 鲑科 Salmonidae	2	2
Ⅸ. 颌针鱼目 BELONIFORMES	28. 颌针鱼科 Belonidae	1	1
	29. 鱵科 Hemiramphidae	1	1
	30. 怪颌鳉科 Adrianichthyidae	1	2
	小 计	3	4
Ⅹ. 鳉形目 CYPRINODONTIFORMES	31. 胎鳉科 Poeciliidae	1	1
Ⅺ. 合鳃鱼目 SYNBRANCHIFORMES	32. 合鳃鱼科 Synbranchidae	1	2
	33. 刺鳅科 Mastacebelidae	1	4
	小 计	2	6
Ⅻ. 鲈形目 PERCIFORMES	34. 鳜科 Sinipercidae	2	4
	35. 太阳鱼科 Centrarchidae	1	1
	36. 变色鲈科 Badidae	1	1
	37. 丽鱼科 Cichlidae	1	3
	38. 沙塘鳢科 Odontobutidae	1	1
	39. 虾虎鱼科 Gobiidae	1	6
	40. 攀鲈科 Anabantidae	1	1
	41. 斗鱼科 Belontiidae	2	2
	42. 鳢科 Channidae	1	5
	小 计	11	24
XIII. 鲀形目 TETRAODONTIFORMES	43. 鲀科 Tetraodontidae	1	1

2.2 珍稀濒危鱼类

根据标本采集的历史记录和《中国濒危动物红皮书鱼类》(乐佩琦、陈宜瑜，1998)、《中国物种红色名录(第一卷)》(汪松、解焱，2004)所列鱼类物种统计，云南省境内分布有珍稀濒危及保护鱼类共有98种(表3-8，图3-12、图3-13)。其中，2种列入国家Ⅰ级保护动物名录，4种列入国家Ⅱ级保护动物名录，列入红皮书的有43种，列入《中国物种红色名录(第一卷)》的有73种，列入IUCN红色名录各类濒危等级的有49种，列入CITES附录Ⅱ的有2种。

表3-8 云南省境内的珍稀濒危及保护鱼类名录*

序 号	中文名	拉丁名	国家重点保护等级	红皮书等级	红色名录等级	IUCN濒危等级	CITES附录Ⅱ
1	中华鲟	*Acipenser sinensis*	国家Ⅰ级	EN	EN	CR	√
2	达氏鲟	*Acipenser dabryanus*	国家Ⅰ级	VU	CR	CR	√
3	云纹鳗鲡	*Anguilla nebulosa*			EN	LC	
4	胭脂鱼	*Myxocyprinus asiaticus*	国家Ⅱ级	VU	VU		
5	双孔鱼	*Gyrinocheilus aymonieri*		EN	EN	LC	
6	异鱲	*Parazacco spilurus*		VU	VU	DD	
7	鯮	*Luciobrama macrocephalus*		VU	VU	DD	
8	大鳍鱼	*Macrochirichthys macrochirius*		EN	EN	NT	
9	银白鱼	*Anabarilius alburnops*		EN	EN	EN	
10	鱇鲼白鱼	*Anabarilius grahami*			VU		
11	西昌白鱼	*Anabarilius liui*			EX		
12	大鳞白鱼	*Anabarilius macrolepis*			EX	EX	
13	多鳞白鱼	*Anabarilius polylepis*			EW	EN	
14	山白鱼	*Anabarilaus transmontanus*			CR	DD	
15	杞麓白鱼	*Aabarilius qiluensis*				CR	
16	阳宗白鱼	*Anabarilius yangzonensis*				CR	
17	星云白鱼	*Anabarilius andersoni*				CR	
18	云南鲴	*Xenocypris yunnanensis*		EN	EN	CR	
19	长身鱊	*Acheilognathus elongatus*			EN	CR	
20	云南瓣结鱼	*Folifer yunnanensis*				EN	
21	叶结鱼	*Parator zonatus*			VU		
22	裂峡鲃	*Hampala macrolepidota*		VU	VU	LC	
23	异倒刺鲃	*Paraspinibarbus macracanthus*		R	VU	DD	

（续）

序　号	中文名	拉丁名	国家重点保护等级	红皮书等级	红色名录等级	IUCN 濒危等级	CITES 附录 II
24	红鳍方口鲃	*Cosmochilus cardinalis*		R	VU		
25	单纹似鳡	*Luciocyprinus langsoni*		VU	VU	VU	
26	细纹似鳡	*Luciocyprinus striolatus*			VU	EN	
27	金沙鲈鲤	*Percocypris pingi*			VU	NT	
28	常氏吻孔鲃	*Poropuntius chonglingchungi*				CR	
29	滇池金线鲃	*Sinocyclocheilus grahami*	国家 II 级	EN	EN	CR	
30	无眼金线鲃	*Sinocyclocheilus anophthalmus*		R	VU	VU	
31	透明金线鲃	*Sinocyclocheilus hyalinus*			VU	VU	
32	犀角金线鲃	*Sinocyclocheilus rhinocerous*			VU		
33	抚仙金线鲃	*Sinocyclocheilus tingi*				EN	
34	阳宗金线鲃	*Sinocyclocheilus yangzongensis*				CR	
35	裸腹盲鲃	*Typhlobarbus nudiventris*		R	VU	VU	
36	角鱼	*Akrokolioplax bicornis*		EN	EN	DD	
37	卷口鱼	*Ptychidio jordani*				CR	
38	暗色唇鱼	*Semilabeo obscurus*		R	VU	DD	
39	唇鱼	*Semilabeo notabilis*			VU	LC	
40	缺须盆唇鱼	*Placocheilus cryptonemus*		R	VU		
41	长丝裂腹鱼	*Schizothorax dolichonema*			EN		
42	昆明裂腹鱼	*Schizothorax grahami*			VU	CR	
43	大理裂腹鱼	*Schizothorax taliensis*	国家 II 级	EN	EN		
44	灰裂腹鱼	*Schizothorax gresius*			EN		
45	澜沧裂腹鱼	*Schizothorax lantsangensis*			EN		
46	厚唇裂腹鱼	*Schizothorax labrosus*			EN		
47	宁蒗裂腹鱼	*Schizothorax ninglangensis*			EN		
48	小口裂腹鱼	*Schizothorax microstomus*			EN		
49	小裂腹鱼	*Schizothorax parvus*			EW		
50	鳞胸裂腹鱼	*Schizothorax lepidothorax*				EN	
51	短须裂腹鱼	*Schizothorax wangchiachii*				NT	
52	中甸叶须鱼	*Ptychobarbus chungtienensis*			EN		
53	裸腹叶须鱼	*Ptychobarbus kaznakovi*		VU	VU		
54	全裸重唇鱼	*Gymnodiptychus integrigymnatus*			CR		
55	镰鲃鲤	*Puntioplites falcifer*		R	VU	LC	
56	乌原鲤	*Procypris merus*		VU	VU	DD	
57	岩原鲤	*Procypris rabaudi*		VU	VU		
58	小鲤	*Cyprinus micristius*		EN	EN	CR	

（续）

序 号	中文名	拉丁名	国家重点保护等级	红皮书等级	红色名录等级	IUCN 濒危等级	CITES 附录 II
59	抚仙鲤	*Cyprinus fuxianensis*				CR	
60	异龙鲤	*Cyprinus yilongensis*		EX	EX	EX	
61	大头鲤	*Cyprinus pellegrini*	国家Ⅱ级	VU	VU		
62	大眼鲤	*Cyprinus megalophthalmus*		EN	EN		
63	春鲤	*Cyprinus longipectoralis*		VU	VU		
64	洱海鲤	*Cyprinus barbatus*					
65	大理鲤	*Cyprinus daliensis*					
66	云南鲤	*Cyprinus yunnanensis*		EN	EN	CR	
67	翘嘴鲤	*Cyprinus ilishaestomus*		EN	EN	CR	
68	杞麓鲤	*Cyprinus carpio chilia*				EN	
69	细头鳅	*Paralepidocephalus yui*				EN	
70	长薄鳅	*Leptobotia elongata*		VU	VU		
71	黑体云南鳅	*Yunnanilus niger*				VU	
72	黑斑云南鳅	*Yunnanilus nigromaculatus*				EN	
73	异色云南鳅	*Yunnanilus discoloris*				CR	
74	侧纹云南鳅	*Yunnanilus pleurotaenia*				VU	
75	云南高原鳅	*Triplophysa yunnanensis*			VU		
76	个旧盲高原鳅	*Triplophysa gejiuensis*		R	VU	VU	
77	石林盲高原鳅	*Triplophysa shilinensis*			VU		
78	滇池球鳔鳅	*Sphaerophysa dianchiensis*				CR	
79	昆明鲇	*Silurus mento*		EN	EN	CR	
80	湄南细丝鲇	*Micronema moorei*		R	VU		
81	叉尾鲇	*Wallago attu*				NT	
82	长丝鲢	*Pangasius sanitwongsei*		R	VU	CR	
83	长臀鮠	*Cranoglanis bouderius*		VU	VU	VU	
84	短须粒鲇	*Akysis brachybarbatus*		R	VU		
85	长须鮠	*Leiocassis longibarbus*			CR		
86	中臀拟鲿	*Pseudobagrus medianalis*		EN	EN	CR	
87	丝尾鳠	*Hemibagrus wychioides*			VU	LC	
88	白缘鉠	*Liobagrus marginatus*			EN		
89	金氏鉠	*Liobagrus kingi*		EN	EN	EN	
90	黑尾鉠	*Liobagrus nigricauda*				EN	
91	魾	*Bagarius bagarius*		VU	VU	NT	
92	长丝黑鮡	*Gagata dolichnema*		R	VU	LC	
93	间棘纹胸鮡	*Glyptothorax interspinalum*				NT	

（续）

序　号	中文名	拉丁名	国家重点保护等级	红皮书等级	红色名录等级	IUCN 濒危等级	CITES 附录 II
94	细尾𬶏	*Pareuchiloglanis gracilicaudata*			EN		
95	兰坪𬶏	*Pareuchiloglanis myzostoma*			EN		
96	中华𬶏	*Pareuchiloglanis sinensis*			EN		
97	云斑刺鳅	*Mastacembelus oatesii*				EN	
98	线足鲈	*Trichopodus trichopterus*		VU		LC	

注：CR 极危，EN 濒危，EW 野外绝灭，EX 绝灭，R 稀有，VU 易危，NT 近危；未收录 IUCN 中评为 LC 较少关注、DD 数据缺乏等级的种类。

图 **3-12**　线足鲈（陈小勇摄）

图 **3-13**　滇池金线鲃（马晓峰摄）

2.3　特有鱼类

云南特有鱼类（指全球仅分布于云南的鱼类物种）共有 255 种，在中国仅分布于云南（即国外有分布）的鱼类有 152 种。云南鱼类种数占中国淡水鱼类种数（1583 种，引自 Fishbase）的 39.93%，种数居全国各省份之首。其中双孔鱼科、锡伯鲇科、鲑科、囊鳃鲇科、粒鲇科及变色鲈科等 6 个科在我国仅见于云南；在我国仅分布于云南的属有裸鲟、异鲴、罗碧鱼、大鳍鱼、结鱼、异倒刺鲃、裂峡鲃、方口鲃、盲鲃、盆唇鱼、新条鳅、似鳞头鳅、鲑及黑𬶏等 66 个。云南特有种和在我国仅分布于云南的物种合称“云南分布种”，计 407 种。在我国仅分布于云南的科、属、种数分别占云南记录鱼类科、属、种数的 13.95%、33.17% 和 64.71%。区域性类群所占比例之高，在我国其他省份也属罕见（陈银瑞、杨君兴，1999），这充分反映出云南鱼类物种资源的丰富性和特殊性。

云南境内河流、湖泊众多，鱼类种类多样，且富有特有种。在云南仅见于金沙江的科有 3 个：鲟科、亚口鱼科及钝头鮠科；金沙江水系特有属有 2 个：原鲮、球鳔鳅；在云南仅见于金沙江的属有 16 个。出现在滇池、程海、泸沽湖等金沙江附属湖泊中的特有种有滇池的小鲤、多鳞白鱼、银白鱼、昆明鲇、滇池球鳔鳅等；程海的程海鲌、程海蛇鮈，泸沽湖的厚唇裂腹鱼、小口裂腹鱼、宁蒗裂腹鱼。

在中国仅见于澜沧江（即在其他五大水系和省外均无分布）的科有 3 个：双孔鱼科、鲑科、粒鲇科；中国特有属有裸鲟；在中国仅分布于澜沧江的属有 31 个。条纹裸鲟、红鳍方口鲃、南腊方口鲃、长须短吻鱼、奇额墨头鱼、宽纹南鳅、锥吻南鳅、双江游鳔条鳅、长体间吸鳅、原爬鳅、长臀鮠鲇、中华粒鲇、短须粒鲇、似黄斑褶𩷶等为我国澜沧江中下游特有鱼类。澜沧江的附属湖泊拥有众多的特有种，特别是洱海拥有大理裂腹鱼、油吻孔鲃、颌突吻孔鲃、洱海鲤、大理鲤、春鲤、大眼鲤、洱海荷马条鳅等特有鱼类。云南裂腹鱼为洱海、剑湖等湖泊特有鱼类。

怒江无特有分布科；在中国仅见于怒江—萨尔温江流域的属有4个：异鲴、角鱼、新条鳅及黑𩷶。贡山裂腹鱼、贡山异𩷶为怒江上游特有种。缺须盆唇鱼为怒江中上游特有种。半刺结鱼、角鱼、保山裂腹鱼、怒江高原鳅、怒江间吸鳅为我国怒江中下游特有鱼类。

在中国仅见于伊洛瓦底江的科有变色鲈科；特有属有原条鳅；在中国仅见于伊洛瓦底江的属有4个：小波鱼、棘鳅、囊鳃鲇及黛鲈。在云南仅见于伊洛瓦底江的属有2个：隐鳍鲇、凿齿𩷶。伊洛瓦底江的干流在缅甸境内，在云南境内主要有4条支流，从北到南依次为独龙江、小江、龙川江－瑞丽江、大盈江。独龙裂腹鱼和吸口裂腹鱼为独龙江特有种。龙川江、大盈江种类较多，且分布有多个特有种。如滇西低线鱲、太平吻孔鲃、越南隐鳍鲇、细斑纹胸𩷶、大盈江黛鲈仅见于龙川江和大盈江；印度囊鳃鲇、缅甸连穗沙鳅仅见于大盈江；缅甸爬鳅、山黄鳝仅见于龙川江；缺须鉠、圆鼻墨头鱼、少鳞裂腹鱼、细身裂腹鱼、软刺裂腹鱼、盈江南鳅、盈江间吸鳅等为大盈江所特有；多纹条鳅、长鳍原条鳅、大盈江黛鲈等为龙川江所特有；半线鉠、桥街结鱼、桥街墨头鱼、南方裂腹鱼为我国龙川江和大盈江所特有。

在云南仅见于珠江水系的科有沙塘鳢科；特有属有2个：盲鲃、盘鲮；在云南仅见于珠江水系的属有9个。珠江水系在云南境内主要包括南盘江、北盘江和郁江（右江），由于地处云贵高原喀斯特地貌高度发育的地区，地表水和地下水生境多样性极高，为地表生活鱼类和穴居鱼类的强烈分化提供了适宜的环境条件。在地表鱼类中，白鱼属、云南鳅属均是云贵高原特有类群，且物种分化强烈。阿庐高原鳅等9种高原鳅，长须爬鳅、大眼间吸鳅、大鳍间吸鳅、多鳞爬岩鳅、云南似原吸鳅、南盘江华吸鳅等种类为云南珠江水系所特有；鱇𩽾白鱼、大鳞白鱼、长须盘𬶋、鳞胸裂腹鱼、异龙鲤、大头鲤、纺锤云南鳅、抚仙高原鳅、抚仙鲇等为抚仙湖、星云湖、阳宗海、杞麓湖、异龙湖等南盘江附属湖泊所特有。主要生活在地下的洞穴鱼类在珠江水系分化出了众多的特有种，如金线鲃属为云贵高原鱼类物种分化最强烈的属，在云南有29种，其中25种都分布在珠江水系。

在中国仅见于红河水系的科有颌针鱼科，属有异倒刺鲃；无特有属。在云南仅见于红河水系的属有4个：小鳔𬶋、纹唇鱼、须鲫及少鳞鳜。红河水系的鱼类区系特点与珠江水系十分相似，与珠江水系有一定的共同性，表现为一些属为两水系所共有。云南小鳔𬶋、西畴金线鲃、小垫墨头鱼、大斑南鳅等为我国红河水系特有种。

2.4 鱼类资源现状

目前云南土著鱼类资源（包括种类和数量）有明显下降的趋势。以澜沧江为例，鱼类资源与前10多年相比，原来广泛分布于中下游的巨魾、丝尾鳠、叉尾鲇、结鱼、后背鲈鲤等数量大为减少。一些种类已经变得非常珍稀，近10年都没有采到标本，如双孔鱼、大鳍鱼、细纹似鳡、鲃鲤等。数量的下降表现在种群数量的减少和捕捞对象个体的小型化。根据近年调查的结果，在澜沧江中下游江段采到的种类，还不到该江段记录种类的一半，同样在其下游支流采到的种类，也只有记录总数的约一半。

目前，澜沧江中上游江段干支流的生境现状较好，基底完整，秋冬季江水水质较清；工农业均不发达，人口密度较低，对自然环境的干扰不大。但采矿活动对水质有一定的污染。渔业不发达，与下游相比鱼类资源所受人为干扰较小，目前以外来种的入侵为主要威胁。少数外来鱼类，已在澜沧江定居，主要有吻虾虎鱼、麦穗鱼、棒花鱼和罗非鱼等。由于澜沧江中上游水流较急，水温较低，因此喜温的罗非鱼等外来种无法适应，在本区段目前仅发现了麦穗鱼、棒花鱼、鲤等。随着水环境的改变，它们对土著鱼类繁衍的不利影响将逐步凸现出来。

当地渔民一般采用流刺网、鱼钩等捕鱼工具，所能捕获的数量较有限。但近年对鱼类威胁较大的电鱼机数量在增加，对幼鱼的危害尤为严重，极大地影响了当地鱼类资源。

3 两栖类、爬行类

两栖类是从水生过渡到陆生的脊椎动物，具有水生脊椎动物与陆生脊椎动物的双重特性。它们保留了水生祖先的一些特征，如生殖和发育在水中进行、幼体生活在水中、用鳃呼吸、没有成对的附肢等；但幼体变态发育成成体后，便获得真正陆地脊椎动物的许多特征，如用肺呼吸、具有五趾型四肢等。两栖纲是一类变温动物，绝大多数都是亦水亦陆的种类，也有少数种类终生生活在水中。所有两栖类动物在其全部或部分个体生活史中都离不开水域和潮湿的环境，故它们均属湿地动物类群。

湿地爬行动物是指比较适应于湿地生活、栖息活动于湿地水域中或水域边缘的物种。包括大多数龟鳖类(不包括陆龟类)、巨蜥类、水蛇和游蛇科部分物种；另外，还有许多种爬行类动物虽不栖息于湿地的水域中，但经常在湿地边缘活动、饮水和觅食，这些种类也可被看做湿地爬行动物。

3.1 物种多样性及分析

云南省目前已知的两栖动物有 3 目 11 科 127 种(饶定齐等，未发表)，约占全国两栖类种数 370 种(费梁等，2010)的 34.32%。其中，国内目前仅见于云南的种类有 55 种，分别占云南省和全国两栖类种数的 43.31% 和 14.86%。

本次所调查的云南 85 处重点调查湿地共发现并记录两栖动物 3 目 10 科 101 种，约占全国两栖类种数的 27.30%，云南省两栖类种数的 79.53%。其中，蚓螈目 1 科 1 种，有尾目 2 科 5 种，无尾目 7 科 95 种。无尾目中角蟾科、蛙科和树蛙科种类最多，共有 78 种，占湿地调查两栖类种数的 77.22%，占云南省两栖类种数的 61.42%(表 3-9)。此次调查的两栖类物种中，国内目前仅见于云南的种类有 31 种以上，分别占本次调查物种数、云南省湿地两栖类和全国两栖类种数的 30.69%、24.41% 和 8.38%。

表 3-9 云南省 85 处重点调查湿地两栖类的目、科、种数

目	科	种 数	比例(%)
Ⅰ. 蚓螈目 GYMNOPHIONA	1. 鱼螈科 Ichthyophidae	1	0.99
Ⅱ. 有尾目 CAUDATA	2. 小鲵科 Hynobiidae	1	0.99
	3. 蝾螈科 Salamandridae	4	3.96
Ⅲ. 无尾目 ANURA	4. 盘舌蟾科 Discoglossidae	2	1.98
	5. 角蟾科 Megophryidae	21	20.79

（续）

目	科	种数	比例(%)
Ⅲ. 无尾目 ANURA	6. 蟾蜍科 Bufonidae	6	5.94
	7. 雨蛙科 Hylidae	2	1.98
	8. 蛙科 Ranidae	38	37.62
	9. 树蛙科 Rhacophoridae	19	18.81
	10. 姬蛙科 Microhylidae	7	6.94
总 计	10 科	101	100

据统计，云南省爬行动物有162种(杨大同、饶定齐，2008)，分别隶属于2目16科。其中，根据广义的湿地动物定义，统计并归纳有湿地爬行动物94种，隶属2目13科。

在本次调查的云南85处重点调查湿地中，共计有湿地爬行动物66种，隶属2目13科，所含目、科及种数统计列于表3-10。

表3-10 云南省85处重点调查湿地爬行类的目、科、种数

目	科	种 数	比例(%)
Ⅰ. 龟鳖目 TESTUDINATA	1. 平胸龟科 Platysternidae	1	1.06
	2. 龟科 Emydidae	5	5.32
	3. 鳖科 Trionychidae	4	4.26
Ⅱ. 有鳞目 SQUAMATA			
蜥蜴亚目 LACERTILIA	4. 鬣蜥科 Agamidae	1	1.06
	5. 蜥蜴科 Lacertidae	2	2.13
	6. 巨蜥科 Varanidae	2	2.13
	7. 石龙子科 Scincidae	12	12.77
	8. 蛇蜥科 Anguidae	2	2.13
蛇亚目 SERPENTES	9. 闪鳞蛇科 Xenopeltidae	1	1.06
	10. 蟒蛇科 Boidae	1	1.06
	11. 游蛇科 Colubridae	29	30.85
	12. 眼镜蛇科 Elapidae	3	3.19
	13. 蝰科 Viperidae	3	3.19
总 计	13 科	66 种	100

3.2 区系分析

3.2.1 湿地两栖动物区系

所调查的云南85处重点调查湿地的101种两栖动物中，属广布种的有7种，分别占云南省两栖类总数和本次85处重点调查湿地两栖动物总种数的5.51%和6.93%；属东洋界的有94种，分别占74.02%和93.07%；没有古北界物种分布。其中西南区物种35种，华南区物种18种，青藏—西南区物种3种，分别占所重点调查的云南85处湿地两栖动物总数的34.65%、17.82%和2.97%(表3-12)。因此，云南省湿地两栖动物区系以东洋界为主体，两个界区系动物渗透，形成比较宽的生活区。

3.2.2　湿地爬行动物区系

云南省85处重点调查湿地的爬行动物共计66种，属广布种的有11种，分别占云南省两栖类总数和本次85处重点调查湿地爬行动物总种数的6.79%和16.67%；属东洋界的有55种，占83.33%。其中，华南区物种8种，占12.12%；西南区物种占10种，占15.15%(表3-11)。云南湿地爬行动物是以东洋界为主体，没有古北界物种分布。

表3-11　云南省85处重点调查湿地两栖爬行动物区系分布

区　系	两栖类		爬行类		合　计	
	种数	比例(%)	种数	比例(%)	种数	比例(%)
古北界	0	0	0	0	0	0
东洋界	94	93.07	55	83.33	149	89.22
广布种	7	6.93	11	16.67	18	10.78
总　计	101	100	66	100	167	100

3.3　珍稀濒危及重点保护物种

3.3.1　两栖类

云南特有种为35种，例如红瘰疣螈(图3-14)、滇池蝾螈、哀牢髭蟾、景东齿蟾、贡山齿突蟾、大围角蟾、大花角蟾、哀牢蟾蜍、绿点湍蛙、棕褶树蛙、黑眼睑小树蛙、陇川小树蛙等。

图3-14　红瘰疣螈(马晓峰摄)

在云南湿地两栖类中，列入国家Ⅱ级保护野生动物名录的有大鲵、红瘰疣螈和虎纹蛙、呈贡蝾螈、滇池蝾螈、贵州疣螈6种。列入《中国物种红色名录》(汪松、解炎，2004。下同)的珍稀物种有10多种，如版纳鱼螈、大鲵、山溪鲵、滇池蝾螈、红瘰疣螈、大花角蟾、哀牢髭蟾、粗皮角蟾、小口拟角蟾、虎纹蛙、滇南臭蛙、黑蹼树蛙、红蹼树蛙、花狭口蛙等。

本次重点调查的云南省85处湿地两栖类中，属于珍稀和重点保护动物的种类超过20多种。其中属于国家Ⅱ级保护物种4种，即滇池蝾螈、贵州疣螈、红瘰疣螈和虎纹蛙。虎纹蛙被列入《濒危野生动植物种国际贸易公约》(CITES)附录。

列入《中国物种红色名录》的珍稀物种超过20种，如版纳鱼螈、山溪鲵、滇池蝾螈、红瘰疣螈、微蹼铃蟾、大花角蟾、沙巴拟髭蟾、景东角蟾、哀牢髭蟾、粗皮角蟾、小口拟角蟾、虎纹蛙、滇南臭蛙、黑蹼树蛙、红蹼树蛙、花狭口蛙、花细狭口蛙等。

《中国物种红色名录(第一卷)》中列为野外绝灭种(EX)1种，即滇池蝾螈；濒危种(EN) 5种，即大花角蟾、小口拟角蟾、无声囊棘蛙、棘肛蛙、突吻湍蛙；近危种(NT)的物种有35种；

易危种(VU) 17 种。

3.3.2 湿地爬行类

云南湿地爬行动物中，列入国家Ⅰ级保护野生动物名录的有3种，即：鼋、圆鼻巨蜥、蟒蛇。以上3种分布于云南境内的国家Ⅰ级保护野生动物，均产于热带和南亚热带气候地区，种群数量稀少。国家Ⅱ级保护种类有4种，也多分布于云南的热带和南亚热带地区，种群数量稀少，即山瑞鳖、斯氏鳖、齿缘摄龟、云南闭壳龟。另有云南省级保护动物种类4种，即伊江巨蜥、孟加拉眼镜蛇、舟山眼镜蛇、眼镜王蛇。

列入《濒危野生动植物种国际贸易公约》(CITES)附录Ⅰ的种类有蟒蛇1种；附录Ⅱ的物种有鼋、锯缘摄龟、巨蜥属物种、滑鼠蛇、孟加拉眼镜蛇、舟山眼镜蛇、眼镜王蛇；附录Ⅲ的种类有平胸龟。

列入《中国物种红色名录》的珍稀物种计20余种，包括平胸龟、齿缘摄龟、锯缘摄龟、乌龟、马来闭壳龟、四眼斑水龟、鼋、中华鳖、山瑞鳖、斯氏鳖、长鬣蜥、圆鼻巨蜥(图3-15)、北草蜥、南草蜥、昆明滑蜥、山滑蜥、闪鳞蛇、蟒蛇、无颞鳞腹链蛇、黑带腹链蛇。这些物种主要分布于热带湿地，以河流湿地、湖泊湿地为主，而沼泽和沼泽化草甸湿地的物种很少。

图**3-15** 圆鼻巨蜥(张绍辉摄)

《中国物种红色名录(第一卷)》(2004)中列为极危物种(CR)3种，即斯氏鳖、圆鼻巨蜥和蟒蛇；濒危种(EN)10种，即平胸龟、乌龟、马来闭壳龟、齿缘摄龟、锯缘摄龟、四眼斑水龟、山瑞鳖、鼋、长鬣蜥、眼镜王蛇；近危种(NT)的物种有7种；易危种(VU) 10种。

3.4 栖息地主要类型及其物种

3.4.1 两栖类

两栖类动物在云南省境内分别分布于各种溪流、江河、湖泊、坝塘、沼泽和沼泽化草甸等湿地中。按生境类型分析，以分布于河流湿地的种类为最多，其次为湖泊、池塘等静水水域湿地的种类。按气候带分析，在云南省境内以热带和南亚热带的物种占绝大多数，而高山和冻原地带的物种较少。高原物种主要有山溪鲵(图3-16)、西藏蟾蜍、齿突蟾属等少数种类，每个种的种群数量相对较多。

图**3-16** 山溪鲵(马晓峰摄)

湿地是两栖动物进行繁殖产卵、孵化和早期个体发育的场所。不论两栖动物的卵、蝌蚪及幼体和成体的生存都离不开湿地环境。在繁殖季节，不同类群都相对地集中在各自产卵的湿地水域及其附近，活动频繁，但活动范围较小。一般来说，两栖动物的产卵场所多为保存较好的湿地自然环境中的水域。不同类群的两栖类动物，要求生活环境条件的湿地类型各不相同。

湿地水域一般可分为静水和流水两个类型。静水水域系指湖泊、池塘、水坑、稻田和沼泽地带的水荡，以及大雨后形成的临时性水坑或水塘等；流水水域包括大小河流，山涧流溪，平原或高原上的泉水、水沟，及中、小型溪流。同一水流内在坡度大的地方形成湍流，坡度平缓处形成缓流。下面依据野外最常见的两栖类的繁殖产卵场所及其蝌蚪、幼体或成体栖息地的情况，分别将云南省两栖类动物的主要生活类型及其对湿地环境条件要求进行简略介绍。

(1)静水型：有尾两栖类的蝾螈属、疣螈属；无尾两栖类的蟾蜍属、林蛙属等以及姬蛙科的种类，主要生活在静水水域的湿地之中或临时性的水坑及其附近的潮湿地带。尤其在产卵繁殖季节，成体经常成群栖居在静水水域或临时性水坑及其附近湿地，产卵于水中；孵化成的蝌蚪也在静水水域中生长发育。产卵完毕，成体大多上岸分散活动，栖息于水域附近的湿润处，如石块或草皮下、枯枝落叶层中、草丛或灌丛之间及洞穴内。

湿地两栖类中的雨蛙科和树蛙科，其成体多数营树栖生活，少数种类活动于低矮的灌丛或草丛上，以脚趾的吸盘及胸腹部的腺体作用，使其身体贴附于树干枝叶或其他附着物上。由于雨蛙科和树蛙科物种的产卵地和后代发育场所聚在静水场所，它们的蝌蚪，均生活在静水水域内，实系静水型种类中成体营树栖生活的特殊类群，故将其归为静水型。

(2)流水型：有尾两栖类的山溪鲵属；无尾两栖类的锄足蟾科各属，蛙科中的湍蛙属、棘蛙属和臭蛙属等种类属于流水型生活的类群。以上种类的蝌蚪栖息于山涧溪流和江河流水之中，成体栖息于山涧河流和江河中，或在溪流和江流两侧。流水型的有尾两栖类的其余几个属的种类一般都栖息于中、小型流溪内，水流平缓且多石块的地段。锄足蟾科的种类多属于高山高原类群，以流溪地带为主要栖息地；湍蛙属主要生活在中、小型流溪的湍流溪段或流溪两侧；棘蛙属则多栖息于缓流溪段及其回水凼内。

另外，蚓螈目鱼螈属的版纳鱼螈多居于云南热带及亚热带小型山溪、小池塘、沼泽及附近湿润的石头下或土穴内，既可以在静水中，又可以在流水中生活。

3.4.2　爬行类

湿地爬行动物分布于云南省境内的各种森林、灌丛、草丛、高山、岩洞以及各种水域环境中，如溪流、江河、湖泊、沼泽和沼泽化草甸等湿地中。按生境类型分析，以陆地森林、灌丛、草丛和岩洞等湿地的种类最多，主要是蜥蜴类和蛇类；其次为溪流、江河、湖泊、池塘等水域湿地的种类，如龟鳖类物种。

爬行类动物不能完全脱离湿地环境。湿地是爬行类物种生活地或活动地。一般来说，爬行动物的产卵场所为保存较好的湿地自然环境。不同类群的爬行类动物，要求生活环境条件的湿地类型也各不相同。

3.5　湿地栖息地保护情况及存在问题

云南省湿地两栖、爬行动物资源非常丰富，而且国家重点保护或珍稀濒危物种较多，主要栖息地分布于滇东、滇南、滇东南、滇西南和滇中等地区的溪流、湖泊、森林等湿地内，分布不均匀。由于多年来野生动物保护相关法律法规的贯彻实施和保护力度的加强，人为滥捕乱猎情况已经有所遏制。云南省虽没有专门针对两栖、爬行动物设立的保护区，但有湿地类型自然保护区 17 处，其他类型自然保护区 142 处，这些保护区的建立保护了相关两栖、爬行动物的生活环境和栖息地，减少了人为干扰。除保护区外，云南省还有国际、国家重要湿地和国家湿地公园等各类保护地，包括拉市海、会泽黑颈鹤栖息地、滇池、抚仙湖、异龙湖、程海、普洱五湖、洱源西湖等，也对云南省的湿地起到了重要的保护作用，使得两栖、爬行动物的栖息地得到了较好保护。

但近年来，地方经济的发展、城镇化的推进等使得栖息地保护难度加大。水域环境的污染(工业“三废”、农药大量使用等)，造成湿地环境破坏，致使两栖类和爬行类动物栖息地质量下降。湖泊湿地尤其是城郊湖泊的水质污染尤为严重，这些湖泊湿地的物种逐渐减少甚或绝灭。同时，随着人口增加，建设用地和耕地不断扩张，自然植被次生化加剧，湿地日趋退化，造成了两栖和爬行动物栖息地生境片断化和破碎化。如洱海、阳宗海等湖泊周边的别墅群，泸沽湖、滇池周边的经济开发和土地征用等，给湿地两栖类和爬行类的生存带来了很大的影响。最为典型的是滇池特有种滇池蝾螈的绝迹。在 20 世纪 50 ~60 年代，滇池周边的沼泽和农田中还比较容易见到滇池蝾螈，而近 50 年来由于滇池周边农田区和沼泽湿地受到农药和其他化学物品的严重污染危害，致使滇池蝾螈和其他两栖类动物的种群数量大为减少甚至绝迹。环境的剧烈变化，加之两栖类和爬行类动物迁移能力弱，致使两栖动物和爬行动物的野外数量锐减，甚至可能灭绝。如两栖动物虎纹蛙、红瘰疣螈、蓝尾蝾螈、山溪鲵、黑斑蛙、棘蛙类等；爬行动物平胸龟、乌龟、齿缘摄龟、锯缘摄龟、四眼斑水龟、云南闭壳龟、山瑞鳖(图 3-17)、中华鳖、斯氏鳖、鼋等。

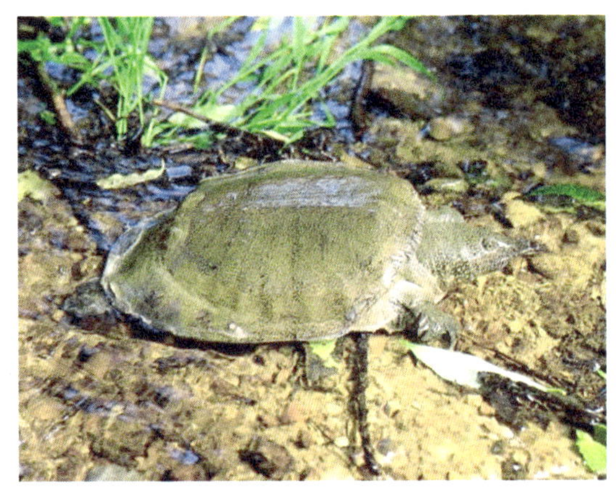

图 **3-17** 山瑞鳖(马晓峰摄)

渔业生产和人为改变河流、溪流等水文环境，给栖息地环境带来严重破坏。渔业规模发展、集中养殖等，影响湿地两栖动物的生活环境(产卵场、幼体发育场等)，同时也干扰了爬行动物在湿地区域的活动，减少了该地域两栖动物的多样性，使两栖、爬行类物种和个体数量骤减。偷捕偷猎仍然存在，威胁两栖、爬行类动物生存，特别是对大型两栖、爬行类动物的猎捕，如两栖类中的棘蛙类，爬行类的龟鳖类、巨蜥类、蛇类(蟒蛇等)。一些偷猎者利用渔网、电击等手段，将水生种类一网打尽，而陆生种类则是以陷阱等方法加以猎捕，特别是对龟鳖类的捕捉，给两栖、爬行类动物野生资源造成灭顶之灾。

纵观云南全省湿地两栖动物的生存状况，当前受威胁程度最大的是亚热带湿地物种，因为该地区人口密度较大，耕地多，森林破坏程度最大，原生植被大量减少，湿地丧失快而广泛；其次为热带湿地，因过度的砍伐原始森林，经济林木和作物的种植以及随着各种开发、建设、不合理利用，大量人员涌入，林木和野生动物被采伐和贩卖，严重地破坏了湿地动物的生境。高海拔地区寒带湿地及物种相对来说保存较好，但也越来越受到猎食和以药材为名的收购威胁。

另外，湿地两栖动物和爬行动物的生存状况正受到全球气候变化的影响。一方面反映在局部地区部分物种的持续生存，另一方面可能正逐渐改变着一些物种的分布格局。人为的贩卖运输，也在一定程度上导致一些物种分布格局的变化，甚至物种分布范围混乱。

4 鸟 类

由于在湿地中观察到的鸟类中，不但有传统上称为水禽的鸟类，以及依赖湿地生存的翠鸟、鹗、渔鸮以及河乌等一些雀形目鸟类，也包括了那些偶尔到湿地中觅食或饮水的鸟类。因此，湿地鸟类很难从生态学和分类学上简单明了地界定，不同的学者有不同的见解。杨晓君、杨岚(2006)认为"湿地鸟类应该是那些密切依赖于湿地，其生活史的全部或大部分必须依靠湿地环境才能生存和繁衍后代的鸟类，也即是那些在湿地中繁殖或主要在湿地中觅食，以湿地中的水生生物为主要食物的鸟类"。按该定义湿地鸟类不仅包含传统的水禽(游禽和涉禽)，也包括那些如海雕、鹗、渔鸮、翠鸟、河乌、燕尾等主要在湿地环境中栖息或觅食的种类。《湿地公约》中采用了"水鸟"的定义。其定义为："水鸟系指从生态学角度看以湿地为生存条件的鸟类。"包括传统上习称的鸻鹬类、雁鸭类、鹭类、鹤类、鹳类等。除了以上这些类群，还有一些依赖湿地生存的种类，如翠鸟类、猛禽类以及一些雀形目鸟类。由于这些鸟类可以因保护水鸟而受益，因此没有列入水鸟的范围。本次调查的湿地鸟类则是根据国家林业局等(2000)的《中国主要水鸟名录》而确定。

4.1 湿地鸟类的组成和特点

结合1997年开始的历次调查结果，云南省共有水鸟11目23科162种，分别占全国记录水鸟目、科、种数的91.67%、95.38%和51.7%。目前，云南省湿地鸟类除潜鸟目未记录到外，其余各目水鸟均有分布记录(表3-12)。

表3-12 云南省水鸟目、科、种数及生态类型

生态类型	目名	科名	种数
涉禽	鹳形目 CICONIIFORMES	鹭科 Ardeidae	18
		鹳科 Ciconiidae	6
		鹮科 Threskiornithidae	3
	鹤形目 GRUIFORMES	鹤科 Gruidae	6
		秧鸡科 Rallidae	14
	鸻形目 CHARADRIFORMES	雉鸻科 Jacanidae	2
		彩鹬科 Rostratulidae	1
		鸻科 Charadriidae	9
		鹬科 Scolopacidae	20
		反嘴鹬科 Recurvirostridae	3
		瓣蹼鹬科 Phalaropodidae	1
		石鸻科 Burhinidae	1
		燕鸻科 Glareolidae	2
游禽	䴙䴘目 PODICIPEDIFORMES	䴙䴘科 Podicipedidae	3
	鹱形目 PROCELLARIIFORMES	鹱科 Procellariidae	1
	鹈形目 PELECANIFORMES	鹈鹕科 Pelecanidae	1
		鸬鹚科 Phalacrocoracidae	3
		蛇鹈科 Anhingas	1
	雁形目 ANSERIFORMES	鸭科 Anatidae	33
	鸥形目 LARIFORMES	鸥科 Laridae	20

（续）

生态类型	目名	科名	种数
猛禽	隼形目 FALCONIFORMES	鹰科 Accipitridae	1
	鸮形目 STRIGIFORMES	鸱鸮科 Strigidae	3
攀禽	佛法僧目 CORACIIFORMES	翠鸟科 Alcedinidae	10

云南省所记录的水鸟按生态特征分，涉禽隶属于3目13科86种，占所录水鸟种数的53.09%；游禽隶属于5目7科62种，占所录水鸟种数的38.27%；猛禽隶属于2目2科4种，占所录水鸟种数的2.47%；攀禽隶属于1目1科10种，占所录水鸟种数的6.17%。水鸟种类中涉禽最多。

4.2 云南湿地鸟类区系组成

4.2.1 居留情况

依据所记录的各种鸟类在该地区的采集、观察时间，并参照有关文献记载，判定所记录各种鸟类的实际情况，统计云南省所记录的162种湿地鸟类居留型如下。

常年居留于云南省的留鸟，计41种，占所记录鸟类的25.3%。常见有小䴙䴘、池鹭、牛背鹭、白鹭、中白鹭、斑嘴鸭、鸳鸯、白胸苦恶鸟、黑水鸡、紫水鸡(图3-18)、骨顶鸡、金眶鸻、白胸翡翠和普通翠鸟等。

图 **3-18** 紫水鸡(洱源西湖管理所供图)

仅春末夏初迁至该地区，夏末秋初迁离的夏候鸟，计13种，占所记录鸟类的8.02%。常见有大白鹭、黑冠夜鹭、黑冠虎斑鳽、紫背苇鳽、栗苇鳽等。

秋末冬初由北方迁飞至此地越冬为冬候鸟旅经本地再向南迁的为旅鸟。在本地鸟类中既是冬候鸟也是旅鸟的计72种，占所记录鸟类的44.4%。其中不在本地越冬，仅旅经本地再向南迁的旅鸟仅记录有18种，占所记录鸟类的11.1%。常见的冬候鸟和旅鸟有凤头䴙䴘、普通鸬鹚、苍鹭、黑鹳、灰雁(图3-19)、斑头雁、赤麻鸭、针尾鸭、绿翅鸭、绿头鸭、赤膀鸭、赤颈鸭、赤嘴

图 **3-19** 灰雁(马晓峰摄)

潜鸭、红头潜鸭、白眼潜鸭、凤头潜鸭、普通秋沙鸭、灰鹤、黑颈鹤、普通秧鸡、灰头麦鸡、金斑鸻、白腰草鹬、林鹬、红嘴鸥等。

居留情况不明的偶见鸟类记录有细嘴鸥、纯褐鹱、斑嘴鹈鹕、黑腹蛇鹈、小苇鳽、花田鸡、红胸滨鹬、海南鳽、白头鹮鹳、秃鹳、黑鹮、小黑背银鸥、遗鸥、三趾鸥、白翅浮鸥、普通燕鸥、红嘴巨燕鸥、马来渔鸮 18 种，占所记录鸟类的 11.1%。其中斑嘴鹈鹕、白头鹮鹳、黑鹮、圣鹮、红胸滨鹬、细嘴鸥自 Rothschild(1926)记录之后。迄今在云南省境内没有再次发现记录；黑腹蛇鹈和瘤鸭也仅引自文献记载。秃鹳自 Rothschild (1926)记录之后，直到 1998 年在耿马傣族佤族自治县再次发现 1 只，后来在保山地区也有观察记录的报道。纯褐鹱、小苇鳽、红嘴巨燕鸥，则为 2000 年以后发现的云南鸟类种的新记录。

4.2.2 区系分析

因为鸟类具有迁徙习性，所以，每种鸟的区系从属是视其主要繁殖区域而定的。依据郑作新(1987)《中国鸟类区系纲要》所列的各种鸟类的地理分布情况，在云南省所录的 162 种湿地鸟类中，在该地区繁殖的鸟类(含留鸟、夏候鸟和繁殖鸟)共计 54 种，占所录鸟类的 33.3%。其中繁殖区域主要在东洋界的鸟类，计 39 种，占 72.2%；繁殖区域广布于东洋、古北两大界的鸟类，计 12 种，占 22.2%；繁殖区域主要在古北界的鸟类，计 3 种，占 5.6%。由此可见云南水鸟的区系构成以东洋界成分为主。

4.3 珍稀濒危及重点保护物种

根据 1998 年国务院批准颁布的《国家重点保护野生动物名录》所列的重点保护的鸟类种类，在云南湿地鸟类中，属国家Ⅰ级保护的鸟类有东方白鹳、黑鹳(图 3-20)、中华秋沙鸭、黑颈鹤(图 3-21)、白头鹤、丹顶鹤、赤颈鹤和遗鸥 8 种，属国家Ⅱ级保护的鸟类有斑嘴鹈鹕、黑颈䴙䴘、黄嘴白鹭、海南鳽、小苇鳽、白头鹮鹳、圣鹮、黑鹮、白琵鹭、大天鹅、小天鹅、鸳鸯、鹗、灰鹤、蓑羽鹤、长脚秧鸡、棕背田鸡、花田鸡、铜翅水雉、灰燕鸻、黄嘴河燕鸥、马来渔鹗、褐渔鸮、黄脚渔鸮、鹳嘴翡翠和蓝耳翠鸟 26 种(表 3-13)。

图 **3-20**　黑鹳(马晓峰摄)

图 **3-21**　大山包黑颈鹤(郑远见摄)

表 3-13　云南省分布的国家重点保护湿地鸟类物种名录

中文名	拉丁名	保护等级	中文名	拉丁名	保护等级
斑嘴鹈鹕	*Pelecanus philippensis*	国家Ⅱ级	灰鹤	*Grus grus*	国家Ⅱ级
黑颈鸬鹚	*Phalacrocorax niger*	国家Ⅱ级	黑颈鹤	*Grus nigricollis*	国家Ⅰ级
黄嘴白鹭	*Egretta eulophotes*	国家Ⅱ级	白头鹤	*Grus monacha*	国家Ⅰ级
海南鳽	*Gorsachius magnificus*	国家Ⅱ级	丹顶鹤	*Grus japonensis*	国家Ⅰ级
小苇鳽	*Ixobrychus minutus*	国家Ⅱ级	赤颈鹤	*Grus antigone*	国家Ⅰ级
白头鹮鹳	*Ibis leucocephalus*	国家Ⅱ级	蓑羽鹤	*Anthropoides virgo*	国家Ⅱ级
东方白鹳	*Ciconia boyciana*	国家Ⅰ级	长脚秧鸡	*Crex crex*	国家Ⅱ级
黑鹳	*Ciconia nigra*	国家Ⅰ级	棕背田鸡	*Porzana bicolor*	国家Ⅱ级

（续）

中文名	拉丁名	保护等级	中文名	拉丁名	保护等级
圣鹮	*Threskiornis aethiopicus*	国家Ⅱ级	花田鸡	*Porzana exquisita*	国家Ⅱ级
黑鹮	*Pseudibis papillosa*	国家Ⅱ级	铜翅水雉	*Metopidius indicus*	国家Ⅱ级
白琵鹭	*Platalea leucorodia*	国家Ⅱ级	遗鸥	*Larus relictus*	国家Ⅰ级
大天鹅	*Cygnus cygnus*	国家Ⅱ级	黄嘴河燕鸥	*Sterna aurantia*	国家Ⅱ级
小天鹅	*Cygnus columbianus*	国家Ⅱ级	马来渔鸮	*Ketupa ketupu*	国家Ⅱ级
鸳鸯	*Aix galericulata*	国家Ⅱ级	褐渔鸮	*Ketupa zeylonensis*	国家Ⅱ级
中华秋沙鸭	*Mergus squamatus*	国家Ⅰ级	黄脚渔鸮	*Ketupa flavipes*	国家Ⅱ级
鹗	*Pandion haliaetus*	国家Ⅱ级	鹳嘴翡翠	*Pelargopsis capensis*	国家Ⅱ级
灰燕鸻	*Glareola lactea*	国家Ⅱ级	蓝耳翠鸟	*Alcedo meninting*	国家Ⅱ级

4.4 种群数量和重要栖息地

2012 年调查，共记录水鸟 8 目 13 科 62 种，118895 只，其中游禽 4 目 4 科 28 种；涉禽 3 目 8 科 32 种；攀禽 1 目 1 科 2 种。

调查中水鸟数量超过 10000 只的湿地有 3 个，为滇池、拉市海和泸沽湖，其种群数量占本次调查总数量的 60%。种群数量在 1000～9999 只的湿地有 11 个，其种群数量为 39887 只次，占本次调查的 33.5%。种群数量在 100～999 只的湿地有 17 个，其种群数量为 7193 只次，占本次调查的 6%。另外 15 个湿地的种群数量在 100 只以内，总数量 626 只次，占本次调查水鸟总数的 0.5%。在超过 1000 只水鸟的湿地，有 7 个属于滇西北湿地群，4 个属于滇中和滇南湿地群，3 个属于滇东北湿地群。种群数量最多的 14 个湿地如图 3-22 所示，其中天然湖泊有 10 个，沼泽湿地有 1 个，人工水库有 3 个。

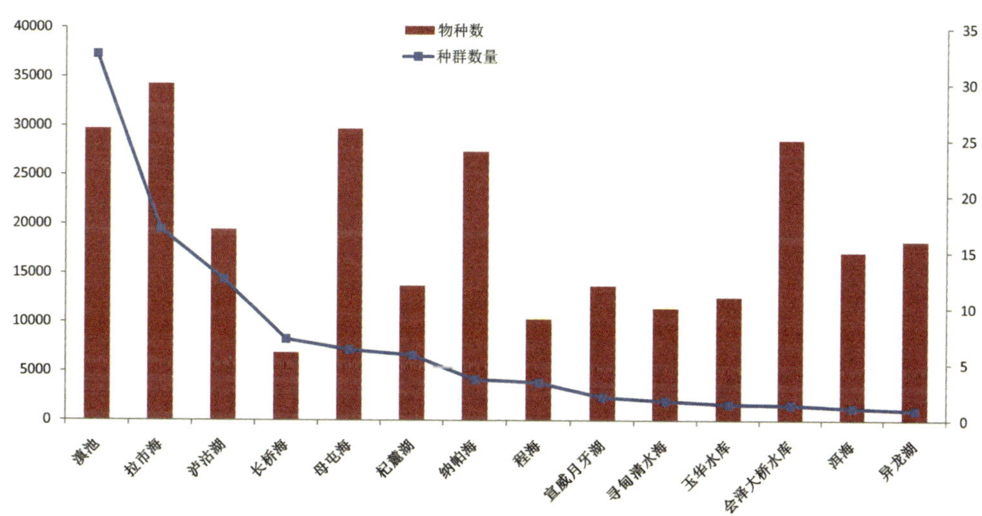

图 3-22　2012 年春季云南省水鸟数量超过 1000 只的湿地

物种数在20种以上的有5个湿地(3个属于滇西北湿地群，1个属于滇东北湿地群，1个属于滇中湿地群)，占所有湿地的10.9%。其种群数量达到了69679只次，占总数量的58.6%。物种数在10~19种之间的有12个湿地(6个为滇西北湿地群，2个为滇中、滇南湿地群，4个属于滇东北湿地群)，占所有湿地的26.1%，其种群数量达到32273只次，占总数量的27.1%。另有29个湿地(5个属于滇西北湿地群，6个属于滇中、滇南湿地群，18个属于滇东北湿地群)记录的水鸟种类在10种以内，占所有湿地的63%，共记录水鸟16943只次，占总数量的14.3%。水鸟种群数量最多的10个湿地如图3-23所示。其中，天然湖泊有7个，沼泽湿地有1个，人工水库有2个。

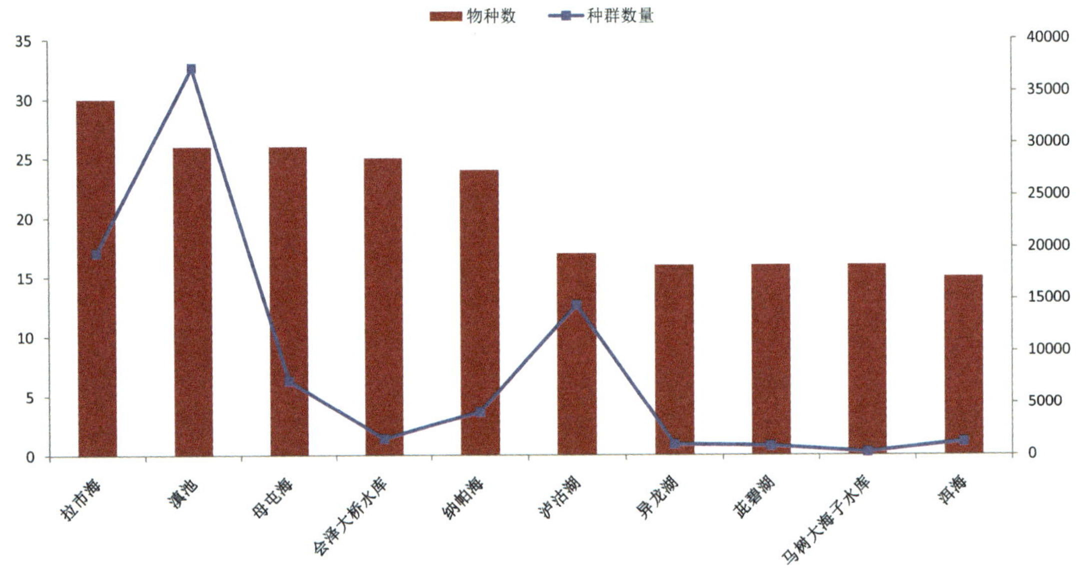

图3-23 2012年春季云南省水鸟物种数超过15种的湿地

上述结果表明，滇池和滇西北地区为云南省水鸟的主要越冬地，滇东北除了少数地点如会泽县大桥水库等外，多数湿地水鸟种类和数量均较少。国家级保护物种主要分布在滇西北和滇东北。

5年一次的调查结果表明，从1997~2007年的10年间，每个湖泊的平均水鸟种群数量呈现显著增加的趋势。但在干旱的2012年，水鸟的平均数量不但没有增加而且明显下降，基本回到了2002年的水平(表3-14)。

表3-14 1997~2012年云南省湿地5年一次调查水鸟数量与平均遇见率

年 份	1997	2002	2007	2012
调查湖泊数	39	27	31	45
遇见数量(只)	47148	53906	85375	81601
遇见种数	48	46	52	52
平均(天)	857	1585	2668	1700

4.5 栖息地及其保护状况

根据云南省的湿地状况，将适应于水鸟生活的生境划分为湖泊、水库、河流、沼泽、水田和非湿地生境(如居民区、旱作地、草地和森林等)6种类型。调查结果显示，具有开阔水域而平静水面的湖泊中记录的水鸟种类和数量为最多。环境条件与之相似的水库次之。这一方面与水鸟离不开水的生活环境有关(非湿地类型和水条件相对较差的农田和草地中栖息的种类较少)；另一方面还与云南省的湿地资源状况有关。云南省的河流大多为上游源头，不但海拔高、水温低，造成饵料贫乏，而且大多数河流水流湍急、江岸陡峭，不适宜水鸟的生存。这是河流中记录到的水鸟种类和数量较少的原因。同时云南省境内除湖泊或水库周边浅滩地带所形成的沼泽湿地之外，很少有单独的大面积的沼泽湿地。而水库与湖泊相比虽然同样具有宽阔的水面，但水库的面积通常比湖泊小，受建成时间的限制，周围形成的沼泽和水生植物也比湖泊少，因此选择在水库中栖息的种类比在湖泊的种类相对较少。

4.5.1 河流

河流是水鸟的重要栖息地之一。云南六大水系的河流，北部多为上游或源头，具有海拔高低悬殊较大、水温低、水流湍急、江岸陡峭、饵料贫乏等特点。所以大多数河流的上游，高山峡谷区分布的水鸟较少。在南部的开阔河谷或平原地区，水流较为平缓、江岸较为开阔的河流中栖息的水鸟相对较多。近年来，在河流湿地中遇见的水鸟种类计有44种，是5种与湿地有关生境中遇见水鸟种类最少的生境类型，常见种类有普通鸬鹚、灰燕鸻、黄嘴河燕鸥及鸻、鹬类等。这些地区的河谷大多比较平坦开阔，沿岸多为农业耕作区，人口稠密，人类活动的影响比较大，所以水鸟的种类和数量相对较少。又因河岸线较长且分散而难以进行有效的调查统计和保护管理，目前该生境类型尚无国家级自然保护区，仅有澜沧江省级自然保护区。

4.5.2 湖泊

湖泊是云南水鸟的主要栖息地，宽阔的水面和丰富的水生生物和植被为游禽提供了良好的栖息环境和食物资源。因此，分布在湖泊中的种类较多，以雁鸭类等游禽为主。目前记录到的种类有85种，是云南省记录有水鸟最多的生境类型。云南省的湖泊大多分布在海拔1280~3270米之间的高原面上，属淡水湖，冬季不封冻，水面平静，是大量水鸟集中分布的越冬地。由于各个湖泊的历史和现状不同，湖泊周围的村庄和耕地的多少及人为干扰程度也不相同。所以在各湖泊中分布的水鸟种类和数量也有一定的差异。其中深水湖和人为活动干扰比较强的湖泊分布的水鸟种类相对较少，如抚仙湖。人为干扰较小的湖泊中分布的种类相对较多，如纳帕海和泸沽湖。一些湖泊已经建立为国家级或省级自然保护区，以保护湿地环境和越冬的水鸟。没有建立保护区的湖泊大多数也制定了“湖泊保护管理条例”，对湿地及其环境加以保护，是水鸟栖息地中保护状况最好的栖息地。

4.5.3 水库

水库是人工修建的湖泊型湿地，与自然湖泊湿地一样，为水鸟提供了开阔的水面等栖息条件。但是水库面积的大小和深浅、人为干扰、水库建成时间的长短、水生生物的丰富程度以及周围的环境条件等因素，直接影响着分布水鸟的种类和数量。面积大、建成时间长、水生动植物丰富和周围环境条件好的水库，招引栖息的水鸟种类和数量均较多，反之则较少。在水库中栖息的水鸟与湖泊中的种类基本相同。目前还未专门将水库作为水鸟的栖息地加以保护，仅有少数水库制定了一些保护水资源的条例。

4.5.4 沼泽和沼泽化草甸

沼泽和沼泽化草甸也是水鸟的主要栖息地。云南省境内一般在海拔3000米左右的亚高山地带有较大面积的沼泽化草甸，此外，很少有单独的大片沼泽或沼泽化草甸。沼泽大多是水库和自然湖泊边缘浅水地带所形成的浅水湿地。几乎所有水鸟均可出现在沼泽中觅食活动，目前记录到的种类有58种，常见的种类有斑头雁、灰雁、苍鹭、白鹭、紫水鸡等。沼泽地的面积大小、积水深度、植物的丰富度和人为干扰程度等对水鸟的种类和数量的多寡起决定性作用。目前除已建的湿地保护区外，对沼泽并没有专门的保护措施。排干沼泽湿地，开垦为农田耕作地或兴建为养殖塘等，尤其是修建旅游设施的情况比较严重。滇西北和滇东北的亚高山沼泽化草甸，常与高原湖泊、水塘、沼泽、山坡耕作地等相间分布，是灰鹤、黑颈鹤、赤麻鸭等水鸟越冬的栖息地。在滇西北香格里拉市的碧塔海、纳帕海和滇东北会泽、昭通等地的黑颈鹤越冬栖息地已经建立为自然保护区，保护该地区黑颈鹤等越冬水鸟。

4.5.5 农田耕作地

该栖息地类型主要是在山间盆地和开阔的河谷平原田坝区，地势通常比较开阔而平坦，以种植水稻为主，兼种其他水生作物，是人口密度较高、农业较为发达的地区。在这些田坝区的大片水田中觅食的种类常见有牛背鹭、白鹭、中白鹭、池鹭(图3-24)、白胸苦恶鸟及灰头麦鸡等鸻、鹬类涉禽；在滇南和滇西南的热带和南亚热带地区栗树鸭也较为常见。这些种类大多夜间栖息在农田耕作地周围的树林或水域附近的灌木丛和草丛上，白天在农田耕作地中取食活动。这些地区虽然人类活动频繁，也没有制定有关的保护措施，但由于人们受传统观念和多年来爱鸟护鸟宣传教育的影响，对鸟类的猎杀和捕捉的情况相对较少。但在农田中施用农药化肥等活动，对水鸟的健康仍造成了一定的威胁。

图**3-24** 池鹭(马晓峰摄)

5 哺乳类

相较于其他陆生脊椎动物，哺乳动物的物种不是很多(全世界有5400余种)，但却是其中分化与适应多样化最高、分布最广的一个类群，仅体重即有仅从近2克到150吨的不同物种。从极地到赤道、高山到平原、从空中到地面、从地上到地下、从陆地到水中、从淡水到海水、从沙漠到湿地、从荒漠到草原和森林、甚至从乡村到城市等不同类型生态系统，无不见哺乳动物的踪迹。其中，湿地也是哺乳动物的重要栖息地，且对于某些物种而言甚至是不可或缺的。

在讨论云南湿地哺乳动物之前，首先需要明白何为湿地动物。关于云南湿地动物的类型、数量、分布及其特点，在《云南湿地》一书中已有详细描述。但是如果依据该书给出的关于湿地野生动物的定义：密切依赖于湿地，在湿地中才能生存和繁殖的种类，即其生活史的全部或一部分必须依靠湿地环境才能完成的脊椎动物物种，那么云南湿地哺乳动物仅有3种水獭和3种适于水中生活的鼩鼱。然而，王应祥先生在该书中按分布、习性和食性列出了64种湿地哺乳动物。其中，在湿地上空飞翔觅食的39种蝙蝠也被归入，理由是在此捕食由湿地水域羽化的昆虫（王应祥，2010）。如果按此定义，在云南除了果蝠以外，其他翼手类均可归入湿地哺乳动物。

然而，在查阅了一些国内外其他关于湿地哺乳动物研究的文献后发现，目前尚未有一明确的湿地哺乳动物的定义，相关研究描述与记录的湿地哺乳动物包含了在开展研究的湿地中生活的所有物种（冯照军等，2006；Desbiez *et al.*，2010）。因此，哺乳动物不似其他类群脊椎动物的湿地类型那么容易界定。但如果考虑到动物生活过程中需要水，那么许多哺乳动物也可被认为是湿地依赖型的。仅有极少数哺乳动物的整个生活史是在湿地中完成的。因云南的哺乳动物丰富，近占全国物种数的一半（潘清华等，2007），且栖息类型多样，为了能更充分反映云南湿地哺乳动物现状，并考虑到今后保护管理过程中的可操作性，在本次调查中仅将具有下列特征的哺乳动物列为湿地哺乳动物：①湿地依赖型，日常行为或活动离不开湿地；②适于水中生活并在水中取食食物；③在湿地及其周边栖息与觅食，但栖息范围较广且可在湿地及其周边栖息和生活的物种不包括在其中；④同时一些分布区较为狭窄，但在湿地及其周边栖息与觅食的小型哺乳动物亦未列入。

5.1 物种多样性及分析

据前述定义，云南现生哺乳动物中有36种（包括外来物种：麝鼠，现已呈野外逸生状态）可被归为湿地动物，隶属于8目17科30属。其中数量最多的是食肉目，它们主要取食在湿地中生活的其他动物，达10种，包括完全适于水中生活的水獭、江獭、小爪水獭。其次是啮齿目，有8种，主要为在湿地及其周边栖息与觅食的物种，其中包括适于水中生活的外来物种麝鼠。第三是偶蹄目，有7种，主要为栖息于湿地，以周边植物为食及以湿地中泥水沐浴的物种。第四是食虫目，有6种，包括喜马拉雅水鼩、灰腹水鼩、蹼足鼩，它们可完全适应水中生活并在水中取食及在湿地及其周边栖息与觅食。另外4个目的物种数较少，翼手目2种，在此仅包含可在湿地（开阔水面）中捕食鱼类的物种（大足鼠耳蝠、华南水鼠耳蝠。灵长类目1种——短尾猴为可在山涧中从石头下面翻找蟹类或其他无脊椎动物作为食物。尽管猕猴有时可见在水中嬉戏（如，海南岛南湾猕猴），但在云南目前还少见这一行为。长鼻目的亚洲象（图3-25）为可在湿地及其周边栖息与觅食，并利用湿地中河水沐浴的物种。兔形目的云南兔为可在湿地及其周边草地上栖息与觅食的物种。

图3-25 亚洲象（马晓峰摄）

5.2 区系分析

虽然麝鼠已在滇池野生环境中出现，但作为外来种，未纳入云南湿地哺乳动物区系分析。在现记录到的35种本土湿地哺乳动物中，有9种为古北区与东洋区共有种，如赤狐、黄鼬、巢鼠等。其中棕熊主要为古北区物种，向南延伸分布至滇西北高海拔地区；而大足鼠耳蝠、社鼠主要分布于东洋区，向北延伸分布至古北区南缘，如河北、山西、辽宁一带。其余26种均为东洋区物种。其中，在西南区有分布的物种有20种，在华南区有分布的物种有23种，在华中区有分布的物种有12种。而仅分布于西南区的有蹼足鼩、澜沧江姬鼠2种，仅分布于华南区的有8种，如毛猬、威氏小鼷鹿、豚鹿、印度野牛、爪哇野牛、大泡硕鼠等6种。综上所述，云南湿地哺乳动物主要属东洋区动物区系，其中华南区成分多于西南区。

5.3 特有性与分布特征

在现记录的36种湿地哺乳动物中，有4个中国特有种。即灰腹水鼩(云南省内仅分布于滇西北地区)、大足鼠耳蝠(分布于云南南部和西部)、澜沧江姬鼠(除南部热带性质较强的地区外，云南全省均有分布)、云南兔(除滇西北与滇东北高原地区外，云南大部地区有分布)。此外，还有5种为在中国仅云南有分布的，包括毛猬(分布于德宏、临沧、西双版纳、普洱、红河等州市的热带性质较强的地区)、亚洲象(分布于勐腊、景洪、江城、思茅、澜沧、沧源等地)、威氏小鼷鹿(仅见于西双版纳)、豚鹿(记录于耿马、沧源、永德)、爪哇野牛(记录于思茅与澜沧)。

云南现记录的35种本地湿地哺乳动物，不同物种表现出明显的地域性分布特征。微尾鼩、喜马拉雅水鼩、貉、黄鼬、豹猫、巢鼠、社鼠、云南兔在云南各湿地呈现出广泛分布，并在多种生境类型中均有分布；但微尾鼩、喜马拉雅水鼩、云南兔在海拔3000米以上的高山湿地没有分布。而有一些物种仅在局域性的湿地有分布。如棕熊仅发现于碧塔海、白马雪山自然保护区和哈巴雪山自然保护区；威氏小鼷鹿仅见于西双版纳自然保护区和纳板河自然保护区；豚鹿可见于南滚河自然保护区、永德大雪山自然保护区；爪哇野牛见于太阳河自然保护区和糯扎渡自然保护区等。

5.4 栖息地及其保护状况

事实上，云南典型的湿地依赖型哺乳动物仅有水獭、江獭、小爪水獭、喜马拉雅水鼩、灰腹水鼩、蹼足鼩及外来物种麝鼠等。它们可完全适应于水中生活。而为湿地依赖型的哺乳动物还有亚洲象、印度野牛、爪哇野牛、豚鹿，其日常生活离不开湿地。通过对现记录的36种湿地哺乳动物的生态型进行分析，可主要分为以下。

(1)主要水栖，在水中觅食低等无脊椎动物和昆虫及其幼虫与小鱼的类群：食虫目鼩鼱科的喜马拉雅水鼩、灰腹水鼩和蹼足鼩及啮齿目仓鼠科的外来物种麝鼠，以水生无脊椎动物、昆虫及其幼虫和小鱼为食。灰腹水鼩和蹼足鼩栖息于滇西北山区溪流中，蹼足鼩在独龙江、怒江、澜沧江、金沙江和红河等干流中也有发现，它们的栖息、觅食活动都在流水中进行，但也会在岸边活动，甚至远离溪流。在野外实地调查过程中，曾在距溪流直线距离300米外采集到蹼足鼩标本。蹼足鼩为喜马拉雅—横断山区特有种，国内主要分布于横断山区；灰腹水鼩为中国特有种，在云南仅分布于滇西北三江并流区，省外还分布在川西、秦岭山区直到河北。喜马拉雅水鼩也栖息于山涧溪流，但在静水水域或湖泊(如滇池、洱海等)中也有发现。喜马拉雅水鼩分布范围广，广布于喜马拉雅山地、西南山地、华北、华中、华南和中南半岛北部，云南全省有分布。麝鼠目前在云南已呈野外逸生状态，虽然仅见于滇池流域。3种水鼩对环境质量要求较为严格，多见于洁净的水体。由于是水中生活，难以直接观察，据在野外调查过程中采集的标本数量进行分析，种群数量最大的为蹼足鼩；其次是喜马拉雅水鼩；灰腹水鼩数量较少，且多是在无环境干扰和污染较轻的水体中。

(2)主要水栖，在水中觅食鱼类、间或觅食两栖类的类群：食肉目鼬科的水獭、小爪水獭和江獭，是典型的淡水水生哺乳动物，主要在江河干流及较大支流的流水中栖息和活动。其觅食、活动和交配都在水中进行。它们主要取食中小型鱼类，间或也取食水中和岸边的两栖类和其他小型脊椎动物。水獭和小爪水獭分布比较广，云南大部分江、河都有分布。江獭主要分布于滇西怒江流域和德宏州大盈江、陇川江—瑞丽江流域，有些个体可到与江水相通的湖泊和浅水滩地活动和觅食。水獭是重要的毛皮动物，并有一定的药用价值，因而持续受到猎捕威胁。加之近年来环境干扰和污染的加剧，现有种群数量均较少。由于这些物种均在水中活动，难于观察，目前在云南省境内仅在部分河段或水域中观察到。如2014年春季，在兰坪兔娥沿澜沧江一带考察期间，据访问调查，此江段不时可看到水獭浮出水面。

(3)湿地依赖型，日常生活或至少部分活动在湿地中进行的类群：此类群有长鼻目象科的亚洲象、偶蹄目牛科的印度野牛、爪哇野牛与鹿科的豚鹿等。亚洲象、印度野牛和爪哇野牛虽然觅食、游荡在森林、山地草坡，但也常在水中沐浴、嬉戏。特别是野牛还会在泥沼中休息或用泥水覆盖身体，以驱避蚊、蝇叮咬。这些物种现绝大部分生活在国家级(西双版纳、南滚河)及省级(太阳河、糯扎渡)自然保护区内。而豚鹿的栖息地则更是局限在河流两岸地势较为平坦的草丛中。对于亚洲象、印度野牛和爪哇野牛等大型哺乳动物而言，栖息地破坏和减少是其种群数量增长受限及肇事案件增加的重要原因。而因热区开发(如橡胶种植)导致明显的河岸边蒿草丛栖息地丧失则可能是现今豚鹿难觅踪迹的主要原因。

(4)在湿地及其周围栖息、觅食的类群：偶蹄目鹿科的水鹿、牛科的中华鬣羚，可在湿地周边草地觅食。中华鬣羚是林栖动物，且更多发现于森林型自然保护区内。鼷鹿科的威氏小鼷鹿主要是在西双版纳较为湿润的林下生活。翼手目蝙蝠科的大足鼠耳蝠和华南水鼠耳蝠，在空旷的水域上方飞行，伺机捕食水中的小鱼。而其他一些小型哺乳动物，如食虫目猬科的毛猬、鼩猬，鼩鼱科的微尾鼩，啮齿目鼠科的巢鼠、澜沧江姬鼠、社鼠、刺毛鼠、硕鼠，豪猪科的中国豪猪，兔形目兔科的云南兔等哺乳动物大多数为林栖动物，在林间山涧溪流两侧及较为潮湿的区域易于发现。此外，一些小型的食肉类动物，如灵猫科的大灵猫、小灵猫常在山涧溪流旁觅食小型哺乳动物或两栖动物，鼬科的黄鼬、黄腹鼬则是可在更为广泛的栖息地(包括湿地及其周边区域)中觅食小型脊椎动物或无脊椎动物。而大型的熊科动物棕熊则是可在高山溪流或湖泊边缘捕食鱼类。

5.5 珍稀濒危及重点保护物种

在现记录的35种本地湿地哺乳动物中，有13种为国家重点保护野生动物，占已记录湿地哺乳动物的36.1%。其中 国家Ⅰ级保护动物4种，包括亚洲象、威氏小鼷鹿、豚鹿、印度野牛；国家Ⅱ级保护动物9种，包括短尾猴、棕熊、水獭(图3-26)、江獭、小爪水獭、大灵猫、小灵猫、水鹿、中华鬣羚；列入CITES附录Ⅰ的物种有棕熊、江獭、印度野牛、中华鬣羚，附录Ⅱ的物种有短尾猴、水獭、小爪水獭。在这些保护动物中，豚鹿由于其主要栖息地——低纬度、低海拔河岸草地已近开发殆尽，已难见踪迹。印度野牛和爪哇野牛虽然可发现其踪迹，但是多年来一直未专项调查，其种群数量不清楚。作为典型湿地哺乳动物的水獭、江獭、小爪水獭一直未有专项而少有报道，近些年来，河流、溪流已受到干扰与污染加重的影响。作为重要香料动物的大灵猫、小灵猫，在近年野外调查过程中，实际上也很少发现踪迹。目前尚有一定数量的物种包括短尾猴、水鹿、中华鬣羚等，在野外常可以遇见，但具体数量不清，有待系统调查。而在所有重点保护湿地动物中，种群数量与分布相对清楚的是亚洲象，约250头，分布于西双版纳、思茅、澜沧、江城、沧源等地。

图3-26 水獭(马晓峰摄)

6 软体动物

软体动物门是动物界中第二大门类。其中石鳖、田螺、河蚌、贝、乌贼等，是人们熟知的软体动物。因大多数软体动物种类都具有贝壳，故又通称为贝类。软体动物的种类很多，有的种类具有较高的经济价值，如螺类、蚌类、乌贼等种类可供人食用或入药或生产珍珠，做装饰品等，但有一些种类对人类的生产和生活有害，如钉螺、椎实螺、扁卷螺等是人体、鱼类及禽畜寄生虫病的中间宿主，能传播寄生虫病。也有的种类是鸟类、鱼类或其他动物的天然食物资源，在维护自然生态系统的平衡中起着重要的作用。

6.1 物种多样性及分析

根据对文献的收集及野外考察资料的整理，在85处重点调查湿地中共记录有软体动物2纲4目17科159种。其中，腹足纲腹足目的种类最多，有94种，占总种数的59.1%；腹足纲基眼目与瓣鳃纲真瓣鳃目分别有33种和30种被记录，分别占总种数的20.8%和18.9%；瓣鳃纲异柱目仅有2种被记录(表3-15)。

表3-15 云南省85处重点调查湿地分布的软体动物种数

纲	目	科	种 数
腹足纲 GASTROPODA	中腹足目 MESOGASTROPODA	厚唇螺科 Pachychilidae	1
		豆螺科 Bithyniidae	4
		短沟蜷科 Semisulcospiridae	10
		拟沼螺科 Assimineidae	2
		盘螺科 Valvatidae	1
		跑螺科 Thiaridae	3
		瓶螺科 Pilaidae	4
		田螺科 Viviparidae	41
		觿螺科 Hydrobiidae	25
		狭口螺科 Stenothyridae	3

（续）

纲	目	科	种 数
腹足纲 GASTROPODA	基眼目 BASOMMATOPHORA	膀胱螺科 Physidae	2
		扁蜷螺科 Planorbidae	6
		椎实螺科 Lymnaeidae	25
瓣鳃纲 BIVALVIA	异柱目 ANISOMYARIA	贻贝科 Mytilidae	2
	真瓣鳃目 EULAMELLIBRANCHIA	蚌科 Unionidae	19
		球蚬科 Sphaeriidae	1
		蚬科 Corbiculidae	10

腹足纲中田螺科的种类最多，有41种，占总种数的25.8%；其次为觿螺科和椎实螺科，均有25种，分别占总种数的15.7%；瓣鳃纲中分布种类最多的是蚌科，有19种，占总种数的11.9.%；其次为蚬科，有10种被记录，占总种类的6.3%。

6.2 区系分析

由于云南省的气候分别受印度洋季风和太平洋季风暖湿气流的控制，受寒潮和台风的影响较少，属亚热带—热带高原型湿润季风气候。又因云南的纬度较低、地形复杂、气候类型多样，热量、光照条件较好，水资源丰富，水热有效程度很高，湿度较大，植被茂盛等良好的自然条件，有利于贝类的生长和繁殖，所以贝类资源较为丰富。所分布的淡水贝类，绝大多数是暖水性种类，其区系成分以东洋界华南区和西南区的种类占绝对优势。

依张荣祖(1999)的中国动物地理区划，云南省境内的动物地理区划主要有华南区的滇南山地亚区及西南区的西南山地亚区。云南省的滇南山地亚区包括云南南部及西部，横断山脉的南延部分，怒江、澜沧江、元江等江河的中下游地区，尤其在北回归线(北纬23.5°)以南地带，淡水贝类的种类繁多，且个体数量亦较多，其区系组成与东南亚国家的许多种类相同，如瓶螺科的所有种类，田螺科的色带田螺属和泰国田螺亚属，椎实螺科的泰国萝卜螺，扁蜷螺科的印度扁蜷螺等是典型的热带种类。另外，还有田螺科的曼洪环棱螺、似瓶圆田螺、白口圆田螺、勐腊圆田螺等，觿螺科的云南秋吉螺、耳仿穴螺、澜沧曼宁螺、灰厚觿螺、狭口螺科的湄公狭口螺、景洪狭口螺等，跑螺科的瘤拟黑螺，椎实螺科的椭圆萝卜螺、延伸萝卜螺等，扁蜷螺科的扁旋螺、凸旋螺等也均是热带种类。

云南省的西南山地亚区，指北纬24°~32°的地区，以金沙江为界，包括横断山西部和东北部地区，所分布的特有种类，有田螺科中的铜锈环棱螺、云南圆田螺、螺蛳属的全部种类等。觿螺科中钉螺属的钉螺滇川亚种、拟钉螺属种类、德拉维豆螺，跑螺科的瘤拟黑螺，短沟蜷科的欧氏短沟蜷、美丽短沟蜷、粗壳短沟蜷、仙女短沟蜷等，椎实螺科的云南萝卜螺、卵萝卜螺、尖萝卜螺、微红萝卜螺等，扁蜷螺科的尖口圆扁螺、大脐圆扁螺，还有一些印度次大陆延伸入的种属，如川蜷属、仿穴螺属等。

云南省还有一些古北界和东洋界都有的广布种，如田螺科中的方形环棱螺、铜锈环棱螺、双旋环棱螺、中国圆田螺、中华圆田螺，豆螺科中的纹沼螺、赤豆螺等，跑螺科中的方格短沟蜷、光滑短沟蜷等，椎实螺科中的小土蜗、耳萝卜螺、狭萝卜螺等，扁蜷螺科中的旋螺属、多脉扁螺属、圆扁螺属。

6.3　栖息地及其保护状况

田螺科、膀胱螺科、扁蜷螺科、椎实螺科、蚌科大部分种类生活在水体平缓的湖泊或河流的回水湾，而短沟蜷科、跑螺科、球蚬科的大部分种类则生活在河流。盘螺科的种类生活在海拔较高、水质较为清澈的湖泊中，如碧塔海、泸沽湖。

滇池的优势种有螺蛳、胀肚圆田螺、膨胀圆田螺；洱海的优势种为螺蛳、方形环棱螺、绘环棱螺；芘碧湖的优势种为螺蛳；剑湖的优势种为螺蛳、膨胀圆田螺、胀肚圆田螺、似瓶圆田螺；阳宗海的优势种为阳宗海螺蛳；星云湖、杞麓湖、异龙湖、长桥海各湖的优势种均为光肋螺蛳。但由于近年来水质富营养化、河流采沙严重等，软体动物的生态环境已遭到破坏，软体动物种群数量明显减少。螺蛳、牟氏螺蛳、光肋螺蛳、二肋螺蛳、滇池圆田螺已被 IUCN 评为濒危物种。螺蛳在洱海湖体中已经消失，光肋螺蛳在异龙湖、大屯海中消失。外来入侵种的入侵也影响了土著物种的种群，滇西、滇南的 10 多个亚热带、热带县(市、自治县)的水沟、水塘、鱼塘、稻田中的优势种均为大瓶螺，近年来已泛滥成灾，致使农业减产，损失很大。

6.4　危害

淡水贝类的许多种类(多数是单壳类的种类，少数是双壳类的种类)是危害人体、家畜、家禽、鱼类健康的寄生虫的中间宿主，可以传播疾病。据初步分析，这样的媒介贝类约 40 种，最严重的是日本血吸虫。它的中间宿主是钉螺，该病广泛流行于长江流域及长江以南 12 个省份的 370 个县，在我国流行已有 2160 余年。在云南，日本血吸虫的中间宿主是钉螺滇川亚种，血吸虫病的流行区自西北向东南方向分布有 16 个县(市、自治县)，疫情最严重的是大理白族自治州的鹤庆、剑川、洱源、云龙、漾濞、大理、下关、宾川、巍山、弥渡、南涧；其次是楚雄州的楚雄和禄丰；疫情较轻的有丽江市的玉龙、永胜；红河州仅个旧的大屯镇发现有血吸虫病(寸德平等，2009)。田螺科中的绘环棱螺是卷棘口吸虫的中间宿主，铜锈环棱螺是抱茎棘隙吸虫的中间宿主，中国圆田螺是广州血管圆线虫、卷棘口吸虫的中间宿主。瓶螺科中的大瓶螺是卷棘口吸虫的中间宿主，光瓶螺是广州血管圆线虫的中间宿主。觽螺科中的大理洱海螺是并殖吸虫的中间宿主，泥泞拟钉螺、大拟钉螺都是团山并殖吸虫的中间宿主。豆螺科的赤豆螺、纹沼螺是华支睾吸虫的中间宿主。跑螺科中的瘤拟黑螺、方格短沟蜷、放逸短沟蜷都是卫氏并殖吸虫的中间宿主。椎实螺科中的多种萝卜螺，扁蜷螺科中的多种旋螺和扁螺均是多种吸虫的中间宿主。贻贝科的淡水壳菜(湖沼股蛤)是前睾近似牛首吸虫和尼道弗吸虫的中间宿主；蚬科的河蚬是卷棘口吸虫的中间宿主。

少数种类的个体大量繁殖，如环棱螺和田螺的幼体常堵塞江河、工业用水管道，造成停水，影响生产。

有些种类如椎实螺科、扁蜷螺科、瓶螺科的种类危害农作物，尤其是大瓶螺最为严重。在滇西、滇南一带 10 多个县(市、自治县)的水潭、鱼塘、沟渠、稻田、水库等水体内大量生长繁殖，危害多种作物；在一些受灾害严重的地区，每平方米密度达 200 多只，泛滥成灾，秧苗被吃光，经济损失很大。若对这些螺类加以开发利用，即可变害为利，作为扶贫致富项目。

6.5　珍稀濒危及重点保护物种

在IUCN红色名录中，螺蛳、牟氏螺蛳、阳宗海螺蛳、孟氏螺蛳、滇池圆田螺和尖龙骨角螺被列入极危(CR)，二肋螺蛳被列入濒危(EN)物种。云南湿地所记录的田螺科种类，有31种在《中国物种红色名录无脊椎动物》中被评估为不同的濒危级别(汪松，谢焱，2005)，如绘环棱螺、德拉维环棱螺、曼洪环棱螺、孟加拉色带田螺等12种被评估为濒危(EN)物种，门河泰国田螺、阳宗海圆田螺、滇池圆田螺等4种被评估为极危(CR)物种，云南圆田螺等8种被评估为易危(VU)物种，尖龙骨角螺等3种被评估为近危(NT)物种。此外，有4种被评估为灭绝物种。

7　虾、蟹类

云南省记录的虾类共有50种，隶属于2目4科(李新正等，2007)，其区系组成，以东洋界的华南区和西南区的种类为主。云南全省以米虾为优势种，沼虾次之，基本为暖水性种类。

云南省记录的淡水蟹类有45种，隶属于1目2科(戴爱云，1999)，淡水蟹类主要生活在北纬37°以南，暖湿区域内的山溪、河流、湖泊、池塘、沟渠、稻田以及间歇性等水域的石下，草丛中或泥洞里。因此，绝大部分的种类属于东洋界暖水性种类。

根据对文献的收集及野外考察资料的整理，在85处重点调查湿地共记录有虾、蟹类2目6科86种。其中，虾类有2目4科50种，蟹类有1目2科36种。其中，溪蟹科的种类最多，有34种，占总种数的37.4%；其次是匙指虾科，有30种，占总种数的34.1%；长臂虾科有15种被记录，占总种数的20.9%；沟虾科有4种被记录；束腹蟹科仅有2种被记录(表3-16)。

表3-16　云南省85处重点调查湿地分布的虾、蟹类种数

门	纲	目	科	种　数
节肢动物门 Arthropoda	甲壳纲 CRUSTACEA	端足目 AMPHIPOD	沟虾科 Gammaridae	4
		十足目 DECAPODA	长臂虾科 Palaemonidae	15
			匙指虾科 Atyidae	30
			螯虾科 Astacidae	1
			束腹蟹科 Parathelphusidae	2
			溪蟹科 Potamidae	34

第四章
湿地资源利用

第一节
湿地资源利用方式及其利用现状

1 湿地资源利用状况

1.1 土地资源

云南省山区、半山区面积占94%，坝区占6%，耕地面积4200多万亩，人均占有耕地0.91亩，远低于全国人均1.41亩的平均水平。

根据本次调查，云南省湿地包含4类14型，总面积为56.35万公顷，占国土面积的1.47%。其中，自然湿地(包括湖泊湿地、河流湿地、沼泽湿地)39.25万公顷，占湿地总面积的69.67%，人工湿地17.10万公顷，占湿地总面积的30.33%。湿地不仅提供了生物资源、水资源等，长期以来均被作为一种重要的后备土地资源加以利用。云南省与湿地相关的土地类型主要有农田、林地、牧草地、水域、沼泽等，其中能够作为农地储备资源的湿地，主要是一些沼泽、湖泊滩地、河流沿岸的洪泛湿地。

近几十年来，云南大量的湿地被围垦用作农业用地、水产养殖塘或城市用地。大面积的围垦湿地、围湖养殖使湿地面临着过度开发的威胁。湿地土地是良好的生物栖息地，是生物多样性极其丰富的区域，应该采取严格的措施予以保护。开展湿地资源调查，可以为评估湿地开发利用的综合效益和制定湿地土地资源利用政策提供科学依据，因此是十分必要的。

1.2 水资源

云南省湿地蕴含有十分丰富的水资源，总量次于西藏、四川两省区，居全国第3位。其水资源的补给来源主要为大气降水，由于河流切割较深，大部分地下水经由天然露头宣泄，且以泉水为主要排泄方式，河川径流量包括了地表水和地下水两部分，通过水循环逐年得到更新。根据1956~1979年资料，平均年降水量为4820.8亿立方米，河川径流量2222亿立方米，折合平均径流深580毫米，平均每平方公里产水58万立方米。根据1983年对118个富水地段和50个主要盆地进行勘探，地下水资源量为742亿立方米。冰川雪山静贮水量约10亿立方米。湖泊静贮水量近300亿立方米。从西藏、四川、贵州、广西4省区入省水量1845.8亿立方米，从缅甸、老挝、越南等邻国流入97.2亿立方米。水资源总量即河川径流量与过境水量之和为4165.0亿立方米。人均和亩均占有水量均高于全国。其中金沙江、澜沧江、怒江等水系可供开发潜力巨大。

省境内有大小河流600多条，其中水能资源蕴藏量在1万千瓦以上的有300条。普查统计，全省拥有的资源理论蕴藏量为10364万千瓦，年发电量可为9078.66亿千瓦·时，占全国总量的15.3%，仅次于西藏、四川两省，居全国第3位。可开发的装机容量为7116.79万千瓦，年发电量为3944.5亿千瓦·时，占全国可开发量的20.5%，居全国第2位，仅次于西藏。可能开发率为71%，居全国首位。

本次调查数据显示，在85处重点调查湿地中，有蓄水量的重点调查湿地56处，平水期蓄水面积11.00万公顷，总蓄水量295.38亿立方米。包含4个湿地类中的永久性河流、永久性淡水湖、草本沼泽、库塘等湿地型。

1.3 生物资源

湿地是生产力最高的生态系统，生物资源是湿地资源的重要组成部分。云南特殊的地理位置、复杂的地质地貌和多样的气候条件，形成了类型繁多的湿地环境，孕育了极为丰富的湿地生物资源。

1.3.1 湿地植物

据本次调查统计，云南省记录到湿地植物2274种，分属204科876属。其中，被子植物133科725属1974种，裸子植物4科10属11种，蕨类植物31科71属128种，苔藓植物36科70属161种。生活型较严格地归于湿地植物的种类有1619种，分属于171科642属。根据1999年国务院公布的《第一批国家重点保护野生植物名录》，分布有国家Ⅰ级保护野生植物莼菜、水松、高寒水韭、云贵水韭和独叶草5种，国家Ⅱ级保护野生植物细裂水蕨、水蕨、拟花蔺、金荞麦、药用稻、野生稻和细果野菱7种。

湿地植物中，莲、菰、慈姑等栽培植物所生产的藕、茭白和慈姑是人们餐桌上的常见蔬菜，这些物种在人工湿地中也占有一定的地位。除此之外，海菜花、菱、豆瓣菜、圆叶节节菜等也提供了别具特色的食物来源。湿地植物中入药较多的有薏苡、菖蒲、豆瓣菜、水黄(苞叶大黄)、地榆、草木犀、扯根菜等，这些药用植物相对产量大，采集便利。芦苇属、莎草属、香蒲属和水葱属等都是优良的纤维植物，在造纸和编织行业上都有广泛应用。海菜花、莲、睡莲、荇菜以及高山沼泽草甸上多见的海仙报春、着色龙胆、湿地银莲花、突隔梅花草等花色艳丽，具有很高的观赏价值。另外，有些湿地植物还可以提取香精，制作绿肥；湿地植被在防浪固堤、防治污染、净化水质、沉降淤泥、涵养水源等方面也作用巨大，为鱼类提供庇护、产卵场所及食物，为湿地鸟类提供食物和栖息地。

1.3.2 湿地动物

据本次调查统计及查阅相关文献记载，云南省湿地中共记录湿地野生脊椎动物5纲37目105科1006种。另记录有软体动物2纲4目17科159种。节肢动物虾、蟹类共记录1纲2目6科86种。其中，虾类有2目4科50种；蟹类有1目2科36种。

在野生脊椎动物中，记录有淡水鱼类 13 目 43 科 199 属 629 种和亚种。其中，含引入种 32 种；属国家Ⅰ级保护动物中华鲟、达氏鲟 2 种，国家Ⅱ级保护动物胭脂鱼、滇池金线鲃、大理裂腹鱼、大头鲤 4 种。记录有两栖动物 3 目 11 科 127 种。其中，列入国家Ⅱ级保护野生动物名录的有贵州疣螈、红瘰疣螈和虎纹蛙 3 种。记录有爬行动物 3 目(亚目)12 科 94 种。其中，列入国家Ⅰ级保护野生动物名录的有鼋、圆鼻巨蜥和蟒蛇 3 种，国家Ⅱ级保护种类的有山瑞鳖、斯氏鳖等 4 种。记录有水鸟 11 目 23 科 162 种。其中，属国家Ⅰ级保护鸟类的有东方白鹳、黑鹳、中华秋沙鸭、黑颈鹤、白头鹤、丹顶鹤、赤颈鹤和遗鸥 8 种，属国家Ⅱ级保护鸟类的有斑嘴鹈鹕、黑颈䴙䴘、黄嘴白鹭、海南鳽、小苇鳽、白头鹮鹳、圣鹮、黑鹮、白琵鹭、大天鹅、小天鹅、鸳鸯等 26 种。记录有湿地哺乳动物 8 目 17 科 30 属 36 种。其中，国家Ⅰ级保护动物有亚洲象、威氏小鼷鹿、豚鹿、印度野牛和爪哇野牛 5 种，国家Ⅱ级保护动物有水獭、江獭、小爪水獭等 9 种。

利用价值较高的湿地动物主要为鱼类，如青、草、鲢、鳙四大家鱼及鲤、鲫、鳜、太湖新银鱼、罗非鱼等。民间有捕食两栖类中的虎纹蛙、黑斑蛙、黑带蛙、棘蛙类(俗称石蹦)、臭蛙类(俗称田鸡)等种类的习俗，也存在商品性大量收购。湿地爬行类中龟鳖类、大壁虎、脆蛇蜥类、三索锦蛇、滑鼠蛇、银环蛇、金环蛇和眼镜蛇等是传统的、有名的药用动物，龟类可作为观赏动物。淡水贝类中可供人们食用的有 40 余种，多数是田螺科中的角螺属、环棱螺属、圆田螺属、螺蛳属和瓶螺科瓶螺属的种类，如圆田螺、绘环棱螺、铜锈环棱螺和大瓶螺(福寿螺)、光瓶螺等。蚌科中利用价值高的主要是各种无齿蚌和珠蚌；这些贝类除可食用外多可入药，贝壳也可作为石灰、饲料原料及工艺品原料。湿地丰富的生物资源为公众提供了丰富的湿地产品，是社会物质消费的主要来源地。

1.4 景观资源

湿地是一种独特的自然景观资源，不仅兼有物种及其栖息地保护的功能，还具有开展生态旅游和进行环境教育的功能。云南高原湿地在我国湿地类型中独具特色，具有很高的美学、观赏、文化和艺术价值。独特的湿地生态景观和丰富的野生动植物，吸引了越来越多的人前去旅游观光，是人们休闲、度假、娱乐、观鸟、宣教、科研的理想场所。

金沙江、澜沧江、怒江等大江河，以及三江并流、金沙江第一湾、怒江大峡谷、虎跳峡等举世闻名的高山峡谷奇观，属云南最具代表性的自然景观，一直以来都是享誉海内外的著名景区，众多的海内外游客常年慕名而来。云南省依托这些自然景观相继建立了梅里雪山、高黎贡山、普洱、西双版纳等一批国家公园，正逐步成为依托大江大河，保护与展示包括湿地景观在内的自然景观资源的荟萃地。另外，金沙江、澜沧江等江河上的水电开发利用，造就了高峡出平湖的庞大景观组合，也正成为水上旅游的新热点。

滇池、抚仙湖、洱海、泸沽湖等高原湖泊，属云南高原璀璨的明珠，湖光山色，景致宜人。这些高原湖泊周边大多分布有城市和城镇，均较早开发了湿地生态旅游，旅游设施较为完备，具有很高的知名度。

碧塔海、纳帕海、千湖山等高原湖泊及沼泽湿地，在较小的空间内融合了雪山、森林、草甸、湖泊等景观类型，是连接青藏高原的独特景观组合。特别是碧塔海，独特的湿地景观资源与完善的旅游基础设施已成为前往香格里拉旅游的必到景点。

大山包、拉市海等作为候鸟越冬栖息的国际重要湿地，每年吸引着大量的黑颈鹤、雁鸭类水禽和其他候鸟到此栖息，同时也是著名的观鸟、娱乐休闲之地。目前生态旅游的设施设备已逐步完善，以保护为主的生态旅游有序开展，每年吸引着众多的观鸟爱好者和湿地生态旅游者前往。

哈尼梯田、普者黑喀斯特湿地、洱源西湖等，作为近年来新建的国家湿地公园，虽湿地类型不尽相同，但特色鲜明、景观独特，是旅游休闲的上佳之地。代表哈尼族古老农耕文化和智慧的哈尼梯田，自成功申报世界文化遗产后，知名度和影响力迅速提升，哈尼梯田湿地景观资源的可持续利用正蓬勃发展。

1.5　其他资源

云南省属多民族聚居区，云南湿地的人文历史悠久、源远流长，且与民族文化相融合。长期以来，湿地与周边各民族相生相息，彼此影响，人文底蕴深厚，如拉市海、纳帕海和碧塔海 3 个国际重要湿地。拉市海以纳西族为主，纳西文化在自然保护尤其是野生动物保护中起着特殊而重要的作用。纳西民族传统文化中有很多关爱自然，与大自然和谐相处的传统和习俗。自古以来，当地纳西族就把鹤类视为吉祥、幸福的化身，体现了人与自然的和谐。碧塔海和纳帕海处于香格里拉藏区，藏语“碧塔海”的意思是“像牛毛毡一样柔软的海”。藏族是一个全民信仰宗教的民族，藏民族传统文化中也有很多关爱自然，与大自然和谐相处的传统和习俗。在藏文化中，森林茂密的高山被奉为“神山”，秃鹫为藏民族的“天鸟”，鱼被尊为吉祥八宝中的“神鱼”。藏族具有朴素的人地和谐“人地观”，他们认为人和动物一样都是自然界的生命。在藏语里，“动物”一词具有生命和“留恋”两层意思，因而养成了从不轻易伤害任何生命的传统习俗。这些朴实的民俗、民风，这种敬奉自然，不杀生、不吃鱼的珍惜生灵的生态伦理道德，维护了生态平衡，体现了人与自然的和谐。另外，神秘的藏文化也成为国际重要湿地区人文资源的一个重要亮点。

2　湿地资源利用存在的问题

由于长期以来人们对湿地生态价值认识不足，湿地资源的过度利用状况突出，加上湿地保护法规缺失、保护管理体系不健全以及管理能力薄弱等原因，全省存在自然湿地面积逐步减少、生态质量逐步降低、生态功能逐步退化等不良趋势。

2.1　围垦种植及城乡各类建设造成自然湿地减少，破碎化加剧

自 20 世纪 50 年代以来，随着人口增多，争地要粮成了日益严重的社会问题，曾掀起过向湖泊要耕地的浪潮，滇池、洱海等高原湖泊均未能幸免。盲目围湖造田致使湿地面积锐减，生境破碎化、生态功能退化。滇池草海原有面积 32 平方公里，如今只剩下 8.15 平方公里；而有些较小的湖泊甚至被完全排干后开垦，如嵩明的嘉丽泽、石屏的赤瑞湖等。虽然目前大面积的围湖造田开垦现象已被禁止，但零星的围湖造田现象在局部区域依然存在。另外，云南省湿地分布范围广、分布零散，多与农耕区接壤，缺乏明确的界线。由于没有完善的保护机构和有力的保护措施，部分区域存在的垦殖农田农地现象，破坏了湿地生态系统的完整性，导致天然湿地面积缩小并变得破碎，不仅加快了部分小面积湖泊的干涸。垦殖还会造成湖滨沼泽和沼泽化草甸地下潜水位下降，逐渐旱化、沙化，使得湿地生态环境质量逐步降低，湿地功能衰退。同时，开垦还会导

致沼泽化草甸植物群落发生改变，使原生沼泽化草甸向草甸、开垦后湿地的演替，湿地植物群落结构逐渐变得复杂，湿生植物功能群的优势度比例不断减少，中生、旱生类植物功能群的优势度不断增加，加速了湿地陆地化的进程。在湖滨地带开挖修建硬化排水沟、建立养殖场等随意改变湿地用途事件还时有发生，也对湿地资源造成了较大程度的破坏。

近年来，随着全省工业化、城镇化进程的进一步加快，土地供需矛盾十分突出，开发建设用地需求与河道和湖滨的保护产生了不可避免的矛盾。与河争地、与水争地现象在一些区域较为普遍，造成了建设用地不断增加和湿地面积逐年减少的现象。城镇的发展使得部分湿地湖滨沼泽区被填埋，建设中往往以防护堤将湿地隔离，缺少沼泽过渡区，阻断了水体与陆地的物质和能量交换。城市建设、工业园区、农业园区、房地产开发、农民新农村等从自身开发利益角度考虑，未经审批就填堵河道占用湿地的现象屡有发生。不少河段由于人为占填形成断头浜和死兜浜，同时不从水系格局完整出发进行河道水面补偿，降低了区域防洪排涝能力，恶化了自然生态。另外，湿地资源也成为一些地方房地产开发的卖点、热点，房地产开发导致湖泊湿地湖滨带消失，不仅影响湿地景观，且少了污水净化屏障。

2.2 水利水电工程建设使人工湿地显著增加，湿地生态系统整体功能降低

梯级电站建设阻断自然河道，河流湿地面积急剧减少。云南境内六大江河，除怒江和伊洛瓦底江外，其余均建成或正在建设大型梯级电站。水电开发使得原来大量自然河流湿地转变为人工库塘湿地，减少了河流湿地的面积。调查数据显示，本次单个斑块面积在100公顷以上的河流湿地面积比第一次调查减少了2.70万公顷。其中，澜沧江干流第一次调查河流湿地面积为1.40万公顷，本次调查仅为0.60万公顷，面积减少57%；红河干流第一次调查河流湿地面积为0.83万公顷，本次调查仅为0.54万公顷；而珠江干流河流湿地面积也从0.57万公顷降至0.36万公顷。这是梯级电站建设使得自然河道水位抬升，淹没面积变为人工库塘的缘故。另外，梯级电站建设还阻断了河水的自然流动，使原本完整的河道变成具有较大落差的不同河段。这不仅破坏了河流湿地的自然性，造成严重破碎化，同时也是导致河流湿地泥沙淤积的主要因素。本次调查还发现，部分湖泊湿地因修建坝堤抬高蓄水位而使自然属性发生了改变。一些原来属于湖泊的自然湿地，当地为了获得更多的蓄水量，人为地在出水口修建坝堤，希望以此将湖泊湿地水位提高，以便进一步扩大水域面积。而人工修筑坝堤后，使得调查中的湖泊湿地改变了它的自然属性，变成了人工湿地，因此降低了天然湖泊湿地的面积。另外，在雨季来临时，由于水位增加会淹没湖泊周围的部分天然湿生和挺水植物群落，导致组成这些群落类型的植物溺亡，造成自然湿地植被面积减少和湿地植物多样性的降低。

与自然湿地面积萎缩形成鲜明对比的是人工湿地面积和所占湿地类比例显著增加。本次调查数据显示，在全省56.35万公顷的湿地中，人工湿地17.10万公顷，占湿地总面积30.33%。与第一次湿地资源调查6.39%的人工湿地相比较，上升了23.94%；而本次调查单个斑块面积在100公顷以上的人工湿地面积达11.72万公顷，占单个斑块面积在100公顷以上湿地总面积的34.37%，为面积最大的湿地类，比第一次调查增加面积10.22万公顷。澜沧江、长江、红河和珠江干流人工湿地面积增加了6.25万公顷。其中，仅澜沧江干流增加面积就达5.35万公顷。人工湿地面积及比例的增加使得云南湿地的自然性降低。由于人工湿地不属于自然演化的结果，往往

不具备或较少具备自然湿地的综合特性，生态服务功能明显低于自然湿地。而且人工湿地一般植物群落不发育，湿地生物多样性匮乏。人工湿地面积比例的上升，一定程度上降低了湿地资源的整体生态服务功能和生物多样性。

2.3　不规范旅游活动及旅游设施盲目建设，破坏了湿地生态环境

云南以湖泊湿地为代表的自然湿地大多拥有美丽、独特的景观资源，是开展生态旅游，发展区域经济的优质资源。随着全省旅游业的快速发展和旅游经济效益的明显体现，在利益的驱使下，不规范旅游活动在自然湿地内及周边大量开展，不仅侵占了湿地资源，而且开展旅游所伴随而来的践踏、垃圾等，破坏了湿地植被并导致土壤裸露和水质恶化，改变湿地的生态环境，直接或间接导致湿地萎缩。另外，较大规模地兴建旅游设施，正在成为危害湿地资源的一个新因素。一些湖泊沿湖大量兴建宾馆、饭店、度假区、游乐场等旅游设施，极大地破坏了湿地景观。此外，游客的大量涌入对生长栖息于湿地的野生动植物也产生了相当大的干扰。有的地方甚至将当地的特有动植物作为招揽游客的工具，加剧了一些特有物种的消亡。在云南高原九大湖泊中，多数湖泊都修建了环湖公路。有的还在建设中。以石屏异龙湖为例，当地政府正在修建环湖旅游公路，工程的修建占据了部分湿地，结合干旱水位的下降，造成了靠近堤岸附近芦苇丛的消亡和彩鹮、红骨顶、紫水鸡等珍稀鸟类的栖息地丧失，其负面影响不言而喻。在拉市海高原湿地，大量的马匹践踏湖边的湿地资源，已造成沼泽湿地植物群落的明显退化。泸沽湖湿地周边大量宾馆、客栈等的建设，一方面侵占了部分湿地资源，另一方面大量的生活污水对湖水水质构成严重威胁。

2.4　资源过度利用严重，危及湿地生物多样性

占云南省国土面积1.47%的湿地周边，承载着近2000万人口。湿地资源是全省经济发展的支撑性基础资源和重要环境。湿地周边群众生产生活对湿地资源依赖性强，放牧、过度捕捞、灭绝性捞取水生植物等问题依然存在。湿地资源为区域经济发展和社会稳定提供了物质基础和环境保障的同时，也在承受着地方社会经济发展带来的不堪重负。由于对湿地的功能作用及重要性认识不足，湿地资源不可避免地会受到损害。湿地的水资源、土地资源、生物资源等往往是换取地方经济发展的优先选择资源。向湿地无限度的索取资源甚至随意改变湿地用途的现象较为突出，局部地区呈越演越烈之势。

湿地保护与资源可持续开发利用矛盾在今后较长时间内仍然存在。湿地生物资源是利用最普遍、受害最严重的自然资源之一，而捕捞、砍伐、采挖等又是获取湿地生物资源最传统和最主要的方式，乱捕滥猎现象在云南依然存在。由于长期重捕轻养，法制观念淡薄，许多湖泊经济鱼类捕获量明显下降。鱼类资源的下降，往往引起捕捞网眼愈来愈小。从渔捕物的情况看，种类日趋单一，种群结构低龄化、小型化。同时因过度渔猎造成鱼类资源锐减，也加速了土著种和许多特有种的减少或消失。如剑湖中20世纪80年代发现的高背鲈鲤、云南裂腹鱼、光唇裂腹鱼等特有种现已不见踪迹；滇池中的金线鲃、泸沽湖中的宁蒗裂腹鱼也已极为罕见。云南是重要的候鸟迁徙通道，过度捕捞还影响食鱼鸟类的食物来源。另外，个别地方还存在猎捕湿地水鸟的情况，对湿地鸟类来说也有一定的威胁。

另外，大江河上的大规模水电开发利用也使得大量自然河流湿地转变为人工湿地。这种转变没有配建鱼类和虾、蟹类等水生动物的洄游通道，导致江湖隔绝，河流割断，破坏了鱼、虾、蟹类的栖息与繁殖生境，破坏了水生动物的再生能力，导致许多珍稀水鸟自然栖息地的严重破坏，也使得许多珍稀湿地生物物种处于濒危的境地。

滇西北和滇东北的高山、亚高山沼泽化草甸属云南省珍贵的湿地资源，虽然分布面积仅有2.05万公顷，但它的存在所发挥的巨大生态服务功能却不容忽视。而这些区域一直以来就是当地的主要牧场。近年来，随着区域农村养殖业的迅速发展，牲畜养殖量快速增加，加之管理不善，使具有丰富生物资源和景观价值的沼泽化草甸湿地被无序开发利用，导致草畜比例失调。如滇西北的纳帕海湿地超载率接近400%，放牧已成为威胁沼泽化草甸的主要因素之一。部分区域的沼泽化草甸已呈现因过度放牧导致植物群落退化，使沼泽化草甸植物多样性锐减。

3 湿地资源利用建议

3.1 加强对天然湿地资源的抢救性保护

湿地生态系统是全省重要的自然生态资本，但其现状不容乐观。现有天然湿地资源整体上呈面积逐步减小、生态质量逐步下降、生态功能逐步降低的趋势，不少天然湿地甚至是处于高强度的人为活动干扰状态下。合理利用天然湿地资源的首要前提就是要加强对现有资源的抢救性保护，彻底扭转目前湿地生态环境恶化的不利趋势，这也是合理利用湿地的最大资本。建议近期尽快出台云南湿地保护专项法规，建立比较完善和运作良好的全省湿地保护管理协调机制，依法规范和协调湿地保护与利用活动。根据全省湿地资源现状，应加大《云南省湿地保护工程规划(2007~2020年)》的实施力度，采取恢复植被、控制水土流失、退田还湖、清淤扩湖、控制污染与防治等措施。减缓湿地退化，逐步恢复湿地功能，是云南省湿地保护工作的当务之急。

3.2 正确处理保护与合理利用的关系

建立严格的湿地资源利用审批制度，明确各级审批权限，杜绝多头审批、越级审批、未批先用。建立资源利用对湿地生态系统影响评价制度，开展湿地生态旅游等重大项目时，必须制定详细规划并在项目审批时提交，杜绝边规划边开工。保护区管理机构与开发部门必须管办分离。湿地保护要充分考虑当地居民利益，湿地开发利用项目要优先考虑当地群众就业，使当地居民成为受益者和参与者。建立合理的生态补偿机制，既要解决群众现实困难，又要关注后续发展，通过优惠贷款、技术援助、生态项目支持等方式支持周边居民发展生态产业，使其分享生态保护效益。

3.3 进一步加强生态公益林的保护力度

湿地与森林是国土生态体系中最重要的构成。湿地生态系统的灵魂是水，而森林是湿地之水的重要来源。它们在相互关联中发挥着各具特色的生态功能，对维护国家和区域生态安全发挥着不可替代的作用。云南省于2004年全面开展国家重点公益林区划界定和公益林、商品林调整，首先在江河源头、自然保护区、世界自然遗产地、湿地保护范围等重点区域划定公益林面积1.88亿亩，占全省林业用地的51%。这些公益林在涵养水源、保持水土、净化水质、调节气候、防风固沙、保护生态环境等方面起着关键作用，同时直接关系到全省4类14型湿地资源的水源补给问题。通过优化和完善公益林规模和布局，加快公益补偿制度的探索步伐，不断扩大补偿覆盖面，提高补助标准和国家级、省级公益林补偿面积，进一步加大对生态公益林的保护力度，使其长久稳定地发挥以水源涵养为主的森林生态效益，为湿地资源提供丰富的水源。

3.4 杜绝湿地的不合理占用

坚决杜绝随意侵占湿地和改变湿地属性的行为，严格禁止围垦、采挖、堤岸工程、餐饮宾馆建设及房地产开发等侵占湿地。对已经大面积围垦的湖泊水域，适时退田还湖(水、湿)，特别是对高原断陷湖，要综合评估生态安全、防洪抗旱、经济可持续发展等多方面客观需求，实施积极的退田还湖措施。对于河流、库塘湿地，必须着眼于地区经济社会发展的大局和全省土地资源紧缺的客观实际，本着生态优先的原则，制定科学的湿地利用规划，明确开发和利用的区域，合理控制规模和速度，注重保留和保护湿地生态系统及其生物多样性。

要严格控制高山、亚高山沼泽化草甸的放牧规模，从根本上扭转局部区域过牧致使草甸湿地退化的现状，以保护和恢复在云南乃至全国均显珍贵的沼泽化草甸资源。近年来，围网养殖业导致水体富营养化的负面效应突出，主要是由于围网养殖规模超过了水环境的生态承载力，同时围网养殖的密度和过量投入饵料更加剧了水体恶化的趋势。建议科学评估单个水体的生态承载力，控制围网养殖的规模，或者采用科学的技术控制高密度围网养殖产生的污染，在提供足够的水产品，丰富居民食物来源的同时，维护水环境质量。

3.5 加强水资源保护

目前，云南省局部湿地水环境存在污染严重、湿地不合理开发导致湖泊水位下降、流域缺乏综合管理等诸多问题。为有效缓解目前水环境存在的问题，要编制并实施《云南省水资源保护规划》，以强化重要饮用水水源地、重要水功能区保护和水生态系统保护与修复为重点，实施最严格的水资源管理制度，从根本上扭转局部地区严峻的水污染问题，加强水资源保护，保障河湖健康，实现人水和谐，保护水生态安全，实现水资源可持续利用。目前，云南省成立了水资源保护规划领导小组，于2012年12月完成了《云南省水资源保护规划工作大纲》的编制并通过省级评审。

3.6 开展湿地外来有害生物综合防控

从本次湿地资源调查的结果显示，云南湿地外来有害生物入侵既有植物物种，也有动物物种，不论是种类、种群数量还是分布面积均呈上升趋势，已对本土生物多样性构成较大威胁。防控形势十分严峻，确有必要在全省范围内组织开展湿地外来有害生物专项调查。通过调查，进一步查清外来有害生物在湿地内特别是天然湿地中的种类、种群数量、分布区域、危害方式和程度等，在此基础上科学合理地编制全省外来有害生物防治总体规划。继而通过多部门合作，多渠道争取湿地保护专项资金，有效开展湿地外来有害生物综合防治，以减缓并逐步消除其对湿地生物多样性的威胁，维护湿地生态系统的健康。

3.7 可持续发展湿地生态旅游

目前，云南省有 4 个国际重要湿地，7 个国家重要湿地，7 个国家湿地公园和数量众多的具有丰富湿地资源的国家级、省级及市(州)、县级自然保护区。这些保护地湿地景观资源丰富，有的已成为享誉海内外的旅游景区。要在维护湿地生态平衡、保护湿地功能和生物多样性的前提下，依托这些保护地已建成的景区景点，正确处理保护与开发的关系，在不对湿地资源构成较大影响的前提下，进一步开发有价值的湿地生态旅游景区，提高湿地旅游的丰富度。因地制宜地开展湿地生态旅游，展示湿地自然景观和独特的生物多样性、湿地文化，发挥湿地公园湿地休闲、科普教育等方面的作用，最大限度发挥湿地的经济、社会效益。

3.8 因地制宜建立湿地资源可持续利用示范

湿地资源只有被科学利用才能产生积极的综合效益。而湿地资源是水资源、土地资源、生物资源、景观资源、矿产资源、能源资源等多种资源类别的综合体，涉及林业、农业、渔业、能源、矿产、水利、土地、环保等多个行业。湿地资源可持续利用必须充分发挥其各个组成资源类别的效益。在维护湿地生态平衡、保护湿地功能和生物多样性的前提下，通过建立湿地保护区、湿地公园等方式，开展湿地生态旅游，展示湿地自然景观和独特的生物多样性及湿地文化。同时根据不同地方湿地资源的特征，与当地公众、社会的关系，在保护优先的前提下，选择一些有代表性的湿地开展开阔水域水产生态养殖、珍稀水禽繁殖、高效生态农业、农牧渔复合经营等示范工程建设，以调整湿地资源的利用方式，提高湿地资源的综合利用率和科技含量，探索湿地资源合理利用的有效途径。

第二节 湿地资源可持续利用前景分析

1 湿地资源可持续利用潜力

1.1 湿地生物资源可持续利用潜力

首先，湿地作为动植物王国，生物多样性极其丰富。如上节所述，云南省湿地中观赏、药用、食用、工艺品原料等动植物资源众多，是重要的物种基因库，在产业开发、品种选育、野外种源获取方面优势明显，具有雄厚的以生物资源促进经济发展的物质基础和巨大的开发利用潜力。其次，生物医药、生物农业、生物能源、生物环保、生物工业以及微生物工业等生物产业及产品市场需求巨大，全球范围内的生物技术和产业呈现加快发展的态势，我国面临日趋严峻的人口老龄化、食品安全保障、能源资源短缺、生态环境恶化等挑战，为保障人口健康、粮食安全和推进节能减排，亟须加快新型药物、作物新品种、绿色种植技术、生物燃料和生物发电、生物环保技术、生物产品等开发培育和推广应用。湿地生物产业是生物产业的重要组成部分，具有极大的发展空间。

1.2　湿地景观资源可持续利用潜力

首先，云南省湿地生态旅游资源丰富，类型多样，品质优良，特色突出。云南的江河、峡谷、冰川、高原湖泊、沼泽化草甸、喀斯特湿地、湿地珍稀动植物等高品级湿地旅游资源在全省广泛分布；高级别的湿地自然景观与其他资源与条件组合具有明显的比较优势，成为具有市场垄断性的世界级生态旅游资源，使云南可以在竞争激烈的国内和国际旅游市场中独树一帜，成为最具特色的世界生态旅游目的地之一。其次，云南民族文化中崇奉自然、保护自然、融入自然的生态道德观，如云南少数民族普遍存在的对水资源、水环境以及湿地与野生动植物的保护等习俗，是人地和谐的传统民风，完全符合现代环保要求和生态旅游的宗旨，体现了可持续发展的精神，有利于湿地生态旅游业的发展。第三，在当今生态环境急剧恶化的情况下，云南具有总体良好的生态环境，青山绿水、清洁的空气，以及优越的气候条件具有极强的旅游吸引力。随着经济社会的进步，世界旅游业持续快速发展，回归大自然、享受大自然、了解大自然逐步成为旅游者的主要动机。生态旅游在近年来得到了长足发展，云南的湿地旅游资源顺应了世界旅游发展的这一形势，必将成为更为重要的旅游目的地。

1.3　水资源可持续利用潜力

首先，云南省的水能资源量及可装机容量均居全国前列，目前开发量不足50%，将来还有较大开发空间。其次，全省水资源总量相对丰富，但时空分布不均。由于特殊的地形、地貌，资源性、工程性、水质性缺水突出，受地理位置和大气环流异常影响，干旱呈现常态化，水资源供需矛盾较大，可通过加大水利设施建设、跨区域调水等措施减缓矛盾。第三，农业节水潜力巨大。在所有用水当中，全省农业用水约占经济社会用水总量的68%。由于农田水利设施建设不足，灌溉技术及管理水平相对落后，农业用水效率不高，农业节水十分必要。

2　湿地资源可持续利用优势

2.1　发展战略优势

2006年，云南省第八次党代会就确立了“生态立省、环境优先”战略思想。2009年，省委省政府出台了《关于加强生态文明建设的决定》。2012年提出了坚持科学发展、和谐发展、跨越发展，走生态建设产业化、产业发展生态化之路，建设资源节约型、环境友好型社会。2013年，进一步作出了《关于争当生态文明建设排头兵的决定》。2014年，云南省被列为国家生态文明先行示范区建设名单。根据2010年《国务院关于加快培育和发展战略性新兴产业的决定》，我国计划用10年左右的时间，使节能环保、新一代信息技术、生物、高端装备制造产业成为国民经济的支柱产业。2014年出台了《国务院关于促进旅游业改革发展的若干意见》。中国共产党云南省委第九届八次全体(扩大)会议决定，重点培育发展5个万亿元大产业，大生物、大能源、大旅游产业都在其中，能够充分发挥云南生态优势，实现绿色发展，与国家及云南省发展战略契合。

2.2 区位优势

云南与东盟成员国中的老挝、越南和缅甸三国接壤，既是东南亚通道的重要组成部分，也是南亚通道的关键环节，处于两个通道的"连接点"上。在我国大西南与东南亚、南亚次大陆发展区域经济合作中居于重要的中枢位置，在中国—东盟自由贸易区建设、大湄公河次区域旅游合作、中印经济合作中具有十分重要的作用，在世界经济一体化发展和我国建立外向性经济的大格局中，具有至关重要的战略区位优势。云南省正加快实施建设我国面向西南开放重要桥头堡战略，可以和周边国家一起携手合作开发生物产业、旅游产业，拓展市场，促进云南省经济社会又好又快地发展。

2.3 先发优势

生物资源开发创新产业、旅游业、以水电为主的电力产业一直是十多年来云南省的五大支柱产业之一，得到政策、技术、资金等方面的大力支持，起步及发展走在全国前列。生物产业已经成为云南最大的支柱产业，总产值超过3000亿元，已经具备较强的生物产业自主创新能力，拥有一批植物、动物、医学、微生物等国家级、省级科研机构和重点实验室。全省9名院士中有4名从事生物产业领域的研究开发工作，在利用湿地生物的螺旋藻、药用动物及珍稀物种繁育等研发方面优势明显。云南生态旅游业规模不断扩大，体系基本形成。2013年，全省旅游总收入超过2100亿元。同时，多年来积累了开发旅游产品、拓展旅游市场、举办节庆活动、建设旅游服务设施、培养旅游人才、保护环境、实施依法治旅等发展生态旅游的经验，为进一步加快湿地旅游发展奠定了坚实的基础。云南省水电装机容量已超过5000万千瓦，规模处于全国前列。

2.4 品牌优势

云南省已形成了一批得到国际广泛认可的湿地生态旅游品牌，如三江并流、普达措、拉市海、泸沽湖、洱海、普者黑、腾冲北海等，为云南生态旅游的国际营销打下了基础。并有助于培育云南新的生态旅游产品、生态旅游目的地及旅游路线，为把云南"建成亚洲最重要的生态旅游目的地之一"创造了有利条件。

2.5 成本优势

具有土地资源相对丰富、劳动力成本相对较低的比较优势，宜于产业的集中化、规模化布局和发展。

3 湿地资源可持续利用保障措施

3.1 政策保障措施

首先，要进一步落实国家和云南省已经出台的生物产业、旅游业、水电产业优惠政策，消除制约瓶颈，强化政策实施的组织措施，建立政策执行的监督检查制度和信息反馈机制，使已有政策真正落到实处。其次，积极争取国家的优惠措施，不断完善相关配套措施，包括税收优惠政策、水电开发生态补偿政策等。第三是着力健全有利于促进生物技术发展和专利技术产业化的法规政策体系，强化以专利权、植物新品种为重点的知识产权保护。完善相关的奖励机制，规范流通秩序，健全市场机制，营造有利于生物产业发展的良好环境。第四是进一步完善生物产业、旅游业、水电产业发展的领导体制、管理体制和工作机制，统筹协调产业发展中的重大问题；充分调动各方面的积极性，形成推进产业发展的合力，确保云南省产业发展的各项任务、目标、配套政策等得到全面落实。

3.2 资金保障措施

加大财政金融扶持。争取国家、省及地方各级财政加大对生物产业、旅游业的专项资金投入，推动建立专项产业基金。支持符合条件的企业上市，通过企业债、公司债、中小企业私募债等债务融资工具，加强债券市场对生物产业企业、旅游企业的支持力度，发展项目资产证券化产品。加大对小型微型企业的信贷支持。

3.3 科技与人才保障措施

首先，强化湿地生物科技创新。依托省内外高校、科研院所、重点龙头企业加快建设一批湿地生物产业公共技术研发平台或重点实验室，组织联合攻关，重点攻克湿地生物产业发展中的关键技术、重大技术和共性技术。进一步加强国内外科技合作与交流，积极引进和消化、吸收国内外先进的专利技术、科技成果，扶持创建一批科技成果转化企业，发展一批湿地生物资源开发高新技术企业。其次，进一步营造鼓励技术创新的环境，调动生物技术研发、管理人才的积极性，培养、引进国内外湿地生物技术方面的优秀人才。第三，优化人才发展的体制机制。加强旅游学科体系建设，优化专业设置，深化专业教学改革，大力发展旅游职业教育。建立完善的旅游人才评价制度，培育职业经理人市场。

第五章 湿地资源评价

第一节 湿地生态状况

1 湿地水文

湿地的水文条件能直接改变湿地的物理化学性质，进而影响到物种的组成和丰度、第一性生产力、有机物质的积累和营养循环。湿地生态系统的生态过程以水文格局为基础，因此，湿地生态状况与其水文条件密切相关。

1.1 湿地水源补给状况

云南湿地水源补给方式包括地表径流补给、大气降水补给、地下水补给、人工补给和综合补给5类。其中，以综合补给为主，以此方式补给的湿地面积占全省湿地总面积的91.99%；居第二位的为地表径流补给，占6.68%；居第三位的为大气降水补给，占1.19%，地下水和人工补给的湿地面积均较少(表5-1)。

表5-1 湿地水源补给状况统计

调查类别	地表径流补给	大气降水补给	地下水补给	人工补给	综合补给	合 计
一般调查(公顷)	23076.24	2163.61	173.48	602.79	284090.06	310106.18
比例(%)	7.44	0.70	0.06	0.19	91.61	100
重点调查(公顷)	14573.71	4535.07	0	7.61	234251.93	253368.32
比例(%)	5.75	1.79	—	0	92.46	100
面积合计(公顷)	37649.95	6698.68	173.48	610.40	518341.99	563474.50
比例(%)	6.68	1.19	0.03	0.11	91.99	100

1.2　湿地地表水流出状况

在云南省85处重点调查湿地中，地表水流出状况有永久性流出、季节性流出、间歇性流出和没有流出4种类型。全省多数重点湿地流出状况为永久性流出，面积20.54万公顷，占重点调查湿地总面积的81.07%；季节性流出的湿地主要包括大山包、拉市海、泸沽湖、滇池、玉龙雪山省级自然保护区、丽江老君山沼泽湿地、宁蒗彝族自治县沼泽湿地、陆良县湿地等，面积4.02万公顷，占15.85%；间歇性流出的湿地有师宗五洛河鱼类市级自然保护区、师宗大堵水库县级自然保护区和师宗东风水库县级自然保护区，面积0.02万公顷，仅占0.09%；未流出的仅有属封闭性湖泊的程海，面积0.76万公顷，占3.00%。

全省重点调查湿地流出状况以永久性流出为主，表明湿地的淡水供给能力较强，湿地的“水塔”功能显著。永久性流出的湿地，多分布于各区域海拔较高的山地，由于那里的森林植被得到有效保护，自然生态保持良好，能够持续产出清洁的地表水，在保障淡水安全方面发挥着关键作用。

1.3　湿地地表水积水状况

云南省重点调查湿地的积水状况包括永久性积水和季节性积水两种类型。其中，永久性积水的重点调查湿地面积24.17万公顷，占重点调查湿地总面积的95.41%；季节性积水的重点湿地面积1.16万公顷，占4.59%。全省重点调查湿地地表水积水状况以永久性积水为主。

2　湿地地表水水质

2.1　pH值

云南省重点调查湿地的pH值幅度在5.2~9.4之间，呈微酸性至碱性。重点调查湿地水质的酸碱度以呈弱碱性和碱性为主，从湿地面积看，分别占重点调查湿地总数的47.88%和38.65%，呈中性的占12.46%，微酸性的最少，仅占1.01%。从湿地个数看，弱碱性的最多，占41.18%；其次为中性，占40.00%；碱性占11.76%；最少的同样是微酸性，占7.06%（图5-1）。

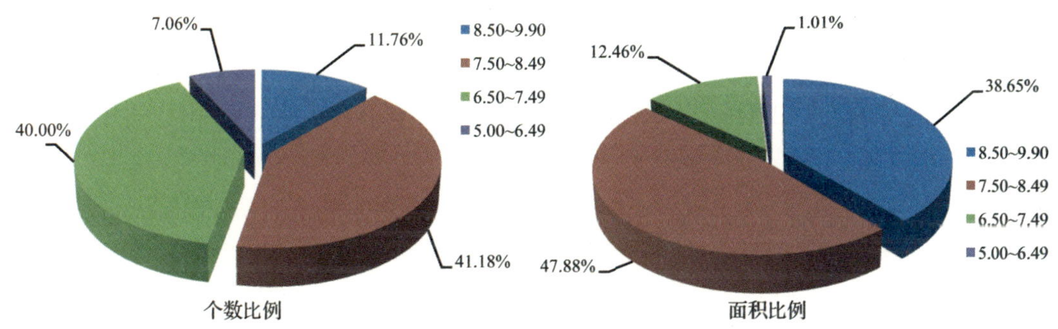

图5-1　重点调查湿地pH值分级构成

在云南省九大高原湖泊中，除阳宗海为弱碱性外，其他8个湖泊pH均呈碱性。其中pH值超过9.0的有杞麓湖和程海，分别为9.4和9.3(表5-2)。pH值高低与入湖污染物有关，与九大高原湖泊周边广泛分布的岩溶地貌以及较长的换水周期也不无关系。

表5-2 九大高原湖泊pH值

湿地名称	地表水pH值	地表水pH分级
杞麓湖	9.4	碱性
程　海	9.3	碱性
星云湖	8.9	碱性
异龙湖	8.8	碱性
滇　池	8.7	碱性
抚仙湖	8.6	碱性
洱　海	8.5	碱性
泸沽湖	8.5	碱性
阳宗海	8.2	弱碱性

2.2 矿化度

地表水矿化度是湿地水化学的重要属性，是天然水中可溶性无机矿物质的总量或阴阳离子的总和，反映了湿地盐类物质的积累和稀释状况，根据水体中前述物质的含量(毫升/升)，将矿化度分为五级：极低矿化度(<100)、低矿化度(100~300)、中等矿化度(300~500)、较高矿化度(500~1000)、高矿化度(>1000)。

云南省重点调查湿地地表水矿化度总体状况良好，变幅在10~1040毫克/升之间。小于100毫克/升的极低矿化度水、100~300毫克/升的低矿化度水、300~500毫克/升的中等矿化度水、500~1000毫克/升的较高矿化度和大于1000毫克/升的高矿化度水面积比例分别为3.20%、55.08%、13.91%、24.81%和3.00%(表5-3)。低矿化度水所占面积最大，地表水为极低矿化度和高矿化度的湿地面积均较少。云南省重点调查湿地的矿化度除河流湿地外，总体上随海拔上升而有所降低。高原湖泊周边喀斯特地貌发育，广泛分布的石灰岩与水体中游离的CO_2作用而发生溶蚀，发生如下化学反应：$CO_2+H_2O=H_2CO_3$，而后$H_2CO_3+CaCO_3=Ca(HCO_3)_2$。$Ca(HCO_3)_2$易溶于水，随径流被带入湖内。加之云南省高原湖泊多数换水周期较长，聚集的盐类较多，矿化度略高于长江中下游地区的湖泊(王苏民等，1998)。程海明清以来曾多次疏浚河道，引灌农田。1762年左右，湖水不再出流，成为内陆封闭型高原湖泊(伍立群等，2010)，且因来水量小于湖面蒸发量，以及受近年来干旱的影响，逐渐演化成为云南省矿化度最高的湖泊。

表 5-3 重点调查湿地矿化度状况统计

矿化分级	矿化度(毫克/升)	面积(公顷)	比例(%)
极低矿化度	<100	8113.63	3.20
低矿化度	100~300	139549.39	55.08
中等矿化度	300~500	35249.10	13.91
较高矿化度	500~1000	62866.72	24.81
高矿化度	>1000	7589.48	3.00

2.3 透明度

透明度指光线透过地表水的程度，是地表水重要的物理性质。透明度随着地表水化学成分、水中悬浮物质及浮游生物的多少而变化，一定程度上反映了湿地遭受污染的状况。

地表水透明度受调查季节的影响较大，一般雨季透明度较小，旱季透明度较大。本次调查时间是2012年8~11月，处于雨季中后期。采用野外透明度盘测定。在本次调查的重点湿地中，透明度范围在0.25~10.00米之间，按透明度分级标准，属于清(2.50~25.00米)和浑浊(0.25~2.49米)两级。按面积评价，透明度为清的重点湿地面积占重点调查湿地总面积的31.13%，浑浊的占68.87%；按湿地个数评价，透明度为清的占61.18%，浑浊的占38.82%。黄连山、永德大雪山、高黎贡山等森林生态系统类型的自然保护区内湿地的透明度普遍较好，在高原湖泊中泸沽湖、抚仙湖湖水的透明度最好。河流湿地的透明度普遍较低，滇池、杞麓湖、星云湖、异龙湖等受到严重污染的天然湖泊透明度也较低。

2.4 营养状况

在全省重点调查湿地中，按个数评价，贫营养的重点湿地74个，占重点调查湿地总数的87.06%，中营养的6个，占7.06%，富营养的5个，占5.88%；按湿地面积评价，贫营养的14.38万公顷，占重点调查湿地面积的56.75%；中营养的6.58万公顷，占25.96%；富营养的4.38万公顷，占17.30%。重点调查湖泊水库湿地中，按个数评价，贫营养的16个，占重点调查湖泊水库总数的61.54%，中营养和富营养的各5个，分别占19.23%；按湿地面积评价，贫营养0.92万公顷，占重点调查湖泊水库湿地面积的8.22%，中营养5.85万公顷，占52.49%，富营养4.38万公顷，占39.29%。在云南省九大高原湖泊中，仅泸沽湖为贫营养；洱海、程海、阳宗海、抚仙湖均为中营养；滇池、异龙湖、杞麓湖、星云湖为富营养。云南省湖泊水库营养状况以中营养和富营养为主，九大高原湖泊中的8个受到了较为严重的富营养化污染危害。云南省高原湖泊属典型的断陷构造湖泊，换水周期长，如抚仙湖166.9年，泸沽湖38.4年(王苏民等，1998)，而程海为封闭性湖泊，无湖水流出，换水周期为无穷大。因此，云南省高原湖泊湿地入湖污染物易于滞留，一旦污染，难以被稀释和排泄，富营养化后很难恢复，生态系统十分脆弱。

3 湿地生态状况评价

湿地具有淡水供给、水分调节、净化水质、固碳释氧、维持生物多样性、休闲旅游、科研教育等生态服务功能。湿地生态状况直接反映湿地生态系统的健康水平，是评价湿地生态服务功能是否正常发挥和满足人类需要的重要依据。

3.1 评价方法

依据本次调查成果数据，利用反映湿地生态状况的自然湿地率、生物多样性、水环境等方面指标，对本次重点调查湿地进行生态状况综合评价。评价指标体系见表5-4。

表5-4 湿地生态状况综合评价指标

一 级	二 级	因 子
景观指标	自然湿地率	自然湿地面积/湿地总面积
	湿地密度	平均斑块面积/湿地总面积
	湿地斑块密度	湿地斑块数/湿地总面积
生物多样性指标	物种多度	物种数量
	植物覆盖度	植被面积/湿地面积
	外来物种入侵	有、无
水环境指标	污染物	有、无
	富营养	贫、中、富3级
	水质级别	Ⅰ、Ⅱ、Ⅲ、Ⅳ、Ⅴ5级

采用层次分析方法(AHP)和德尔菲法，对评价指标进行分级、确定指标权重和赋值。各指标赋值情况如下：

(1)自然湿地率、湿地密度、湿地斑块密度、物种多度、植被覆盖度5个指标根据大小分为五级。数据量级相差悬殊的数据采用极差变换方法进行标准化处理，然后再进行分级，分别赋值1、3、5、7、9。指标值越高，反映的生态状况越好。

(2)外来物种入侵、污染物2个指标，分2个等级，“有”赋值2，“无”赋值8。

(3)营养状况分3级，贫营养赋值8，中营养赋值5，富营养赋值2。

(4)水质级别分5级，分别赋值9、7、5、3、1。

各指标权重见表5-5。

表5-5 湿地生态状况综合评价指标权重

一 级	权 重	二 级	权 重
景观指标	0.15	自然湿地率	0.075
		湿地密度	0.030
		湿地斑块密度	0.045
生物多样性指标	0.30	单位面积物种多度	0.120
		植物覆盖度	0.120
		外来物种入侵	0.060
水环境指标	0.55	污染物	0.110
		富营养	0.165
		水质级别	0.275

根据累计求和公式，计算每处重点调查湿地生态状况综合得分，计算公式如下：

$$生态状况综合得分 = \sum 指标值 \times 指标权重$$

3.2　湿地生态状况评价结果与分析

根据前述调查数据、评价方法，计算云南省重点调查湿地生态状况综合得分值，利用统计学中的自然断点分级方法对重点湿地的生态状况综合得分进行划分，分为好、中、差3个等级。

评价结果显示，云南省85个重点调查湿地中，生态状况为“好”的26处，占重点调查湿地总数的30.59%，占重点调查湿地总面积的19.73%；生态状况为“中”的35处，占重点调查湿地总数的41.18%，占重点调查湿地总面积的53.73%；生态状况为“差”的24处，占重点调查湿地总数的28.24%，占重点调查湿地总面积的26.54%(表5-6)。

表5-6　重点调查湿地生态状况评价结果

序　号	重点调查湿地名称	湿地面积(公顷)	综合得分	生态状况评价等级
1	大山包国际重要湿地	1261.01	6.045	中
2	碧塔海国际重要湿地	257.39	5.535	中
3	纳帕海国际重要湿地	3236.02	3.735	差
4	拉市海国际重要湿地	1164.74	4.850	中
5	会泽黑颈鹤栖息地国家重要湿地	716.25	5.475	中
6	洱海国家重要湿地	25043.45	5.330	中
7	泸沽湖国家重要湿地	2621.77	6.385	好
8	滇池国家重要湿地	29762.84	3.255	差
9	抚仙湖国家重要湿地	21604.42	6.130	中
10	异龙湖国家重要湿地	3627.51	3.255	差
11	程海国家重要湿地	7589.48	2.535	差
12	西双版纳国家级自然保护区	2739.69	7.375	好
13	南滚河国家级自然保护区	301.33	6.445	好
14	高黎贡山国家级自然保护区	2850.93	7.435	好
15	白马雪山国家级自然保护区	1203.44	6.805	好
16	哀牢山国家级自然保护区	374.72	6.325	好
17	文山国家级自然保护区	63.51	6.085	中
18	黄连山国家级自然保护区	528.14	7.465	好
19	大围山国家级自然保护区	145.89	5.165	中
20	金平分水岭国家级自然保护区	141.39	6.505	好
21	无量山国家级自然保护区	42.70	6.625	好
22	药山国家级自然保护区	1673.80	6.735	好
23	大山包黑颈鹤国家级自然保护区	492.05	6.105	中
24	永德大雪山国家级自然保护区	66.51	6.145	中

（续）

序 号	重点调查湿地名称	湿地面积(公顷)	综合得分	生态状况评价等级
25	纳板河流域国家级自然保护区	573.08	4.935	中
26	轿子山国家级自然保护区	25.04	7.675	好
27	云龙天池国家级自然保护区	239.74	5.925	中
28	元江国家级自然保护区	208.58	6.445	好
29	长江上游珍稀特有鱼类国家级自然保护区	717.77	4.645	差
30	哈巴雪山省级自然保护区	143.27	5.205	中
31	玉龙雪山省级自然保护区	941.41	7.465	好
32	观音山省级自然保护区	41.84	7.045	好
33	阿姆山省级自然保护区	32.24	4.055	差
34	威远江省级自然保护区	49.60	6.145	中
35	太阳河省级自然保护区	66.29	6.235	中
36	糯扎渡省级自然保护区	43.05	4.575	差
37	墨江西歧桫椤省级自然保护区	20.05	4.385	差
38	剑川剑湖省级自然保护区	676.79	4.555	差
39	兰坪云岭省级自然保护区	528.48	6.265	中
40	腾冲北海湿地省级自然保护区	222.33	5.655	中
41	龙陵小黑山省级自然保护区	132.40	6.745	好
42	铜壁关省级自然保护区	881.84	5.535	中
43	临沧澜沧江省级自然保护区	3064.10	5.175	中
44	镇康南捧河省级自然保护区	142.95	6.235	中
45	珠江源省级自然保护区	2547.91	5.115	中
46	沾益海峰省级自然保护区	725.13	6.255	中
47	紫溪山省级自然保护区	101.12	4.575	差
48	乌蒙山省级自然保护区	475.05	7.915	好
49	驮娘江省级自然保护区	434.26	6.445	好
50	丘北普者黑省级自然保护区	2308.90	4.835	中
51	广南八宝省级自然保护区	273.29	6.265	中
52	麻栗坡老山省级自然保护区	98.31	4.475	差
53	洱源茈碧湖州级自然保护区	832.82	5.655	中
54	南涧大龙潭州级自然保护区	25.91	4.605	差
55	鹤庆母屯海州级自然保护区	98.58	5.895	中
56	洱源海西海州级自然保护区	440.73	5.525	中
57	寻甸黑颈鹤市级自然保护区	251.73	6.915	好
58	罗平多依河鱼类市级自然保护区	43.37	3.555	差
59	罗平牛街河鱼类市级自然保护区	49.24	3.555	差

（续）

序 号	重点调查湿地名称	湿地面积(公顷)	综合得分	生态状况评价等级
60	师宗五洛河鱼类市级自然保护区	53.90	3.645	差
61	宣威北盘江鱼类市级自然保护区	496.85	3.645	差
62	曲靖牛栏江鱼类市级自然保护区	1960.87	4.035	差
63	河口南溪河水生野生动物州级自然保护区	165.08	6.015	中
64	勐梭龙潭县级自然保护区	64.40	4.295	差
65	师宗大堵水库县级自然保护区	13.34	5.085	中
66	师宗东风水库县级自然保护区	149.13	5.355	中
67	巧家马树县级自然保护区	63.93	6.015	中
68	昌宁澜沧江县级自然保护区	2089.04	4.935	中
69	普洱五湖国家湿地公园	314.04	5.455	中
70	丘北普者黑国家湿地公园	775.69	4.025	差
71	洱源西湖国家湿地公园	319.22	4.245	差
72	星云湖	3527.20	2.775	差
73	阳宗海	3141.95	4.370	差
74	杞麓湖	3671.63	2.775	差
75	长江干流	20113.61	6.435	好
76	怒江干流	8403.91	6.675	好
77	澜沧江干流	60058.45	5.105	中
78	红河干流	9319.92	5.315	中
79	珠江干流	7221.11	4.610	差
80	伊洛瓦底江干流	651.62	6.985	好
81	丽江老君山沼泽湿地	2151.90	7.375	好
82	香格里拉千湖山沼泽湿地	1617.06	6.655	好
83	德钦梅里雪山沼泽湿地	291.71	6.835	好
84	宁蒗彝族自治县沼泽湿地	1493.13	7.825	好
85	陆良县湿地	273.45	6.675	好

图5-2显示了不同生态状况的重点调查湿地的分布格局。生态状况“好”的重点调查湿地主要分布于滇西北的高山、亚高山和南部边境地区，多数属自然保护区内的湿地。这里人口密度低，社会经济活动对湿地产生的压力小，受到的人为干扰威胁程度轻。生态状况“中”的重点调查湿地多分布于滇西、滇中、滇东等区域，社会经济发展水平相对较高，人口密度亦较大，旅游等开发行为对区域内湿地产生了较大的负面影响，湿地生态系统有进一步恶化的趋势。生态状况“差”的重点调查湿地则主要分布于人口稠密的滇中地区或城市近郊，社会经济发达，长期的不合理开发利用和持续污染已对湿地生态系统造成严重损害。

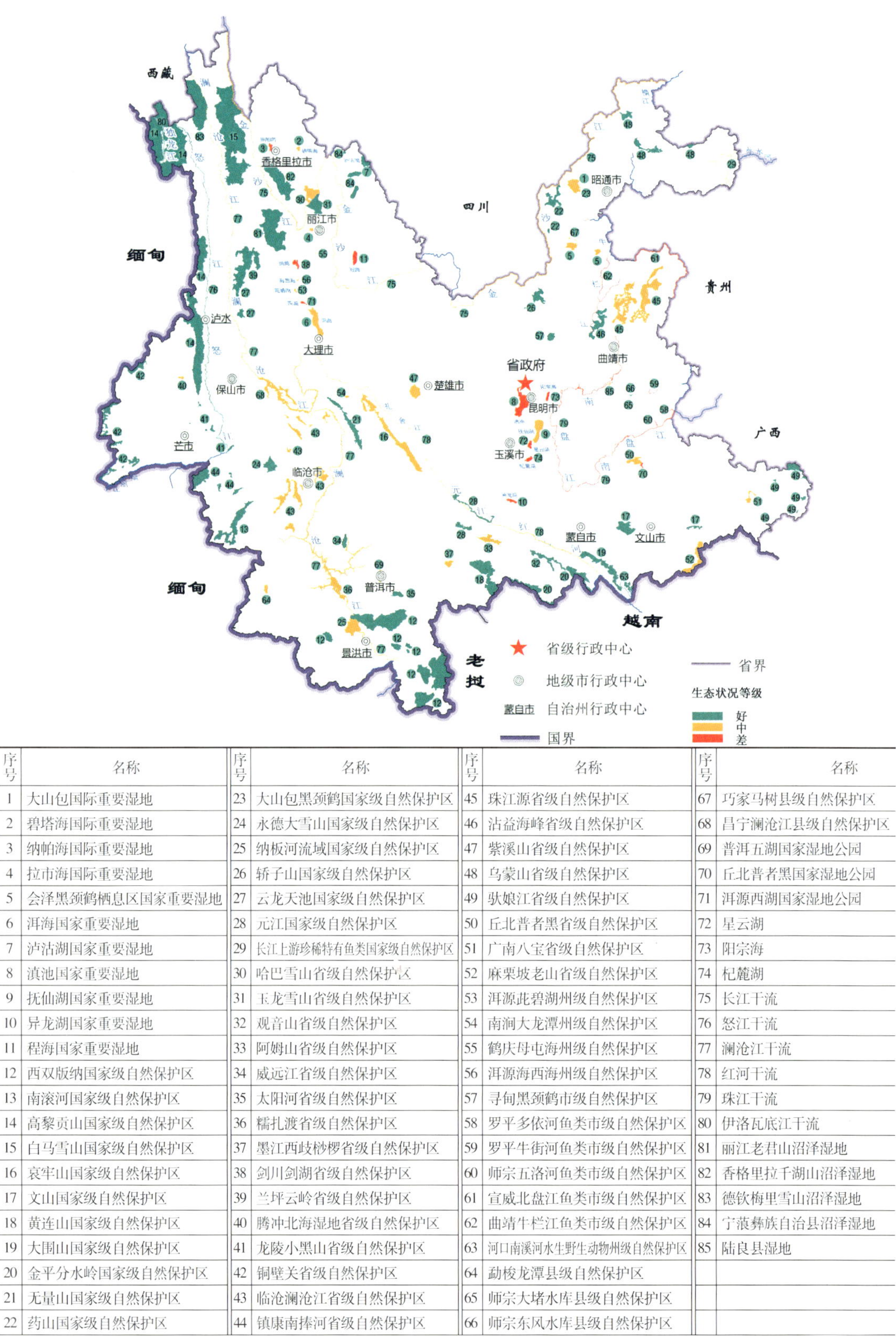

序号	名称	序号	名称	序号	名称	序号	名称
1	大山包国际重要湿地	23	大山包黑颈鹤国家级自然保护区	45	珠江源省级自然保护区	67	巧家马树县级自然保护区
2	碧塔海国际重要湿地	24	永德大雪山国家级自然保护区	46	沾益海峰省级自然保护区	68	昌宁澜沧江县级自然保护区
3	纳帕海国际重要湿地	25	纳板河流域国家级自然保护区	47	紫溪山省级自然保护区	69	普洱五湖国家湿地公园
4	拉市海国际重要湿地	26	轿子山国家级自然保护区	48	乌蒙山省级自然保护区	70	丘北普者黑国家湿地公园
5	会泽黑颈鹤栖息区国家重要湿地	27	云龙天池国家级自然保护区	49	驮娘江省级自然保护区	71	洱源西湖国家湿地公园
6	洱海国家重要湿地	28	元江国家级自然保护区	50	丘北普者黑省级自然保护区	72	星云湖
7	泸沽湖国家重要湿地	29	长江上游珍稀特有鱼类国家级自然保护区	51	广南八宝省级自然保护区	73	阳宗海
8	滇池国家重要湿地	30	哈巴雪山省级自然保护区	52	麻栗坡老山省级自然保护区	74	杞麓湖
9	抚仙湖国家重要湿地	31	玉龙雪山省级自然保护区	53	洱源茈碧湖州级自然保护区	75	长江干流
10	异龙湖国家重要湿地	32	观音山省级自然保护区	54	南涧大龙潭州级自然保护区	76	怒江干流
11	程海国家重要湿地	33	阿姆山省级自然保护区	55	鹤庆母屯海州级自然保护区	77	澜沧江干流
12	西双版纳国家级自然保护区	34	威远江省级自然保护区	56	洱源海西海州级自然保护区	78	红河干流
13	南滚河国家级自然保护区	35	太阳河省级自然保护区	57	寻甸黑颈鹤市级自然保护区	79	珠江干流
14	高黎贡山国家级自然保护区	36	糯扎渡省级自然保护区	58	罗平多依河鱼类市级自然保护区	80	伊洛瓦底江干流
15	白马雪山国家级自然保护区	37	墨江西歧桫椤省级自然保护区	59	罗平牛街河鱼类市级自然保护区	81	丽江老君山沼泽湿地
16	哀牢山国家级自然保护区	38	剑川剑湖省级自然保护区	60	师宗五洛河鱼类市级自然保护区	82	香格里拉千湖山沼泽湿地
17	文山国家级自然保护区	39	兰坪云岭省级自然保护区	61	宣威北盘江鱼类市级自然保护区	83	德钦梅里雪山沼泽湿地
18	黄连山国家级自然保护区	40	腾冲北海湿地省级自然保护区	62	曲靖牛栏江鱼类市级自然保护区	84	宁蒗彝族自治县沼泽湿地
19	大围山国家级自然保护区	41	龙陵小黑山省级自然保护区	63	河口南溪河水生野生动物州级自然保护区	85	陆良县湿地
20	金平分水岭国家级自然保护区	42	铜壁关省级自然保护区	64	勐梭龙潭县级自然保护区		
21	无量山国家级自然保护区	43	临沧澜沧江省级自然保护区	65	师宗大堵水库县级自然保护区		
22	药山国家级自然保护区	44	镇康南捧河省级自然保护区	66	师宗东风水库县级自然保护区		

图 **5-2** 云南省重点调查湿地生态状况评价示意

评价结果表明，全省重点湿地生态状况总体堪忧。生态状况“好”的湿地面积少，不足湿地总面积的五分之一，人类活动对该类湿地的影响较轻，或对其开发利用是相对科学合理的。生态状况为“中”的湿地面积最大，构成了全省重点湿地的主体，人类活动对这些湿地的开发利用不尽合理，已影响了湿地的某些属性改变甚至劣化，对湿地及其区域可持续发展构成了威胁。生态状况为“差”的湿地数量相对较少，但面积却不小，超过生态状况“好”的湿地面积。此类湿地已遭到人类活动的严重干扰、污染，湿地生态状况恶化，严重威胁到区域经济社会的可持续发展，有些地方已发展到有水不能用的被动局面，部分湿地丧失了基本生态功能。以下对各类重点调查湿地生态状况进行分析。

(1)自然保护区内的湿地：分布于自然保护区内的湿地生态状况等级普遍为“好”，占生态状况“好”的重点湿地总数的70%。其中，尤以国家级和省级森林生态系统类型自然保护区内湿地占比最多，表明自然保护区及其森林—湿地复合生态系统对维系湿地生态质量发挥着极其重要的作用。这类湿地是人们十分重要的安全饮用淡水供给地。

(2)国际和国家重要湿地：云南省现有4处国际重要湿地和7处国家重要湿地，这些重要湿地在生物地理上的典型性和稀有性，以及在物种多样性保护等方面的意义具有国际重要性或国家重要性。在11处重要湿地中，生态状况“好”的仅泸沽湖国家重要湿地1处；生态状况为“中”的6处，包括大山包、碧塔海、拉市海3个国际重要湿地和会泽黑颈鹤栖息地、洱海、抚仙湖3个国家重要湿地。生态状况为“差”的湿地4个，包括纳帕海国际重要湿地和滇池、异龙湖、程海3个国家重要湿地。这表明，全省重要湿地大多数受到了污染，滇池、异龙湖、纳帕海等重要湿地遭受的污染还十分严重，水质变差，生态服务功能下降甚至丧失。因不合理利用导致的威胁仍然存在，生态状况不容乐观，亟待加强对重要湿地的保护、恢复、生态监测及管理，逐渐消除湿地威胁因子。

(3)沼泽湿地：纳入本次重点调查的沼泽湿地有4处，分别为分布于滇西北高山、亚高山的宁蒗沼泽湿地、丽江老君山沼泽湿地、德钦梅里雪山沼泽湿地、香格里拉千湖山沼泽湿地。这4处沼泽湿地远离居民点，除放牧影响外，受到的其他人为威胁相对较少，生态状况等级为“好”。

(4)河流湿地：在云南省六大干流中，伊洛瓦底江干流、怒江干流、长江干流生态状况等级为“好”，面积仅占六大干流总面积的27.58%；生态状况为“中”的干流面积最大，为澜沧江干流、红河干流，占六大干流总面积的65.59%；生态状况为“差”的仅珠江干流1条，面积最小，仅占六大干流总面积的6.83%。云南省干流湿地生态状况总体上以“中”和“好”为主，但如不加强对点源、面源污染的治理和控制，减少盲目开发利用，云南六大江河干流生态状况将面临恶化的威胁。

(5)湖泊湿地：在云南省九大高原湖泊中，生态状况等级“好”的只有泸沽湖1处，仅占九大高原湖泊湿地总面积的2.61%；生态状况等级为“中”的有抚仙湖和洱海2处，面积占九大高原湖泊湿地总面积的46.37%；生态状况“差”的高原湖泊达6处之多，滇池、程海、异龙湖、星云湖、杞麓湖和阳宗海均属此列，面积占九大高原湖泊湿地总面积的51.02%。可见，云南九大高原湖泊生态质量现状面临的形势已十分严峻，保护、治理、恢复任务艰巨。

云南省山区面积占全省国土面积的94%，以山区为主的国土资源禀赋导致全省湿地面积偏少，湿地率仅1.47%。其中，能够有效利用的湿地资源更少。然而，全省社会经济发展高度依赖于十分有限的湿地资源，尤其是分布于坝区的高原湖泊。这些湿地资源为全省社会经济发展提供了重要支撑，承载了过于沉重的生存、发展压力，也因此受到过度利用、不合理利用的严重威胁，形成了目前的湿地生态状况及其分布格局。当然，这更加突显了云南省湿地资源的弥足珍贵和守住湿地生态红线的重要意义。

第二节 湿地受威胁状况

1 威胁湿地的主要因素

从本次重点调查的湿地看，威胁云南省湿地的因素主要包括污染、外来物种入侵、水利水电工程和引排水负面影响、泥沙淤积、过度放牧、旅游负面影响、基建和城镇建设、围垦、过度捕捞、森林过度采伐 10 个方面，受威胁面积达 16.83 万公顷，占本次重点调查湿地总面积的 66.44%。各威胁因子按面积构成比例如图 5-3。

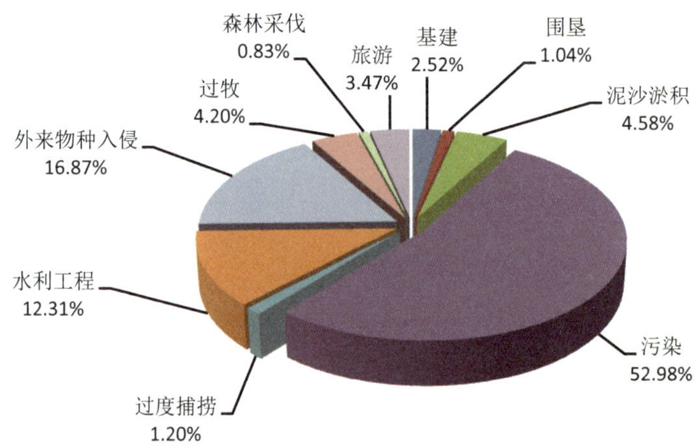

图 5-3 重点调查湿地威胁因子构成

1.1 污 染

污染是目前对云南湿地威胁最大的因素。污染包括点源污染和面源污染。工业污水、生活污水、农业生产中的化肥农药残留物、垃圾、矿山开采导致的重金属等污染物都会对湿地造成威胁。水产养殖也是造成湿地水体污染的主要原因。由于养殖密度过大，养殖品种单一，饵料过度投放，不仅造成水体的污染，而且给湿地植被和水生生物带来了极大的危害，影响了湿地生态系统的完整性和稳定性。污染导致湿地水质下降，水体富营养化，原生动植物减少，生物多样性降低，湿地功能退化。云南的大多数湖泊湿地在空间上相互隔离，湖泊与湖泊之间无水道相通，流域面积小，自然补水不足，水体的置换周期长，水体一旦污染后，治理十分困难。在九大高原湖泊中，水质为劣V类的有滇池、杞麓湖、星云湖、异龙湖、程海、阳宗海 6 个；水质较好的仅泸沽湖（Ⅰ类）、抚仙湖（大部分为Ⅰ类、局部为Ⅱ类）、洱海（Ⅲ类）3个。在2011年全省六大水系156个水质监测断面中，仅25.0%断面的水质为Ⅰ～Ⅱ类水质，符合Ⅲ类的为42.3%，符合Ⅳ类的为14.7%，符合Ⅴ类的为3.9%，水质劣Ⅴ类的占14.1%。在本次重点调查的湿地中，有40处受到污染影响，发生时间跨度较长，但显现时间在20世纪80～90年代为主，面积8.92万公顷，达受威胁总面积的52.98%。也就是说，在重点调查湿地中，有一半以上的湿地面积受到污染威胁，污染居各威胁因子之首。云南省九大高原湖泊中的8个受到污染威胁，六大干流中有5条遭受污染。

1.2　外来物种入侵

外来物种入侵已成为自然生态系统面临的严重问题。在云南，外来物种对湿地生态系统的入侵不仅种类多、数量大，而且发生范围广。入侵种通过占领本地种的生态位，减少本地种的可利用资源，对种群分布、群落、组成与结构产生负面影响，甚至将本地种排斥出去。这些变化进一步改变原有的生境，打破生态平衡，导致其他本地种消亡，引起生物多样性下降。在本次重点调查的湿地中，有32处遭受外来物种入侵威胁，面积达2.84万公顷，占受威胁总面积的16.87%，居各威胁因子的第二位。湖泊湿地受到的威胁最为严重，九大高原湖泊全部受到外来物种入侵。20世纪60年代以来，云南为了发展渔业，先后从广东、广西、湖南、湖北等地引入外来鱼类30多种。其中，鲤鱼、鲫鱼、鳙鱼、太湖新银鱼等外来鱼类进入云南的湖泊和水库后，迅速繁殖扩散，争夺土著鱼类生存空间，破坏原有食物链。外来种大量取食土著鱼类的卵和鱼苗，导致部分土著鱼类种群数量迅速下降甚至濒临灭绝。如抚仙湖由于引进银鱼，在短短的七八年间，几乎导致该湖特有珍贵鱼种抗浪鱼从繁盛走向灭绝（杨岚、李恒等，2010）。在云南水域430多种本地鱼类中，约有150种在20世纪60年代是常见种，而现在是偶见种；另有150多种鱼类，其种群数量均比20世纪60年代明显减少（杨岚、李恒等，2010）。据资料介绍，大理洱海原产鱼类17种，大多为洱海特有种，并有重要的经济价值。由于外来种的引入，目前已有5种陷入濒危状态。近年以来，红河州元阳县遭遇无序引入克氏原螯虾的影响，约3万亩珍贵的哈尼梯田湿地受到威胁，防治形势十分严峻。牛蛙和巴西红耳龟（图5-4）等外来种的引入和大量繁殖，在一定程度上侵占了土著物种的生态位，甚至吞食土著物种，对土著物种的繁衍生存造成了严重威胁。并且，牛蛙携带的油壶菌也对当地物种产生极大的威胁。植物的入侵同样令人担忧。湿地常见的入侵物种有水葫芦、大薸、紫茎泽兰、藿香菊、辣子草、喜旱莲子草（图5-5）等，不仅种类多，生物量也很大，对本土物种生存空间的挤占十分严重。水葫芦作为观赏植物从南美洲引入中国后，由于其繁殖能力强而且缺少天敌，生长迅速，在云南一些湿地已造成严重危害。

1.3　水利水电工程和引排水的负面影响

不同的水利工程对湿地产生的影响是不同的，如湖岸硬化工程，破坏了水面向陆地的自然过渡，生态过程受到影响，从而使湿地生态功能下降。江河上的水坝工程会对河流自然生态系统产生干扰，使河流水库化，极大地改变自然河流的水文特性，影响洄游鱼类的生存和繁衍，对生物多样性造成威胁。引排水导致湿地面积减少和陆地化。在本次重点调查的湿地中，有15处受到水利水电工程和引排水的负面影响，影响面积达2.07万公顷，占受威胁总面积的12.31%，居各

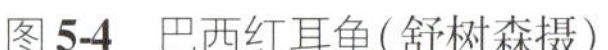

图 5-4 巴西红耳龟(舒树森摄)

图 5-5 喜旱莲子草(郑进烜摄)

威胁因子的第三位。其中，滇池受到湖岸硬质化影响，大山包、会泽黑颈鹤栖息地、异龙湖、腾冲北海、洱源茈碧湖、鹤庆母屯海、寻甸黑颈鹤栖息地、巧家马树等湿地受到了排水工程影响，长江干流、澜沧江干流、红河干流、珠江干流由于水电建设而大量筑坝，对自然生态系统、洄游鱼类等产生了负面影响。

1.4 泥沙淤积

泥沙淤积主要是由于地表径流携带泥沙进入湿地，抬高湖床，导致湖容积减小。云南省受泥沙淤积威胁较大的是湖泊湿地，有 10 个湖泊受到影响。其中，九大高原湖泊中有 7 个受到泥沙淤积威胁。这些湖泊周边地区开发历史悠久，人口密度大，湖周土地多被开垦为农地，自然植被受到人为干扰破坏导致保水保土能力下降，容易发生水土流失而致泥沙淤积，陆地化进程加快。本次调查受此威胁的湖泊面积达 0.77 万公顷，占受威胁总面积的 4.58%，居各威胁因子的第四位。受泥沙淤积影响较大的湿地依次是异龙湖、杞麓湖、抚仙湖、洱海、鹤庆母屯海、程海、腾冲北海湿地、阳宗海、剑川剑湖、滇池。

1.5 过度放牧

分布于云南的草本沼泽、沼泽化草甸等类型的湿地不同程度地遭受过度放牧的影响，对湿地生态系统产生干扰。过度放牧导致牲畜经常取食的牧草减少，不取食的植物种群数量增加，对湿地植物的组成、结构、分布状况等产生影响，破坏湿地植被，威胁湿地生态系统的稳定性，导致湿地退化。在本次调查的重点湿地中，有 17 处遭受过度放牧威胁，面积达 0.71 万公顷，占受威胁总面积的 4.2%，居各威胁因子的第五位。大山包、纳帕海、碧塔海、丽江老君山、宁蒗彝族自治县沼泽湿地等重点调查湿地都曾遭受或正在遭受过度放牧的威胁。

1.6 旅游负面影响

云南省的许多湿地风景优美，成为重要的旅游景区。旅游负面影响主要包括旅游垃圾、对栖息地的干扰、旅游接待设施污染物排放等方面。随着游客的大量涌入，不文明旅游产生的垃圾对湿地造成了负面影响，游客对生长栖息于湿地的野生动植物也产生了一定的干扰。一些旅游接待设施如宾馆、饭店等产生的生活污水大量排入湿地。这些因素降低了湿地生态功能，破坏了湿地景观，对湿地生态系统产生严重威胁。在本次调查的重点湿地中，有 15 处遭受旅游负面影响威胁，面积约 0.58 万公顷，占受威胁总面积的 3.47%，居各威胁因子的第六位。

1.7　城乡各类建设和城镇化

湿地为人类提供了良好的生产生活条件，人们常常傍水而居。但随意占用湿地进行各类建设，城镇化进程加快，又对湿地造成了巨大威胁，对湿地生态功能造成了负面影响。在本次重点调查的湿地中，处于城镇郊区的湖泊湿地受基建影响较大，影响的面积达 0.42 万公顷，占受威胁总面积的 2.52%，居各威胁因子的第七位。影响较大的有滇池、洱海（图 5-6）、拉市海、会泽黑颈鹤栖息地、腾冲北海、洱源西湖、洱源茈碧湖等湿地。

图 **5-6**　洱海入湖河道的城镇化建设（温庆忠摄）

1.8　过度捕捞、采集

对鱼、虾、两栖类、爬行类等湿地动物的过度捕捞，偷捕偷猎，对植物资源的过度采集，会导致湿地动植物资源数量的减少、生物多样性降低甚至威胁其生存。云南省部分湖泊如滇池、洱海、抚仙湖等逐渐采取了禁渔期等保护鱼类资源的措施，过度捕捞情况有所改善。在本次重点调查的湿地中，在星云湖等湿地曾出现过度捕捞现象，过度捕捞发生面积 0.2 万公顷，占受威胁总面积的 1.2%。过度捕捞居各威胁因子的第八位。

1.9　围　垦

历史上许多湿地都曾受到围湖造田、排水改田、围垦排干等不合理利用，导致陆地化加剧，湿地面积减少。尤其是 20 世纪 60～70 年代，在当时“以粮为纲”政策下，云南一度出现围湖造田运动，使很多湖泊面积缩小（杨岚、李恒等，2010）。在本次重点调查的湿地中，受围垦威胁的湿地 11 处，面积 0.18 万公顷，占受威胁总面积的 1.04%，居各威胁因子的第九位。受围垦影响较大的是异龙湖、滇池、杞麓湖、洱源茈碧湖、鹤庆母屯海、剑川剑湖、星云湖、拉市海、洱源西湖等湿地。

1.10　森林过度采伐

森林过度采伐破坏了湿地周边的植被，导致水土流失加剧，泥沙随地表径流进入湿地，使其容量减少，水质变差。同时，还导致湿地周边森林植被水源涵养能力降低，破坏了森林生态系统与湿地生态系统之间功能的协同性和互补性，降低了“森林—湿地”复合生态系统的整体功能。森林过度采伐威胁更多出现在未建立自然保护区的湿地周边。在本次重点调查的湿地中，因多处于自然保护区内，已逐渐杜绝了森林滥伐。1990 年以来，有 27 处重点调查湿地的周边存在森林过度采伐威胁，面积约0.14 万公顷，仅占受威胁总面积的0.83%，居各威胁因子的末位。随着保护力度的不断加强，森林过度采伐对湿地的威胁已逐渐得到控制。

2 湿地受威胁状况评价

通过对 85 处重点调查湿地受威胁状况进行调查、分析，尤其是对过去的威胁因子产生的负面影响及当前存在的威胁进行综合分析，逐一对重点调查湿地受威胁状况进行评价，将受威胁状况分为安全、轻度和重度 3 个等级，各等级划分标准如下：

(1)安全：湿地未受干扰，保持原有生境状况。

(2)轻度：受到轻度干扰，生境类型没有明显改变，停止干扰后生境状况可较快恢复。

(3)重度：受威胁因子的影响和干扰严重，原有生境类型基本消失，难以逆转。

按上述方法和标准对本次调查的重点湿地受威胁状况进行评价。结果表明，受“重度”威胁的湿地有 6 处，占重点调查湿地总数的7.06%；受“轻度”威胁的湿地 42 处，占重点调查湿地总数的49.41%；仍处于“安全”或基本处于“安全”的湿地 37 处，占重点调查湿地总数的 43.53%(表5-7)。

表 5-7 重点调查湿地受威胁状况评价结果

湿地名称	受威胁等级	湿地名称	受威胁等级
大山包国际重要湿地	轻度	镇康南捧河省级自然保护区	安全
大山包黑颈鹤国家级自然保护区	轻度	珠江源省级自然保护区	安全
碧塔海国际重要湿地	轻度	沾益海峰省级自然保护区	轻度
纳帕海重点调查湿地	重度	紫溪山省级自然保护区	轻度
拉市海国际重要湿地	轻度	乌蒙山省级自然保护区	轻度
会泽黑颈鹤栖息地国家重要湿地	轻度	驮娘江省级自然保护区	轻度
洱海国家重要湿地	轻度	丘北普者黑省级自然保护区	轻度
泸沽湖国家重要湿地	安全	广南八宝省级自然保护区	安全
滇池国家重要湿地	重度	麻栗坡老山省级自然保护区	安全
抚仙湖国家重要湿地	轻度	洱源茈碧湖州级自然保护区	轻度
异龙湖国家重要湿地	轻度	南涧大龙潭州级自然保护区	轻度
程海国家重要湿地	轻度	鹤庆母屯海州级自然保护区	轻度
西双版纳国家级自然保护区	轻度	洱源海西海州级自然保护区	轻度
南滚河国家级自然保护区	安全	寻甸黑颈鹤市级自然保护区	轻度
高黎贡山国家级自然保护区	安全	罗平多依河鱼类市级自然保护区	轻度
白马雪山国家级自然保护区	轻度	罗平牛街河鱼类市级自然保护区	轻度

（续）

湿地名称	受威胁等级	湿地名称	受威胁等级
哀牢山国家级自然保护区	轻度	师宗五洛河鱼类市级自然保护区	轻度
文山国家级自然保护区	安全	宣威北盘江鱼类市级自然保护区	轻度
黄连山国家级自然保护区	安全	曲靖牛栏江鱼类市级自然保护区	轻度
大围山国家级自然保护区	轻度	河口南溪河水生野生动物州级自然保护区	安全
金平分水岭国家级自然保护区	轻度	勐梭龙潭县级自然保护区	安全
无量山国家级自然保护区	安全	师宗大堵水库县级自然保护区	安全
药山国家级自然保护区	安全	师宗东风水库县级自然保护区	安全
永德大雪山国家级自然保护区	安全	巧家马树县级自然保护区	轻度
纳板河流域国家级自然保护区	安全	昌宁澜沧江县级自然保护区	安全
轿子山国家级自然保护区	安全	普洱五湖国家湿地公园	轻度
云龙天池国家级自然保护区	轻度	丘北普者黑国家湿地公园	轻度
元江国家级自然保护区	安全	洱源西湖国家湿地公园	轻度
长江上游珍稀特有鱼类国家级自然保护区	轻度	星云湖	轻度
哈巴雪山省级自然保护区	轻度	阳宗海	轻度
玉龙雪山省级自然保护区	轻度	杞麓湖	重度
观音山省级自然保护区	安全	长江干流	轻度
阿姆山省级自然保护区	安全	怒江干流	轻度
威远江省级自然保护区	安全	澜沧江干流	轻度
太阳河省级自然保护区	安全	红河干流	轻度
糯扎渡省级自然保护区	轻度	珠江干流	轻度
墨江西歧桫椤省级自然保护区	安全	伊洛瓦底江干流	安全
剑川剑湖省级自然保护区	轻度	丽江老君山沼泽湿地	安全
兰坪云岭省级自然保护区	安全	香格里拉千湖山沼泽湿地	轻度
腾冲北海湿地省级自然保护区	轻度	德钦梅里雪山沼泽湿地	轻度
龙陵小黑山省级自然保护区	轻度	宁蒗彝族自治县沼泽湿地	轻度
铜壁关省级自然保护区	安全	陆良县湿地	轻度
临沧澜沧江省级自然保护区	轻度	—	—

此次调查的85处重点调查湿地中，67处属保护地，因此，受威胁状况为“重度”的湿地比例总体较低。保护区中的湿地受威胁程度最轻。其中，受“轻度”威胁的25处，占43.86%；处于“安全”的32处，占56.14%；没有受“重度”威胁的湿地。值得关注的是，九大高原湖泊中，滇池、异龙湖、程海、星云湖和杞麓湖5个湖泊受威胁状况等级为“重度”。

除上述人为因素对湿地产生的威胁外，气候变化尤其是极端气候事件也会对湿地产生重要影响甚至严重威胁。这些自然因素虽未作为威胁因子纳入本次湿地受威胁状况评价，但它们对湿地的影响正越来越受到关注。如2009～2012年，云南高原连续4年干旱，旱情持续时间之长，影响范围之广，影响程度之深是自有气象记录以来的第一次。云南湿地作为依托于水支持的生态系统，对气候变化极其敏感，持续出现的极端干旱气候，对云南湿地及其生物多样性保护构成严重威胁。连续的气候干旱，导致高原湖泊水位下降、面积减少，主要河流上游和发源地湿地分布面积萎缩，河流径流减少，沼泽湿地萎缩退化，部分地段沼泽泥炭地裸露；或者局部区域水文情势改变，原有的湿地自然生态过程受到干扰，区域生态安全受到威胁。这次持续干旱对湿地的影响主要包括以下方面。

(1)对河流湿地的影响：4年连续干旱致使河流水源补给大量减少或缺失，长江、澜沧江、怒江、独龙江、珠江、红河等六大水系河道来水量较常年减少42%～50%。干旱还导致河流湿地水位下降，部分区域甚至河床干涸、卵石裸露。

(2)对湖泊湿地的影响：云南许多湖泊湿地都发育在石灰岩母质上，如海西海、纳帕海等。受喀斯特作用的影响，在湖底及湖岸形成落水洞，导致湖泊水位下降，故湖泊湿地需要长期稳定的水源补给。由于持续干旱，云南九大高原湖泊水位下降接近1米。其中，滇池2009年水位下降1米，即便在2012年雨季前水位仍下降0.4米；抚仙湖水位下降了1.8米，为10年来最低；星云湖、泸沽湖水位下降超过1米；异龙湖水位下降则超过2米，降到了20年来最低；杞麓湖、阳宗海水位低于法定最低水位线；丽江拉市海虽然实施了筑坝扩容工程，但湖泊平均水位下降超过2米。另外，众多的小型湖泊干涸，干旱导致湖泊湿地大面积萎缩。

(3)对沼泽湿地的影响：连续干旱导致地表和地下水位下降，致使众多湖滨沼泽湿地大面积消失，沼泽化草甸变为草地或荒地。另外，因干旱，许多非保护地的沼泽已被填埋或开垦转为它用。连续干旱及其叠加的人为干扰作用，致使云南高原沼泽化草甸面积减少，草甸和垦后湿地面积增加，湿地呈现出由沼泽化草甸向草甸、垦后湿地演变的退化演替格局，加速了沼泽化草甸的陆地化进程，使其湿地生态功能快速退化。

(4)对人工湿地的影响：连续干旱使云南库塘湿地平均蓄水同比减少了30%。其中，昆明市供水水源云龙、松华坝、宝象河、大河、柴河、红坡、自卫村几大水库蓄水同比减少了57%。据不完全统计，在干旱影响下，全省近500余座水库干涸，玉溪库塘蓄水量为10年来最少，曲靖市库塘蓄水量仅为正常年份的1/3，库塘湿地面积大幅度萎缩。

(5)对湿地物种多样性的影响：持续干旱对湿地生物多样性的影响也十分强烈，导致部分湿地栖息生境丧失，严重威胁着湿地生物多样性保护。干旱使纳帕海国家Ⅰ级保护植物高寒水韭生境丧失，濒临灭绝。拉市海曾是云南省鸟类越冬种类和种群数量最丰富的湿地，连年干旱致使到拉市海越冬的水鸟种类和种群数量都大幅减少。而位于昆明附近的寻甸黑颈鹤越冬保护点，原来分布有约80只种群，由于干旱导致地下水出水量减少或干涸，2011年越冬期间仅观察到12只。另外，干旱引起的来水量偏少，致使数百条河流断流，对鱼类产生严重影响。比如在泸沽湖、洱海中生活的特有鱼类裂腹鱼，需要沿入湖溪流洄游产卵。溪流断流不仅阻断了鱼类洄游产卵通道，而且水位下降、湖泊干涸，导致水中的鱼类大量死亡，其他水生生物也大量减少或消失。

第三节
湿地资源变化及其原因分析

1 调查范围

第一次全省湿地资源调查范围是面积100公顷(1平方公里)以上的湖泊、沼泽、库塘；宽度≥10米，面积大于100公顷(1平方公里)的河流以及其他具有特殊重要意义的湿地。第二次湿地资源调查包括面积为8公顷(含8公顷)以上的湖泊湿地、沼泽湿地、人工湿地以及宽度10米以上、长度5公里以上的河流湿地。

2 调查结果

2.1 第一次湿地资源调查结果

根据国家林业局提供的“中国各省(自治区、直辖市)湿地类型及面积统计表”，第一次湿地资源调查，云南省有100公顷以上各类湿地总面积23.53万公顷。其中，河流湿地11.98万公顷，占50.90%；湖泊湿地9.65万公顷，占41.03%；沼泽湿地0.40万公顷，占1.68%；人工湿地1.50万公顷，占6.39%(表5-8)。可以看出，第一次湿地资源调查结果中云南省的湿地以河流湿地和湖泊湿地占绝对优势。

表5-8 云南省第一次湿地资源调查结果

湿地类	湿地型	湿地型面积(公顷)	湿地型比例(%)	湿地类面积(公顷)	湿地类比例(%)
河流湿地	永久性河流	119781	50.90	119781	50.90
湖泊湿地	永久性淡水湖	91245	38.78	96538	41.03
	季节性淡水湖	5293	2.25		
沼泽湿地	草本沼泽	3125	1.33	3950	1.68
	沼泽化草甸	825	0.35		
人工湿地	库塘	15035	6.39	15035	6.39
总计		235304	100	235304	100

2.2 第二次湿地资源调查结果

根据本次调查的范围，云南省湿地总面积为56.35万公顷，占国土面积的1.47%。自然湿地(包括湖泊湿地、河流湿地、沼泽湿地)39.25万公顷，占湿地总面积69.67%；人工湿地17.10万公顷，占湿地总面积30.33%。

其中，调查面积在100公顷以上的湿地总面积为34.27万公顷，占全省国土面积的0.89%。

自然湿地(包括湖泊湿地、河流湿地、沼泽湿地)22.49 万公顷，占 100 公顷以上湿地总面积的 65.62%；人工湿地 11.78 万公顷，占 100 公顷以上湿地总面积的 34.38%(表 5-9)。

表 5-9 云南省第二次湿地资源调查(面积大于 100 公顷)结果

湿地类	湿地型	湿地型面积(公顷)	湿地类面积(公顷)	湿地类比例(%)
河流湿地	永久性河流	92732.67	94170.99	27.48
	洪泛湿地	1438.32		
湖泊湿地	永久性淡水湖	110629.85	111621.75	32.57
	季节性淡水湖	991.90		
沼泽湿地	草本沼泽	3713.29	19108.15	5.57
	灌丛沼泽	1492.40		
	森林沼泽	1121.62		
	沼泽化草甸	12780.84		
人工湿地	库塘	117228.16	117815.89	34.38
	运河/输水河	587.73		
总 计		342716.78	342716.78	100

3 两次湿地资源调查比较分析

与第一次全省湿地资源调查结果相比较，第二次全省湿地资源调查湿地面积增加 32.82 万公顷。主要原因首先是起调面积由 100 公顷变为 8 公顷，调查范围大大增加。其次是人工湿地面积大量增加。由于全省大部分库塘和水产养殖场的面积都在 100 公顷以下，第二次湿地调查涵盖的斑块数量大增；还有就是以金沙江、澜沧江、红河等大江河及其支流的大量梯级电站修建使得自然河道变为库塘湿地，增加了人工湿地的面积。第三是在第一次调查过程中，由于技术和资料信息有限，只对 100 公顷以上的部分沼泽湿地进行了调查统计。

3.1 湿地型及面积比较

由于调查技术规程和详细程度的差异，两次调查在湿地型方面存在不同。第二次调查在第一次的基础上，增加了季节性河流、喀斯特溶洞湿地、洪泛湿地、灌丛沼泽、森林沼泽、淡水泉/绿洲湿地、运河/输水河及水产养殖场等 8 种湿地型，增加湿地面积 2.32 万公顷。

3.1.1 河流湿地

第二次湿地调查河流湿地统计面积比第一次调查面积增加 12.21 万公顷，但单个河流湿地面积在 100 公顷以上的却减少了 2.70 万公顷。

原因分析：两次调查的河流湿地范围不同，第二次为宽度 10 米以上、长度 5 公里以上的河流湿地，第一次为集水面积在 100 公顷以上的河流湿地。就单个面积在 100 公顷以上的河流湿地比较，第二次调查 100 公顷以上河流湿地减少的原因主要是大江大河上筑高坝开展电站建设造成了一些自然河流湿地转变为人工湿地。如，澜沧江干流第一次调查河流湿地面积为 1.40 万公顷，因近年来梯级电站建设使大量的河流湿地变为人工库塘，本次调查河流湿地面积仅为0.60万公顷，面积减少57%。红河干流第一次调查河流湿地面积为0.83万公顷，同样因梯级电站建设导致河流湿地锐减，本次调查河流湿地面积仅为0.54万公顷。而珠江干流河流湿地面积也从0.57万公顷降至0.36万公顷。

3.1.2 湖泊湿地

湖泊湿地第二次调查与第一次调查的面积增加2.19万公顷。其中，单个湖泊湿地面积在100公顷以上的增加1.51万公顷。

原因分析：云南省湖泊湿地面积增加的原因主要是第一次调查基于多方面的因素，调查深入程度不够，部分达到起调标准的湖泊湿地未纳入调查统计。另外，第一次调查时湖泊湿地的面积统计存在一定误差。

3.1.3 沼泽湿地

沼泽湿地第二次湿地调查的面积比第一次调查面积增加了2.83万公顷。其中，单个面积在100公顷及以上的沼泽湿地斑块增加了1.25万公顷。

原因分析：第一次湿地调查重点针对面积在100公顷以上的草本沼泽，对沼泽化草甸这一在滇西北和滇东北分布较多的湿地型关注度不够。第二次调查中调查出8公顷以上符合特征的沼泽化草甸2.05万公顷。其中，面积在100公顷以上的沼泽化草甸1.29万公顷，故大幅度增加了沼泽湿地的斑块数量和面积。但从本次调查的情况看，云南的沼泽化草甸呈逐年下降趋势，其原因主要是云南连续4年干旱导致沼泽化草甸地表和地下水位下降；过度放牧导致沼泽化草甸植被群落退化和局部区域还存在围垦现象。

3.1.4 人工湿地

人工湿地是两次调查中面积差异最大的湿地类，第二次湿地调查的面积比第一次调查面积增加了15.59万公顷，超过第一次调查的10倍。其中，单个面积在100公顷及以上的人工湿地斑块增加10.22万公顷。其原因主要是省内多条大江大河及其支流上梯级电站的修建，使得自然河道水位抬升，扩大和淹没的面积变为库塘。仅澜沧江干流由于梯级电站的修建，其库塘面积就增加了5.35万公顷。加上其他河流上的电站建设以及大中型水库建设增加的人工湿地，是造成第二次湿地资源调查100公顷级以上人工湿地面积远远大于第一次的原因。

为便于两次调查结果的比较分析，特将第二次湿地资源调查数据中面积大于100公顷的湿地斑块筛选出来，并与第一次调查的数据进行比较(表5-10，图5-7、图5-8)。

表5-10　两次调查100公顷以上各湿地类面积变化对比(公顷)

湿地类	湿地型	湿地面积		变化情况
		第一次调查	第二次调查	
河流湿地	永久性河流	119781.00	92732.67	-27048.33
湖泊湿地	永久性淡水湖	91245.00	110629.85	19384.85
	季节性淡水湖	5293.00	991.90	-4301.10

（续）

湿地类	湿地型	湿地面积		变化情况
		第一次调查	第二次调查	
沼泽湿地	草本沼泽	3125.00	3713.29	588.29
	沼泽化草甸	825.00	12780.84	11955.84
人工湿地	库塘	15035.00	117228.16	102193.16

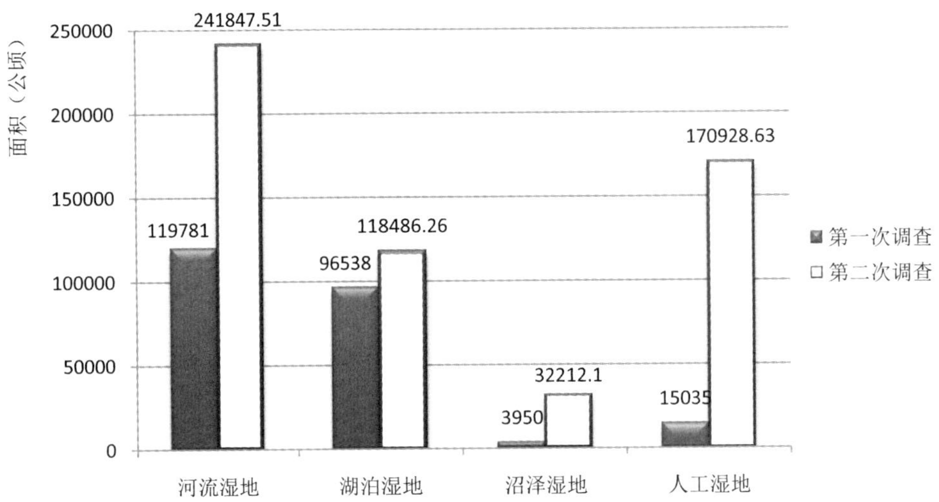

图 **5-7** 两次调查各湿地类面积变化对比

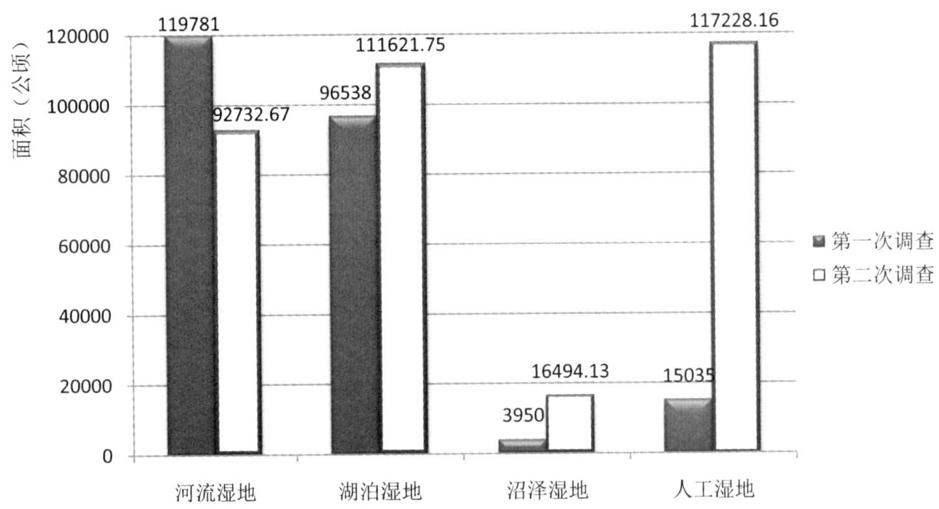

图 **5-8** 两次调查 **100** 公顷以上斑块各湿地类面积变化对比

3.2 生物多样性比较分析

3.2.1 湿地植物

第一次湿地植物资源调查，根据李恒(1987)和欧普定(1987)在《云南植被》“高原湖泊水生植被”和“沼泽化草甸”等有关章节，以及李恒(1980，1987)的论文中提及的水生植物、湿生和湿中生植物，共计159科549属1518种。

第二次调查，云南省记录到植物2274种，分属204科876属。其中，被子植物133科725属1974种，裸子植物4科10属11种，蕨类植物31科71属128种，苔藓植物36科70属161种。生活型较严格归于湿地植物的种类1619种，分属于171科642属。根据1999年国务院公布的《第一批国家重点保护野生植物名录》，有国家Ⅰ级保护野生植物莼菜、水松、高寒水韭、云贵水韭和独叶草5种，有国家Ⅱ级保护野生植物细裂水蕨、水蕨、拟花蔺、金荞麦、药用稻、野生稻和细果野菱7种，另外还分布较多的云南特有植物。

与第一次湿地普查相比，本次调查更为全面，野外工作更为细致，分工更为明确。在全省各级林业和相关部门的大力配合下，调查区域覆盖了全省范围，每个符合调查条件的湿地斑块都有专人调查。但也有不足之处，在云南省极具特色的高山冰蚀湖及相关联的沼泽草甸仍然调查不足，这些湿地都在滇西北丽江老君山、碧罗雪山、梅里雪山、高黎贡山等的海拔4000米以上地段，有待专项调查。

第二次调查与第一次相比，科、属、种3级都有增加，随着以后长期调查的深入，以上数字还会有所变化。

3.2.2 湿地植被

第一次湿地植物资源调查将湿地植被按植物的生活型分为挺水植物、漂浮植物、根生浮叶植物和沉水植物4类，另外单独对沼泽化草甸进行调查。依据调查结果，全省湿地植被共有42个群落类型。其中挺水植物15个，漂浮植物4个，根生浮叶植物5个，沉水植物16个，沼泽化草甸2个。

第二次调查除对水生植物群落进行调查外，还对沼泽湿地植被及河流湿地植被进行了较全面的调查。依据调查结果，全省湿地植被共有6个植被型组12个植被型189个群系。

第二次调查与第一次调查比较，增加了147个湿地植物群系。新增群系主要因为第一次调查植被类型以湖泊湿地水生植物群落为主，而第二次调查大量增加了沼泽湿地(草本、灌丛、森林、沼泽化草甸等)、河流湿地中的植被类型。

需要指出的是，现在的情况是原生植被遭到大量破坏，而次生植被仍处于不断变动中。此次调查中，“新增”的植物群系(或为松散的植物种类组合)多出现于河、湖滨沼泽中，从侧面反映出湖泊、河流退化为沼泽，水生、湿生植物逐步被中生、旱生植物替代的实际情况。但其群系如何划分仍需斟酌。一些较小支流沿岸的植被分类同样如此，岸坡上许多原生性的植被受到不同程度的干扰，呈现出群落中物种组成和结构、功能等变化很大的现象，对全面认识河谷中的植被造成了很大影响。因此，湿地植被的系统分类仍有待进一步研究。

3.2.3 湿地野生动物

第一次调查共记录湿地野生脊椎动物6纲24目68科742种(表5-11)。其中，淡水鱼类含国家Ⅰ级保护2种，国家Ⅱ级保护4种；两栖动物含国家Ⅱ级保护6种；爬行动物含国家Ⅰ级保护3种，国家Ⅱ级保护4种；湿地鸟类含国家Ⅰ级保护8种，国家Ⅱ级保护26种；湿地哺乳动物含国家Ⅰ级保护5种，国家Ⅱ级保护9种。

表5-11 第一次湿地资源调查记录野生脊椎动物种数

纲	云南目数	湿地目数	比例(%)	云南科数	湿地科数	比例(%)	云南种数	湿地种数	比例(%)
鱼　类	9	9	100	27	27	100	432	432	100
两栖类	3	3	100	11	11	100	106	106	100
爬行类	2	2	100	15	11	73.3	152	63	41.4
鸟　类	19	8	42.1	69	19	27.5	802	134	15.8
哺乳类	11	2	18.2	38	2	5.3	300	6	2
总　计	44	24	54.5	160	68	42.5	1792	742	41.4

第二次调查结果表明，云南省的湿地野生脊椎动物包括有5纲37目105科1006种(第二次湿地资源调查鱼类物种数为587种，本书其他章节鱼类物种数采用了2013年数据629种，故脊椎动物物种数为1048种)，占云南现有野生动物种类的48.2%(表5-12)。实际上，还有许多种爬行类、鸟类和兽类栖息于湿地边缘，常到湿地饮水和取食。因此，广义的湿地动物远远超出本表统计的数据。除湿地脊椎动物外，另外还有软体动物2纲4目17科159种，节肢动物虾蟹类1纲2目6科91种。对所记录的湿地动物进行区系分析，说明云南省湿地动物的主要区系成分以东洋界华南区和西南区的种类占优势。其中，鱼类含国家Ⅰ级保护2种，国家Ⅱ级保护4种；两栖动物含国家Ⅱ级保护6种；爬行动物含国家Ⅰ级保护3种，国家Ⅱ级保护4种；水鸟含国家Ⅰ级保护8种，国家Ⅱ级保护26种；哺乳动物含国家Ⅰ级保护4种，国家Ⅱ级保护9种。

表5-12 第二次湿地资源调查湿地野生脊椎动物种数

纲	云南目数	湿地目数	比例(%)	云南科数	湿地科数	比例(%)	云南种数	湿地种数	比例(%)
鱼　类	13	13	100	41	41	100	587	587	100
两栖类	3	3	100	11	11	100	127	127	100
爬行类	2	2	100	16	13	75	162	94	58.0
鸟　类	20	11	55	71	23	32.4	903	162	17.9
哺乳类	11	8	72.7	38	17	44.7	309	36	11.7
总　计	49	37	75.5	176	105	58.0	2087	1006	48.2

与第一次调查相比，本次湿地资源调查增加记录鱼类4目14科155种，两栖类11种，爬行类2科31种，鸟类3目4科28种，兽类6目15科30种。其中增加记录物种最多的是鱼类。这些物种的增加既有近年来调查增加的物种，也有由于分类研究的深入而发现的新物种，增加比例最大的为兽类，增加比例次之的为爬行类，这主要是由于对湿地动物概念的理解不同而产生的。

3.3 湿地保护状况

第一次湿地资源调查结果显示，全省共有各级各部门主管湿地类型自然保护区 11 个，面积 15.26 万公顷，占全省国土面积的 0.39%（表 5-13）。

表 5-13 第一次湿地资源调查时全省湿地类型保护区统计

保护区名称	所在县(市、区、自治县)	面积(公顷)	建立时间
苍山洱海国家级自然保护区	大理市、漾濞、洱源县	79700	1994
泸沽湖省级自然保护区	宁蒗彝族自治县	8133	1986
拉市海省级自然保护区	玉龙纳西族自治县	6523	1999
碧塔海省级自然保护区	香格里拉市	14181	1984
纳帕海省级自然保护区	香格里拉市	2400	1983
大山包省级自然保护区	昭阳区	19200	1994
会泽黑颈鹤省级自然保护区	会泽县	6800	1994
茨碧湖州级自然保护区	洱源县	800	1988
瑞丽江州级自然保护区	瑞丽市	9000	1998
腾冲北海县级自然保护区	腾冲市	1629	1995
勐梭龙潭县级自然保护区	西盟佤族自治县	4200	1995
总 计		152566	

根据第二次调查结果，全省共建有湿地类型自然保护区 17 个。其中，国家级 3 个，省级 8 个，市(州)级 4 个和县级 2 个，总面积 20.69 万公顷，占国土总面积的 0.54%。新增大山包、碧塔海、纳帕海、拉市海国际重要湿地 4 处。新建红河哈尼梯田、普者黑喀斯特、普洱五湖、洱源西湖等国家湿地公园 7 处（表 5-14）。

表 5-14 第二次湿地资源调查全省湿地类型保护区统计

保护区名称	所在县(市、区、自治县)	面积(公顷)	建立时间
大山包国家级自然保护区	昭阳区	19200	2003
会泽黑颈鹤国家级自然保护区	会泽县	12911	2006
苍山洱海国家级自然保护区	大理、漾濞、洱源县	79700	1994
碧塔海省级自然保护区	香格里拉市	14133	1984
纳帕海省级自然保护区	香格里拉市	2400	1983
泸沽湖省级自然保护区	宁蒗彝族自治县	8133	1986
腾冲北海省级自然保护区	腾冲市	1629	2005
拉市海省级自然保护区	玉龙纳西族自治县	6523	1999
剑湖省级自然保护区	剑川县	4630	2006

（续）

保护区名称	所在县(市、区、自治县)	面积(公顷)	建立时间
海峰湿地省级自然保护区	沾益县	26610	2008
普者黑省级自然保护区	丘北县	10746	2002
茈碧湖州级自然保护区	洱源县	800	1988
大龙潭州级自然保护区	南涧彝族自治县	1073	2001
母屯海州级自然保护区	鹤庆县	99	2001
海西海州级自然保护区	洱源县	14000	2004
勐梭龙潭县级自然保护区	西盟佤族自治县	4200	1995
马树县级自然保护区	巧家县	64	2007
总　计		206851	

与第一次湿地资源调查时相比，全省湿地类型自然保护区无论从数量上还是面积上都呈现增加态势。从数量上看，共增加6个(新增7个，原保护区合并1个)。其中，省级新增3个，市(州)级增加3个，县级增加1个，面积共增加5.43万公顷，占国土面积比例上升0.14%。

从两次调查湿地保护区现状对比可以看出，在两次调查间隔期内：①大山包、会泽黑颈鹤等2个自然保护区晋升为国家级自然保护区；新建剑湖、沾益海峰湿地、丘北普者黑等3个省级自然保护区；新建大龙潭、母屯海、海西海等3个州级自然保护区；新建马树县级自然保护区，湿地保护区保护力度不断得到增强。②会泽黑颈鹤保护区在晋升国家级时进行了扩建，面积增加近一倍。③原瑞丽江州级自然保护区合并至铜壁关省级自然保护区，湿地保护区总体面积未受明显影响。

第六章 湿地保护与管理

第一节 湿地保护管理现状

1 湿地保护工作面临的机遇

长期以来，湿地及其功能价值不为人知，无论是国内还是国外，发达国家还是发展中国家，往往把湿地当做无用之地，大量湿地被改造转变为农耕地和建设用地，湿地面积锐减，湿地结构和功能严重退化。例如：美国的湿地丧失54%，法国湿地丧失67%，德国湿地丧失57%，菲律宾红树林损失了30万公顷。在中国，近50年内，至少丧失了23%的淡水沼泽、16.1%的湖泊湿地、5.3%的河流湿地和超过一半的海岸湿地(崔丽娟、王义飞，2008)。在云南，大量的沼泽及沼泽化草甸被开垦，滇中、滇东北地区沼泽化草甸和淡水泉消失近40%。大片湿地的丧失使许多水禽失去了栖息地，生态系统遭到了严重的破坏，给人类带来了巨大的损失。面对生态环境问题给人类生存与发展带来的影响，人们开始意识到加强湿地保护的重要性和必要性。

从全国范围来看，云南省湿地保护工作起步相对较晚，基础比较薄弱。随着湿地在云南省经济社会发展中的基础性作用日益突显，各级党委政府给予了高度重视，各有关部门团结协作，通过高位推动，全省湿地保护工作开创了新局面。2004年，《中共云南省委　云南省人民政府关于加速云南林业发展的决定》中已明确建立湿地保护网络的基本思路。2008年，省林业厅牵头编制的《云南省湿地保护工程规划(2007～2020年)》获省人民政府批准，为云南湿地保护与管理工作提供了政策保障。2011年，国务院《关于支持云南省加快建设面向西南开放重要桥头堡的意见》提出构建我国重要生物多样性宝库和西南生态安全屏障。作为桥头堡建设的五大战略定位之一，高原湿地保护和建设工作是加强生态建设和环境保护，实现可持续发展的重要内容。省委、省政府先后作出的“生态立省”发展战略、加强生态文明建设、加快“森林云南”和“美丽云南”建设、构建西南生态安全屏障等重大战略举措中，均将湿地保护作为重要内容，高原湿地的保护和恢复作为生态文明建设十大林业行动之一加以落实。在2012年召开的森林云南建设推进大会上，时任省委书记的秦光荣要求：“加强湿地保护，启动湿地资源调查，提升湿地资源监测和科技支撑水平”，为进一步加强湿地保护管理工作指明了方向。省人大代表、省政协委员高度关注湿地保护，在云南省政协第十届第五次会议上，8 个民主党派和省工商联联合提出了《关于进一步加强云南省湿地保护工作的建议》，被列为省政协 10 件重点提案之首，由省政协主席督办。通过重点提案办理，扩大了湿地保护宣传，为推进全省湿地保护工作营造了良好氛围。2012 年 12 月，省委办公厅、省政府办公厅印发了《关于进一步加强云南省湿地保护工作的督查通知》，对湿地保护工作任务进行了分解，并纳入省委、省政府专项督查事项。针对“强化云南省湿地保护宣传、教育和培训措施的落实情况；进一步健全湿地保护工作长效机制的落实情况；加大湿地保护工作资金投入力度的落实情况；加强湿地保护工作科技支撑的落实情况；建立调动群众积极参与湿地保护工作机制的落实情况”等 5 项内容开展定期和不定期督查。此次专项督查是云南省首次针对湿地保护工作的督查。通过督查，加快推进了云南湿地保护事业的发展，一些市(州)、县(市、区、自治县)湿地保护管理机构得到解决，或正在纳入当地党委政府议事日程。为加强和协调全省湿地保护管理工作，2010 年，省编制办公室批准成立了“云南省湿地保护管理办公室”，核定人员编制 7 名。从 2012 年起，省财政将湿地保护管理专项经费列入省级财政预算，并将湿地生态功能指数计算指标作为生态功能区转移支付的重要依据。总的来说，目前全省对湿地保护的认识有了新的突破，云南高原湿地保护形势有了新的发展。

2 湿地保护法规体系建设情况

湿地保护法规体系作为云南高原湿地保护的法制保障，经历了不断发展和不断完善的过程。1998 年 3 月 1 日起施行的《云南省自然保护区管理条例》第一次提到“湿地”这个概念，但该条例没有对湿地作进一步的解释。2003 年 9 月 28 日施行的《云南省玉龙纳西自治县拉市海高原湿地保护管理条例》首次明确高原湿地的保护，对拉市海高原湿地的保护、合理利用及相关管理措施作出了规定，该条例的出台，标志着云南省各级人大、政府，以及相关部门对于“湿地”有了新的认识。与此同时，滇东北地区湿地地方性法规也在积极推进。2009 年 1 月 1 日，《云南昭通大山包黑颈鹤国家级自然保护区条例》正式施行，标志着大山包黑颈鹤的保护管理进入了一个依法管理的历史新阶段。大理州湿地资源丰富，自然湿地面积位列全省第二位，辖区内的湿地生态区位极为重要，湿地文化独具特色。为抢救性地保护好该州湿地资源，2012 年 10 月 1 日起实施了《云南省大理白族自治州湿地保护条例》，这是云南省首个市(州)级颁布实施的湿地保护条例。

20 世纪 80 年代末期和 90 年代，为保护云南高原湿地，省人大先后批准了滇池、洱海、抚仙湖、星云湖、杞麓湖、泸沽湖、程海、阳宗海、异龙湖九大高原湖泊的“管理条例”或“保护条例”，这些条例从集水区范围、水资源利用、水污染防治、滩地利用等角度提出了对高原湖泊的保护，为九大高原湖泊的保护与管理提供了法律依据，缓解了污染的加剧。但由于九大高原湖泊的条例没有提出明确的“湿地”概念，所采取的保护、利用和治理措施中，没有从湿地生态系统的角度来整体考虑湿地的保护和合理利用，因此，在实际管理中仍存在现行条例不能满足当前管理需要的矛盾。

湿地作为水陆相互作用而形成的特殊生态系统，其管理涉及土地资源、水资源、生物资源等多种资源的管理，因而是一项跨部门、跨学科、跨地区、多层面、多角度的需多部门合作才能做好的工作。加之云南省特殊的自然地理环境，河流湿地多处于高山深谷之中，湖泊湿地多属于断裂下陷形成的封闭或半封闭湖泊，湿地水源及其水质的保护与周边森林植被的保护有着密切关系。为妥善解决全省湿地保护所面临的问题，2013 年 9 月 25 日，云南省第十二届人民代表大会常务委员会第五次会议审议通过了《云南省湿地保护条例》(以下简称《条例》)，于 2014 年 1 月 1 日起实施。根据高原湿地的特点和管理需求，《条例》首次清楚界定了“湿地”的定义，并从湿地生态系统的复杂性和管理的可操作性出发，分别明晰了县级以上人民政府以及有关部门在湿地保护工作中的职责分工，同时对单个的省级以上重要湿地保护机构的职责做了明确，确保湿地保护落到实处。《条例》建立了湿地规划和认定制度，科学确定湿地范围，通过控制性规划保障湿地有效管理和评估制度的实施；设定了湿地资源利用行政许可制度，促进湿地资源可持续利用；细化了法律责任，使打击破坏湿地资源行为有法可依。《条例》的公布实施，标志着云南省的湿地保护步入了法制轨道，对湿地保护事业的发展具有里程碑式的的意义。2014 年 8 月 12 日，云南省人民政府第 45 次常务会议审议通过了《云南省人民政府关于加强湿地保护工作的意见》，明确了今后一段时间全省湿地保护管理的指导思想、目标任务、工作重点、政策措施，进一步完善了云南省高原湿地保护政策法规体系。

在全省湿地保护法规不断健全完善的同时，执法工作也在循序向前推进。全省在不断加强《条例》宣传工作的同时，注重加大执法培训力度，同时做好《条例》配套的政策制定，并抓好执法队伍建设和执法工作细化。目前，湿地执法还面临不少困难，因国家湿地立法滞后，林业执法程序和执法证办理中并没有明确是否适用于湿地执法。此外，如《中华人民共和国土地管理法》中将湿地界定为农用地和建设用地以外的未利用土地，按照该法中关于耕地占用复垦、鼓励耕地开垦的法律规定，湿地被视为未利用的荒滩、荒地，成为土地开垦主要对象。当然，湿地作为稀缺资源已经引起了国家高度关注和重视，国家层面的湿地法规也在努力快速向前推进，国家林业局已颁布了《湿地保护管理规定》，于 2013 年 5 月 1 日起施行，这是第一部国家层面的部门规章。我们期待着国家层面的湿地保护条例能够早日出台，为全国湿地保护工作奠定最坚实的基础。

3 重要湿地和湿地保护地建设管理情况

根据第二次全国湿地资源调查，云南省湿地总面积 56.35 万公顷。其中，自然湿地面积为 39.25 万公顷，占全省国土面积的 1.02%。云南省的湿地从重要性上可分为国际重要湿地、国家重要湿地、省级重要湿地和一般湿地 4 类。国际重要湿地包括碧塔海、纳帕海、大山包和拉市海 4 处，约占全国国际重要湿地数量的 8.7%，集中分布于滇西北和滇东北，以高原湖泊和沼泽化草甸湿地类型为主。国家重要湿地 7 处，分别是洱海、抚仙湖、滇池、泸沽湖、会泽黑颈鹤栖息地、异龙湖和程海，集中了九大高原湖泊中的 5 个。省级重要湿地是在省级层面上具有重要意义的湿地，目前正着手进行认定。一般湿地的认定和公布由县(市、区、自治县)人民政府执行。从国际和国家重要湿地来看，集中分布于云南省中北部，以高原湖泊和沼泽湿地类型为主，涉及 8 个州、市。

依据云南省湿地资源的重要性和典型性，初步建立了以湿地自然保护区、湿地公园为主的湿地分类保护体系。截至 2013 年，全省自然湿地受保护面积 15.81 万公顷，自然湿地保护率为 40.27%。全省已建立各种级别的湿地类型自然保护区 17 处，其中，苍山洱海、大山包黑颈鹤、会泽黑颈鹤栖息地 3 处为国家级自然保护区；拉市海、碧塔海、纳帕海、泸沽湖、剑川剑湖、沾益海峰、丘北普者黑、腾冲北海 8 处为省级自然保护区；洱源茈碧湖、南涧大龙潭、鹤庆母屯海、洱源海西海4处为州级自然保护区；勐梭龙潭、巧家马树2处为县级自然保护区。湿地类型自然保护区涉及8个州、市，保护对象包括了海菜花、黑颈鹤、中甸重唇鱼、黑鹳、特有裂腹鱼、珍稀水禽、越冬水鸟等珍稀保护濒危特有物种及其栖息地，同时类型上包括了沼泽化草甸、湖滨沼泽地、岩溶湖群、火山堰塞湖、高原湖泊、寒温性针叶林等高原湿地—森林生态系统。相对于自然保护区这种传统的保护地模式，目前，湿地公园作为另一种保护地形式蓬勃发展。湿地公园既是湿地保护体系的重要组成部分，也是开展湿地合理利用、促进区域经济社会发展的重要平台，在保护优先的前提下，开展合理利用、宣传教育和休闲娱乐，是开展湿地保护和合理利用的创新之举。截至2013年，全省共有洱源西湖、普者黑喀斯特、普洱五湖、红河哈尼梯田、鹤庆东草海、盈江、蒙自长桥海7个国家湿地公园。2014年正在申报建立的有石屏异龙湖、通海杞麓湖、晋宁南滇池、沾益西河4处国家湿地公园。国家湿地公园的建设已涉及8个州、市，湖泊型与河流型兼具。湿地保护区和国家湿地公园建设涉及全省16个州、市中的12个州、市，抢救性地保护了一批重要湿地。此外，抚仙湖、阳宗海等一批湿地还被纳入了风景名胜区、水源保护地等加以保护，丰富和完善了云南省湿地保护管理体系。

近10年来，全省自然湿地保护率增加25.01%，新增国际重要湿地4处，湿地类型自然保护区7个，国家湿地公园7个，保护地分布从7个州、市扩展到12个州、市，保护形式从以自然保护区为主发展到自然保护区、湿地公园以及其他保护形式相结合，并将通过乡规民约、协议保护等形式，探索湿地保护小区的建立，创新社会力量参与湿地保护机制。

4 湿地保护项目实施成效

湿地保护工作除了需从全局上进行统筹考虑与规范管理外，还需要一些重点保护工程项目从点上进行突破与带动。“十一五”以来，国务院批准了《全国湿地保护工程规划》，先后启动湿地保护工程和湿地保护补助资金项目。省政府先后批准了全省湿地保护的中长期规划和“十二五”规划。省委省政府高度重视湿地保护工作，围绕“九大高原湖泊”生态治理，规划治理项目200多项，通过更新治理理念，强化政策引导，积极开展退田、退塘、退房约8.4万亩。林业部门结合重点生态建设项目，加强湿地流域生态治理和生态建设保护力度，仅“十一五”以来就完成湿地流域面山造林514.95万亩，封山育林167.22万亩，实施森林资源管护5138万亩。通过开展湿地流域面山营造林、封山育林，实施重点生态公益林补偿和农村能源建设项目等方式，加大了国际重要湿地、国家重要湿地和湿地类型保护区周边森林和湿地生态系统的保护和恢复，有效改善了生态环境。环保部门结合水污染防治，投入湖泊生态保护专项资金，用于洱海、抚仙湖、泸沽湖水环境治理和湖滨带修复。农业部门争取国家资金，在洱海和鹤庆草海开展了湿地保护和清除有害生物工作。水利部门严格控制重点江河、湖泊流域排污总量，加强了水资源保护，促进了湿地保护与恢复。昆明市提出了湿地保护的流域管理思路，并率先在滇池流域建立了“河(段)长”责任制，实施了环湖截污、外流域调水及节水、入湖河道整治、农业面源污染治理、生态修复与建设、生态清淤等六大工程，采取“异地种植、异地养殖”和“四退三还”等措施，大力推进滇池综合治理。

“十二五”期间，国家又启动了退耕还湿、湿地生态补偿和湿地保护奖励等试点项目，云南省积极争取各类项目资金，湿地重点工程成效明显。2011~2014年，国家共下达云南滇池东大河、丘北普者黑省级自然保护区、剑川剑湖省级自然保护区、腾冲北海省级自然保护区、洱源西湖国家湿地公园、洱海国家级自然保护区和会泽黑颈鹤国家级自然保护区等7个湿地保护与恢复工程建设项目；碧塔海、拉市海、大山包等3处国际重要湿地和洱源西湖、普洱五湖、蒙自长桥海3处国家湿地公园中央湿地保护补贴资金项目。通过项目实施，各项目地湿地生态系统功能得到较大改善，机构能力得到增强，科研监测、宣教工作得到明显提升。具体表现为：一是生物多样性保育成效明显。如拉市海国际重要湿地在湿地植被恢复前，恢复区仅记录到鸟类35种，植被恢复后，该区域成为斑头雁、灰鹤等水禽的主要夜栖地。在2014年1月的监测中，共记录到鸟类94种。洱源西湖国家湿地公园通过湿地恢复项目的实施，有效扩大了紫水鸡的分布范围，紫水鸡种群数量由原来的180余只增至近1000只。二是湿地恢复有了新突破。通过外来物种的清理，有效控制了影响范围，促进了本地乡土植物的自我恢复，同时也改善了湿地景观。三是促进了项目实施农户增收。据对大山包以往实施湿地保护补贴项目区30户的抽样调查，项目实施前耕地主要种植苦荞、燕麦、土豆等作物，由于海拔高，土壤贫瘠，广种薄收，农户人均年收入仅为1122元。该区域进行退化湿地恢复后，农户收入从单一农业收入向湿地管护、生态旅游、外出务工等多元收入转变。其中，仅湿地恢复管护聘用农户年工资收入即可达15000元。四是监测监管能力得到有效提升。拉市海国际重要湿地通过湿地补贴项目建设的视频监控设施解决了对管护热点和难点区域的覆盖，在湿地管护、非法捕鱼监管、查处破坏湿地行为等方面发挥了重要作用。五是湿地管护能力进一步得到加强和提高。管护人员的聘用极大地加强了湿地的管护力度，特别是拉市海国际重要湿地已建立了较为完善的社区参与管护机制，在省内具有示范作用。六是管理机构能力进一步提高。在实施项目过程中，通过技术支持、培训、实际开展工作等方式，各湿地保护管理机构能力和管理人员的执行力得到明显提升，部分项目实施单位已能自行编制操作性较强的项目实施方案，并且能完成有关监测项目的数据收集、分析等工作。虽然云南省实施的湿地重点工程项目有了一定的成效，中央财政对湿地保护的投入力度也在连年增大，但其投入方向均针对国际重要湿地、湿地类型的自然保护区、国家湿地公园。与发达省份相比，云南省湿地保护基础工作较落后，国家湿地公园的建设数量和质量也还有很大差距，因此也制约了向中央财政争取更多的湿地保护资金。

从2012年开始，湿地保护管理专项资金纳入了省级财政预算，2011~2013年，省财政安排湿地保护管理专项经费和湿地资源调查经费共740万元。湿地保护管理专项经费主要用于云南省湿地资源监管、监测、规划编制、科普宣教、保护管理机构能力提高等方面。在湿地资源调查经费保障下，云南省第二次湿地资源调查工作得以顺利、优质完成，查清了全省8公顷以上湿地资源的分布、类型、数量、受保护状况等基本情况，建立了全省15158个湿地斑块的资源数据库。调查成果经国家质量检查评定为优，为云南省湿地开展科学保护和资源合理利用，动态监测和建设管理成效评估，以及生态建设和经济发展提供了重要决策依据。

5 湿地资源管理利用情况

湿地是具有多种功能的独特的生态系统，同时也是具有巨大资源潜力的自然资源，在支撑人类社会发展和自然系统有序循环等方面有着举足轻重的作用。云南省湿地在全省经济社会发展过程中发挥着越来越重要的作用。

目前，人们对湿地资源的利用主要有以下几种方式。

(1)充分利用湿地的特殊景观资源和生物资源发展生态旅游：例如，碧塔海湿地优美的自然风光，以及独特的“杜鹃醉鱼”现象，吸引了大量的游客造访。此外，丘北普者黑湿地的万顷荷田，每到荷花盛放时节，四方游客汇聚，共赏人间胜景，旅游收入可观，也成了通过一片湿地的打造带动县域经济发展的典范。云南省在发展湿地生态旅游过程中，也积累了一些经验，如要充分发挥丰富的湿地资源优势，强调社区参与的重要性，并要加强环境的监测和评估，使游客容量在湿地承载范围之内，实现可持续发展。

(2)利用丰富的生物资源发展湿地种植业和养殖业：例如，海菜花、茈碧花、罗非鱼等成为餐桌上的常客。产自于玉溪市澄江县坝区的莲藕，除了作为蔬菜食用外，还被加工成澄江藕粉，以商品的形式进入到市场，促进了当地的经济发展。云南省湿地动植物资源种类极其丰富，土著种、特有种众多，湿地种养殖业资源潜力巨大。

(3)庭院模式，主要以农户为单位，充分利用自己庭院周围的湿地，以原生态的动植物为主，结合周边良好的自然环境发展餐饮，并加入休闲娱乐，不仅保护了环境，而且还推动了经济的发展。

在湿地资源管理利用中，云南省采取了建立国家公园和国家湿地公园等形式对湿地资源进行管理利用，既保护好湿地，又注重当地经济的发展，使得保护与开发达到共赢的局面，实现湿地资源保护和利用的可持续发展。

6　湿地保护宣传和社会参与保护现状

湿地宣教，是以湿地资源为载体，湿地知识和生态文化为核心，面向湿地保护工作者、湿地游憩者及其他社会成员，由保护工作者(或志愿者)实施或由参与者自我体验的宣传教育活动及其实现体系。其内部作用原理，是基于“知识—意识—行为”的作用关系，通过后天干预提高宣教对象的生态环境素养的机制。国际上湿地保护走在前沿的美国、英国、荷兰等国家都十分重视湿地宣教，西班牙多尼亚纳国家公园 20 年来一直是环境教育发展的先锋。我国湿地保护事业起步较晚，“湿地宣教”在我国提出的也较晚，在云南省的起步相对更晚一些。近年来，由于人们逐步感受到高原湿地生态退化给经济发展带来的负面影响，开始关注湿地，相应地湿地的宣教得到加强。湿地宣教实施机构是开展湿地宣教的主体，目前主要包括湿地保护管理部门、新闻媒体、部分科研院所、学校等教育机构以及民间组织，其宣传具体形式主要为电视、广播、网络、游憩体验、宣传材料与解说(宣传片、宣传板、海报等)、湿地知识讲座及培训、标本展览、观鸟活动等。在一些条件较好的湿地区，具备完善条件的宣教中心已经建成并投入使用。

为切实增强全民湿地保护意识，各级各部门通过采取印发宣传材料、开展科普知识竞赛、发布保护公告、开展执法宣传、编印乡土教材等多种形式，不断加大湿地保护宣传教育力度。教育部门在《高中地理》教材中安排了湿地保护有关内容，并附典型案例分析。同时，在有关考试和其他教材中也增加了有关湿地保护知识。每年围绕“世界湿地日”，全省开展了形式多样的湿地保护宣传活动。云南省配合国家林业局完成了“湿润的文明”“美丽中国・湿地行”大型宣传活动的拍摄工作，红河哈尼梯田国家湿地公园入选中央电视台组织评选的“十大魅力湿地”。系列影视的拍摄与播出，对云南省红河哈尼梯田、拉市海、碧塔海、腾冲北海等湿地进行了深入的宣传，引起了良好的社会反响。2014 年，结合“世界湿地日”，省林业厅和大理州共同举办了“湿地保护宣传月”

活动，组织各州、市开展湿地保护宣传活动。昆明市通过科普知识竞赛、滇池保护知识进校园等活动，增强了人们保护滇池的意识。红河州针对哈尼梯田生态系统保护，在哈尼梯田国家湿地公园周边学校和社区开展生态教育，使广大群众认识到保护湿地的重要性。各级湿地自然保护区和国家湿地公园的保护管理机构通过发布公告、开展执法宣传、查处破坏湿地资源行为等形式，加强了对群众的教育引导。昭通大山包和丽江拉市海保护区管理机构采取社区参与保护形式，切实提高了湿地周边群众的保护意识；碧塔海、大山包国际重要湿地依托国家公园管理形式，系统开展科普教育，获得公众好评。省林业厅与中国科学院昆明动物研究所和中国科学院昆明植物研究所合作，完成了《云南湿地水禽》《云南湿地外来入侵植物图鉴》《云南常见湿地植物图鉴》等图书的编撰工作，为普及湿地相关知识提供了科学素材，丰富了湿地宣传资料。通过努力，全省初步形成了关注湿地、认识湿地、保护湿地的氛围。

公众参与湿地保护管理是公民自身权利义务的体现，也是湿地可持续发展的不竭动力，有利于政府对湿地的全方位管理，有利于在社会上营造一个良好的湿地保护氛围，有利于提升公民个人的保护意识和行为。目前，云南省公众参与湿地保护管理的机制不健全，缺少法律法规的保障，参与意识不高，形式单一。但是，云南省在湿地保护工作中历来重视社会参与湿地方面的研究和对外的交流与合作。在《云南省湿地保护条例》中，明确提出了“鼓励公民、法人和其他组织以捐赠、志愿服务等形式参与或者开展湿地保护和恢复活动”以及“有关人民政府应当采取资金补助、委托管理、定向援助、产业转移、社区共管等方式，加强湿地生态系统结构和功能的保护与恢复”。2013 年，省林业厅与保护国际(CI)合作开展了社区参与湿地保护研讨会。2014 年，省林业厅与大自然保护协会(TNC)一起在鹤庆开展了母屯海湿地社会参与保护项目，积极探索社会力量参与保护模式。此外，省林业厅还与世界自然基金会(WWF)保持长期合作，开展澜沧江流域高原湿地保护研讨会，举办青海、四川、云南三省高原湿地保护研讨会；与北京大学山水自然保护中心合作，开展了湿地保护应对极端气候相关内容的研讨会，了解该领域当前的发展形势，做好保护决策，并与之合作完成了洱源西湖国家湿地公园管理计划的编制，取得了良好的效果。

7 科技支撑对湿地的贡献

湿地保护是一项科学性很强的事业。近年来，云南省开展了部分湿地生态和湿地资源的研究工作。2002 年，云南省环境科学院成立高原湖泊研究中心，加强了对高原湖泊特别是对九大湖泊的研究。2007 年，根据《全国湿地保护工程规划》，经国家林业局批准，在西南林业大学建立了国家高原湿地研究中心，开展青藏、蒙新和云贵高原湿地的研究。中国科学院昆明植物研究所、中国科学院昆明动物研究所、国家林业局昆明勘察设计院、省林业调查规划院、云南大学、云南师范大学等科研院所和高等院校均参与到高原湿地的研究中，围绕湿地生态系统恢复、湿地生物多样性保护、湿地动态监测等做了大量的研究工作，先后开展了“云南高原湿地功能区划”“湖泊湖滨生态系统研究”“黑颈鹤栖息越冬规律及食源”“高原湿地生态恢复规律”“高原湿地应对气候变化”“高原湿地生态需水及补水对策前期研究”和“高原湿地应对干旱的作用和保护对策研究”等课题研究，取得了许多有价值的研究成果。省林业厅与省林业调查规划院合作，制定了《省级重要湿地认定》《湿地生态监测》《湿地保护管理成效评估》等系列技术标准，同时开展了云南省湿地生态服务功能价值研究；与中国科学院昆明植物研究所合作开展纳帕海国际重要湿地的相关研究，科学解决纳帕海牲畜放牧与生态环境的问题，通过各种技术标准的制定和研究项目的开展，着力解决湿地保护管理中的科学技术瓶颈问题。

云南省的湿地研究已经取得了一定的成果，但由于湿地生态系统复杂、涉及学科较多，目前的研究还无法满足管理需求，湿地保护科技支撑还是比较薄弱。一方面高原湿地研究亟待开展，以便为湿地生物多样性的保护、污染治理、生态修复、湿地资源合理利用提供科学依据；另一方面，全省还没有形成一个有力的科技支撑体系。例如：不同类型湿地的恢复方法，如何开展湿地生态补水，湿地植物、动物与湿地生态功能之间的关系，湿地生态功能价值指标等方面研究的不足，制约了湿地保护发展进程。

8 湿地机构能力现状

为加强云南高原湿地保护工作，2009 年，云南省制办公室批准成立“云南省湿地保护管理办公室”，核定人员编制 7 名，以切实履行在全省湿地保护管理中的组织、协调、指导和监督职能，推动全省湿地的规范化管理。

目前，全省湿地机构情况共分为 3 类：一类是林业系统内设置的湿地管理部门。全省 16 个州、市中，共有昆明、昭通、红河、丽江和德宏等 5 个州、市经当地编制委同意设立了湿地保护管理办公室。总编制人数 18 人，实际在编 20 人。其中，德宏州设立了湿地办，但人员编制未予批准，现有工作人员由州林业局内部调配。其余 11 个州、市均未设立湿地办，湿地保护和管理职责由州、市林业局保护办(站)承担。129 个县中，仅有昆明市晋宁县、大理州洱源县和鹤庆县 3 个县设立了湿地保护管理办公室(局)，总编制人数 15 人，实际在编 7 人。第二类是林业部门管理的单个湿地保护机构。全省 16 个州、市中，有 9 个州、市设置了 13 个单个湿地保护机构，分别是昭通市大山包保护区管理局、巧家马树县级自然保护区管理局、曲靖市海峰自然保护区管理局、文山州丘北县普者黑湿地保护管理所、普洱市西盟勐梭龙潭县级保护区管理局、大理州剑川湿地省级自然保护区管理局、云龙天池国家级自然保护区管理局、洱源县湿地保护管理局、保山市腾冲北海湿地保护管理所、丽江市拉市海管理局、泸沽湖省级自然保护区管理局、迪庆州碧塔海省级自然保护区管理所、纳帕海省级自然保护区管理所。13 个湿地保护机构中有 11 个为自然保护区管理机构，2 个为国家湿地公园管理机构，且级别从正县级到股所级不等。其中，正处级 1 个、副处级 1 个、正科级 3 个、副科级 4 个，其余 6 个为股所级，保护机构级别普遍较低。总编制人数 271 人，实际在编 231 人。其中，本科及以上学历人数为 104 人。持有执法证人员 116 人，持有执法证人员中，持有林业行政执法证 107 人，持有云南省行政执法证 29 人。第三类是当地人民政府或者其他部门管理的单个湿地保护机构情况。非林业部门管理的单个湿地保护机构共 7 个，分别是会泽黑颈鹤国家级自然保护区管理局、红河哈尼梯田管理局、石屏县异龙湖管理局、大理市洱海保护管理局、瑞丽江大盈江国家级风景名胜区管理局、永胜县程海管理局、丽江老君山国家公园管理局。其中，正处级 1 个、副处级(副县级)2 个，正科级 4 个。总编制 119 人，实际在编 88 人。

湿地管理机构普遍存在专业技术人才缺乏，远远不能适应当前湿地保护工作的需要。因此，加大培训力度显得尤为关键。近年来，除了每年固定组织有关人员参加香港米埔湿地保护、恢复、监测以及科普宣教培训，还组织管理人员参加了国家林业局举办的湿地保护恢复项目管理、湿地生态监测以及国家湿地公园申报建设等方面的培训。此外，省级林业主管部门积极与国际国内组织合作，举办各种培训班或研讨会等。省林业厅还与世界自然基金会(WWF)合作，开展了全省湿地执法培训及长江流域湿地保护管理培训，并组织基层湿地保护管理人员赴重庆、成都等地进行人工湿地净化污染考察学习，拓展基层管理人员湿地知识，提升其管理水平。

第二节 湿地保护管理建议

随着经济和技术的发展，对湿地的过度开发和破坏，引发日益严重的生态和资源问题，加强湿地保护已成为社会各界的共识。党的十八大对生态文明建设作出了战略部署，湿地保护作为生态文明建设的重要组成部分，被提到前所未有的高度。目前，云南省湿地保护主要存在5个方面的困难和问题：一是湿地保护任务繁重。全省纳入各类保护地的自然湿地面积约占全省自然湿地面积的40%，还有大量自然湿地未采取有效保护措施。湿地被侵占、破碎化加剧、天然湿地面积萎缩、湿地污染、外来有害生物危害等趋势在局部区域尚未得到有效遏制。加之近年来自然灾害频发，保护任务十分艰巨。二是对湿地保护缺乏科学认识。部分地方对湿地科学认识不够，未将湿地保护融入决策思路，不按照湿地生态规律科学利用资源，重工程方式，轻生态措施；重眼前利益，轻长远成效；重收益，轻投入；重建设，轻管护；重行政命令，轻科学研究等现象仍然存在。三是湿地保护管理体制不顺。目前，湿地保护和开发利用多头管理，保护管理体制机制不顺，未形成统筹协调、上下对接、运转高效的管理体制和机制，影响了全省湿地事业的快速健康发展。四是保护经费投入严重不足。资金投入与保护需求不匹配，经费严重不足，制约云南省湿地保护事业的发展。五是保护基础薄弱。湿地保护的系统性基础研究滞后，科技人才缺乏。湿地科普宣教资料和宣教设施缺乏，宣传力度不够。保护管理机构不健全，管理人员能力弱，难以适应云南省湿地保护事业的发展需要。为加强云南高原湿地保护，维护湿地生态系统结构和功能的稳定，加快推进湿地保护事业的发展，提出以下建议。

1 进一步提高公众湿地保护意识

湿地保护是一项新兴事业，社会舆论是先导。目前云南省湿地保护、合理利用等方面宣传和教育工作滞后于经济发展和资源保护形势的要求，广大干部、群众保护湿地的意识不够，对湿地的价值和重要性缺乏认识。因此宣传普及湿地知识，提高全省人民群众的保护意识，是湿地保护工作的重要任务之一。根据当前云南省湿地保护管理形势，充分认识云南湿地在国家和全球生态安全中的重要地位，一方面要把湿地保护作为实施“生态立省”战略，西南生态安全屏障和“美丽云南”“森林云南”建设的一项重要工作纳入党政干部培训内容，使湿地生态科学、保护和利用知识成为公共行政常识，融入各级党委政府的决策思想和行动。另一方面采取有效措施，加大对社会公众的宣传力度。一是充分利用报纸、杂志、广播、电视、互联网等大众和新兴媒体，并结合“世界湿地日”“世界环境日”“爱鸟周”“保护野生动物宣传月”等，加强湿地保护宣传报道。二是各级新闻媒体要将湿地保护宣传纳入公益性宣传范围，广泛宣传湿地保护知识、政策、措施和成效，形成良好的湿地保护社会舆论氛围。三是结合湿地保护与恢复工程，以湿地公园、自然保护区为主要载体，建设布局合理、功能完备的科普宣教设施。同时，开发系列丰富而形象生动的科普宣教材料和素材。四是要建立湿地保护宣传长效机制，在中小学义务教育阶段开设环境教育课和社会服务课程，将湿地保护作为重要内容纳入。同时，开发适合于大中小学的湿地保护教育课程，湿地科普读物，影像、音像资料等，把湿地保护教育做成精品，使未来的建设者和接班人树立起湿地保护意识。通过加强湿地保护工作宣传，增强全社会认识湿地、保护湿地的生态意识，形成良好的社会舆论氛围，使全社会共同参与到保护湿地的行动中来。

2 建立健全湿地保护长效机制

健全的湿地保护法规体系和体制机制是云南省高原湿地保护的重要保障。建议进一步加强湿地保护政策法规的研究和长效机制的探索。一是完善湿地法规体系。认真贯彻落实《云南省湿地保护条例》，制订相关配套政策；按照“一区一法”的目标，加强州市级、县级及单个重要湿地的保护立法工作，建立健全完善的法律体系，使湿地保护工作有法可依、有章可循。二是探索和建立湿地生态补偿制度，对因保护湿地生态环境使湿地资源所有者、使用者的合法权益受到损害的，给予补偿。同时，按照“谁受益，谁补偿”的原则，对占用湿地和利用湿地资源的单位或者个人征收湿地生态补偿费。解决湿地保护主、客体之间的利益平衡问题。三是探索建立湿地资源有偿使用制度，解决湿地资源低价值利用或无价值使用、保护和利用收益分配不公的问题。四是研究制订湿地保护管理成效评估标准，建立成效评估制度。选择一批有代表性的重要湿地开展评估，由省政府定期公布评估结果，作为各级政府考核的依据之一。五是建立湿地土地管理长效机制，不再将湿地作为占补平衡的土地资源和只征不转特殊的土地政策。六是建立激励社会团体和公众广泛参与湿地保护的机制。目前，云南省湿地的保护与恢复主要还是政府主导，虽然也有一些民间资本和社会力量进入到湿地保护中，但与湿地保护事业的发展形势和需求相比，参与度不高。应研究制定相关政策，通过税收减免、冠名、补贴、奖励等措施,建立激励机制,充分调动和激发社会参与湿地保护的积极性。同时,大力发展湿地保护志愿者队伍,壮大民间湿地保护力量。

3 拓宽资金渠道开展湿地保护

云南省湿地保护工作起步相对较晚，自然湿地保护率低于全国平均水平。加上近年来云南省濒发干旱等极端天气，湿地生态系统退化，全省湿地资源保护的任务十分艰巨和繁重，亟待加强保护。湿地保护经费严重不足已经成为制约云南省湿地保护和利用的瓶颈，需建立财政长效投入机制，加大湿地保护资金投入，同时拓宽融资渠道，加快推进湿地保护事业发展。一是积极争取国家湿地保护项目和资金支持。目前国家对湿地保护的资金支持力度逐年增加，在已经启动的湿地保护工程、湿地保护补助资金项目基础上，2014 年，国家还启动了退耕还湿、湿地生态补偿、湿地保护奖励等试点项目。二是建议逐步将湿地保护纳入全省国民经济与社会发展规划，将湿地保护资金列入各级财政预算，确保退化湿地修复、湿地监管和评估、湿地生态监测、重要湿地认定和规划、湿地机构能力建设、科普宣教等工作的顺利开展。三是建立湿地生态服务功能公共财政补偿机制和湿地资源有偿使用机制，妥善处理好保护与利用的关系，缓解湿地保护资金不足的问题。四是认真实施《云南省湿地保护工程规划(2007～2020 年)》《全省湿地保护“十二五”规划》，加大湿地恢复、基础设施建设、监测巡护以及宣教设施设备等建设力度。五是充分调动全社会重视和参与湿地生态环境保护的积极性，争取社会各方面的投资投入。同时加强国际合作，积极引进国际合作项目和资金，推进云南湿地保护事业健康快速发展。

4 完善湿地保护地体系

建立完备的湿地保护管理体系，是云南省高原湿地得到有效保护和规范管理的重要措施。应充分利用云南省第二次湿地资源调查结果，深入研究、积极探索，加快推进湿地保护管理体系建设，抢救性地保护云南省自然湿地。并规范保护地的管理。一是为加强典型地区、物种富集区、高海拔和脆弱地区自然湿地的保护。应加快启动开展省级重要湿地认定工作。同时，对条件具备的国际重要湿地，积极申报晋升国际重要湿地，争取云南省更多湿地列入国际重要名录。二是在现有保护区的基础上，新建、晋升一批湿地自然保护区，扩大湿地保护面积。并根据云南省高原湿地生态系统特点，进一步完善湿地保护区总体规划，科学分区，规范管理。三是针对云南省湿地分散、破碎化程度高、单个面积小、功能重要等特点，创新保护机制和体制，重点在滇东北和滇西北等沼泽湿地集中的区域建立一批湿地保护小区。结合云南省实际，探索湿地保护小区管理模式，通过乡规民约、协议保护等形式，抢救性地保护好有重要价值的小块湿地。四是加大湿地公园建设力度。湿地公园作为湿地分类保护管理体系的重要组成部分，是以保护湿地生态系统、合理利用湿地资源、开展湿地宣传教育和科学研究为目的，可供开展生态旅游等活动的区域。为充分发挥湿地公园在云南省湿地保护与合理利用方面的示范作用，根据云南省地理区位特殊，湿地具有类型多样、生态功能重要、生物多样性丰富、生态景观壮丽等特点，统筹做好云南省湿地公园发展规划，在区域上以滇中、滇西北、滇东北为重点，湿地资源上以湖泊、沼泽等为重点，加快推进国家湿地公园建设申报和建设工作。同时，适时启动省级湿地公园建设工作。通过开展这些工作，进一步建立健全云南省湿地保护管理体系。

5 加强湿地保护科技支撑

目前湿地保护管理存在专门人才短缺、研究基础薄弱、本底调查不够深入、监测体系尚未建立等等问题，亟待解决。为提供科技在云南省高原湿地保护中的支撑作用，既要注重湿地保护基础性研究，又要注重关键技术的研究。一是建立湿地资源定期调查制度，按照湿地生态系统发展规律，定期开展湿地资源调查和专题调查，建立和充实、完善湿地资源数据库，实现数据共享，为保护和合理利用湿地资源奠定基础。二是加强湿地资源监测工作，出台湿地生态监测规划，选择具有代表性的湿地资源类型，建设湿地生态监测站(点)，逐步建立全省湿地动态监测网络，建立系统、全面的湿地资源数据库及信息管理系统，为湿地生态功能、湿地恢复研究、资源评估，以及湿地管理和政府决策提供科学的依据。二是建立科学决策咨询机制，在省政府层面成立“云南省湿地保护专家委员会”，为湿地保护决策提供技术咨询服务。四是加强湿地恢复与保护技术研究，鼓励科研院所加强对湿地的科学研究，启动湿地演替规律、湿地生态恢复重建、人工湿地建设、生态补水等一批湿地保护与恢复关键技术研究项目。五是尽快制订出台湿地保护管理和恢复技术规程，规范湿地保护管理。六是加快培养湿地科技人才，加大湿地保护管理机构人员培训，为湿地保护提供人才队伍支撑。

6 提升湿地组织、协调、指导和监管水平

湿地作为水陆相互作用而形成的特殊复杂的生态系统，其管理涉及土地资源、水资源、生物资源等多种资源的管理，因而是一项跨部门、跨行业、跨地区的需由多部门合作才能做好的工作。加之云南省湿地由于复杂的地形地貌，在较小的尺度上集合了森林、河流、湖泊、草甸等景观，管理工作更加复杂。对于一个复杂生态系统的管理，需协调相关部门形成合力做好湿地保护工作，《云南省湿地保护条例》中明确要求县级以上人民政府应当建立湿地保护工作目标责任制和协调机制。建议建立湿地保护部门联动机制，加强沟通协作，形成合力，明确工作目标、任务和责任，确保各项工作落到实处。此外，为加强对全省湿地资源管理，规范管理工作，提升监管水平，应制订出台省级重要湿地认定办法、湿地资源监测技术规程、资源有偿使用管理办法、保护成效评估技术规程、湿地红线划定技术规程及管理办法等，建立健全湿地保护管理规程规范。

7 提高湿地保护管理能力

湿地保护管理能力通常由硬实力和软实力组成。随着社会经济的发展，硬实力的提高可以在短期内得以实现，而软实力的提升则需要一个漫长、渐进的过程。《云南省湿地保护条例》的颁布实施，明确了湿地保护管理机构职责。针对云南省湿地保护管理机构不健全、管理人员能力弱，难以适应湿地保护事业发展需要的实际，应加强保护管理机构建设，建立健全机构，采取技术培训、交流合作等多种形式，提升机构及管理人员能力。湿地保护管理能力包括执法能力、科学研究能力、监测能力、科普宣教能力、湿地保护项目实施能力，以及共建能力等方面。执法能力建设方面，首先应进一步完善湿地保护条例配套政策，有法可依；其次是明确执法主体，并要具有完善的执法保障。科学研究能力建设方面，应加强人才培养和引进，开展基础性和实用性技术研究，注意强化科技交流和科研成果的推广。监测能力建设方面，应加强监测设施建设，配备必要的监测设备，同时，强化监测工作的开展及成果的统计、分析和运用。科普宣教能力方面，建设宣教平台，加强湿地保护知识学习和培训，提升宣教能力。此外，还需要提升组织实施湿地保护项目能力以及社区共建能力，从而形成一个完整而强有力的湿地保护管理机构。

8 规范湿地资源利用

湿地作为一种具有巨大潜力的资源，其保护与合理利用日益受到社会各界的关注。通过加强保护和规范利用管理，能更加发挥湿地供给服务、调节服务、文化服务和支持服务等功能，实现湿地资源的可持续利用。譬如中国香港米埔自然保护区湿地资源的保护与利用、印度齐利卡湖生态旅游、日本日光国家湿地公园的管理等都是成功案例。

借鉴国内外湿地保护的成功经验，结合云南省实际，建议选择符合条件的湿地开展湿地资源利用许可试点，制定云南省湿地资源利用许可制度，探索妥善解决湿地资源保护与开发矛盾的机制，改变湿地资源低价值、不科学、不规范的利用方式。采取优先提供就业机会、调整产业结构、扶持群众发展生态农业等方式，促进公民和社区参与湿地管理。建立社区参与湿地保护的共管机制，增加社区群众收入。要利用云南省独特的湿地景观资源，结合湿地文化建设，依法开展与湿地承载力相适应的湿地生态旅游，吸引社会关注湿地，提升旅游品质，使湿地的生态、经济、社会效益协调同步发挥。

附录1　云南湿地调查区域植物名录

序	科	属	种		分　　布
			中文名	拉丁名	
一、苔藓植物门 Bryophyta					
1	指叶苔科	指叶苔属	深裂指叶苔	*Lepidozia sandvicensis*	湿生苔藓植物；产贡山独龙江；生于林下沼泽地
2	大萼苔科	大萼苔属	曲枝大萼苔	*Cephalozia catenulata*	湿生苔藓植物；产大关；生于山区林下沟谷溪边腐木上
3		钝叶苔属	角胞钝叶苔	*Cladopodiella francisci*	湿生苔藓植物；产德钦；2900～3200米，生于山区溪边湿地上
4		长胞苔属	长胞苔	*Hygrobiella laxifolia*	湿生苔藓植物；产贡山；生于山区溪边岩石上
5	叶苔科	叶苔属	延叶叶苔	*Jungermannia fauriana*	湿生苔藓植物；产彝良；生于海拔2060米的林下河边泥土上
6			鞭枝叶苔	*Jungermannia flagellata*	湿生苔藓植物；产勐海；生于河岸湿土上
7			变色叶苔	*Jungermannia hasskarliana*	湿生苔藓植物；产贡山独龙江、绿春；生于山地沟边湿土上
8			疏叶叶苔	*Jungermannia laxiphylla*	湿生苔藓植物；产中甸；生于林下溪边岩石上
9			卷苞叶苔	*Jungermannia torticalyx*	湿生苔藓植物；产中甸；生于林下溪边岩石上
10	裂叶苔科	卷叶苔属	卷叶苔	*Anastrepta orcadensis*	湿生苔藓植物；产德钦白马雪山、福贡、贡山独龙江、维西、中甸碧塔海、丽江；生于海拔3000～4000米林下沼泽地
11		裂叶苔属	小裂叶苔	*Lophozia collaris*	湿生苔藓植物；产丽江；生于林下溪边湿土或岩石面
12			玉山裂叶苔	*Lophozia morrisoncola*	湿生苔藓植物；产丽江；生于河岸边湿土面
13	合叶苔科	合叶苔属	林地合叶苔	*Scapania nemorea*	湿生苔藓植物；产贡山独龙江、维西；生于海拔3100～3250米的树干或高山草甸上
14	齿萼苔科	裂萼苔属	双齿裂萼苔	*Chiloscyphus latifolius*	湿生苔藓植物；产昆明、耿马；生于水边竹林地面或土坡上
15			裂萼苔	*Chiloscyphus polyanthus*	湿生苔藓植物；产昆明、河口、西双版纳；生于海拔1600～2400米的林下土面和流水石上
16		异萼苔属	四齿异萼苔	*Heteroscyphus argutus*	湿生苔藓植物；产全省大部分地区；生于海拔1650～2300米的水沟边
17	羽苔科	羽苔属	卢贝加氏羽苔	*Plagiochila carringtonii*	湿生苔藓植物；产丽江玉龙雪山；生于海拔3790米的溪旁湿石上
18			卵叶羽苔	*Plagiochila ovalifolia*	湿生苔藓植物；产寻甸、昭通、维西、贡山、丽江、德钦；生于1820～3500米的河边上
19	毛叶苔科	毛叶苔属	毛叶苔	*Ptilidium ciliare*	湿生苔藓植物；广布于云南各地；生于泥炭藓沼泽中
20	多囊苔科	新绒苔属	新绒苔	*Neotrichocolea bissetii*	湿生苔藓植物；产元江；生于流水溪边石上或腐木上
21	耳叶苔科	耳叶苔属	波脊耳叶苔	*Frullania evelyne*	湿生苔藓植物；产西双版纳；生于河边
22	小叶苔科	小叶苔属	小叶苔	*Fossombronia pusilla*	湿生苔藓植物；产丽江、丘北及云南北部和东部；生于潮湿的土壤上，见于沼泽中高地

（续）

序	科	属	种		分 布
			中文名	拉丁名	
23	溪苔科	溪苔属	溪苔	*Pellia epiphylla*	湿生苔藓植物；产丽江、丘北、勐腊；生于山区溪边石生或湿土上
24	苞叶苔科	苞叶苔属	苞叶苔	*Calycularia crispula*	湿生苔藓植物；产丘北、河口；生于溪边河岸湿土
25	带叶苔科	带叶苔属	多形带叶苔	*Pallavicinia ambigua*	湿生苔藓植物；产景东、西双版纳；生于山谷溪边湿石上
26	壶苞苔科	壶苞苔属	壶苞苔	*Blasia pusilla*	湿生苔藓植物；产丽江、西双版纳；生于山区林下或沟谷溪流两岸
27	花地钱科	花地钱属	花地钱	*Corsinia coriandrina*	湿生苔藓植物；产德钦、丽江
28	光苔科	光苔属	光苔	*Cyathodium smaragdinum*	湿生苔藓植物；产昭通、东川、丽江、昆明；生于阴暗崖下或洞穴处滴水石上和湿土上
29	蛇苔科	蛇苔属	蛇苔	*Conocephalum conicum*	湿生苔藓植物；产丽江、昆明、西双版纳；生于溪边林下阴湿碎石和土上
30			小蛇苔	*Conocephalum japonicum*	湿生苔藓植物；产丽江、昆明、河口、勐仑；生于溪边林下阴湿土上
31	瘤冠苔科	花萼苔属	柔叶花萼苔	*Asterella mitsumiensis*	湿生苔藓植物；产东川、昆明；生于林下溪边或路旁湿土上
32	星孔苔科	星孔苔属	柄星孔苔	*Sauteria inflata*	湿生苔藓植物；产贡山；生于河边石上
33	地钱科	地钱属	地钱	*Marchantia polymorpha*	湿生苔藓植物；产昆明、安宁、丘北；生于阴湿土坡、墙下或沼泽地湿土或岩石上
34			拟地钱	*Marchantia stoloniscyphula*	湿生苔藓植物；产德钦；生于河边石上
35	钱苔科	钱苔属	片叶钱苔	*Riccia crystallina*	湿生苔藓植物；产江城、勐腊、勐仑；生于江河边湿土上
36			叉钱苔	*Riccia fluitans*	湿生苔藓植物；产丽江、昆明、安宁、广南、绿春、河口、景东；生于水沟沉水中、河边
37			钱苔	*Riccia glauca*	湿生苔藓植物；产昆明、西双版纳；生于河边和林下湿土上
38			稀枝钱苔	*Riccia huebeneriana*	湿生苔藓植物；产勐腊、勐仑；生于河边公园的湿土上
39			辽宁钱苔	*Riccia liaoningensis*	湿生苔藓植物；产勐腊、勐仑；生于江边湿土上
40			肥果钱苔	*Riccia sorocarpa*	湿生苔藓植物；产勐腊；生于河边和公园林下湿土上
41		浮苔属	浮苔	*Ricciocarpus natans*	湿生苔藓植物；产丽江；生于含肥料丰富的池沼中
42	角苔科	角苔属	角苔	*Anthoceros punctatus*	湿生苔藓植物；产福贡、昆明、武定、元阳、河口、西双版纳、沧源；生于阴湿溪边或山坡，田野土壤上
43		树角苔属	日本树角苔	*Dendroceros japonicus*	湿生苔藓植物；产大理、西双版纳；生于潮湿的谷地溪边的树干上，时见于溪边湿石上
44		大角苔属	东亚大角苔	*Megaceros flagellaris*	湿生苔藓植物；产大理；生于潮湿谷地溪流岩石上
45		黄角苔属	球根黄角苔	*Phaeoceros bulbiculosus*	湿生苔藓植物；产昭通、德钦；生于湿土壤上，习见于溪边洼地
46			黄角苔	*Phaeoceros laevis*	湿生苔藓植物；产贡山独龙江、丽江、昆明、绿春；生于阴湿河边、田野和土坡上
47	短角苔科	短角苔属	东亚短角苔	*Notothylas japonica*	湿生苔藓植物；产西双版纳；生于阴湿沟边湿土上
48			短角苔	*Notothylas orbicularis*	湿生苔藓植物；产丽江、西双版纳；生于阴山坡或溪边或田野的湿土上

（续）

序	科	属	种		分　　布
			中文名	拉丁名	
49	藻藓科	藻苔属	藻藓	*Takakia ceratophylla*	湿生苔藓植物；产德钦；生于海拔3000米的高山岩面湿地
50	泥炭藓科	泥炭藓属	拟尖叶泥炭藓	*Sphagnum acutifolioides*	湿生苔藓植物；产彝良、昭通、东川、贡山、福贡、腾冲；生于海拔2000~3500米的针叶林下沼泽地或生于岩洞及沟边滴水石上
51			尖叶泥炭藓	*Sphagnum capillifolium*	湿生苔藓植物；产贡山、福贡、漾濞、大理；生于海拔1800~4000米的高山沼泽地、潮湿腐殖土上或塔头甸子上
52			狭叶泥炭藓	*Sphagnum cuspidatum*	湿生苔藓植物；产福贡、贡山独龙江沿岸；生于海拔1500~3000米的林下潮湿的腐殖土上及塔头甸子上
53			长叶泥炭藓	*Sphagnum falcatulum*	湿生苔藓植物；产巧家、会泽、东川、贡山独龙江沿岸、福贡、景东；生于海拔3000~3500米的高山沼泽地及水湿之林地
54			白齿泥炭藓	*Sphagnum girgensohnii*	湿生苔藓植物；产彝良、昭通、东川、贡山、丽江、维西以及怒江与澜沧江之间的高山上；不详，常见于沼泽地与潮湿针叶林、塔头甸子上
55			暖地泥炭藓	*Sphagnum junghuhnianum*	湿生苔藓植物；产全省大部分地区；生于海拔2000米的沼泽地潮湿林地
56			加萨泥炭藓	*Sphagnum khasianum*	湿生苔藓植物；产大理、漾濞、昆明、安宁、保山、腾冲；生于海拔1500~2000米的沼泽、潮湿林地及沟边湿土上或滴水岩面上
57			吕宋泥炭藓	*Sphagnum luzonense*	湿生苔藓植物；产维西；生于海拔3000~4000米的高山阴湿林地或沼泽地上
58			中位泥炭藓	*Sphagnum magellanicum*	湿生苔藓植物；产贡山、福贡、景东；生于海拔2000~3000米的沼泽地或针叶林下，也见于杜鹃灌丛下及塔头水湿地
59			稀孔泥炭藓	*Sphagnum microporum*	湿生苔藓植物；产贡山、福贡、腾冲、梁河；生于海拔1500~2000米的沼泽、潮湿林地及塔头甸子中，也见于溪边水中
60			多纹泥炭藓	*Sphagnum multifibrosum*	湿生苔藓植物；产彝良、昭通、昆明、安宁、贡山、维西、福贡、腾冲、梁河；生于海拔1800~3200米的沼泽地、林地
61			秃叶泥炭藓	*Sphagnum obtusiusculum*	湿生苔藓植物；产贡山独龙江流域沿岸、福贡及怒江与澜沧江之间地区；生于海拔1500~3500米的沼泽地
62			卵叶泥炭藓	*Sphagnum ovatum*	湿生苔藓植物；产全省大部分地区；生于海拔600~1500米的沼泽地、溪边、针叶林或常绿阔叶林下，以及林缘河沟边滴水石上
63			密枝泥炭藓	*Sphagnum palustre*	湿生苔藓植物；产全省大部分地区；生于海拔500~2000米的沟边水草地上、沼泽地以及潮湿林地
64			五列泥炭藓	*Sphagnum quinquefarium*	湿生苔藓植物；产贡山以南怒江与独龙江之间的山地上；生于海拔1500~3000米的沼泽地或水湿地上
65			喙叶泥炭藓	*Sphagnum recurvum*	湿生苔藓植物；产贡山独龙江、福贡；生于海拔1500~3000米的沼泽地针叶林下湿地，往往形成垫状藓丛
66			广舌泥炭藓	*Sphagnum russowii*	湿生苔藓植物；产丽江、维西、贡山独龙江流域、福贡；生于海拔2000~3500米的针叶林下沼泽地及沟边或林缘水湿地上

（续）

序	科	属	种		分布
			中文名	拉丁名	
67	泥炭藓科	泥炭藓属	丝光泥炭藓	*Sphagnum sericeum*	湿生苔藓植物；产泸水片马及高黎贡山一带；生于海拔2500～3500米的水草上及潮湿地
68			粗叶泥炭藓	*Sphagnum squarrosum*	湿生苔藓植物；产贡山独龙江沿岸、泸水、福贡、德钦、中甸、维西、腾冲；生于海拔2000～3500米的林下积水处及沼泽中
69			羽枝泥炭藓	*Sphagnum subnitens*	湿生苔藓植物；产大理苍山一带；生于海拔2500～3000米的针叶林下以及潮湿的草甸土上
70			偏叶泥炭藓	*Sphagnum subsecundum*	湿生苔藓植物；产昆明、呈贡、安宁、腾冲、梁河；生于海拔1500～2000米的沼泽地及阴湿林地上
71			柔叶泥炭藓	*Sphagnum tenellum*	湿生苔藓植物；产贡山独龙江流域沿岸、泸水、福贡、大理；生于海拔600～1500米的溪边低湿地上或沼泽及水草中
72			细叶泥炭藓	*Sphagnum teres*	湿生苔藓植物；产贡山独龙江沿岸、福贡、大理、景东；生于海拔600～1500米的林边、溪边水草地及沼泽地上，也见于塔头甸子水中
73	牛毛藓科	对叶藓属	对叶藓	*Distichium capillaceum*	湿生苔藓植物；产德钦、中甸、丽江、昆明；生于海拔1900～4320米的林地、草地、腐殖土上
74		拟牛毛藓属	闭蒴拟牛毛藓	*Ditrichopsis clausa*	湿生苔藓植物；产中甸、丽江、勐腊、瑞丽、沧源；生于海拔750～3850米的林地、泥炭沼泽中以及石缝薄土中
75	曲尾藓科	中华长帽藓属	高山长帽藓	*Atractylocarpus alpinus*	湿生苔藓植物；产贡山；生于海拔3900～4100米的沼泽地、草地湿土及腐木上
76		拟扭柄藓属	拟扭柄藓	*Campylopodiella tenella*	湿生苔藓植物；产贡山；生于海拔2000～3400米的沼泽地，腐木及土壤上
77		曲柄藓属	疣肋曲柄藓	*Campylopus schwarzii*	湿生苔藓植物；产昭通、巧家、维西、贡山、中甸、福贡、泸水、丽江、大理、禄劝、昆明；生于海拔1620～4200米的水沟边、沼泽地
78			拟脆枝曲柄藓	*Campylopus subfragilis*	湿生苔藓植物；产彝良、贡山、禄劝、昆明、嵩明、屏边、景东、沧源；生于海拔1600～2450米的沟边、林下腐木、林地
79		小曲尾藓属	偏叶小曲尾藓	*Dicranella subulata*	湿生苔藓植物；产贡山、丽江、昆明；生于海拔3150～4200米的沟边及路旁
80			变形小曲尾藓	*Dicranella varia*	湿生苔藓植物；产贡山、丽江、昆明；生于海拔1950～3000米的沼泽地钙质土上
81		青毛藓属	瘤叶青毛藓	*Dicranodontium papillifolium*	湿生苔藓植物；产大关、彝良、东川、贡山、中甸、维西、福贡、丽江、保山、绿春；生于海拔1400～4500米的林中树干、腐木、土壤和沼泽地上
82		卷毛藓属	卷毛藓	*Dicranoweisia crispula*	湿生苔藓植物；产贡山、丽江；生于海拔3300～4300米的高山沼泽和积雪岩石上
83		曲尾藓属	错那曲尾藓	*Dicranum conanenum*	湿生苔藓植物；产德钦、维西、中甸、贡山、福贡、丽江、禄劝、腾冲、凤庆；生于海拔2300～4800米的林地、草地、灌丛下、沼泽地
84			折叶曲尾藓	*Dicranum fragilifolium*	湿生苔藓植物；产贡山、泸水、绿春、勐海、勐腊、德宏；生于海拔770～3500米的林下腐木、岩面薄土、沟边土壁上

（续）

序	科	属	种		分　　布
			中文名	拉丁名	
85	曲尾藓科	曲尾藓属	喜马拉雅曲尾藓	*Dicranum himalayanum*	湿生苔藓植物；产昭通、德钦、中甸、维西、贡山、福贡、丽江、大理、漾濞、腾冲；生于海拔1800～4500米的林地、岩面薄土、灌丛下和高山草甸
86			瘤叶曲尾藓	*Dicranum mamillosum*	湿生苔藓植物；产德钦、贡山、中甸、福贡、大理；生于海拔3700～4800米的林地、岩面薄土、树干基部、高山草甸
87		拟白发藓属	拟白发藓	*Paraleucobryum enerve*	湿生苔藓植物；产巧家、德钦、维西、中甸、贡山、福贡、丽江、大理；生于海拔2000～4800米的林下腐木、树干基部、流石滩和草地上
88			长叶拟白发藓	*Paraleucobryum longifolium*	湿生苔藓植物；产德钦、维西、中甸、贡山、福贡、丽江；生于海拔3200～4300米的林下腐木、树干基部、流石滩和草地上
89		长蒴藓属	长蒴藓	*Trematodon longicollis*	湿生苔藓植物；产彝良、昆明、丘北、河口、勐海、腾冲、云县、德宏；生于海拔170～1900米的林地以及水沟边土壁上
90	凤尾藓科	凤尾藓属	二形凤尾藓	*Fissidens geminiflorus*	湿生苔藓植物；产贡山；生于海拔1400米的滴水石壁上
91			大叶凤尾藓	*Fissidens grandifrons*	湿生苔藓植物；产德钦、贡山、维西、丽江、镇康；生于海拔1700～3000米的林下山沟
92			羽叶凤尾藓	*Fissidens plagiochiloides*	湿生苔藓植物；产大关、彝良、贡山、维西、绿春；生于海拔1300～2200米的林下土坡、滴水岩面或树干上
93	丛藓科	丛本藓属	阔叶丛本藓	*Anoectangium clarum*	湿生苔藓植物；产大理、昆明及滇中高原；生于海拔2000～3000米的路边及沟边石壁上，也见于高山沼泽化草甸上
94			扭叶丛本藓	*Anoectangium stracheyanum*	湿生苔藓植物；产昭通、镇雄、贡山、福贡、昆明及滇中高原各地；生于海拔2000～4000(5000)米的滴水石壁上、高寒地区草甸上
95		红叶藓属	细红叶藓	*Bryoerythrophyllum tenerrimum*	湿生苔藓植物；产丽江地区；生于海拔3000米的灌丛下、高山林地、高山草甸土上
96		链齿藓属	狭叶链齿藓	*Desmatodon cernuus*	湿生苔藓植物；产嵩明及昆明；生于海拔1500～2000米的沟边土壁上、林缘土坡上
97			泛生链齿藓	*Desmatodon laureri*	湿生苔藓植物；产宾川、大理、下关、昆明、楚雄；生于海拔1500～25000米的林地上、沟边或林缘石壁上
98			云南链齿藓	*Desmatodon yunnanensis*	湿生苔藓植物；产德钦、中甸；生于海拔3000米的高山岩石上或流石滩上
99		对齿藓属	糙叶对齿藓	*Didymodon eroso－denticulatus*	湿生苔藓植物；产德钦、贡山、中甸、宾川、大理、大姚；生于海拔2000～3000米的溪边岩壁上霍岩面薄土上，也见于河滩地上
100			北地对叶藓	*Didymodon fallax*	湿生苔藓植物；产贡山独龙江沿岸、中甸、大理；生于海拔2000～3500米的林缘、路边或沟边阴湿的岩面上及土壁上
101			大对齿藓	*Didymodon giganteus*	湿生苔藓植物；产维西、丽江地区；生于海拔2500～3500米的阴湿岩面上及高山草甸上
102			长肋对齿藓	*Didymodon longicostatus*	湿生苔藓植物；产德钦、贡山、中甸、宾川、大理；生于海拔2000～3000米的针叶林区，常见有水流经过的石壁上

（续）

序	科	属	种		分　　布
			中文名	拉丁名	
103	丛藓科	对齿藓属	黑对齿藓	*Didymodon nigrescens*	湿生苔藓植物；产丽江、宾川、大理、昆明、安宁、呈贡；生于海拔2000～3000米的高山林地、岩石上、高山流石滩或草甸土上
104			硬叶对齿藓	*Didymodon rigdulus*	湿生苔藓植物；产贡山、德钦、中甸；生于海拔2000～3000米的草甸土上、沟边石壁上
105			溪边对齿藓	*Didymodon rivicolus*	湿生苔藓植物；产德钦、中甸、维西、丽江；生于海拔3000米的高山林地、林缘或沟边
106			短叶对齿藓	*Didymodon tectorus*	湿生苔藓植物；产德钦、贡山、中甸、维西、福贡、丽江、大理、楚雄、昆明、安宁；生于海拔1500～3000米的沟边岩石上、草甸土上及河滩
107			灰土对齿藓	*Didymodon tophaceus*	湿生苔藓植物；产中甸、丽江；生于海拔2000～3000米的林缘及沟边土壁上及岩石上
108		净口藓属	橙色净口藓	*Gymnostomum aurantiacum*	湿生苔藓植物；产彝良、昭通、贡山、福贡；生于海拔1500～3000米的河岸边石壁
109		圆口藓属	云南圆口藓	*Gyroweisia yunnanensis*	湿生苔藓植物；产大理、漾濞、下关；生于海拔2000～3000米的温泉边或高山冰川石上
110		石灰藓属	石灰藓	*Hydrogonium ehrenbergii*	湿生苔藓植物；产中甸、维西、禄劝、昆明、安宁、潞西、瑞丽；生于海拔500～3000米的溪边岩石上或土壁上
111			疣叶石灰藓	*Hydrogonium gangeticum*	湿生苔藓植物；产景洪、勐腊；生于海拔500～800米的江河边或溪边石上
112			暗色石灰藓	*Hydrogonium sordidum*	湿生苔藓植物；产丽江、昌宁、凤庆；生于海拔1000～3000米的山坡、沟边石壁上及草地
113			钝叶石灰藓	*Hydrogonium williamsii*	湿生苔藓植物；产元阳、绿春；生于海拔1000～1900米的河谷经水石上或泉水边湿壁
114		湿地藓属	卷叶湿地藓	*Hyophila involuta*	湿生苔藓植物；产贡山、福贡、宾川、大理、昆明、普洱、思茅、勐腊；生于海拔1000～3000米的沟边
115		大丛藓属	云南高山大丛藓	*Molendoa sendtneriana* var. *yunnanica*	湿生苔藓植物；产贡山、中甸、维西、丽江、昆明；生于海拔2500～4500米的高山草甸土上、冰川地上或沼泽地上
116		仰叶藓属	仰叶藓	*Reimersia inconspicua*	湿生苔藓植物；产德钦及中甸；生于海拔2000米以下的低热河谷林下，有滴水流经的岩石上
117		纽藓属	折叶纽藓	*Tortella fragilis*	湿生苔藓植物；产丽江、宾川、大理；生于海拔2000米以下的高山流石滩上或沼泽地中
118			长叶纽藓	*Tortella tortuosa*	湿生苔藓植物；产中甸、维西、丽江、大理、昆明、蒙自、元阳、绿春、潞西；生于海拔600～3000米的岩面薄土、沼泽
119		墙藓属	长蒴墙藓	*Tortula leptotheca*	湿生苔藓植物；产中甸、大理、昆明；生于海拔1800～3000米的林地上或沟边水湿地上
120			长尖叶墙藓	*Tortula longimucronata*	湿生苔藓植物；产中甸、丽江、昆明；生于海拔1800～3000米的林地上、牧草地上或河滩
121			泛生墙藓	*Tortula muralis*	湿生苔藓植物；产德钦、中甸、丽江；生于海拔1600～3000米的竹林下、林缘及沟边岩石
122			中华墙藓	*Tortula sinensis*	湿生苔藓植物；产德钦、中甸、大理、昆明；生于海拔1800～4000米的高山林地、草甸土上、阴湿的岩石上

（续）

序	科	属	种		分布
			中文名	拉丁名	
123	丛藓科	墙藓属	云南墙藓	*Tortula yunnanensis*	湿生苔藓植物；产德钦、贡山、中甸、维西、福贡、丽江、大理、昆明、安宁；生于海拔2000～3000米的林地上、有水流经的石面上
124		毛口藓属	芒尖毛口藓	*Trichostomum aritatulum*	湿生苔藓植物；产昆明、呈贡；生于海拔1800～2000米的岩石上、溪边岩面土上
125	紫萼藓科	砂藓属	狭叶砂藓	*Racomitrium angustifolium*	湿生苔藓植物；产贡山、德钦、中甸、大理；生于高海拔山地石面、林下或沼泽地中
126			兜叶砂藓	*Racomitrium cucullatulum*	湿生苔藓植物；产澜沧江与怒江间、中甸哈巴雪山、福贡；生于高山林下或草甸
127		连轴藓属	溪岸连轴藓	*Schistidium rivulare*	湿生苔藓植物；产贡山独龙江；生于滴水岩石面上
128			长齿连轴藓	*Schistidium trichodon*	湿生苔藓植物；产丽江、中甸；生于海拔3600～3900米的高海拔处林下石面或流水滩石上
129	葫芦藓科	葫芦藓属	日本葫芦藓	*Funaria japonica*	湿生苔藓植物；产丽江、维西、剑川、洱源、漾濞、大理；生于海拔2000～2800米的岩面薄土上或石隙处，也见于温泉边或水草地上
130			刺边葫芦藓	*Funaria muchlenbergii*	湿生苔藓植物；产中甸、维西、福贡、丽江、宾川、普洱、思茅地区；生于海拔2000～3000米的林地上、路边、溪边土坡上
131	壶藓科	壶藓属	大壶藓	*Splachnum ampullaceum*	湿生苔藓植物；产中甸；生于沼泽地湿土
132	真藓科	真藓属	狭网真藓	*Bryum algovicum*	湿生苔藓植物；产中甸、德钦；生于海拔3500～4400米的高山草甸、灌丛路边，土生
133			卵蒴真藓	*Bryum blindii*	湿生苔藓植物；产维西、丽江、大理；生于海拔2300～2900米的湿润环境、路边低洼湿地
134			细叶真藓	*Bryum capillare*	湿生苔藓植物；产德钦、中甸、贡山、路南等滇中部地区及滇西北地区；生于海拔1800～3600米的高山流石滩、岩面薄土上
135			韩氏真藓	*Bryum handelii*	湿生苔藓植物；产北部；生于海拔3000～4000米的高山溪水边、沼泽突起之石面上、常年流水的岩壁石隙等处
136			黄色真藓	*Bryum pallescens*	湿生苔藓植物；产西北部；生于海拔3500米的高山流石滩地，土生
137			四川真藓	*Bryum setschwanicum*	湿生苔藓植物；产丽江、永胜；生于海拔1300～2700米的沙地、钙质侵蚀地沼泽湿润环境
138			球蒴真藓	*Bryum turbinatum*	湿生苔藓植物；产西北部；生于海拔3800米的高山溪水边
139			垂蒴真藓	*Bryum uliginosum*	湿生苔藓植物；产德钦、丽江等滇西北地区；生于海拔3100～4100米的山间溪边
140			云南真藓	*Bryum yunnanense*	湿生苔藓植物；产丽江；生于海拔1850米的江边土坡或岩面薄土上
141		平蒴藓属	尖叶平蒴藓	*Plagiobryum demissum*	湿生苔藓植物；产西北部高山湿地多有分布；生于海拔3500～4200米的林下、灌丛及草甸
142			日本平蒴藓	*Plagiobryum japonicum*	湿生苔藓植物；产禄劝；生于海拔4000米的高山流水岩壁
143		丝瓜藓属	林地丝瓜藓	*Pohlia drummondii*	湿生苔藓植物；产大理、中甸等滇西北高山区；生于海拔3500～4500米的高山流石滩

（续）

序	科	属	种		分 布
			中文名	拉丁名	
144	真藓科	丝瓜藓属	勒氏丝瓜藓	*Pohlia ludwigii*	湿生苔藓植物；产昆明；生于海拔1800米的池塘及水边
145			多态丝瓜藓	*Pohlia minor*	湿生苔藓植物；产德钦、中甸、贡山、福贡、东川；生于海拔2500～4700米的高山林地、灌丛、流石滩及岩面薄土
146			白色丝瓜藓	*Pohlia wahlenbergii*	湿生苔藓植物；产西北部地区；生于海拔3000～3800米的高山草甸草丛中
147	提灯藓科	提灯藓属	长叶提灯藓	*Mnium lycopodioiodes*	湿生苔藓植物；产德钦、贡山、中甸、维西、福贡、丽江、大理、昆明；生于海拔2000～3500米的林缘、沟边或路边土坡上
148			偏叶提灯藓	*Mnium thomsonii*	湿生苔藓植物；产德钦、贡山、中甸、丽江、镇康；生于海拔1500～4300米的林缘沟边、草地
149		匐灯藓属	湿地匐灯藓	*Plagiomnium acutum*	湿生苔藓植物；产全省广布；生于海拔600～2000米的溪边、林缘或林下潮湿而透光之地
150			树形匐灯藓	*Plagiomnium arbusculum*	湿生苔藓植物；产德钦、贡山、中甸、维西、丽江、大理、丘北、马关、镇康；生于海拔2000～3000米的林缘及沟边
151			尖叶匐灯藓	*Plagiomnium cuspidatum*	湿生苔藓植物；产贡山、中甸、维西、丽江；生于海拔2000～3000米的高山林地、沟谷或河滩
152			全缘匐灯藓	*Plagiomnium integrum*	湿生苔藓植物；产维西、丽江、大理、昆明、寻甸、安宁、丘北、马关、勐海、腾冲、镇康、耿马；生于海拔600～2000米的林缘、沟边土坡上
153			日本匐灯藓	*Plagiomnium japonicum*	湿生苔藓植物；产维西、贡山、中甸、德钦、丽江；生于海拔2000～3000米的林缘、沟边土坡上
154			侧枝匐灯藓	*Plagiomnium maximoviczii*	湿生苔藓植物；产全省大部分地区；生于海拔1000～2000米的沟边水草地、林地或林缘阴湿地
155			具喙匐灯藓	*Plagiomnium rhynchophorum*	湿生苔藓植物；产全省大部分地区；生于海拔600～3000米的林缘沟边阴湿的土坡上
156			大叶匐类藓	*Plagiomnium succulentum*	湿生苔藓植物；产全省大部分地区；生于海拔500～2000米的路边及沟边湿地上
157			毛齿匐灯藓	*Plagiomnium tezukae*	湿生苔藓植物；产绥江、永善、大关；生于海拔1500～3000米的林缘或沟边土坡上、阴湿林地
158			圆叶匐灯藓	*Plagiomnium vesicatum*	湿生苔藓植物；产贡山、中甸、维西、丽江、昆明、景洪、勐海、勐腊；生于海拔600～2500米的沟边及林缘土坡
159		毛灯藓属	大叶毛灯藓	*Rhizomnium magnifolium*	湿生苔藓植物；产贡山、福贡等县高黎贡山地区；生于海拔3000～4000米的冷杉林下，高山灌丛草甸或岩面薄土
160	皱蒴藓科	皱蒴藓属	沼泽皱蒴藓	*Aulacomnium androgynum*	湿生苔藓植物；产德钦、贡山、中甸；生于林下沼泽地或开旷沼泽地

二、维管束植物

(一)蕨类植物

序	科	属	中文名	拉丁名	分 布
1	石杉科	石杉属	皱边石杉	*Huperzia crispata*	湿生草本；产绥江、永善、彝良；生于海拔1900～2000米的山脊阔叶林及筇竹林下
2			蛇足石杉	*Huperzia serrata*	湿生草本；产全省大部分地区；生于海拔1000～2600米的山地常绿阔叶林及苔藓林下

（续）

序	科	属	种		分　布
			中文名	拉丁名	
3	石杉科	马尾杉属	喜马拉雅马尾杉	*Phlegmariurus hamiltonii*	湿生草本；产西盟、永德；生于海拔1900～2300米的常绿阔叶林中树干及阴湿处石壁上附生
4			马尾杉	*Phlegmariurus phlegmaria*	湿生草本；产麻栗坡、马关、河口、屏边、金平、思茅、景洪、勐海、盈江等地的热带山区；附生于海拔80～1150米的树干上或崖壁上
5			云南马尾杉	*Phlegmariurus yunnanensis*	湿生草本；产河口、漾濞及贡山；生于常绿阔叶林中或江、河边林缘，附生于海拔200～2600米的树干上
6	石松科	石松属	石松	*Lycopodium japonicum*	湿生草本；全省大部分中低海拔山地酸性土地带广布；生于海拔1200～3000米的疏林下及林缘或灌丛草坡
7		垂穗石松属	垂穗石松	*Lycopodium cernuum*	湿生草本；产全省大部分热带、亚热带地区，也出现于暖温带的昆明及大理；生于海拔100～2200米的酸性土地带的林缘、灌丛中、湿润沟边及路旁土壁上
8	卷柏科	卷柏属	垫状卷柏	*Selaginella pulvinata*	湿生草本；产全省大部分地区地；生于海拔1100～3000米的岩石露头及峭壁上，多见于石灰岩地区
9			疏叶卷柏	*Selaginella remotifolia*	湿生草本；产全省大部分地区；多生于海拔650～2600米的常绿阔叶林及松栎林下，较少见于林缘湿润处岩石上
10			翠云草	*Selaginella uncinata*	湿生草本；产大关；生于海拔1000～1100米的山谷林下溪边阴湿处
11	水韭科	水韭属	高寒水韭	*Isoetes hypsiphila*	湿生草本；产丽江至宁蒗北部永宁途中马海子、香格里拉；生于海拔3600米的亚高山草甸沼泽地带水塘中
12			云贵水韭	*Isoetes yunguiensis*	湿生草本；产寻甸、嵩明、昆明、易门、弥勒等县；生于海拔1900～2100米的缓流浅水中及水边湿草地、季节性湿草地、水库边浅水中，偶见于水稻田中
13	木贼科	木贼属	问荆	*Equisetum arvense*	湿生草本；产香格里拉、贡山；生于海拔2200～3250米的河滩及疏荫处水沟边
14			披散木贼	*Equisetum diffusum*	湿生草本；产大部分亚热带及暖温带山地；生于海拔550～2500米的树阴林缘溪沟边及河边湿地
15			犬问荆	*Equisetum palustre*	湿生草本；产禄劝、嵩明；生于海拔2300米的田沟边及阳处溪沟边
16		木贼亚属	笔管草	*Equisetum ramosissimum* subsp. *debile*	湿生草本；产大部分低、中海拔的河坝及沟谷；生于海拔100～2300米的江河边卵石沙地、山谷林缘溪沟边、平坝田沟地埂、路旁湿地灌草丛等
17			节节草	*Equisetum ramosissimum*	湿生草本；产东北部至西北部；生于海拔600～3000米的河谷岸边湿地及山谷路旁灌丛
18	阴地蕨科	阴地蕨属	扇羽阴地蕨	*Botrychium lunaria*	湿生草本；产丽江、香格里拉；生于海拔2900～3500米的落叶松林下阴湿处
19			绒毛阴地蕨	*Botrychium lanuginosum*	湿生草本；广布于东北部至东南部、中部、西部及西北部；生于海拔1500～2700米的林下及林缘或灌丛草地及草坡
20			薄叶阴地蕨	*Botrychium daucifolium*	湿生草本；产西畴、勐海、盈江、贡山；生于海拔1200～1650米的常绿阔叶林下
21			药用阴地蕨	*Botrychium officinale*	湿生草本；产弥勒；生于海拔2000～2150米的常绿阔叶林下

（续）

序	科	属	种		分 布
			中文名	拉丁名	
22	阴地蕨科	阴地蕨属	粗壮阴地蕨	*Botrychium robustum*	湿生草本；产东北部至西北部；生于海拔1900～3000米的阔叶林林下、华山松林林缘、竹丛及灌丛草地阳处
23	瓶尔小草科	瓶尔小草属	瓶尔小草	*Ophioglossum vulgatum*	湿生草本；产昆明、石林、丽江、香格里拉、德钦；生于海拔1800～3350米的草坡阳处
24			心叶瓶尔小草	*Ophioglossum reticulatum*	湿生草本；产东北部至西北部；生于海拔1950～3400米的山谷疏林下草地及竹林下草地
25	紫萁科	紫萁属	分株紫萁	*Osmunda cinnamomea*	湿生草本；产大关、广南、屏边；常生于海拔1700～2000米的中山地带的林缘、林中空地、草地或沼泽及泥炭藓灌丛草坡
26	膜蕨科	蕗蕨属	蕗蕨	*Mecodium badium*	湿生草本；产全省大部分地区；生于海拔1400～2400米的常绿阔叶林中潮湿岩石壁上
27			毛蕗蕨	*Mecodium exsertum*	湿生草本；产金平、昆明、武定、禄劝、新平、景东、漾濞、永德、泸水、贡山；生于海拔2000～2900米的针阔混交林中树干上或林下阴湿岩石上
28			圆锥蕗蕨	*Mecodium paniculiflorum*	湿生草本；产全省大部分地区；生于海拔1350～3300米的潮湿岩石壁上及树干上
29		瓶蕨属	瓶蕨	*Vandenboschia auriculata*	湿生草本；产全省大部分地区；生于海拔1400～2200米的常绿阔叶林中树干上或岩石上
30	碗蕨科	碗蕨属	碗蕨	*Dennstaedtia scabra*	湿生草本；产全省大部分地区；生于海拔850～2500米的林下、林缘、溪边或路边土坎
31		鳞盖蕨属	边缘鳞盖蕨	*Microlepia marginata*	湿生草本；产绥江及河口；生于海拔950～1500米的常绿阔叶林、竹林及山沟溪边
32	陵齿蕨科	陵齿蕨属	陵齿蕨	*Lindsaea cultrata*	湿生草本；产全省各地（迪庆州除外）；生于海拔900～2500米的林缘灌丛下
33			团叶陵齿蕨	*Lindsaea orbiculata*	湿生草本；产河口；生于海拔100～850米的林下
34		双唇蕨属	异叶双唇蕨	*Schizoloma heterophyllum*	湿生草本；产河口；生于海拔120～600米的林下溪边湿地
35	蕨科	蕨属	蕨	*Pteridium aquilinum* var. *latiusculum*	湿生草本；产全省各地；生于海拔500～2200米的林缘空地上或荒坡上
36			毛轴蕨	*Pteridium revolutum*	湿生草本；产全省各地；生于海拔1000～3250米的林缘空地或荒坡
37	凤尾蕨科	凤尾蕨属	紫轴凤尾蕨	*Pteris aspericaulis*	湿生草本；产全省大部分地区；生于海拔1200～2200米的林下
38			欧洲凤尾蕨	*Pteris cretica*	湿生草本；产全省亚热带地区；生于海拔1500～2500米的林下或林缘
39			指叶凤尾蕨	*Pteris dactylina*	湿生草本；产中部至西北部亚高山地区；生于海拔2700～3200米的森林及灌丛中岩隙
40			剑叶凤尾蕨	*Pteris ensiformis*	湿生草本；产全省大部分地区；生于海拔230～1100米的林缘灌丛中
41			溪边凤尾蕨	*Pteris terminalis*	湿生草本；产全省亚热带地区；生于海拔1000～2200米的溪边或林下阴湿处
42			狭叶凤尾蕨	*Pteris henryi*	湿生草本；产亚热带石灰岩地区；生于海拔1000～2100米的林缘灌丛中或石缝中
43			线羽凤尾蕨	*Pteris lineais*	湿生草本；产中部、南部及西部；生于海拔100～1800米的密林下或溪边阴湿处

（续）

序	科	属	种		分　　布
			中文名	拉丁名	
44	凤尾蕨科	凤尾蕨属	井栏边草	*Pteris multifida*	湿生草本；产绥江、大关、广南、西畴、麻栗坡等；生于海拔 350～1600 米的林缘灌丛
45			凤尾蕨	*Pteris cretica* var. *nervosa*	湿生草本；产全省亚热带地区；生于海拔 1500～2500 米的林下或林缘
46			半边旗	*Pteris semipinnata*	湿生草本；产富宁、屏边、河口、景洪；生于海拔 200～800 米的热带雨林林下或林缘
47			蜈蚣草	*Pteris vittata*	湿生草本；产大理；生于海拔 2100 米的山坡道旁草丛中
48			西南凤尾蕨	*Pteris wallichiana*	湿生草本；产全省亚热带山地；生于海拔 1300～2800 米的林荒地或林缘
49	卤蕨科	卤蕨属	卤蕨	*Acrostichum aureum*	湿生草本；产勐腊；生于海拔600～800 米的山沟湿地灌丛中
50	中国蕨科	珠蕨属	珠蕨	*Cryptogramma raddeana*	湿生草本；产德钦；生于海拔 3950 米的冷杉林中石壁隙
51			稀叶珠蕨	*Cryptogramma stelleri*	湿生草本；产洱源、丽江、香格里拉、德钦；生于海拔 3100～4430 米的冷杉林或灌木下
52		金粉蕨属	栗柄金粉蕨	*Onychium japonicum* var. *lucidum*	湿生草本；产全省大部分地区；生于海拔 700～2500 米的疏林下或灌丛中
53			蚀盖金粉蕨	*Onychium tenuifrons*	湿生草本；产东北部至西北部；生于海拔 750～3000 米的松林下、灌丛疏荫处或路边土埂上
54	铁线蕨科	铁线蕨属	铁线蕨	*Adiantum capillus-veneris*	湿生草本；广布于全省各地；生于石灰岩地区海拔 500～2500 米的潮湿处岩隙和滴水岩壁上，也常见于有石灰质的潮湿处砌石隙
55			鞭叶铁线蕨	*Adiantum caudatum*	湿生草本；产南部；生于石灰岩地区海拔 230～1150 米的常绿阔叶林下、灌丛下水沟
56			白背铁线蕨	*Adiantum davidii*	湿生草本；产巧家、会泽、嵩明、禄劝、大姚、丽江、香格里拉；生于海拔 2100～3050 米的常绿阔叶林、灌丛疏荫处岩隙或溪边腐殖土上
57			普通铁线蕨	*Adiantum edgeworthii*	湿生草本；产全省大部分地区；生于海拔 850～2500 米的林下、灌丛中
58			扇叶铁线蕨	*Adiantum flabellulatum*	湿生草本；产麻栗坡、河口、屏边、金平、普洱、思茅、勐腊、景洪、勐海；生于海拔 100～800 米的疏林下及林缘酸性土上
59			假鞭叶铁线蕨	*Adiantum malesianum*	湿生草本；产全省大部分地区；生于海拔 400～2000 米的林下、路边或岩隙
60			掌叶铁线蕨	*Adiantum pedatum*	湿生草本；产永善、漾濞、鹤庆、丽江、维西、德钦、贡山；生于海拔 2500～2900 米的针叶林下水沟边
61	水蕨科	水蕨属	水蕨	*Ceratopteris thalictroides*	挺水植物；产河口、新平、元江、勐腊、耿马、沧源、盈江；生于海拔 100～880 米的水稻田中、水沟中或水浸湿地
62	裸子蕨科	翠蕨属	翠蕨	*Anogramma microphylla*	湿生草本；产西畴、麻栗坡、马关、贡山；生于海拔 1500～2200 米的林下石壁上
63	凤丫蕨科	凤丫蕨属	普通凤丫蕨	*Coniogramme intermedia*	湿生草本；产全省大部分地区；生于海拔 1500～2500 米的常绿阔叶林林下或林缘
64			凤丫蕨	*Coniogramme japonica*	湿生草本；产罗平；生于海拔 1250 米的常绿阔叶林林下

（续）

序	科	属	种		分　布
			中文名	拉丁名	
65	凤丫蕨科	泽泻蕨属	泽泻蕨	*Hemionitis arifolia*	湿生草本；产勐海
66	车前蕨科	车前蕨属	台湾车前蕨	*Antrophyum formosanum*	湿生草本；产南部；生于海拔300～1600米的常绿阔叶林中溪边岩石或附生于山谷树干
67			车前蕨	*Antrophyum henryi*	湿生草本；产南部；生于海拔300～1600米的常绿阔叶林中溪边岩石或附生于山谷树干
68	蹄盖蕨科	假蹄盖蕨属	假蹄盖蕨	*Athyriopsis japonica*	湿生草本；产昆明、大理、鹤庆、德钦；生于海拔2000～2300米的林下湿地及山谷溪边
69		蹄盖蕨属	薄叶蹄盖蕨	*Athyrium delicatulum*	湿生草本；产东南部、中部至西北部；多生于海拔1650～3000米的疏荫处溪沟边，有时生于沼泽地，根状茎生于浅水中
70			无盖蹄盖蕨	*Athyrium exindusiatum*	湿生草本；产屏边、元阳、武定、腾冲至盈江途中；生于海拔1000～2250米的林下草丛中及疏荫处砌石隙
71			川滇蹄盖蕨	*Athyrium mackinnonii*	湿生草本；产东北部、中部、西部至西北部；生于海拔1100～3700米的林下及林缘湿润处，多见于溪沟边
72		冷蕨属	膜叶冷蕨	*Cystopteris pellucida*	湿生草本；产全省大部分地区；生于海拔2100～3200米的山谷灌丛及阴湿处石壁上
73		双盖蕨属	双盖蕨	*Diplazium donianum*	湿生草本；产西畴、河口、屏边、金平、西双版纳州、沧源；生于海拔180～1650米的常绿阔叶林下溪旁
74		介蕨属	介蕨	*Dryoathyrium boryanum*	湿生草本；产全省大部分地区；多生于海拔650～2350米的林下阴湿处，少见于水渠边灌丛中及阴湿峡谷中
75			峨眉介蕨	*Dryoathyrium unifurcatum*	湿生草本；产全省大部分地区；生于海拔1100～2500米的山地阔叶林及灌木林下溪沟边
76		蛾眉蕨属	毛轴蛾眉蕨	*Lunathyrium hirtirachis*	湿生草本；产贡山高黎贡山；生于海拔3900米的常绿阔叶林林缘溪沟边潮湿处
77		假冷蕨属	三角叶假冷蕨	*Pseudocystopteris subtriangularis*	湿生草本；产东北部至西北部；主要生于海拔2100～4050米的亚高山带林下及林缘和灌丛草坡的灌丛中
78	金星蕨科	新月蕨属	单叶新月蕨	*Pronephrium simplex*	湿生草本；产河口、蒙自；生于海拔100～500米的热带雨林林缘
79			新月蕨	*Pronephrium gymnopteridifrons*	湿生草本；产富宁、河口、金平、蒙自、景洪、勐海、沧源、耿马、潞西、盈江、瑞丽；生于海拔100～1300米的热带雨林林缘
80		星毛蕨属	星毛蕨	*Ampelopteris prolifera*	湿生草本；产绥江、河口、屏边、元阳、勐腊、孟连、双江、镇康、潞西、盈江；生于海拔100～1000米的河滩及沼泽边湿地
81		钩毛蕨属	耳羽钩毛蕨	*Cyclogramma auriclata*	湿生草本；产中部至西北部；生于海拔1800～2500米的常绿阔叶林下
82		毛蕨属	华南毛蕨	*Cyclosorus parasiticus*	湿生草本；产昆明、富宁、河口、绿春；生于海拔110～2000米的林缘荒坡
83			截裂毛蕨	*Cyclosorus truncatus*	湿生草本；产罗平、广南、西畴、河口、绿春、勐腊、沧源、耿马、瑞丽、贡山；生于海拔550～1550米的热带雨林或季风常绿阔叶林下
84		方秆蕨属	方秆蕨	*Glaphylopteridopsis erubescens*	湿生草本；产中部至西北部；生于海拔1500～2500米的常绿阔叶林下水沟边

（续）

序	科	属	种		分布
			中文名	拉丁名	
85	金星蕨科	假毛蕨属	似镰羽假毛蕨	*Pseudocyclosorus pseudofalcilobus*	湿生草本；产贡山；生于海拔1230～1500米的季风常绿阔叶林林下沟边
86		紫柄蕨属	紫柄蕨	*Pseudophegopteris pyrrhorachis*	湿生草本；产全省大部分地区；生于海拔1000～2100米的常绿阔叶林林缘水沟边
87		溪边蕨属	浅裂溪边蕨	*Stegnogramma asplenioides*	湿生草本；产漾濞、维西、泸水、贡山；生于海拔1500～2550米的常绿阔叶林下
88			贯众叶溪边蕨	*Stegnogramma cyrtomioides*	湿生草本；产绥江、永善、大关；生于海拔1300～1800米的杂木林下
89			屏边溪边蕨	*Stegnogramma dictyoclinoides*	湿生草本；产东南部；生于海拔1200米的林下沟边
90	铁角蕨科	铁角蕨属	齿果铁角蕨	*Asplenium cheilosorum*	湿生草本；产全省大部分地区；生于海拔500～1800米的密林下或溪旁阴湿石上
91			毛轴铁角蕨	*Asplenium crinicaule*	湿生草本；主产南部；生于海拔1000～2500米的林下溪边潮湿岩石上
92			倒挂铁角蕨	*Asplenium normale*	湿生草本；产全省大部分地区；生于海拔600～2500米的密林下或溪旁石上
93			半边铁角蕨	*Asplenium unilaterale*	湿生草本；产全省大部分地区；生于海拔120～2700米的林下或溪边石上
94			阴湿铁角蕨	*Asplenium unilaterale*	湿生草本；产西北部至东南部；生于海拔860～2800米和密林下溪边滴水的岩壁上
95		水鳖蕨属	水鳖蕨	*Sinephropteris delavayi*	湿生草本；产全省大部分地区；生于海拔600～1750米的林下阴湿岩石上或路边灌丛下
96	乌毛蕨科	乌毛蕨属	乌毛蕨	*Blechnum orientale*	湿生草本；产南部；生于海拔100～2250米的疏林及灌丛中、溪边或路边湿润土坎上
97	鳞毛蕨科	复叶耳蕨属	斜方复叶耳蕨	*Arachniodes rhomboidea*	湿生草本；产绥江、威信、弥勒、广南、西畴、马关；生于海拔600～2000米的常绿阔叶林
98		贯众属	大叶贯众	*Cyrtomium macrophyllum*	湿生草本；产巧家、维西、泸水、贡山、嵩明、思茅；生于海拔1800～2500米的常绿阔叶林
99			贯众	*Cyrtomium fortunei*	湿生草本；产全省大部分地区；生于海拔1500～2200米的常绿阔叶林林下
100		鳞毛蕨属	黑鳞鳞毛蕨	*Dryopteris lepidopoda*	湿生草本；产漾濞、丽江、维西、福贡、贡山；生于海拔2000～2700米的针－阔叶混交林
101			密鳞鳞毛蕨	*Dryopteris pycnopteroides*	湿生草本；产漾濞、维西、贡山、永善、大关、彝良；生于海拔1400～3000米的沟边
102			稀羽鳞毛蕨	*Dryopteris sparsa*	湿生草本；产全省大部分地区；生于海拔500～2000米的林下溪边
103			大羽鳞毛蕨	*Dryopteris wallichiana*	湿生草本；产全省大部分地区；生于海拔2200～3600米的铁杉林或云杉林林下
104		耳蕨属	峨眉耳蕨	*Polystichum omeiense*	湿生草本；产彝良、大关、沾益、石屏、屏边；生于海拔1600～2500米的常绿阔叶林下
105	实蕨科	实蕨属	长叶实蕨	*Bolbitis heteroclita*	湿生草本；产南部；生于海拔150～1250米的季雨林或常绿阔叶林下
106		刺蕨属	刺蕨	*Egenolfia appendiculata*	湿生草本；产河口、屏边、金平、绿春、勐腊、沧源、盈江等地；生于海拔100～1200米的季雨林或常绿阔叶林下
107	水龙骨科	线蕨属	断线蕨	*Colysis hemionitidea*	湿生草本；产全省大部分地区；生于海拔950～1600米的常绿阔叶林下

（续）

序	科	属	种		分布
			中文名	拉丁名	
108	水龙骨科	线蕨属	宽羽线蕨	*Colysis pothifolia*	湿生草本；产全省大部分地区；生于海拔700～1500米的常绿阔叶林下或附生岩石上
109		星蕨属	羽裂星蕨	*Microsorum dilatatum*	湿生草本；产景洪、勐腊、勐海、沧源、盈江等地；生于海拔700～1100米的季雨林或常绿阔叶林下
110	苹科	苹属	苹	*Marsilea quadrifolia*	浮叶植物；产全省各地
111	槐叶苹科	槐叶苹属	槐叶苹	*Salvinia natans*	漂浮植物；全省各地均产；生于海拔500～2500米的水田或池塘中
112	满江红科	满江红属	满江红	*Azolla imbricata*	漂浮植物；产全省各地；生水田或池塘中
（二）裸子植物					
1	松科	冷杉属	长苞冷杉	*Abies georgei*	沼生乔木；产中甸、维西、丽江、兰坪及中部（禄劝）海拔2500～4200米地带
2		云杉属	丽江云杉	*Picea likiangensis*	沼生乔木；产德钦、中甸、丽江、永宁等地；生于海拔2300～3800米地区
3		落叶松属	大果红杉	*Larix potaninii*	沼生乔木；产德钦、中甸、维西、丽江；生于海拔2500～4150米地区
4	杉科	水松属	水松	*Glyptostrobus pensilis*	沼生乔木；产屏边大围山、富宁；昆明有栽培
5		水杉属	水杉	*Metasequoia glyptostroboides*	沼生乔木；昆明等地有栽培
6	柏科	刺柏属	高山柏	*Juniperus squamata*	沼生灌木；产东北部至西北部；生于海拔2500～4400米，多在3000米以上地区
（三）被子植物					
1	毛茛科	乌头属	滇西乌头	*Aconitum bulleyanum*	湿生草本；产西部（大理、丽江、维西）；生于海拔3200～3500米的山地林边或溪边
2			乌头	*Aconitum carmichaelii*	湿生草本；昆明、大理、丽江、中甸、个旧、文山等地，广泛栽培；生于海拔100～2150米的山地草坡或灌丛中
3			膝瓣乌头	*Aconitum geniculatum*	湿生草本；产东北部（会泽）；生于海拔3200米的山地
4			小花乌头	*Aconitum pseudobrunneum*	湿生草本；产西北部；生于海拔4150米的溪边草地
5			甘青乌头	*Aconitum tanguticum*	湿生草本；产西北部（中甸、德钦）；高山草地，生于海拔4200～4900米的山顶草甸
6			黄草乌	*Aconitum vilmorinianum*	湿生草本；产中部和西部；生于海拔2100～2500米的山地灌丛中
7		罂粟莲花属	罂粟莲花	*Anemoclema glaucifolium*	湿生草本；产西北部；生于海拔1700～3000米的山坡草地或灌丛下
8		银莲花属	展毛银莲花	*Anemone demissa*	湿生草本；产中甸、德钦；生于海拔3400～4000米的高山草地或冷杉林下
9			细萼银莲花	*Anemone filisecta*	湿生草本；产景洪、勐仑；生于海拔600米的河边草地
10			鹅掌草	*Anemone flaccida*	湿生草本；产大理、兰坪、鹤庆、丽江、维西；生于海拔3000～3200米的山坡草地或石上
11			拟卵叶银莲花	*Anemone howellii*	湿生草本；产西畴、文山、马关、屏边、腾冲；生于海拔1200～2300米的山谷沟边阴湿处或疏林
12			草玉梅	*Anemone rivularis*	湿生草本；产全省大部分地区；生于海拔1800～3100米的草坡、沟边或疏林中

（续）

序	科	属	种		分　布
			中文名	拉丁名	
13	毛茛科	银莲花属	湿地银莲花	*Anemone rupestris*	湿生草本；产洱源、丽江、中甸；生于海拔 2300～3000 米的山地草坡或溪边
14			岩生银莲花	*Anemone rupicola*	湿生草本；产丽江、中甸、德钦；生于海拔 2800～4400 米的山谷草甸、沟边、河滩上
15			拟条叶银莲花	*Anemone trullifolia*	湿生草本；产丽江；生于海拔 2500～3500 米的沟边或草坡上
16		星果草属	裂叶星果草	*Asteropyrum cavaleriei*	湿生草本；产东南部（文山）；生于海拔 2000 米的林下水边
17		水毛茛属	水毛茛	*Batrachium bungei*	湿生草本；产西北部；生于海拔 2300～4100 米的山谷溪中、湖中或水塘
18			小水毛茛	*Batrachium eradicatum*	湿生草本；产东川、丽江、德钦；生于海拔 2000～3200 米的湖边
19			硬叶水毛茛	*Batrachium foeniculaceum*	湿生草本；产中甸；生于海拔 2500 米的湖中
20		鸡爪草属	鸡爪草	*Calathodes oxycarpa*	湿生草本；产大理；生于海拔 2400～3200 米的山地林下草坡阴处
21		美花草属	美花草	*Callianthemum pimpinelloides*	湿生草本；产西北部；生于海拔 3500 米的林下
22		驴蹄草属	空茎驴蹄草	*Caltha palustris* var. *barthei*	湿生草本；产西部和西北部；生于海拔 2700～3800 米的林下、草地、沟边
23			驴蹄草	*Caltha palustris* var. *palustris*	湿生草本；产西部和西北部；生于海拔 3100～3700 米的水边、草地及林下
24			掌裂驴蹄草	*Caltha palustris* var. *umbrosa*	湿生草本；产中部、西部和西北部；生于海拔 2600～4000 米的沟边、草地和沼泽草甸
25			花葶驴蹄草	*Caltha scaposa*	湿生草本；产西部和西北部；生于海拔 3100～4100 米的水边、山坡草地
26			细茎驴蹄草	*Caltha sinogracilis*	湿生草本；产西北部；生于海拔3500～3800 米的水边潮湿草地
27		翠雀属	滇川翠雀花	*Delphinium delavayi*	湿生草本；产东北部至西北部；生于海拔 2600～3600 米的草坡上或疏林中
28			翠雀	*Delphinium grandiflorum*	湿生草本；产全省大部分地区
29			阴地翠雀花	*Delphinium umbrosum*	湿生草本；产中甸、福贡、德钦；生于海拔 3500～3900 米的草坡上或山谷林下
30		碱毛茛属	三裂碱毛茛	*Halerpestes tricuspis*	湿生草本；产中甸；生于海拔 3000 米的平坝小溪边草地
31		独叶草属	独叶草	*Kingdonia uniflora*	湿生草本；产德钦；生于海拔 3900 米的山地冷杉林下或杜鹃灌丛下
32		鸦跖花属	脱萼鸦跖花	*Oxygraphis delavayi*	湿生草本；产西北部；生于海拔 3500～4000 米的高山草甸
33			鸦跖花	*Oxygraphis glacialis*	湿生草本；产西北部；生于海拔 2600～4000 米的草地或水边
34			小鸦跖花	*Oxygraphis tenuifolia*	湿生草本；产中甸；生于海拔 3900 米的草甸上
35		毛茛属	苍山毛茛	*Ranunculus cangshanicus*	湿生草本；产大理、中甸；生于海拔 2000～3400 米的山地水中或草坡上
36			禺毛茛	*Ranunculus cantoniensis*	湿生草本；产盐津、漾濞；生于海拔 500～2500 米的湿草地或溪边

（续）

序	科	属	种		分　　布
			中文名	拉丁名	
37	毛茛科	毛茛属	茴茴蒜	*Ranunculus chinensis*	湿生草本；产全省大部分地区；生于海拔1000～2500米的山谷湿草地、溪边或田边
38			康定毛茛	*Ranunculus dielsianus*	湿生草本；产巧家、永宁；生于海拔约2900米的山地
39			铺散毛茛	*Ranunculus diffusus*	湿生草本；产全省大部分地区；生于海拔1100～3100米的山坡草地、林边、溪边
40			黄毛茛	*Ranunculus distans*	湿生草本；产西部至西北部；生于海拔2000～3500米的山坡草地或溪边
41			圆裂毛茛	*Ranunculus dongrergensis*	湿生草本；产德钦；生于海拔3200～4200米的草坡上或多石草地
42			扇叶毛茛	*Ranunculus felixii*	湿生草本；产巧家、大理、丽江、永宁、中甸、碧江；生于海拔2800～3200米的云杉或高山栎林中、草坡上
43			西南毛茛	*Ranunculus ficariifolius*	湿生草本；产绥江、奕良、镇雄、嵩明、大理、丽江、贡山、维西、兰坪、金平；生于海拔1400～3200米的沟边、林下、河滩、沼泽或水田边
44			叉裂毛茛	*Ranunculus furcatifidus*	湿生草本；产德钦；生于海拔3700米的沼泽边
45			三裂毛茛	*Ranunculus hirtellus*	湿生草本；产巧家、禄劝、大理、丽江、中甸、维西、德钦、贡山；生于海拔2800～4000米的高山草甸、草坡、水边
46			毛茛	*Ranunculus japonicus*	湿生草本；产镇雄、威信；生于海拔1460～1950米的草坡或湿草地
47			昆明毛茛	*Ranunculus kunmingensis*	湿生草本；产全省大部分地区；生于海拔1000～2600米的山坡草地，溪边，灌丛中或疏林
48			丝叶毛茛	*Ranunculus nematolobus*	湿生草本；产洱源、鹤庆、丽江；生于海拔2500～2900米的山谷湿草地或溪边
49			云生毛茛	*Ranunculus nephelogenes*	湿生草本；产丽江、永宁、中甸、德钦；生于海拔2600～4200米的高山草甸或沼泽边
50			川滇毛茛	*Ranunculus potaninii*	湿生草本；产中甸；生于海拔3800米的沼泽边
51			匐枝毛茛	*Ranunculus repens*	湿生草本；产中甸、德钦；生于海拔2700～3300米的高山草甸或溪边
52			石龙芮	*Ranunculus sceleratus*	挺水植物；产中部至西北部；生于海拔1900～2300米的沟边、湖边、沼泽边
53			扬子毛茛	*Ranunculus sieboldii*	湿生草本；产盐津、镇雄、昆明、富宁、西畴、麻栗坡；生于海拔750～1900米的水田或林边草地
54			钩柱毛茛	*Ranunculus silerifolius*	湿生草本；全省广布；生于海拔850～2500米的溪边、林边或湿草地
55			高原毛茛	*Ranunculus tanguticus*	湿生草本；产东北部至西北部；生于海拔2500～4100米的高山草甸、溪边
56			棱喙毛茛	*Ranunculus trigonus*	湿生草本；产全省大部分地区；生于海拔1200～3300米的草坡上、溪边、田中或杂林中
57			云南毛茛	*Ranunculus yunnanensis*	湿生草本；产会泽、禄劝、大姚、漾濞、洱源、鹤庆、丽江、中甸、维西；生于海拔2800～4100米的草坡、林边或冷杉林中
58		唐松草属	高原唐松草	*Thalictrum cultratum*	湿生草本；产洱源、丽江、中甸、维西、德钦；生于山地草坡、石上、溪边或疏林中

（续）

序	科	属	种		分 布
			中文名	拉丁名	
59	毛茛属	唐松草属	偏翅唐松草	*Thalictrum delavayi*	湿生草本；产全省大部分地区；生于海拔1400～3400米的山地林边、沟边、灌丛或疏林中
60		金莲花属	小金莲花	*Trollius pumilus*	湿生草本；产全省大部分地区
61			毛茛状金莲花	*Trollius ranunculoides*	湿生草本；产东北部（东川）和西北部（维西、中甸、德钦）；生于海拔2900～4300米的草坡或水边草地
62			云南金莲花	*Trollius yunnanensis*	湿生草本；产东北部、西部、西北部和西南部；生于海拔3000～3800米的草坡和溪边草地
63	金鱼藻科	金鱼藻属	金鱼藻	*Ceratophyllum demersum*	沉水植物；产全省；在海拔2700米以下的水塘、水沟及湖泊内常见
64			粗糙金鱼藻	*Ceratophyllum muricatum*	沉水植物；产全省；分布于各淡水水域
65	睡莲科	莼属	莼菜	*Brasenia schreberi*	浮叶植物；仅见于腾冲北海和思茅；生于海拔1500米的水塘中
66		莲属	莲	*Nelumbo nucifera*	挺水植物；全省各地栽培于池塘或水田中
67		睡莲属	睡莲（茈碧花）	*Nymphaea tetragona*	浮叶植物；产洱源；生于海拔2056米的茈碧湖水深2～3米的水域，栽培广泛
68	小檗科	小檗属	洱源小檗	*Berberis levis*	湿生灌木；产大理、宾川、洱源、大姚、剑川、丽江；生于海拔2500～2800米的山坡阴处林
69			云南小檗	*Berberis yunnanensis*	湿生灌木；产丽江、德钦、贡山；生于海拔3200～3600米的草坡、云冷杉林中或灌丛
70		鬼臼属	川八角莲	*Dysosma delavayi*	湿生草本；产嵩明、彝良、大关、镇雄、维西、文山；生于海拔1600～2400米的山谷林下及沟边
71			六角莲	*Dysosma pleiantha*	湿生草本；产西北部；生于海拔600～1600米的林下
72			八角莲	*Dysosma versipellis*	湿生草本；产富宁、西畴、麻栗坡；生于海拔1000～1460米的石灰山常绿林下
73		桃儿七属	桃儿七	*Sinopodophyllum hexandrum*	湿生草本；产文山、嵩明、大理、维西、丽江、中甸、德钦；生于海拔2200～4300米的林下
74	三白草科	裸蒴属	裸蒴	*Gymnotheca chinensis*	湿生草本；产富宁、西畴、屏边、文山；水沟或林间沟箐湿地，海拔700～1500米
75		蕺菜属	蕺菜	*Houttuynia cordata*	湿生草本；产全省各地；生于海拔150～2500米的林缘水沟边、湿润的路边、村旁沟边、田埂沟边等潮湿的肥土上
76		三白草属	三白草	*Saururus chinensis*	湿生草本；产富宁、文山、金平；生于海拔700米左右的林下湿地或水旁沼泽地
77	金粟兰科	金粟兰属	金缘金粟兰	*Chloranthus holostegius*	湿生草本；产中部及南部；生于海拔700～2100米的林荫下
78			珠兰	*Chloranthus spicatus*	湿生草本；全省大部分地区栽培
79	罂粟科	血水草属	血水草	*Eomecon chionantha*	湿生草本；产绥江、彝良、文山；生于海拔1400～1800米的林下阴处或沟边
80		绿绒蒿属	椭果绿绒蒿	*Meconopsis chelidoniifolia*	湿生草本；产东北部；生于海拔1850～3700米的林下荫处或溪边路旁
81			滇西绿绒蒿	*Meconopsis impedita*	湿生草本；产西北部（丽江、维西、中甸、贡山、德钦）；生于海拔3400～4500米的草坡
82			琴叶绿绒蒿	*Meconopsis lyrata*	湿生草本；产西北部（德钦、贡山）；生于海拔3400～4200（～4800）米的草坡及高山草甸

（续）

序	科	属	种		分　　布
			中文名	拉丁名	
83	紫堇科	紫堇属	阿墩紫堇	*Corydalis atuntsuensis*	湿生草本；产德钦、中甸、宁蒗、维西；生于海拔3900～4800米的灌丛下、山坡草地或高山草甸
84			伞花黄堇	*Corydalis corymbosa*	湿生草本；产德钦、中甸、贡山；生于海拔3500～4500(～5000)米的高山草甸
85			丽江黄堇	*Corydalis delavayi*	湿生草本；产丽江、永宁、中甸、德钦；生于海拔3000～4600米的石灰岩高山灌丛、草甸
86			纤细黄堇	*Corydalis gracillima*	湿生草本；产滇东北至滇西北；生于海拔2600～4050米的林下、草地或石缝中
87			钩距黄堇	*Corydalis hamata*	湿生草本；产德钦、贡山、中甸、维西；生于海拔3400～3800(～4200)米的多石路边或溪水中
88			裂瓣紫堇	*Corydalis radicans*	湿生草本；产中甸；生于海拔3230米附近的林边草坡、沟谷灌丛或沟边
89			金钩如意草	*Corydalis taliensis*	湿生草本；产全省大部分地区；生于海拔1500～1800米的林下、灌丛下或草丛、田间
90			三裂紫堇	*Corydalis trifoliata*	湿生草本；产德钦、贡山、维西、大理；生于海拔(3000～)3500～4200(～4400)米的杜鹃灌丛、高山草甸或山坡石砾缝中
91			滇黄堇	*Corydalis yunnanensis*	湿生草本；产东北部至西北部；生于海拔2100～3400米的林下、灌丛下或山脚荒地
92		紫金龙属	紫金龙	*Dactylicapnos scandens*	湿生草本；除东北部和西双版纳地区外均有分布；生于海拔1100～3000米的林下、山坡、石缝或水沟边、低凹草地、沟谷
93			扭果紫金龙	*Dactylicapnos torulosa*	湿生草本；除东北部和西双版纳地区外均有分布；生于海拔1200～3000米的林下、灌丛中或路边、箐沟边
94	十字花科	寒原荠属	尖果寒原荠	*Aphragmus oxycarpus*	湿生草本；产洱源、丽江，生于海拔3700～4200米的草丛、岩隙碎石间、或山谷溪边
95		南芥属	圆锥南芥	*Arabis paniculata*	湿生草本；产中部至西北部；生于海拔1800～3200米的山坡林下或荒地
96			垂果南芥	*Arabis pendula*	湿生草本；产中甸、德钦；生于海拔2100～3650米的林缘、灌丛及山坡草地
97		荠属	荠	*Capsella bursa－pastoris*	湿生草本；遍布全省各地；生于海拔1500～3700米的山坡、荒地、路边、地埂、宅旁等处，多为野生，但常见有栽培
98		碎米荠属	山芥碎米荠	*Cardamine griffithii*	湿生草本；产西北部和西部；生于海拔2200～4200米的山坡林下、山沟溪边岩石的阴湿处
99			碎米荠	*Cardamine hirsuta*	湿生草本；除西北部高山地区外几遍布全省各地；生于海拔600～2700米的山坡、路旁、荒地及耕地的草丛中
100			弹裂碎米荠	*Cardamine impatiens*	湿生草本；产全省大部分地区；生于海拔1500～3300米的河边、沟边路旁的湿地草丛中
101			大叶碎米荠	*Cardamine macrophylla*	湿生草本；产泸水、大理、洱源、鹤庆、丽江、维西、中甸；生于海拔2600～3800米的山坡灌木林下、沟边石隙及高山草坡水湿处
102			小叶碎米荠	*Cardamine microzyga*	湿生草本；产丽江、中甸；生于海拔约3300米的高山草甸溪边
103			多对碎米荠	*Cardamine multijuga*	湿生草本；产洱源、丽江；生于海拔2400～2700米的沟边草丛或沼泽地中

（续）

序	科	属	种		分　　布
			中文名	拉丁名	
104	十字花科	碎米荠属	鞭枝碎米荠	*Cardamine rockii*	湿生草本；产中甸；生于海拔3100～4650米的山坡沟边及流水边草丛湿润处
105			单茎碎米荠	*Cardamine simplex*	湿生草本；产丽江、维西、中甸；生于海拔约3200米的高山沼泽地及沟边
106			三小叶碎米荠	*Cardamine trifoliolata*	湿生草本；产昭通、大关、永善、绥江、大理、永胜及腾冲；生于海拔1450～2600米的山坡林下、山沟、水边草地
107			云南碎米荠	*Cardamine yunnanensis*	湿生草本；产昆明、禄劝、宾川、漾濞、临沧、镇康、中甸、德钦；生于海拔1800～3400米的山坡溪边、林下阴处或草丛中
108		须弥芥属	须弥芥	*Crucihimalaya himalaica*	湿生草本；产丽江、德钦；生于海拔2000～3000米的沟谷、冲积扇、河边沙滩
109		蛇头荠属	蛇头荠	*Dipoma iberideum*	湿生草本；产丽江、中甸；生于海拔3800～4375米的高山流石滩、高山草甸沟边
110		葶苈属	丽江葶苈	*Draba lichiangensis*	湿生草本；产丽江、中甸；生于海拔3825～4650米的山坡流石滩或山涧边
111			云南葶苈	*Draba yunnanensis*	湿生草本；产巧家、鹤庆、洱源、丽江、中甸、德钦；生于海拔3300～4700米的山坡草地、岩石缝、砾石地、沟边
112		高河菜属	高河菜	*Megacarpaea delavayi*	湿生草本；产西北部；生于海拔3750～4200米的山坡或山顶草地、岩石隙缝、湖边灌丛
113		豆瓣菜属	豆瓣菜	*Nasturtium officinale*	湿生草本；产东北部至西北部；生于海拔700～3400米的沼泽地、水沟中或水边
114		单花荠属	单花荠	*Pegaeophyton scapiflorum*	湿生草本；产大理、维西、中甸、德钦、贡山；生于海拔3500～4500米的山坡潮湿地、高山草地、林内水沟边及流水滩
115		蔊菜属	广州蔊菜	*Rorippa cantoniensis*	湿生草本；产金平、勐海、昆明；生于海拔150～1900米的田边路旁、山沟、河边潮湿地
116			无瓣蔊菜	*Rorippa dubia*	湿生草本；产全省大部分地区；生于海拔600～2700米的山坡路旁、山谷、河边湿地、园圃及田野较潮湿处
117			沼生蔊菜	*Rorippa palustris*	湿生草本；产全省大部分地区；生于海拔(600)1600～2800(～4000)米的水边、湖边、沟边、溪畔、路旁、田边、山坡草地
118	堇菜科	堇菜属	灰叶堇菜	*Viola delavayi*	湿生草本；产东北部至西北部；生于海拔1800～2800(～3000)米的山坡草地、林缘、溪谷湿地
119			七星莲	*Viola diffusa*	湿生草本；产西北部和南部；生于海拔800～1500米的林下、林缘、草坡、溪谷旁
120			云南堇菜	*Viola yunnanensis*	湿生草本；产勐海、景洪、蒙自、屏边、金平、文山等地；生于海拔1300～2400米的山地林下、林缘草地、溪谷及路边岩石缝较湿润处
121	远志科	远志属	黄花倒水莲	*Polygala fallax*	湿生灌木；产南部和东南部；生于海拔(360～)1150～1650米的山谷林下水旁阴湿处
122			肾果小扁豆	*Polygala furcata*	湿生草本；产东南部(文山、蒙自)和西南部(镇康)；生于海拔1300～1600米的岩石边、路旁
123			瓜子金	*Polygala japonica*	湿生草本；产中部(安宁)、东南部(富宁、广南、屏边)、南部(澜沧)；生于海拔800～2100米的山坡或田埂上

（续）

序	科	属	种		分　　布
			中文名	拉丁名	
124	远志科	齿果草属	齿果草	*Salomonia cantoniensis*	湿生草本；产南部（普洱、勐腊、景洪）和东南部（屏边、金平、河口）；生于海拔600～1450米的湿润草地上
125	景天科	落地生根属	落地生根	*Bryophyllum pinnatum*	湿生草本；产西双版纳、镇康、景东、墨江、文山、富宁、河口；生于海拔800～2200米的林缘、山坡或路边
126		八宝属	八宝	*Hylotelephium erythrostictum*	湿生草本；文山州有栽培；生于海拔450～2200米的山坡草地或沟边
127		红景天属	菊叶红景天	*Rhodiola chrysanthemifolia*	湿生草本；产德钦、中甸、丽江、兰坪、鹤庆、洱源、大理、漾濞、腾冲、景东、大姚、禄劝、富民、巧家等地
128			云南红景天	*Rhodiola yunnanensis*	湿生草本；产西北部、西部、中部和东北部；生于海拔2200～4400米的林下、林缘或草坡
129		景天属	镰座景天	*Sedum celiae*	湿生草本；产昆明至东川；生于海拔2600～3450米的岩石缝
130			轮叶景天	*Sedum chauveaudii* var. *chauveaudii*	湿生草本；产丽江、云龙、宾川、禄劝、昆明、嵩明、东川、屏边；生于海拔1900～3600米的林下石缝中
131			互生叶景天	*Sedum chauveaudii* var. *margaritae*	湿生草本；产盐津、大关；生于海拔1650米附近的林下或水边岩石上
132			合果景天	*Sedum concarpum*	湿生草本；产丽江、鹤庆、泸水、凤庆、景东和东川；生于海拔2400～3800米的林下、灌丛下或草坡的石缝中
133			凹叶景天	*Sedum emarginatum*	湿生草本；产威信、镇雄、西畴、文山；生于海拔1400～1500米的石灰岩石缝中
134			山飘风	*Sedum majus*	湿生草本；产贡山、泸水、腾冲；生于海拔2000～2400米的林下或溪边石缝中
135			多茎景天	*Sedum multicaule*	湿生草本；产西北部、西部、中部至东南部；生于海拔1000～3100（～3900）米的林下、灌丛下或草地的石缝间、房屋瓦上常见
136			火焰草	*Sedum stellariifolium*	湿生草本；产德钦、贡山、中甸、兰坪、丽江、镇雄、富民、富宁等地；生于海拔（650～）1750～3000米的山坡、山谷或路边等处的石缝中
137	虎耳草科	落新妇属	落新妇	*Astilbe chinensis*	湿生草本；产香格里拉、鹤庆、泸水、兰坪、永善、彝良、大关；生于海拔1400～2400米的次生林下、林缘或路边草丛中
138			溪畔落新妇	*Astilbe rivularis*	湿生草本；除西双版纳外，全省各地广泛分布；生于海拔1300～3000米的林下、林缘、路边、草地或河边
139		岩白菜属	岩白菜	*Bergenia purpurascens*	湿生草本；产东北部至西北部；生于海拔3000～4500米的林下、灌丛下、草地或石隙
140		金腰属	锈毛金腰	*Chrysosplenium davidianum*	湿生草本；产香格里拉、维西、丽江、福贡、鹤庆、大理、漾濞、洱源、景东、腾冲、禄劝；生于海拔2200～4100米的林下或山坡阴湿处
141			肾萼金腰	*Chrysosplenium delavayi*	湿生草本；产鹤庆、大理、洱源、维西、漾濞、富民、文山、彝良；生于海拔2000～2800米的林下沟边或灌丛下石隙

(续)

序	科	属	种		分布
			中文名	拉丁名	
142	虎耳草科	金腰属	肾叶金腰	*Chrysosplenium griffithii*	湿生草本；产东北部至西北部；生于海拔(2500～)3200～4000米的林下、灌丛下、草丛中或路边、水沟边
143			绵毛金腰	*Chrysosplenium lanuginosum*	湿生草本；产永善、景东；生于海拔1900～2500米的林下或水边
144			大叶金腰	*Chrysosplenium macrophyllum*	湿生草本；产彝良；生于海拔1800米左右的林下或水边
145		梅花草属	中国梅花草	*Parnassia chinensis*	湿生草本；产大理；生于海拔3350～3800(～4000)米的山坡草地
146			心叶梅花草	*Parnassia cordata*	湿生草本；产贡山、福贡；生于海拔(2700～)4000～4100米的山坡草地
147			鸡心梅花草	*Parnassia crassifolia*	湿生草本；产鹤庆、大理、临沧、昆明、大姚；生于海拔1900～2200米的林下或水边潮湿地
148			突隔梅花草	*Parnassia delavayi*	湿生草本；产东北部至西北部；生于海拔(1700～)2700～4000米的林下、灌丛下或草地
149			无斑梅花草	*Parnassia epunctulata*	湿生草本；产东川、会泽、巧家、泸水、丽江；生于海拔3000～3800米的草地
150			白耳菜	*Parnassia foliosa*	湿生草本；产大理、宾川；生于路边草丛中或水边
151			长瓣梅花草	*Parnassia longipetala*	湿生草本；产贡山、福贡、兰坪；生于海拔2400～3800米的草坡或灌丛下
152			大叶梅花草	*Parnassia monochoriifolia*	湿生草本；产盐津成凤山；生于潮湿的岩石上
153			类三脉梅花草	*Parnassia pusilla*	湿生草本；产德钦、香格里拉、贡山；生于海拔3700～4200米的山坡草地
154			近凹瓣梅花草	*Parnassia submysorensis*	湿生草本；产香格里拉；生于海拔3400～3600米的林下草地
155			青铜钱	*Parnassia tenella*	湿生草本；产香格里拉、丽江、鹤庆、兰坪；生于海拔2800～3400米的林下石上或山坡
156			三脉梅花草	*Parnassia trinervis*	湿生草本；产香格里拉、贡山；生于海拔(2800～)3400～4400米的山坡草地
157			鸡眼梅花草	*Parnassia wightiana*	湿生草本；产东北部至西北部；生于海拔(1000～)2300～3600(～4200)米的林下、灌丛下、草地或沟边路旁
158			俞氏梅花草	*Parnassia yui*	湿生草本；产贡山；生于海拔3000米左右的竹灌丛下
159			云南梅花草	*Parnassia yunnanensis*	湿生草本；产德钦、维西、香格里拉、丽江、鹤庆、洱源；生于海拔3000～4250米的林下、高山草甸、草坡或路边
160		扯根菜属	扯根菜	*Penthorum chinense*	湿生草本；产香格里拉、丽江、勐腊、砚山等地；生于海拔850～1850米的沟边潮湿地
161		鬼灯檠属	七叶鬼灯檠	*Rodgersia aesculifolia*	湿生草本；产德钦、维西、贡山、泸水、兰坪、丽江、大理、镇康、景东、大关；生于海拔2300～3800米的林下、灌丛下、山坡草地
162			羽叶鬼灯檠	*Rodgersia pinnata*	湿生草本；产东北部至西北部；生于海拔(1700～)2400～3800米的林下、灌丛下或草地
163			西南鬼灯檠	*Rodgersia sambucifolia*	湿生草本；产东北部至西北部；生于海拔2200～3500米的林下、灌丛间或草地

（续）

序	科	属	种		分布
			中文名	拉丁名	
164	虎耳草科	虎耳草属	橙黄虎耳草	*Saxifraga aurantiaca*	湿生草本；产丽江、大理；生于海拔3700～4200米的草地石隙
165			短柄虎耳草	*Saxifraga brachypoda*	湿生草本；产德钦、贡山、福贡、大理；生于海拔(2300～)3000～4250米的山顶或山坡石隙，或林下岩石上
166			灯架虎耳草	*Saxifraga candelabrum*	湿生草本；产德钦、香格里拉、贡山、丽江、鹤庆、洱源、东川；生于海拔(2000～)2500～3300(～4200)米的林下、林缘或山坡等处的石隙间
167			心叶虎耳草	*Saxifraga cardiophylla*	湿生草本；产大理苍山；生于海拔3200～4000米处
168			雪地虎耳草	*Saxifraga chionophila*	湿生草本；产大理、丽江、香格里拉、德钦；生于海拔2700～5000米的草甸
169			棒蕊虎耳草	*Saxifraga clavistaminea*	湿生草本；产大理、禄劝、景东；生于海拔2490～3600米的潮湿石上
170			矮虎耳草	*Saxifraga coarctata*	湿生草本；产德钦、香格里拉、丽江；生于海拔3700～4500米的山坡碎石隙或高山草甸
171			棒腺虎耳草	*Saxifraga consanguinea*	湿生草本；产德钦、香格里拉、维西；生于海拔3500～4800米的山坡石隙
172			十字虎耳草	*Saxifraga decussata*	湿生草本；产香格里拉；生于海拔4200米左右的石灰岩上和峭壁上
173			滇西北虎耳草	*Saxifraga dianxibeiensis*	湿生草本；产德钦、维西；生于海拔3500～4800米的山坡岩石隙
174			川西虎耳草	*Saxifraga dielsiana*	湿生草本；产德钦、贡山；生于海拔2450～3400米的林下岩石上或陡壁石上
175			异叶虎耳草	*Saxifraga diversifolia*	湿生草本；产香格里拉、丽江、大理、东川、巧家；生于海拔2800～3800米的灌木丛或草地
176			线茎虎耳草	*Saxifraga filicaulis*	湿生草本；产东北部至西北部；生于海拔(2300～)3000～4600米的林下或山坡的草丛中
177			线叶虎耳草	*Saxifraga filifolia*	湿生草本；产德钦、贡山；生于海拔4200～4300米的岩壁上
178			芽生虎耳草	*Saxifraga gemmipara*	湿生草本；产全省大部分地区；生于海拔(1600～)2000～2900(～4900)米的林下、林缘、灌丛下、山坡草地或潮湿的石隙
179			灰叶虎耳草	*Saxifraga glaucophylla*	湿生草本；产香格里拉、丽江、鹤庆、大理、宾川、大姚、禄劝、富民；生于海拔2600～3500米的山谷林下、林缘、草地或山坡石灰岩隙
180			齿叶虎耳草	*Saxifraga hispidula*	湿生草本；产东北部至西北部；生于海拔3000～4100米的林下、灌丛下、草地或山坡
181			多花虎耳草	*Saxifraga hypericoides*	湿生草本；产鹤庆、丽江；生于海拔3300～4600米的林下、林缘、灌丛、草甸的岩石隙
182			大字虎耳草	*Saxifraga imparilis*	湿生草本；产弥勒和东北部；生于海拔1800～2700米的石上
183			蒙自虎耳草	*Saxifraga mengtzeana*	湿生草本；产维西、香格里拉、贡山、丽江、景东、蒙自、砚山；生于海拔1100～3100米的林下、灌丛下或山坡岩石隙或多腐殖土的岩壁上
184			小叶虎耳草	*Saxifraga minutifoliosa*	湿生草本；产贡山；生于海拔3000～3400米的山坡或山顶石缝

（续）

序	科	属	种		分　　布
			中文名	拉丁名	
185	金腰属	虎耳草属	垂头虎耳草	*Saxifraga nigroglandulifera*	湿生草本；产德钦、香格里拉、丽江、大理；生于海拔3500～4240米的山坡草丛中
186			无斑虎耳草	*Saxifraga omphalodifolia*	湿生草本；产香格里拉；生于海拔3800～4000米的林下
187			刚毛虎耳草	*Saxifraga oreophila*	湿生草本；产洱源、丽江；生于海拔2850米左右的草地或土壁上
188			多叶虎耳草	*Saxifraga pallida*	湿生草本；产东北部至西北部；生于海拔3000～4400米的林下、林缘、草坡或水边
189			草地虎耳草	*Saxifraga pratensis*	湿生草本；产宁蒗；生于海拔3800～4500米的山坡灌丛草地
190			细虎耳草	*Saxifraga pseudoparvula*	湿生草本；产福贡、鹤庆；生于海拔3800～4000米的山顶石崖上
191			美丽虎耳草	*Saxifraga pulchra*	湿生草本；产丽江、香格里拉；生于海拔(2500～)3000～3950米的石崖上、灌丛石坡或流石滩
192			红毛虎耳草	*Saxifraga rufescens*	湿生草本；产东北部至西北部
193			石生虎耳草	*Saxifraga rupicola*	湿生草本；产鹤庆、大理；海拔3500米附近
194			山地虎耳草	*Saxifraga sinomontana*	湿生草本；产德钦、香格里拉；生于海拔3500～4150米的山箐水边或阴处石上
195			虎耳草	*Saxifraga stolonifera*	湿生草本；产西畴、镇雄、绥江；生于海拔1500～2200米的杂木林下或石隙
196			伏毛虎耳草	*Saxifraga strigosa*	湿生草本；产东北部至西北部；生于海拔2500～4000米的林下、灌丛下、草地及岩石隙
197			近等叶虎耳草	*Saxifraga subaequifoliata*	湿生草本；产德钦、维西、贡山、福贡、泸水；生于海拔3400～4100米的高山草地
198		黄水枝属	黄水枝	*Tiarella polyphylla*	湿生草本；除西双版纳地区外，全省均有分布；生于海拔(1550～)2000～3900米的林下、灌丛草地、草坡或沟边石隙
199	茅膏菜科	茅膏菜属	锦地罗	*Drosera burmanni*	湿生草本；产孟连、普洱；生于沼泽地
200			茅膏菜	*Drosera peltata*	湿生草本；产维西以北；生于海拔1200～3650米的松林和疏林下、草丛或灌丛中、田边水旁
201	川薹草科	水石衣属	水薹花	*Hydrobryum griffithii*	湿生草本；产绿春(黄连山)、盈江(昔马)以及普文流沙河中；生于海拔220～1900米热带及亚热带山间溪流中的岩石上
202	沟繁缕科	田繁缕属	假水苋菜	*Bergia ammannioides*	湿生草本；产金屏、砚山、勐腊、凤庆等地；生于海拔1200～1700米的水边或草地
203		沟繁缕属	沟繁缕	*Elatine ambigua*	湿生草本；昆明石龙坝海拔约195米有分布
204			三蕊沟繁缕	*Elatine triandra*	湿生草本；产勐腊、会泽；生于海拔800～3350米的沼泽污泥上
205	石竹科	无心菜属	圆叶无心菜	*Arenaria orbiculata*	湿生草本；产西北部、东北部和中部；生丁海拔2300～3600米的林缘和草地的岩石缝中
206			无心菜	*Arenaria serpyllifolia*	湿生草本；除西双版纳地区外，各地均有分布；生于海拔1500～3500米的林下、灌丛下、草坡、路边、河边或为田间杂草
207			刚毛无心菜	*Arenaria setifera*	湿生草本；产泸水、福贡、贡山；生于海拔3600～4000米的山坡岩石上

（续）

序	科	属	种		分　布
			中文名	拉丁名	
208	石竹科	短瓣花属	短瓣花	*Brachystemma calycinum*	湿生草本；产昆明、大理、潞西、景东、沧源、勐腊、屏边、麻栗坡、西畴；生于海拔800～2200米的林下或河边、路边灌丛中
209		卷耳属	缘毛卷耳	*Cerastium furcatum*	湿生草本；产中甸、丽江、鹤庆；生于海拔2000～3850米的山坡、路边、沟边的草丛
210		荷莲豆草属	荷莲豆	*Drymaria cordata*	湿生草本；产东南、西南及西北部河谷地区；生于海拔400～2200米的林下、林缘、草地或江边、路旁
211		多荚草属	多荚草	*Polycarpon prostratum*	湿生草本；产南部；生于海拔350～1530米的江边、河边或路旁潮湿地
212		漆姑草属	漆姑草	*Sagina japonica*	湿生草本；产中部、西北部、东北部和东南部；生于海拔1300～3800米的山坡草地、田间
213			无毛漆姑草	*Sagina saginoides*	湿生草本；产中部、西北部、西南部和东南部；生于海拔1550～4150米的山坡草地、路边、河边和田地边
214		蝇子草属	老鹳筋	*Silene asclepiadea*	湿生草本；产东北部至西北部；生于海拔（1200～）2100～3800米的林下、灌丛下、草地或田间
215			双舌蝇子草	*Silene bilingua*	湿生草本；产德钦、中甸；生于海拔3100～3600米的草坡、路边、水沟边或岩石间
216			灌丛蝇子草	*Silene dumetosa*	湿生草本；产中甸；生于海拔3910～3950米的矮杜鹃灌丛中
217			喜马拉雅蝇子草	*Silene gonosperma*	湿生草本；分布于德钦、中甸、丽江；生于海拔3400～4600米的草坡或林下水沟边
218			粘萼蝇子草	*Silene viscidula*	湿生草本；产全省大部分地区；生于海拔1250～3200米的林下、灌丛下和草丛中
219		拟漆姑属	拟漆姑草	*Spergularia marina*	湿生草本；产洱源；生于水沟边潮湿处
220		繁缕属	雀舌草	*Stellaria alsine*	湿生草本；产景东、勐腊、麻栗坡、绿春、绥江、昆明、维西等地；生于海拔850～2200米的田边、水边或林缘
221			沼生繁缕	*Stellaria palustris*	湿生草本；产贡山；生于海拔1700米左右的杂木林边
222			湿地繁缕	*Stellaria uda*	湿生草本；产德钦；生于海拔3400～4800米的高山草地或砾石隙
223			箐姑草	*Stellaria vestita*	湿生草本；全省大部地区都有分布；生于海拔1000～3200米的林下、灌丛下、山坡、草地、田边、路旁
224	粟米草科	粟米草属	粟米草	*Mollugo stricta*	湿生草本；产勐腊、景洪、勐连、勐海、砚山、富宁、河口及景东、福贡；生于海拔210～2000米的田野、路旁及河边岩石上及石缝内
225	马齿苋科	马齿苋属	马齿苋	*Portulaca oleracea*	湿生草本；产勐腊、景洪、勐海、蒙自、河口、泸水、西畴、元江、绿春、丽江、鹤庆、德钦等地；生于海拔210～3000米的荒地上
226	蓼科	荞麦属	疏穗野荞麦	*Fagopyrum caudatum*	湿生草本；产西北部至东南部；生于海拔400～2400米的林缘、路边、灌丛、溪边等处
227			金荞麦	*Fagopyrum dibotrys*	湿生草本；分布几遍全省；生于海拔600～3500米的草坡、林下、山坡灌丛、山谷、水边等处
228			细柄野荞麦	*Fagopyrum gracilipes*	湿生草本；产全省大部分地区；生于海拔1300～3400米的草坡、荒坡、石灰岩山、林中、沼泽地路边等处

（续）

序	科	属	种		分布
			中文名	拉丁名	
229	蓼科	荞麦属	线叶野荞麦	*Fagopyrum lineare*	湿生草本；产嵩明、鹤庆、大理、宾川、昆明；生于海拔1700～2300米的林缘溪边沙地
230		冰岛蓼属	冰岛蓼	*Koenigia islandica*	湿生草本；产云南德钦、宁蒗；生长于海拔3000～4900米的山顶(或山坡)草地，水沟水边、山坡草地
231		山蓼属	中华山蓼	*Oxyria sinensis*	湿生草本；产昭通、会泽、德钦、贡山、宁蒗、维西、丽江、鹤庆、大理、永平；生于海拔1600～3700米的石山坡、路边草地、山坡沟边等处
232		蓼属	两栖蓼	*Polygonum amphibium*	漂浮植物；产丽江、剑川、洱源、昆明；生于海拔1900～2690米的山谷、滩地、浅水中
233			抱茎蓼	*Polygonum amplexicaule*	湿生草本；产德钦、中甸、维西、丽江、漾濞、大理、澄江、峨山；生于海拔1300～4000米的草坡、林中、灌丛、沟等处
234			阿萨姆蓼	*Polygonum assamicum*	湿生草本；产河口、马关；生于海拔800米的山谷河边
235			萹蓄	*Polygonum aviculare*	湿生草本；产全省大部分地区；生于海拔200～3400米的山坡、草地、路边等处
236			毛蓼	*Polygonum barbatum*	湿生草本；产全省大部分地区；生于海拔380～1750米的山谷、河边、沼泽等
237			钟花蓼	*Polygonum campanulatum*	湿生草本；产西北部；生于海拔2350～4200米的林缘、林下、灌丛、草坡等处
238			头花蓼	*Polygonum capitatum*	湿生草本；产全省大部分地区；生于海拔450～4600米的林中、林缘、路边、溪边、石山坡、河边灌丛等处
239			华蓼	*Polygonum cathayanum*	湿生草本；产德钦；生于海拔2700～4300米的高山草地、山谷、山坡、林下
240			火炭母	*Polygonum chinense*	湿生草本；产全省大部分地区；生于海拔115～3200米的林中、林缘、河滩、灌丛、沼泽地林下等处
241			小叶蓼	*Polygonum delicatulum*	湿生草本；产会泽、德钦、中甸、贡山、维西、丽江、泸水、大理；生于海拔2600～4500米的高山草地、沼泽草甸、山坡等
242			匐枝蓼	*Polygonum emodi*	湿生草本；产丽江、泸水、大理、禄劝、大姚、澄江、景东；生于海拔1300～3660米的草坡、路边、山谷、草丛等处
243			细茎蓼	*Polygonum filicaule*	湿生草本；产东北部至西北部；生于海拔2800～4500米的高山草地、高山沼泽草甸、乱石滩溪边、林缘等处
244			大铜钱叶蓼	*Polygonum forrestii*	湿生草本；产德钦、中甸、贡山、维西、丽江、大理；生于海拔3300～4500米的草坡、高山灌丛、石坡、山坡路边、林下水边等处
245			冰川蓼	*Polygonum glaciale*	湿生草本；产会泽、德钦、丽江、富民；生于海拔2350～4000米的山坡林下、草地
246			长梗蓼	*Polygonum griffithii*	湿生草本；产怒江、德钦、贡山、维西、丽江、泸水；生于海拔1300～4200米的高山草地、山谷、石山坡、林下、林缘等处
247			长箭叶蓼	*Polygonum hastatosagittatum*	湿生草本；产镇雄、嵩明、禄劝、昆明、大理、绿春、西畴、潞西、凤庆、沧源；生于海拔600～2300米的沼泽地、溪边、山谷潮湿处

（续）

序	科	属	种		分　布
			中文名	拉丁名	
248	蓼科	蓼属	硬毛蓼	*Polygonum hookeri*	湿生草本；产怒江、德钦、中甸、丽江；生于海拔1000～4500米的草坡、高山草甸、石坡、山谷草地等处
249			辣蓼	*Polygonum hydropiper*	湿生草本；全省广布；生于海拔350～3300米的草地、山谷溪边、河谷、林中、沼泽等潮湿处
250			蚕茧草	*Polygonum japonicum*	湿生草本；产全省大部分地区；生于海拔550～1820米的草地、沟边、路边、水边等处
251			酸模叶蓼	*Polygonum lapathifolium*	湿生草本；产全省大部分地区；生于海拔500～3100米的草滩、灌丛、山谷、石灰岩山坡水边、溪边等处
252			长鬃蓼	*Polygonum longisetum*	湿生草本；产全省大部分地区；生于海拔330～2500米的草坡、山谷、水边灌丛、溪边沼泽等处
253			长戟叶蓼	*Polygonum maackianum*	湿生草本；产中甸、贡山、丽江、洱源、大理、澄江、广南、勐海；生于海拔1500～4120米的草坡、高山草甸、林缘、石坡等处
254			圆穗蓼	*Polygonum macrophyllum*	湿生草本；产德钦、中甸、贡山、维西、丽江、鹤庆、洱源、禄劝、巧家；生于海拔2700～4600米的草坡、高山草地、石坡、沼泽地等处
255			小头蓼	*Polygonum microcephalum*	湿生草本；产全省大部分地区；生于海拔200～3600米的草坡、林下、林缘、山谷密林中等阴湿处
256			大海蓼	*Polygonum milletii*	湿生草本；产会泽、中甸、贡山、丽江、泸水、峨山、景东、潞西、临沧、双江；生于海拔1200～4000米的草地、路边、干山坡、沼泽草甸等处
257			绢毛蓼	*Polygonum molle*	湿生草本；产全省大部分地区；生于海拔1000～3050米的草坡、山谷林下、林缘、路边等处
258			小蓼花	*Polygonum muricatum*	湿生草本；产全省大部分地区；生于海拔850～3300米的林中沼泽地、溪边、山谷等处
259			尼泊尔蓼	*Polygonum nepalense*	湿生草本；分布几遍全省；生于海拔600～4100米的草坡、林下、灌丛、河边、沼泽地边、山谷、林缘、石边等处
260			铜钱叶蓼	*Polygonum nummularifolium*	湿生草本；产德钦、贡山；生于海拔3300～4000米的高山草地
261			红蓼	*Polygonum orientale*	湿生草本；产全省大部分地区；生于海拔930～3200米的山谷、草坡、沟边、水边等处
262			草血竭	*Polygonum paleaceum*	湿生草本；分布几遍全省；生于海拔1350～4200米的草坡、山谷、沟边、林缘、林下等
263			掌叶蓼	*Polygonum palmatum*	湿生草本；产景东、普洱、景洪、勐腊、河口；生于海拔200～900米的山谷溪边、河边林中、路边潮湿地等潮湿处
264			春蓼	*Polygonum persicaria*	湿生草本；产镇雄、丽江；生于海拔1850～2700米的湖边、沼泽地等处
265			习见蓼	*Polygonum plebeium*	湿生草本；产全省大部分地区；生于海拔2400～3200米的河边、林缘、路边、山坡林中等处
266			丛枝蓼	*Polygonum posumbu*	湿生草本；产全省大部分地区；生于海拔400～2600米的河边、水边、山谷林中、灌丛中、沼泽地等潮湿处

（续）

序	科	属	种		分 布
			中文名	拉丁名	
267	蓼科	蓼属	耳基蓼	*Polygonum praetermissum*	湿生草本；产德钦、景东、勐海、盈江；生于海拔140～1800米的湖边、沼泽地边、水田边等处
268			伏毛蓼	*Polygonum pubescens*	湿生草本；产全省大部分地区；生于海拔410～2200米的河边、林中、灌丛中、沼泽地等潮湿地
269			羽叶蓼	*Polygonum runcinatum* var. *runcinatum*	湿生草本；产全省大部分地区；生于海拔1400～3800米的路边草地、林下、山谷、溪边、亚高山草地、林缘等潮湿处
270			赤胫散	*Polygonum runcinatum* var. *sinense*	湿生草本；产全省大部分地区；生于海拔210～3900米的草坡、林下、林缘、石灰岩山谷溪边、竹林中等潮湿处
271			箭叶蓼	*Polygonum sagittatum*	湿生草本；产彝良、中甸、大理、孟连；生于海拔1650～1780米的草坡、沼泽草甸、水边等
272			西伯利亚蓼	*Polygonum sibiricum*	湿生草本；产德钦、中甸；生于海拔1830～3350米的沼泽草甸、路边草坡、湖边等处
273			翅柄蓼	*Polygonum sinomontanum*	湿生草本；产德钦、中甸、维西、丽江、福贡、鹤庆、洱源、泸水、大理、宾川；生于海拔2450～3800米的草坡、林下、石地草丛等处
274			平卧蓼	*Polygonum strindbergii*	湿生草本；产西北部至东南部；生于海拔1200～2850米的水边、林缘、沼泽、路边等
275			珠芽支柱蓼	*Polygonum suffultoides*	湿生草本；产德钦、中甸、贡山、维西、丽江；生于海拔3450～4500米的草坡、山坡林下、高山草甸、开阔山坡等处
276			支柱蓼	*Polygonum suffultum*	湿生草本；产德钦、中甸、贡山、维西、丽江、鹤庆、大理、澄江；生于海拔2540～4200米的草坡、山谷、林下、林缘、沟边等阴湿处
277			珠芽蓼	*Polygonum viviparum*	湿生草本；产全省大部分地区；生于海拔650～4500米的草地、山坡、林下、溪边、沼泽地、灌丛等处
278		大黄属	水黄	*Rheum alexandrae*	湿生草本；产中甸、丽江、剑川；生于海拔3000～4800米的草坡、高山沼泽、溪边、积水草地等潮湿处
279			滇边大黄	*Rheum delavayi*	湿生草本；产德钦、中甸、维西、丽江、洱源；生于海拔1500～4600米的草坡、高山草地、石坡、河边石地、流石滩等处
280			大黄	*Rheum officinale*	湿生草本；产中甸、贡山；生于海拔3400～3600米的山坡草地、高山河滩
281		酸模属	酸模	*Rumex acetosa*	湿生草本；产会泽、中甸、维西、丽江、鹤庆；生于海拔2500～4000米的高山草地、山谷、石坡、林缘、竹林中等处
282			齿果酸模	*Rumex dentatus*	湿生草本；产中部至西北部；生于海拔1350～2900米的河边草丛、溪边、路边湖边等处
283			小果酸模	*Rumex microcarpus*	湿生草本；产大理、昆明、马关；生于海拔800～2200米的河边、田边路旁、山谷湿地
284			尼泊尔酸模	*Rumex nepalensis*	湿生草本；产全省大部分地区；生于海拔820～4050米的草坡
285	商陆科	商陆属	商陆	*Phytolacca acinosa*	湿生草本；产全省各地；生于海拔（900～）1500～3400米的山谷缓坡或山箐润湿处
286	藜科	藜属	藜	*Chenopodium album*	湿生草本；分布几遍全省；海拔可达3500米

（续）

序	科	属	种		分　　布
			中文名	拉丁名	
287	藜科	刺藜属	土荆芥	*Dysphania ambrosioides*	湿生草本；产路南、元江、墨江、碧江；生于海拔320～900米的江边、农田
288	苋科	牛膝属	牛膝	*Achyranthes bidentata*	湿生草本；产丽江、中甸、德钦、维西、文山、景洪、昆明；生于海拔200～3300米的山坡林下、路边
289		莲子草属	喜旱莲子草	*Alternanthera philoxeroides*	湿生草本；全省大部分逸为野生且具入侵性质
290			刺花莲子草	*Alternanthera pungens*	湿生草本；产大理、元谋、德钦、丽江、宾川、大姚、泸水、元阳、红河；生于海拔900～2100米河谷、坡地及林缘；为河谷中外来入侵植物
291			莲子草	*Alternanthera sessilis*	湿生草本；产全省大部分地区；生于海拔420～2400米的村边草塘、水沟、田边或池塘
292		苋属	千穗谷	*Amaranthus hypochondriacus*	湿生草本；昆明零星栽培；东川、大理、维西均有记录
293		杯苋属	川牛膝	*Cyathula officinalis*	湿生草本；产全省大部分地区；生于海拔1900～3200米的灌丛草坡、林缘、河边
294	老鹳草科	老鹳草属	观音倒座草	*Geranium delavayi*	湿生草本；产德钦、贡山、中甸、丽江、维西、鹤庆、大理、宾川、盐丰、蒙自；生于海拔3200～4100米的林间草地、林缘、灌丛或草地
295			五叶草	*Geranium nepalense*	湿生草本；遍布全省；生于海拔100～3600米的林下、灌丛下、草地、路边、水沟边等
296			汉荭鱼腥草	*Geranium robertianum*	湿生草本；产德钦、中甸、维西、昆明、路南、镇雄；生于海拔2000～3300米的林下
297			紫地榆	*Geranium strictipes*	湿生草本；产中甸、永宁、丽江、永胜、大理、昆明等地；生于海拔2700～3800米的松林下、灌丛下或草丛中
298	酢浆草科	感应草属	分枝感应草	*Biophytum fruticosum*	湿生草本；产景东、临沧、沧源、孟连、元阳、大关；生于海拔380～1350米的混交林下或灌丛草坡
299		酢浆草属	酢浆草	*Oxalis corniculata*	湿生草本；分布几遍全省；生于海拔(3500～)1000～3400米的路边、山坡草地或林间空地
300			红花酢浆草	*Oxalis corymbosa*	湿生草本；为昆明、河口、富宁等地的杂草
301			山酢浆草	*Oxalis griffithii*	湿生草本；产全省大部分地区；生于海拔1100～3400米的林下或灌丛下
302	凤仙花科	凤仙花属	抱茎凤仙花	*Impatiens amplexicaulis*	湿生草本；产香格里拉；生于海拔3000～3300米的灌丛中或溪边
303			大叶凤仙花	*Impatiens apalophylla*	湿生草本；产文山、屏边、金平等地；生于海拔1500米常绿阔叶林下或溪沟边
304			水凤仙花	*Impatiens aquatilis*	湿生草本；产思茅、临沧、蒙自、砚山、屏边、富宁、昆明、嵩明等地；生于海拔(1000～)1500～2500米河谷、溪边岩石上
305			锐齿凤仙花	*Impatiens arguta*	湿生草本；产全省大部分地区；生于海拔1200～2650(～3200)米的潮湿林下、灌丛中、水沟边
306			大苞凤仙花	*Impatiens balansae*	湿生草本；产河口、屏边、金平等地；生于海拔300～1400米的热带雨林阴湿处或溪边
307			髯毛凤仙花	*Impatiens barbata*	湿生草本；产丽江(东山)；生于海拔2000～3000米的溪边湿地
308			棒凤仙花	*Impatiens clavigera*	湿生草本；产东南部；生于海拔1000～1800米常绿阔叶林下或溪边

（续）

序	科	属	种		分布
			中文名	拉丁名	
309	凤仙花科	凤仙花属	金凤花	*Impatiens cyathiflora*	湿生草本；产昆明、嵩明、楚雄、大理等地；生于海拔1800~2300米阔叶林下阴湿处
310			耳叶凤仙花	*Impatiens delavayi*	湿生草本；产西北部；生于海拔2400~3400(~4200)米的冷杉、高山栎林下湿地、溪边、路旁或草坡
311			束花凤仙花	*Impatiens desmantha*	湿生草本；产贡山、福贡、兰坪、德钦、香格里拉、丽江、大理、鹤庆、晋宁、东川等地；生于海拔3300~4000米的云杉林下或山谷阴湿处
312			齿萼凤仙花	*Impatiens dicentra*	湿生草本；产镇雄；生于海拔1650米的阔叶林下水沟边潮湿处
313			异型叶凤仙花	*Impatiens dimorphophylla*	湿生草本；产宾川、禄劝、澜沧、镇康、勐海、屏边等地；生于海拔2800~3400米
314			镰萼凤仙花	*Impatiens drepanophora*	湿生草本；产腾冲；生于海拔1700~2300米的路边阴湿地或水沟边
315			滇南凤仙花	*Impatiens duclouxii*	湿生草本；产文山、金平等地；生于海拔1850~2450米密林下或溪边
316			川滇凤仙花	*Impatiens ernstii*	湿生草本；产盐津(成凤山)；生于海拔1000~2500米的山坡阴处
317			滇西凤仙花	*Impatiens forrestii*	湿生草本；产腾冲、大理等地；生于海拔2700~3300米的溪边阴湿处
318			滇东南凤仙	*Impatiens hancookii*	湿生草本；产蒙自；生于海拔1100米潮湿地
319			同距凤仙花	*Impatiens holocentra*	湿生草本；产贡山、大理等地；生于海拔1720~2150(~2800)米林下或溪边
320			高山凤仙花	*Impatiens nubigena*	湿生草本；产丽江、香格里拉、德钦等地；生于海拔2700~3600(~4050)米冷杉林下或溪边，杜鹃灌丛中，潮湿地
321			直距凤仙花	*Impatiens pseudokingii*	湿生草本；产贡山(怒江边白汉洛)；生于海拔2000~2600米杂木林下或溪边草丛中
322			紫花凤仙花	*Impatiens purpurea*	湿生草本；产剑川、维西、福贡、贡山等地；生于海拔2500~2800米林下或溪边
323			总状凤仙花	*Impatiens racemosa*	湿生草本；产屏边、金平、绿春等地；生于海拔1700~2600米常绿阔叶林下阴湿处或溪沟边、路旁
324			辐射凤仙花	*Impatiens radiata*	湿生草本；产全省大部分地区；生于海拔(1150~)2000~3500米的杂木林缘或溪旁
325			黄金凤	*Impatiens siculifer*	湿生草本；产昆明、嵩明、禄劝、双柏、楚雄、蒙自、屏边、金平、凤庆、景东、腾冲等地；生于海拔1300~2800米常绿阔叶林下或溪边
326			滇水金凤	*Impatiens uliginosa*	湿生草本；产东北部至西北部；生于海拔(1400~)1750~2600米林下或溪边
327			云南凤仙花	*Impatiens yunnanensis*	湿生草本；产宾川、大理等地；生于海拔2500米的林下或溪边
328	千屈菜科	水苋菜属	水苋菜	*Ammannia baccifera*	湿生草本；产西双版纳、元江、蒙自、绿春、富宁、凤庆、禄劝等地；生于海拔800~1800米的路旁、草地、干田潮湿处及水田中
329		千屈菜属	绒毛千屈菜	*Lythrum salicaria*	湿生草本；产中部至西北部；生于海拔(1900~)2000~2500(~3400)米的水旁湿地、沼泽地及丛林沟边潮湿处

（续）

序	科	属	种		分　　布
			中文名	拉丁名	
330	千屈菜科	节节菜属	节节菜	*Rotala indica*	湿生草本；产西双版纳、文山、景东、昆明等地；生于海拔1400～2000米的水田中或湿地
331			圆叶节节菜	*Rotala rotundifolia*	湿生草本；产中部至西部、南部；生于海拔800～2500米水稻田或湿地
332	柳叶菜科	柳兰属	柳兰	*Chamerion angustifolium*	湿生草本；产西北部、东北部；生于海拔1950～3970米的草坡、林缘、火烧迹地、灌丛、高山草甸和砾石坡
333		露珠草属	高原露珠草	*Circaea alpina*	湿生草本；产东北至西北部，生于海拔1800～3950米的山谷常绿阔叶林、栎林、松林、竹林内或箐边草地
334			露珠草	*Circaea cordata*	湿生草本；产德钦、维西、中甸、凤庆、镇康、漾濞、嵩明；生于海拔1650～3200米的林内、灌丛内、山谷或箐沟石上
335			谷蓼	*Circaea erubescens*	湿生草本；产镇雄，大关、彝良；生于海拔1500～2000米的密林内、山谷草丛中
336			南方露珠草	*Circaea mollis*	湿生草本；产全省大部分地区；生于海拔1000～2400米的箐沟、山谷、溪边的林下
337			匍匐露珠草	*Circaea repens*	湿生草本；产禄劝、会泽、巧家、鹤庆、贡山；生于海拔2450～3300米的林下、林缘、箐沟
338		柳叶菜属	毛脉柳叶菜	*Epilobium amurense*	湿生草本；产西北部、西部、中部至东北部；生于海拔1900～3400米的林缘、灌丛、草地、沟边沼泽地
339			酸沼柳叶菜	*Epilobium blinii*	湿生草本；星散分布于维西、大理、昆明、会泽；生于海拔1500～3200米的山谷沼泽地、水沟边阴湿竹丛中
340			广布柳叶菜	*Epilobium brevifolium*	湿生草本；产西北部至东南部；生于海拔1500～2900(～3650)米灌丛、草地、沟边沼泽
341			华西柳叶菜	*Epilobium cylindricum*	湿生草本；产东北部至西北部；生于海拔1700～3320米的林下、灌丛、草坡、沟边草甸
342			柳叶菜	*Epilobium hirsutum*	湿生草本；除南部热带地区外，全省都有分布；生于海拔500～2850米的灌丛、草地、沟边
343			沼生柳叶菜	*Epilobium palustre*	湿生草本；产全省大部分地区；生于海拔2500～4500米的湖塘、沼泽、河谷、溪沟旁、亚高山与高山草地湿润处
344			阔柱柳叶菜	*Epilobium platystigmatosum*	湿生草本；产德钦(茨中)、彝良(朝天马)；生于海拔1850～2400米的阔叶林下水沟边
345			锡金柳叶菜	*Epilobium sikkimense*	湿生草本；产德钦、维西、贡山、中甸、大理和会泽；生于海拔2900～3900米的高山草甸，或水沟旁湿地
346			滇藏柳叶菜	*Epilobium wallichianum*	湿生草本；产丽江；生于海拔2300～3200米的阔叶林内或潮湿草地
347		丁香蓼属	水龙	*Ludwigia adscendens*	湿生草本；产孟连、澜沧、勐海、景洪、勐腊等热带地区；生于海拔560～1520米的水塘、水田
348			草龙	*Ludwigia hyssopifolia*	湿生草本；产西部、南部及东南部；生于海拔1600米以下的山坡沟边、路旁、田边、草地、荒地或山箐

（续）

序	科	属	种		分　　布
			中文名	拉丁名	
349	柳叶菜科	丁香蓼属	细花丁香蓼	*Ludwigia perennis*	湿生草本；产勐腊、景洪、镇康、澜沧、元阳；生于海拔380～1000米的江边沙地、河漫滩、河谷灌丛
350			丁香蓼	*Ludwigia prostrata*	湿生草本；产贡山、永平、勐腊、绿春、屏边、广南、盐津；生于海拔500～1600米的沟边、草地、河谷、田埂、沼泽
351	菱科	菱属	细果野菱	*Trapa incisa*	浮叶植物；部分湖泊有分布
352			野菱	*Trapa natans*	浮叶植物；产西部各高原湖泊及水塘（剑湖、茈碧湖、西湖、洱海、勐海水塘）；生于水深1.5米以内的浅水区
353	小二仙草科	小二仙草属	小二仙草	*Gonocarpus micranthus*	湿生草本；产贡山、临沧、景东、屏边、西畴、富宁；多生于海拔700～2480米的山坡沼泽湿地，林缘草丛，荒地及路旁
354		狐尾藻属	穗状狐尾藻	*Myriophyllum spicatum*	沉水植物；产全省各地；生于海拔3100米以下的池沼、湖泊、池塘、沟渠中
355			狐尾藻	*Myriophyllum verticillatum*	沉水植物；产洱源茈碧湖、昆明滇池周围的鱼塘中；生于水深可达4～5米
356	杉叶藻科	杉叶藻属	杉叶藻	*Hippuris vulgaris*	湿生草本；产中甸、德钦；生于海拔2700～3300米的沼泽、浅水塘、湖滨，溪流水深10～30厘米的浅水中
357	水马齿科	水马齿属	水马齿	*Callitriche palustris*	湿生草本；产东川、会泽、丽江、维西；生于3100～3450米的静水潭中；东北、华东至西南部均有
358	瑞香科	结香属	滇结香	*Edgeworthia gardneri*	湿生灌木；产贡山；生于河谷江边阴湿处
359		狼毒属	甘遂	*Stellera chamaejasme*	湿生草本；产东南部、中部和西北部；生于海拔1650～4200米的山地荒坡、疏林中
360	紫茉莉科	紫茉莉属	紫茉莉	*Mirabilis jalapa*	湿生草本；全省大部村寨边沟边湿润处
361	柽柳科	水柏枝属	三春水柏枝	*Myricaria paniculata*	湿生灌木；产文山、洱源、剑川、维西、丽江、中甸、德钦、贡山；生于海拔2000～4000米的山脚沟边、乱石中
362			三春柳	*Myricaria squamosa*	湿生灌木；产德钦、中甸；生于海拔3000～3400米的山坡、路旁
363	水东哥科	水东哥属	长毛水东哥	*Saurauia macrotricha*	湿生灌木；产贡山、瑞丽、盈江；生于海拔900～1400米的山地沟谷或山坡灌丛中
364			硃毛水东哥	*Saurauia miniata*	湿生灌木；产西北至东南部；生于海拔700～1500米的山地沟谷林下或河边灌丛疏林
365			尼泊尔水东哥	*Saurauia napaulensis*	湿生灌木；产全省大部分地区；生于海拔450～2500米的河谷或山坡常绿林或灌丛中
366			水东哥	*Saurauia tristyla*	湿生灌木；产普洱、勐腊、绿春、金平、河口、砚山、西畴、麻栗坡等地；生于海拔300～1200米的河谷林中或山谷湿润处
367	野牡丹科	肉穗草属	楮头红	*Sarcopyramis napalensis*	湿生草本；产西北部至东南部以南地区（西双版纳未发现）；生于海拔1300～3200米的密林下阴湿的地方或溪边
368		蜂斗草属	蜂斗草	*Sonerila cantonensis*	湿生草本；产东南部；生于海拔1000～1500米的山谷、山坡密林下阴湿的地方

（续）

序	科	属	种		分 布
			中文名	拉丁名	
369	金丝桃科	金丝桃属	黄海棠	*Hypericum ascyron*	湿生草本；产东北至西北部；生于海拔2100~2800米的山坡林下、林缘、灌丛间或草丛中、溪旁或河岸湿地等处
370			挺茎遍地金	*Hypericum elodeoides*	湿生草本；产禄丰、大理、镇康、维西、贡山等地；生于海拔1700~2800米的山坡草丛、灌丛、林下及田埂上
371			细叶金丝桃	*Hypericum gramineum*	湿生灌木；产砚山、江川、昆明、禄劝、大理、鹤庆等地；生于海拔1200~2000米的水藓沼泽中
372			地耳草	*Hypericum japonicum*	湿生草本；产南北各地；生于海拔2800米以下的田边、沟边、草地以及撂荒地上
373			展萼金丝桃	*Hypericum lancasteri*	湿生灌木；产东川、昆明、大理等地；生于海拔1750~2550米的草坡及溪边
374			云南小连翘	*Hypericum petiolulatum*	湿生草本；产文山、屏边、嵩明、东川、镇雄、宾川、泸水、贡山等地；生于海拔1700~3100米的山坡草地、路旁、石岩上及林缘草地
375			遍地金	*Hypericum wightianum*	湿生草本；产全省各地，但以中部常见；生于海拔2750米以下的田地或路旁草丛中
376	锦葵科	木槿属	野西瓜苗	*Hibiscus trionum*	湿生草本；产昆明、曲靖、楚雄、大理、丽江、迪庆、怒江、红河等地；在平坝、丘陵、山坡、田埂均常见
377		锦葵属	野葵	*Malva verticillata*	湿生草本；产昆明、楚雄、大理、丽江、保山、曲靖、玉溪、思茅、临沧等地；生于海拔1600~3000米的山坡、林缘、草地、路旁
378		黄花稔属	拔毒散	*Sida szechuensis*	湿生灌木；产全省大部分地区；生于海拔300~2700米的山坡、路旁、灌丛或疏林下
379	大戟科	铁苋菜属	铁苋菜	*Acalypha australis*	湿生草本；产全省大部分地区；生于海拔400~1900米的空旷草地、田间路边
380		土蜜树属	禾串树	*Bridelia balansae*	湿生灌木；产南部；生于海拔300~1400米的山地疏林或山谷密林中
381		大戟属	白苞猩猩草	*Euphorbia heterophylla*	湿生草本；产西北金沙江河谷和西南潞西、元江河谷
382			飞扬草	*Euphorbia hirta*	湿生草本；产全省；生于海拔800~2500米的路旁、草丛、灌丛及山坡，多见于砂质土
383			地锦	*Euphorbia humifusa*	湿生草本；产东川、昆明、屏边、蒙自、德钦等地；生于荒地、路旁、田间、山坡
384			通奶草	*Euphorbia hypericifolia*	湿生草本；全省皆产；生于海拔1050~2100米的旷野、荒地、路旁、灌丛及田间
385			大狼毒	*Euphorbia jolkinii*	湿生草本；产中部至西北部；生于海拔200~3000米的草地、山坡、灌丛和疏林内
386			高山大戟	*Euphorbia stracheyi*	湿生草本；产东北部、中部及西北部；生于海拔1000~4900米的高山草甸、灌丛、林缘或杂木林下
387		水柳属	水柳	*Homonoia riparia*	湿生灌木；产全省大部分地区；生于海拔200~1300米的河边砂石地
388		叶下珠属	水油甘	*Phyllanthus rheophyticus*	湿生草本；产全省；生于海拔900~2850米山地疏林中或山坡灌丛中
389			叶下珠	*Phyllanthus urinaria*	湿生灌木；产绿春、思茅、景东、潞西、泸水、贡山；生于海拔160~2100米的山地疏林、灌丛、荒地或山沟向阳处

（续）

序	科	属	种		分　　布
			中文名	拉丁名	
390	蔷薇科	龙芽草属	黄龙尾	*Agrimonia pilosa* var. *nepalensis*	湿生草本；产贡山、福贡、丽江、大理、洱源、昆明、禄劝、景东、孟连、马关、麻栗坡；生于海拔1200～3100米的山坡疏林中
391			龙芽草	*Agrimonia pilosa* var. *pilosa*	湿生灌木；产德钦、维西、香格里拉、丽江、漾濞、昆明、孟连；生于海拔1000～4000米的草地、灌丛、林缘及疏林下
392		栒子属	黄杨叶栒子	*Cotoneaster buxifolius*	湿生灌木；产全省大部分地区；生于海拔1000～3300米的多石砾坡地、灌丛中
393			小叶栒子	*Cotoneaster microphyllus*	湿生灌木；除西双版纳和东北部外，产全省各地；生于海拔2100～4000米的山坡石缝中或河谷灌丛中
394			水栒子	*Cotoneaster multiflorus*	湿生灌木；产香格里拉、德钦、维西、丽江；生于海拔2700～3000米的沟谷、山坡
395		蛇莓属	蛇莓	*Duchesnea indica*	湿生草本；全省各地均有分布；生于海拔2400米以下的山坡、草地、河岸、林缘、路旁、潮湿的地方
396		草莓属	黄毛草莓	*Fragaria nilgerrensis*	湿生草本；产贡山、福贡、大理、师宗、昆明、文山、麻栗坡、广南、富宁；生于海拔1500～4000米的草坡地或沟边林下
397		路边青属	路边青	*Geum aleppicum*	湿生草本；产全省大部分地区；生于海拔1300～3650米的杂木林内或岩石缝中
398		委陵菜属	蛇莓委陵菜	*Potentilla centigrana*	湿生草本；产香格里拉、腾冲、昆明、富民、禄劝、镇雄；生于海拔1900～4000米的荒地、林缘及林下湿地
399			委陵菜	*Potentilla chinensis*	湿生草本；产德钦、维西、丽江；生于海拔2400～3800米的山坡草地、沟谷、灌丛疏林
400			荽叶委陵菜	*Potentilla coriandrifolia*	湿生草本；产德钦、维西、香格里拉、福贡、丽江、大理、禄劝、巧家；生于海拔3100～4300米的山坡草地、岩石缝中或高山草甸
401			川滇委陵菜	*Potentilla fallens*	湿生草本；产泸水、鹤庆、丽江；生于海拔2800～3500米的高山草地、灌丛中
402			三叶委陵菜	*Potentilla freyniana*	湿生草本；产香格里拉、漾濞；生于海拔300～3500米的山坡草地、溪边或林下阴湿处
403			金露梅	*Potentilla fruticosa*	湿生灌木；产德钦；生于海拔4200～4500米的高山灌丛草地，常见
404			蛇含委陵菜	*Potentilla kleiniana*	湿生草本；产全省大部分地区；生于海拔1100～2000米的山坡草地
405			条裂委陵菜	*Potentilla lancinata*	湿生草本；产东北部至西北部；生于海拔2700～3700米的山地草坡、林缘、岩石缝中或溪边
406			银叶委陵菜	*Potentilla leuconota*	湿生草本；产贡山、福贡、泸水、德钦、维西、香格里拉、丽江、大理、腾冲、禄劝、昭通；生于海拔3000～4150米的高山草坡、灌丛中
407			西南委陵菜	*Potentilla lineata*	湿生草本；除西双版纳、东部外，全省各地均有分布；生于海拔1100～3600米的山坡草地、灌丛、林缘
408			总梗委陵菜	*Potentilla peduncularis*	湿生草本；产贡山、福贡、兰坪、德钦、维西、香格里拉、丽江、大理、洱源；生于海拔3000～4000米的高山草地、乱石坡或林下

（续）

序	科	属	种		分　　布
			中文名	拉丁名	
409	蔷薇科	委陵菜属	钉柱委陵菜	*Potentilla saundersiana*	湿生草本；产德钦、香格里拉、丽江；生于海拔1900～4100米石灰岩山坡上或冷杉林中
410			纤细委陵菜	*Potentilla turfosa*	湿生草本；产贡山；生于海拔3500米左右的高山草甸
411		扁核木属	青刺尖	*Prinsepia utilis*	湿生灌木；产全省大部分地区；生于海拔1000～2800米的山坡、路旁向阳处
412		悬钩子属	刺萼悬钩子	*Rubus alexeterius*	湿生灌木；产维西、昆明；生于海拔2000～3700米的山谷溪边、荒坡或山地林下开旷处
413			西南悬钩子	*Rubus assamensis*	湿生灌木；产贡山、双柏、蒙自、屏边、金平、龙陵（龙川江流域）；生于海拔1400～3000米的山谷或沟边杂木林下或林缘
414			齿萼悬钩子	*Rubus calycinus*	湿生灌木；产宾川、蒙自、景东等地；生于海拔1900～3000米的山坡或沟边杂木林缘
415			山莓	*Rubus corchorifolius*	湿生灌木；产南部；生于海拔1500～2600米的山坡、路边疏林、溪边、山谷和荒野灌丛
416			插田泡	*Rubus coreanus*	湿生灌木；产西北部；生于海拔达1700米的山坡灌丛中、山谷、河边或路旁
417			喜阴悬钩子	*Rubus mesogaeus*	湿生灌木；产德钦、贡山、维西、丽江、大理、巍山、禄劝、宜良；生于海拔900～3600米的山坡或山谷灌丛中、林下潮湿处沟边冲积台地
418			圆锥悬钩子	*Rubus paniculatus*	湿生灌木；产全省大部分地区；生于海拔1500～3200米的山坡杂木林内或沟边及溪旁
419			匍匐悬钩子	*Rubus pectinarioides*	湿生灌木；产高黎贡山北段西坡；生于海拔2800～3300米的山溪边石上或石砾坡地林下
420			黄泡	*Rubus pectinellus*	湿生灌木；产西北部；生于海拔1000～3000米的山地林中
421			羽萼悬钩子	*Rubus pinnatisepalus*	湿生灌木；产贡山、镇康；生于海拔达3000米的山地溪边或路边杂木林下
422			红刺悬钩子	*Rubus rubrisetulosus*	湿生灌木；产维西；生于海拔2000～3500米的山坡林下或林缘，也见于溪边
423			美饰悬钩子	*Rubus subornatus*	湿生灌木；产德钦、维西、贡山、丽江、鹤庆、洱源、大理、凤庆、昆明等地；生于海拔2700～4000米的岩石坡地灌丛中或沟谷疏密杂木林内
424		地榆属	矮地榆	*Sanguisorba filiformis*	湿生草本；产德钦、维西、香格里拉、丽江、鹤庆、腾冲、嵩明、会泽；生于海拔2300～4020米的山坡荫湿草地、潮湿草坡或沼泽地
425			地榆	*Sanguisorba officinalis*	湿生草本；产全省大部分地区；生于海拔1600～3140米的草坡或稀林下、灌丛中
426		花楸属	侏儒花楸	*Sorbus poteriifolia*	湿生灌木；产香格里拉、德钦、贡山；生于海拔3000～4000米的矮灌丛中
427			铺地花楸	*Sorbus reducta*	湿生灌木；产丽江、香格里拉、德钦、贡山；生于海拔2200～3500米的山坡矮灌丛中或岩石坡地及山谷中
428		马蹄黄属	马蹄黄	*Spenceria ramalana*	湿生草本；产德钦、香格里拉、丽江、洱源、鹤庆；生于海拔2700～3900米的高山草甸
429	苏木科	决明属	水皂角	*Cassia mimosoides*	湿生草本；全省大部分地区有分布；生于海拔510～2800米草坡、灌丛、林缘或路边、河岸等地

（续）

序	科	属	种		分　　布
			中文名	拉丁名	
430	蝶形花科	黄耆属	长小苞黄芪	*Astragalus balfourianus*	湿生草本；产贡山、丽江、鹤庆；生于海拔2500～2900米的草坡及林下
431			地八角	*Astragalus bhotanensis*	湿生草本；产香格里拉、大理、禄丰、易门、安宁、昆明、镇雄、会泽、师宗；生于海拔1650～3400米的田边、山坡、河边及林内
432			烈香黄芪	*Astragalus graveolens*	湿生草本；产永胜、宾川、大理；生于海拔1300～1500米的田边及砂地内
433			紫云英	*Astragalus sinicus*	湿生草本；产全省大部分地区；生于海拔700～2880米的路边、田间、草地、河岸、溪边及旷野中
434		木豆属	蔓草虫豆	*Cajanus scarabaeoides*	湿生草本；产东北部和南部；生于海拔180～1600米的旷野、路旁或山坡草丛中
435		猪屎豆属	假地蓝	*Crotalaria ferruginea*	湿生草本；产全省绝大部分地区(除迪庆地区外)；生于海拔280～2200米湿润的林缘及干燥开旷的荒坡草地及灌丛中
436			菽麻	*Crotalaria juncea*	湿生草本；产昆明、元江、蒙自、西双版纳；栽培于海拔500～1900米阴处
437			假苜蓿	*Crotalaria medicaginea*	湿生草本；产全省大部分地区；生于海拔400～2800米湿润的河边沙滩和干燥开旷的草坡及疏林下
438			光萼猪屎豆	*Crotalaria trichotoma*	湿生草本；产昆明；栽培或逸生于海拔2000米处
439		补骨脂属	补骨脂	*Cullen corylifolium*	湿生草本；产宾川、大姚、元谋、禄劝、西双版纳；海拔1150～1750米山坡、溪边、田边
440		山蚂蝗属	假地豆	*Desmodium heterocarpon*	湿生草本；产全省大部分地区；生于海拔230～1900米的山坡草地、水边路旁、灌丛及林下
441			小叶三点金	*Desmodium microphyllum*	湿生草本；产全省各地；生于海拔330～2800米的荒地草丛、灌丛、阔叶林及针叶林中
442		千斤拔属	河边千斤拔	*Flemingia fluminalis*	湿生灌木；产巧家、师宗、罗平、禄劝、文山、麻栗坡、河口、景东、思茅、西双版纳、云县；常生于海拔200～1580米的山坡灌丛中
443		甘草属	云南甘草	*Glycyrrhiza yunnanensis*	湿生草本；产香格里拉、丽江、宁蒗；生于海拔2150～2800米的路边、山坡和灌丛中
444		米口袋属	米口袋	*Gueldenstaedtia verna*	湿生草本；产大理；生于海拔1800米的山坡
445		鸡眼草属	长萼鸡眼草	*Kummerowia stipulacea*	湿生草本；产彝良、武定等地；生于海拔700～1700米的山坡荒地及栎林下
446			鸡眼草	*Kummerowia striata*	湿生草本；产彝良、大关、盐津、蒙自、砚山、西畴、屏边、昆明、临沧等地；生于海拔470～1800米的荒坡路旁或山坡草地
447		山黧豆属	线叶山黧豆	*Lathyrus palustris*	湿生草本；产香格里拉、丽江、宁蒗、大理、昆明；生于海拔1890～3350米的草地及林缘、路边、河边
448		胡枝子属	截叶铁扫帚	*Lespedeza cuneata*	湿生灌木；产全省；生于海拔2500米以下的山坡路边
449			铁马鞭	*Lespedeza pilosa*	湿生灌木；产大理、宾川、大姚、昆明、安宁、嵩明；海拔1800～2400米的山坡灌丛或林下
450			美丽胡枝子	*Lespedeza thunbergii*	湿生灌木；全省广布；生于海拔1200～3000米的山坡、路旁及林缘灌丛中
451		百脉根属	百脉根	*Lotus corniculatus*	湿生草本；产全省大部分地区；生于海拔1500～3500米的草坡、田边、沟边、林缘等地

（续）

序	科	属	种		分　布
			中文名	拉丁名	
452	蝶形花科	苜蓿属	天蓝苜蓿	*Medicago lupulina*	湿生草本；产西北至东南部；生于海拔1200～3250米的草地、田边、路旁、山坡、荒地中
453			紫苜蓿	*Medicago sativa*	湿生草本；产德钦、丽江、昆明、江川、文山；生于海拔1360～3400米的山坡、地边、山箐和田边
454		草木犀属	白花草木樨	*Melilotus albus*	湿生草本；产德钦、丽江、禄丰；生于海拔1350～2100米的田边、路旁、荒地
455			印度草木樨	*Melilotus indicus*	湿生草本；产德钦、鹤庆、洱源、大理、楚雄、禄丰、易门、昆明、江川；生于田中、沟边、草坡
456			草木樨	*Melilotus officinalis*	湿生草本；产香格里拉、兰坪、禄丰、禄劝、元谋、昭通、宜良、石林、河口、西双版纳；生于海拔540～2100米的河岸、草地、林缘、路旁
457		紫雀花属	紫雀花	*Parochetus communis*	湿生草本；产全省大部分地区；生于海拔1350～3100米的山坡、草地、路边、林下
458		鹿藿属	小鹿藿	*Rhynchosia minima*	湿生草本；产全省大部分地区；生于海拔450～2000米的干热河谷、江边灌丛或山坡上
459		高山豆属	高山豆	*Tibetia himalaica*	湿生草本；产香格里拉、丽江；生于海拔2900～3700米的草地、路边、林下
460		车轴草属	红车轴草	*Trifolium pratense*	湿生草本；栽培于昆明等地
461			白车轴草	*Trifolium repens*	湿生草本；栽培于昆明等地
462		狸尾豆属	狸尾豆	*Uraria lagopodioides*	湿生草本；产南部；生于海拔330～1500米的山坡荒地及灌丛中
463		野豌豆属	广布野豌豆	*Vicia cracca*	湿生草本；产漾濞、会泽、师宗、罗平；生于海拔1500～1900米的山坡、草地、路边
464			窄叶野豌豆	*Vicia sativa*	湿生草本；产贡山；生于海拔1900～2200米的江边、地中
465			西藏野豌豆	*Vicia tibetica*	湿生草本；生于海拔2000米以上高山松林中
466			歪头菜	*Vicia unijuga*	湿生草本；产香格里拉、丽江、富民、昆明、砚山；海拔1200～2780米的林缘、草地、山坡
467		丁癸草属	丁癸草	*Zornia gibbosa*	湿生草本；产鹤庆、武定、禄劝、蒙自；生于海拔1250～1750米的田边、江边
468	黄杨科	板凳果属	板凳果	*Pachysandra axillaris*	湿生灌木；产西北部、西南部，金沙江中游；生于海拔1700～3000米的山坡、沟边和林下
469		野扇花属	清香桂	*Sarcococca ruscifolia*	湿生灌木；产中部、西北部及东南部等；生于海拔1200～1900米的杂木林下，喜生石灰岩区
470	杨柳科	柳属	小垫柳	*Salix brachista*	湿生灌木；产洱源、丽江、维西、德钦，中甸；生于海拔3000～4500米的灌丛、沟谷
471			云南柳	*Salix cavaleriei*	沼生乔木；产昆明、大理、楚雄、丽江、保山等；生于海拔1800～2500米湖岸、河谷水边
472			扇叶垫柳	*Salix flabellaris*	湿生灌木；产大理、维西、贡山、德钦、中甸；生于海拔3500～4000米的草地、灌丛
473			孔目矮柳	*Salix kungmuensis*	湿生灌木；产贡山、泸水；生于海拔3500～3800米的山坡灌丛
474			四籽柳	*Salix tetrasperma*	沼生乔木；产昆明、楚雄、丽江、大理、保山、潞西、临沧、思茅、景洪、个旧、文山等地；生于海拔500～2400米的沟谷、河边及林缘
475			溪旁矮柳	*Salix tivulicola*	湿生灌木；产贡山；生于海拔4000米的小溪边

（续）

序	科	属	种		分　　布
			中文名	拉丁名	
476	荨麻科	苎麻属	细序苎麻	*Boehmeria hamiltoniana*	湿生灌木；产中南部(景东)及南部(景洪)；生于海拔约2400米的沟边
477		水麻属	长叶水麻	*Debregeasia longifolia*	湿生灌木；除东北部外全省各地均产；生于海拔800～2100米的河谷、溪边或林缘潮湿地；
478			水麻	*Debregeasia orientalis*	湿生灌木；除西部及西南部外全省各地均产；生于海拔300～3600米的溪谷阴湿处
479		楼梯草属	锐齿楼梯草	*Elatostema cyrtandrifolium*	湿生草本；产东南部(金平、砚山)、南部(勐海)及西南部(临沧、孟连)；生于海拔450～1800米的沟谷林下或林缘沟边石上
480			托叶楼梯草	*Elatostema nasutum*	湿生草本；产全省大部分地区；生于海拔1250～2600米的林下潮湿处、溪旁或沟边
481			钝叶楼梯草	*Elatostema obtusum*	湿生草本；产全省大部分地区；生于海拔2100～3600米的针叶林、阔叶林及竹林林下潮湿地或沟边
482			小叶楼梯草	*Elatostema parvum*	湿生草本；产全省大部分地区；生于海拔700～1850米的山谷林下、沟边或岩石上
483			拟骤尖楼梯草	*Elatostema pseudocuspidatum*	湿生草本；产西北部(兰坪、福贡)；生于海拔(1900～)2100～2800米的林下、溪边或林下沟边
484			薄叶楼梯草	*Elatostema tenuifolium*	湿生草本；产东南(砚山、屏边)；生于海拔1000～1100米的山谷林中河边岩石上
485		水丝麻属	水丝麻	*Maoutia puya*	湿生灌木；产全省大部分地区；生于海拔400～1700米的山谷疏林、灌丛中及干草坡上
486		紫麻属	紫麻	*Oreocnide frutescens*	湿生草本；产全省大部分地区；生于海拔150～2200米山坡林下或灌丛中阴湿处或箐沟湿润地上
487		赤车属	异被赤车	*Pellionia heteroloba*	湿生草本；产西北部、中南部、南部、西南部及东南部；生于海拔800～2200米的林下潮湿地或溪旁
488			全缘赤车	*Pellionia heyneana*	湿生草本；产南部(景洪、易武)至东南部(金平、河口、马关)；生于海拔750～1000米的河谷或山谷林下、沟边或灌丛中
489			滇南赤车	*Pellionia paucidentata*	湿生草本；产南部(思茅、勐腊)及东南部(金平、河口)；生于海拔200～750米的密林下沟边潮湿处或岩石上
490			吐烟花	*Pellionia repens*	湿生草本；产南部(勐海、景洪、勐腊)至东南部(屏边、河口、麻栗坡)；生于海拔200～1500米的林下溪旁、潮湿地或岩石上
491		冷水花属	圆瓣冷水花	*Pilea angulata*	湿生草本；产中部、中南部、西北部、西南部；生于海拔1100～2800米的常绿阔叶林下阴湿处或水沟边
492			异叶冷水花	*Pilea anisophylla*	湿生草本；产西部、中南部及东南部；生于海拔1150～1450米的溪边灌丛中
493			短角冷水花	*Pilea aquarum*	湿生草本；产东南部；生于海拔1000～1950米的常绿阔叶林下或溪谷水边阴湿地
494			耳基冷水花	*Pilea auricularis*	湿生草本；产西北部、西南部(龙陵)及中南部(景东)；生于海拔2400～2500米的沟谷林下溪边
495			翠茎冷水花	*Pilea hilliana*	湿生草本；产西北部至东南部；生于海拔720～2600米的常绿阔叶林下阴湿处或沟边
496			长序冷水花	*Pilea melastomoides*	湿生草本；产西北部和南部；生于海拔800～2200米的沟谷或河边常绿林下阴湿处

（续）

序	科	属	种		分布
			中文名	拉丁名	
497	荨麻科	冷水花属	念珠冷水花	*Pilea monilifera*	湿生草本；产东北部、西北部及西南部；生于海拔2400～3500米的山坡常绿阔叶林下、竹丛草地中或水沟边等荫湿处
498			锥序冷水花	*Pilea paniculigera*	湿生草本；产东南部（西畴、麻栗坡）；生于海拔1300～1600米的石灰山密林下沟边
499			拟冷水花	*Pilea pseudonotata*	湿生草本；产西北部（贡山）、西部（漾濞）、南部（勐腊）及东南部（绿春、金平）；生于海拔750～1200（～2480）米的林中阴处岩石上或水沟边湿处
500			怒江冷水花	*Pilea salwinensis*	湿生草本；产西部及西北部；生于海拔2100～2700米的沟谷杂木林中水沟边或阴湿处
501		雾水葛属	红雾水葛	*Pouzolzia sanguinea*	湿生灌木；几产全省南北各地；生于海拔1500～2400米的山地林缘或林中
502		藤麻属	藤麻	*Procris crenata*	湿生草本；产西北部、西南部、中南部（景东）、南部（易武、勐海）及东南部；生于海拔150～3000米的山坡常绿阔叶林下或溪边岩石上
503		荨麻属	小果荨麻	*Urtica atrichocaulis*	湿生草本；产全省大部分地区；生于海拔350～2900米的林缘路旁、溪边、田边
504			滇藏荨麻	*Urtica mairei*	湿生草本；产全省大部分地区；生于海拔1500～2900米的山地林缘、路旁、田边、荒地
505	大麻科	葎草属	葎草	*Humulus scandens*	湿生草本；产东南部及西双版纳地区；生于海拔500～1200（～1800）米的旷地、荒地或沟边灌丛
506			云南葎草	*Humulus yunnanensis*	湿生草本；产兰坪、中甸、禄劝、富民、砚山等地；生于海拔1200～2800米的山谷林内
507	檀香科	百蕊草属	长叶百蕊草	*Thesium longifolium*	湿生草本；产昆明、富民、师宗、罗平、澄江、玉溪、大理、文山等地；生于海拔1600～2950米的松林、灌丛、草地及箐沟边
508	胡颓子科	沙棘属	云南沙棘	*Hippophae rhamnoides* ssp. *yunnanensis*	湿生灌木；产维西、香格里拉、德钦、贡山；生于海拔3100～3500米的灌丛中
509	无患子科	柳属	车桑子	*Dodonaea viscosa*	湿生灌木；产金沙江及其支流河谷地区及景东、巍山；生于海拔800～2000（～2800）米的山坡及河谷沙地或干燥的稀疏灌丛草地
510	伞形科	当归属	隆萼当归	*Angelica oncosepala*	湿生草本；产德钦、贡山和腾冲、永善、红河等地；生于海拔3500～4300米的山坡草丛中
511		峨参属	刺果峨参	*Anthriscus sylvestris*	湿生草本；产丽江、中甸；生于海拔1620～4000米的山坡草丛、林下或水沟边
512		柴胡属	纤细柴胡	*Bupleurum gracillimum*	湿生草本；产德钦；生于海拔4300米的山坡沟边或灌丛中
513		葛缕子属	细葛缕子	*Carum carvi*	湿生草本；产中甸；生于海拔1800～3590米的高山草甸及山坡上
514		矮泽芹属	矮泽芹	*Chamaesium paradoxum*	湿生草本；产中甸；生于海拔3700～4800米的沼泽地及红杉林中
515		蛇床属	蛇床	*Cnidium monnieri*	湿生草本；产富宁、德钦（达3200米）；生于平地丘陵及亚高山田边、路旁草地及河边湿地
516		鸭儿芹属	鸭儿芹	*Cryptotaenia japonica*	湿生草本；产盐津、大关、昭通、镇雄、禄劝、金平、屏边、马关、文山、西畴；生于海拔650～2300米的山坡灌丛、草丛、溪旁及河边

（续）

序	科	属	种		分　布
			中文名	拉丁名	
517	伞形科	环根芹属	环根芹	*Cyclorhiza waltonii*	湿生草本；产丽江；生于海拔2500～3500米的草坡、栎林灌丛以及潮湿沟边、路旁
518		刺芹属	刺芫荽	*Eryngium foetidum*	湿生草本；产孟连、澜沧、勐海、景洪、绿春、文山、蒙自、金平、河口等地；生于海拔100～1540米的丘陵、山地林下、路旁、沟边等湿润处；
519		天胡荽属	中华天胡荽	*Hydrocotyle hookeri*	湿生草本；产漾濞、巍山、景东、楚雄、禄劝、孟连、蒙自等地；生于海拔1000～2900米的河沟边及湿润路旁草地
520			红马蹄草	*Hydrocotyle nepalensis*	湿生草本；产全省大部分地区；生于海拔350～2080米的山坡路旁、荫湿地和沟边草丛中
521			密伞天胡荽	*Hydrocotyle pseudoconferta*	湿生草本；产景洪、勐海、勐腊等地；生于海拔850～1080米的湿润路旁、荒地、山坡林下、溪边及河沟边
522			天胡荽	*Hydrocotyle sibthorpioides*	湿生草本；产丽江、鹤庆、景东、昆明、晋宁、绿春、勐海、景洪、富宁等地；生于海拔475～3000米的湿润草地、沟边及林下
523			肾叶天胡荽	*Hydrocotyle wilfordii*	湿生草本；产维西、临沧、昭通；生于海拔350～2300米的山谷、沟边或溪旁
524		藁本属	草甸藁本	*Ligusticum kingdonwardii*	湿生草本；产德钦、中甸、巧家；生于海拔3000～3900米的高山草甸或山谷坡地
525			川滇藁本	*Ligusticum sikiangense*	湿生草本；产中甸；生于海拔3400～4500米高山针叶林下、沟边、灌丛或草地
526			藁本	*Ligusticum sinense*	湿生草本；产泸水、贡山、维西、中甸、德钦、鲁甸等地；生于海拔1000～2700米的林下或沟边草丛中，滇西各地常有栽培
527		水芹属	短辐水芹	*Oenanthe benghalensis*	湿生草本；产大理、禄劝、昆明、凤庆、西畴、富宁、绿春、马关、屏边、金平、孟连、西双版纳；生于海拔500～2000米的溪谷旁或水沟边
528			高山水芹	*Oenanthe hookeri*	湿生草本；产腾冲、中甸、丽江(玉龙雪山)、维西；生于海拔1800～3650米的杂木林下、水沟边或沼泽地里
529			水芹	*Oenanthe javanica*	湿生草本；产全省大部分地区；生于海拔(880～)1000～2800(～3600)米的沼泽、潮湿低洼处及河沟边
530			线叶水芹	*Oenanthe linearis*	湿生草本；产维西、丽江、鹤庆、洱源、大理、宾川、邓川、腾冲、景东、瑞丽江河谷、澜沧江河谷；生于海拔1300～3250米的山坡林下或溪边
531			细裂水芹	*Oenanthe thomsonii*	湿生草本；产贡山、鹤庆、镇康、孟连；生于海拔1500～3500米的山坡草地上和溪谷边
532		滇芎属	楔叶滇芎	*Physospermopsis cuneata*	湿生草本；产丽江；生于海拔3048～4000米的水边
533			滇芎	*Physospermopsis delavayi*	湿生草本；产中甸、丽江、宾川、洱源、楚雄、双柏、富民、宜良、昆明、建水等地；生于海拔2800～3000米的山坡松林下或河沟边
534		棱子芹属	香棱子芹	*Pleurospermum aromaticum*	湿生草本；产德钦、丽江等地；生于海拔3800～4100米的高山灌丛中或沟边石缝内
535			二色棱子芹	*Pleurospermum bicolor*	湿生草本；产德钦、中甸、丽江、鹤庆和东川等地；生于海拔4000～4200米的高山草甸、杜鹃灌丛内

（续）

序	科	属	种		分　布
			中文名	拉丁名	
536	伞形科	棱子芹属	心叶棱子芹	*Pleurospermum rivulorum*	湿生草本；产中甸、丽江、鹤庆和镇康等地；生于海拔2800～3900(～4000)米的沟边草丛中
537			粗茎棱子芹	*Pleurospermum wilsonii*	湿生草本；产贡山、中甸地区；生于海拔3600米左右的高山草甸
538			云南棱子芹	*Pleurospermum yunnanense*	湿生草本；产贡山、德钦、中甸、维西和大理等地；生于海拔3500～4300米的碎石山坡、沟边或杜鹃林下
539		囊瓣芹属	囊瓣芹	*Pternopetalum davidii*	湿生草本；产绥江、凤庆、屏边等地；生于海拔1500～2900米的林下沟边
540		变豆菜属	软雀花	*Sanicula elata*	湿生草本；全省广布；生于海拔1200～3500米的阔叶林下或河沟边
541			锯叶变豆菜	*Sanicula serrata*	湿生草本；产维西、大理等地；生于海拔1360～3160米的杂木林下或沟边
542		小芹属	尖瓣小芹	*Sinocarum cruciatum*	湿生草本；产鹤庆及腾冲附近；生于海拔2700～3800米的山顶及沟谷水边草地
543			少辐小芹	*Sinocarum pauciradiatum*	湿生草本；产贡山至独龙江；生于海拔3200～4500米的高山草甸或阴湿岩上
544		东俄芹属	细叶东俄芹	*Tongoloa tenuifolia*	湿生草本；产德钦、维西、丽江；生于海拔3500～4300米的山坡、沼泽地
545	杜鹃花科	岩须属	鼠尾岩须	*Cassiope myosuroides*	湿生灌木；产丽江、碧江；生于海拔4000～4500米的高山草甸
546		白珠树属	红粉白珠	*Gaultheria hookeri*	湿生灌木；产彝良、德钦、贡山、维西；生于海拔(1600～)2060～3200(～3800)米的沟边
547		杜鹃属	密枝杜鹃	*Rhododendron fastigiatum*	湿生灌木；产东北部至西北部；生于海拔3400～4400米开阔草地、岩坡、杜鹃灌丛，或高山灌丛草地中
548	岩梅科	岩匙属	岩匙	*Berneuxia thibetica*	湿生灌木；产东北部至西北部；生于高山杜鹃灌丛或铁杉林下，海拔1300～4500米
549		岩梅属	喜马拉雅岩梅	*Diapensia himalaica*	湿生灌木；产中甸、德钦、贡山；生于高山灌丛或草甸，海拔3000米以上
550			红花岩梅	*Diapensia purpurea*	湿生灌木；产德钦、贡山、中甸、维西；生于海拔3000～4500米高山灌丛、草坡或岩壁上
551	马钱科	醉鱼草属	七里香	*Buddleja asiatica*	广生态幅灌木；全省广布；生于海拔30～2800米
552			密蒙花	*Buddleja officinalis*	湿生灌木；全省广布；生于海拔700～2800米山坡、河边杂木林中
553	萝摩科	鹅绒藤属	大理白前	*Cynanchum forrestii*	湿生草本；产除南部外全省各地；生于海拔1500～3000米山地林下沟谷草地
554			柳叶白前	*Cynanchum stauntonii*	湿生草本；产东南部；生于山谷湿地、水旁灌木丛中
555	茜草科	岩上珠属	岩上珠	*Clarkella nana*	湿生草本；产漾濞、文山、思茅、孟连、景洪、镇康、龙陵；生于海拔约1500～2300米密林下、水边或潮湿岩石上
556		拉拉藤属	六叶葎	*Galium asperuloides*	湿生草本；产全省大部分地区；生于海拔1900～3600米处的溪边山谷林下、草坡、河滩或灌丛中
557			小红参	*Galium elegans*	湿生草本；产全省大部分地区；生于海拔1250～3300米处的山谷溪边林中、草坡、田野
558			小叶猪殃殃	*Galium innocuum*	湿生草本；产全省大部分地区；生于海拔1900～2500米处的水沟边、湿润草地、田野

（续）

序	科	属	种		分布
			中文名	拉丁名	
559	茜草科	拉拉藤属	沼猪殃殃	*Galium uliginosum*	湿生草本；生于海拔约2600米处的潮湿草地
560		耳草属	耳草	*Hedyotis auricularia*	湿生草本；产南部；生于海拔1000～1600米处的林下、灌丛、草坡或路边
561			伞房花尔草	*Hedyotis corymbosa*	湿生草本；产全省大部分地区；生于海拔850～2000米处的旷野、田间、溪边、林下的草地上
562			白花蛇舌草	*Hedyotis diffusa*	湿生草本；产全省大部分地区；生于海拔950～1550米的草坡、溪边、田边或旷野潮湿地
563			纤花耳草	*Hedyotis tenelliflora*	湿生草本；产全省大部分地区；生于海拔980～2200米的草坡、路旁、溪边
564			脉耳草	*Hedyotis vestita*	湿生草本；产泸水、麻栗坡、屏边、河口、金平、绿春、思茅、勐腊、景洪、勐海、凤庆、沧源、路西；生于海拔约1200～1600米处的林缘及草坡
565		新耳草属	西南新耳草	*Neanotis wightiana*	湿生草本；产全省大部分地区；生于海拔1000～2900米处的草坡、路旁、灌丛或林缘
566		蛇根草属	美丽蛇根草	*Ophiorrhiza rosea*	湿生草本；产贡山、福贡、马关、蒙自、屏边、河口；生于海拔1000～2100米处的山谷、溪边、密林
567			高原蛇根草	*Ophiorrhiza succirubra*	湿生草本；产澄江、维西、贡山、福贡；生于海拔1780～2300米处的山谷、溪边、林下
568			阴地蛇根草	*Ophiorrhiza umbricola*	湿生草本；产维西、龙陵、潞西、瑞丽；生于海拔1700～2400米处的山谷林下
569		丰花草属	阔叶丰花草	*Spermacoce alata*	湿生草本；产福贡、泸水、景东、勐腊、沧源、施甸、盈江、潞西、畹町；生于海拔650～1260米处的林下、荒草地、园内、田边、河滩
570	忍冬科	莛子藨属	穿心莛子藨	*Triosteum himalayanum*	湿生草本；产西部、西北部、中部至东北部；生于海拔1600～3200(4000)米的林下、沟边或山坡草丛中
571		接骨木属	血满草	*Sambucus adnata*	湿生草本；产全省各地；生于海拔550～2600米的林下、沟边或山坡草丛中
572			接骨草	*Sambucus javanica*	湿生草本；产镇康、大理、鹤庆、丽江、兰坪、维西、中甸、德钦；生于海拔(2700)3000～4000米的山坡或山谷的云、冷杉林下、灌丛中或高山草地上
573	缬草科	甘松属	甘松香	*Nardostachys jatamansi*	湿生草本；产大理至中甸、德钦等地；生于海拔2500～3900(～5000)米高山灌丛、草坡
574		败酱属	少蕊败酱	*Patrinia monandra*	湿生草本；产全省大部分地区；生于海拔500～2400米的山坡灌丛、林缘、水沟边
575		缬草属	柔垂缬草	*Valeriana flaccidissima*	湿生草本；产全省大部分地区；生于海拔1000～3500米的溪边、沟旁、林缘、草坡
576			长序缬草	*Valeriana hardwickii*	湿生草本；产昆明、大理、中甸、维西、镇雄、镇康及西双版纳；生于海拔800～3600米的林缘、路边，阴湿水沟边
577			蜘蛛香	*Valeriana jatamansi*	湿生草本；产全省大部分地区；生于海拔2000～2800米山坡、路旁草丛，
578			缬草	*Valeriana officinalis*	湿生草本；产昆明；生于海拔1900～4000米山坡草地、林缘、水沟边
579	川续断	刺续断属	白花刺续断	*Acanthocalyx alba*	湿生草本；产会泽、大理、洱源、鹤庆、永宁、丽江、中甸、德钦、维西、碧江；生于海拔2500～4250米的林下或山坡草地

（续）

序	科	属	种		分　　布
			中文名	拉丁名	
580	川续断	刺续断属	刺萼参	*Acanthocalyx nepalensis*	湿生草本；产禄劝、大理、昭通、丽江、维西、中甸、德钦、贡山；生于海拔3200~4000米的山坡草地
581		川续断属	川续断	*Dipsacus asper*	湿生草本；产全省大部分地区；生于海拔2000~3600米的林边、灌丛、草地
582		双参属	双参	*Triplostegia glandulifera*	湿生草本；产东北部至西北部；生于海拔1300~3900米的林下、溪旁、山坡草地
583			大花双参	*Triplostegia grandiflora*	湿生草本；产中部至西北部；生于海拔1800~3800米的山谷林下、草坡
584	菊科	刺苞果属	刺苞果	*Acanthospermum hispidum*	湿生草本；产勐腊、景洪、勐海、孟连、元江、景东、潞西、漾濞、大理、祥云；生于海拔450~1900米的路边、荒地或河边沙地
585		蓍属	云南蓍	*Achillea wilsoniana*	湿生草本；产中甸、宁蒗、维西、大理、曲靖、会泽、盐津等地；生于海拔2300~3600米的灌丛中或山坡草地
586		金钮扣属	美形金纽扣	*Acmella calva*	湿生草本；主产南部；生于海拔910~2500米的林下、灌丛下、山坡草地或溪边、路旁
587			金纽扣	*Acmella paniculata*	湿生草本；主产南部；生于海拔910~2500米的林下、灌丛下、山坡草地或溪边、路旁
588		和尚菜属	和尚菜	*Adenocaulon himalaicum*	湿生草本；产东北部至西北部；生于海拔1700~3300米林下、灌丛下、草坡或路边、水沟
589		下田菊属	下田菊	*Adenostemma lavenia*	湿生草本；全省大部分地区有分布；生于海拔380~3000米林下、林缘、灌丛中、山坡草地或沟边、路旁
590		紫茎泽兰属	紫茎泽兰	*Ageratina adenophora*	湿生草本；全省许多地州都有分布；生于海拔950~2200米的各种生境下
591		藿香蓟属	藿香菊	*Ageratum conyzoides*	湿生草本；全省除东北部外大部分地区有分布；生于海拔100~1800米的林下、林缘、灌丛中、山坡草地、河边、路旁或田边荒地
592			熊耳草	*Ageratum houstonianum*	湿生草本；产昆明、蒙自、文山、金平、河口、勐腊、沧源、潞西、大理；生于海拔150~1500米的山坡草地、山谷沟边、路旁
593		亚菊属	短裂亚菊	*Ajania breviloba*	湿生草本；产中甸、丽江；生于海拔2800~4100米的林间草地、灌丛下或草坡
594		香青属	黄腺香青	*Anaphalis aureopunctata*	湿生草本；产中部至西北部；生于海拔1900~3900米的林下、林缘、灌丛中或山坡草地
595			尼泊尔香青	*Anaphalis nepalensis*	湿生草本；产东北部至西北部；生于海拔2500~4400米的林下、灌丛草地、山坡草地
596		蒿属	茵陈蒿	*Artemisia capillaris*	湿生草本；产大理、漾濞；生于低海拔至2200米路旁、林缘等地
597			灰苞蒿	*Artemisia roxburghiana*	湿生草本；产丽江、鹤庆、中甸、会泽、潞西、临沧、保山；生于低海拔至3900米处荒地、干河谷、路旁、草地
598			蒌蒿	*Artemisia selengensis*	湿生草本；产昆明、东川、玉溪；多生于中、低海拔地区的河湖岸边与沼泽地带，可葶立于水中生长，也见于湿润的疏林中、山坡、路旁、荒地等

（续）

序	科	属	种		分　布
			中文名	拉丁名	
599	菊科	蒿属	阴地蒿	*Artemisia sylvatica*	湿生草本；产昆明、东川、昭通、下关；生于中低海拔湿润的林下、林缘或灌丛中
600		紫菀属	小舌紫菀	*Aster albescens*	湿生草本；产盐津、威信、彝良及省西部；生于海拔450～2900米的林缘、河边草丛
601			石生紫菀	*Aster oreophilus*	湿生草本；产东北部至西北部；生于海拔2300～3600（～4000）米的林下、灌丛下或山坡草地
602			察瓦龙紫菀	*Aster tsarungensis*	湿生草本；产德钦、贡山、中甸；生于海拔（2600～）3600～4400米的高山草地或灌丛中
603		鬼针草属	柳叶鬼针草	*Bidens cernua*	湿生草本；产西北部中甸一带；生于海拔3000～3600米的溪边、沼泽边或路边杂草丛中
604			狼杷草	*Bidens tripartita*	湿生草本；产东北至西北部；生于海拔1200～3400米的沟谷密林、山坡草地、水边或湿地
605		飞廉属	丝毛飞廉	*Carduus crispus*	湿生草本；产中部至西北部；生于海拔1700～3300米的林下、山坡草地或、水沟边、田边
606			飞廉	*Carduus nutans*	湿生草本；产中部至西北部；生于海拔1700～3300米的林下、山坡草地或路边、水沟、田边
607		天名精属	烟管头草	*Carpesium cernuum*	湿生草本；产东北部至西北部；生于海拔（540～）1200～2500米的林下、灌丛下、山坡、路边、沟边或荒地
608			小金挖耳	*Carpesium minus*	湿生草本；产贡山、大关、威信；生于海拔900～1700米的江边、沟边或河滩
609		蓟属	贡山蓟	*Cirsium eriophoroides*	湿生草本；产德钦、贡山、福贡、兰坪、丽江；生于海拔（2600～）3200～4100米的林缘、灌丛边、山坡草地、高山草甸或碎石间
610			刺苞蓟	*Cirsium henryi*	湿生草本；产中甸、宁蒗、维西、丽江、永胜、剑川、大理、昆明、宜良、会泽、昭通；生于海拔1500～3500米的林下、灌丛中或山坡草地
611		秋英属	秋英	*Cosmos bipinnatus*	湿生草本；昆明、丽江一带和德宏州常有栽培，现已归化并扩大分布区；常见于海拔850～2000米的山坡、田边、路旁以至疏林下
612		野茼蒿属	革命菜	*Crassocephalum crepidioides*	湿生草本；产江西、福建、湖南、湖北、广东、广西、贵州、云南、四川、西藏；山坡路旁、水边、灌丛中常见，海拔300～1800米
613		垂头菊属	珠芽垂头菊	*Cremanthodium bulbilliferum*	湿生草本；产维西、中甸、贡山、德钦；生于海拔3600～4300米的山坡草地、高山草甸
614			钟花垂头菊	*Cremanthodium campanulatum*	湿生草本；产泸水、丽江、维西、福贡、贡山、中甸、德钦；生于海拔3200～4500米的杜鹃林下或林缘、灌丛草地、高山草甸或流石滩
615			喜马拉雅垂头菊	*Cremanthodium decaisnei*	湿生草本；产大理、丽江、维西、中甸、德钦；生于海拔3200～4650米的草坡、溪边、高山草甸或流石滩
616			大理垂头菊	*Cremanthodium delavayi*	湿生草本；产大理、福贡；生于海拔3600～4200米的山坡草地或高山草甸
617			车前状垂头菊	*Cremanthodium ellisii*	湿生草本；产德钦、贡山；生于海拔3400～4100米的山坡、沼泽草地、高山草甸或流石滩
618			矢叶垂头菊	*Cremanthodium forrestii*	湿生草本；产维西、贡山、德钦；生于海拔3500～4000米的山坡草地或高山草甸

（续）

序	科	属	种		分　　布
			中文名	拉丁名	
619	菊科	垂头菊属	裂叶垂头菊	*Cremanthodium pinnatisectum*	湿生草本；产贡山；生于海拔约4200米的高山草甸
620			美丽垂头菊	*Cremanthodium pulchrum*	湿生草本；产贡山；生于海拔约4000米的山坡、草甸
621			垂头菊	*Cremanthodium reniforme*	湿生草本；产贡山；生于海拔3300~3400米的林缘、草地或溪边
622			箭叶垂头菊	*Cremanthodium sagittifolium*	湿生草本；产禄劝、东川、会泽；生于海拔3360~4000米的亚高山至高山草地
623			铲叶垂头菊	*Cremanthodium sino-oblongatum*	湿生草本；产大理、丽江、中甸；生于海拔3300~4000米的草坡和高山灌丛草甸
624		还阳参属	芜菁还阳参	*Crepis napifera*	湿生草本；产西北部、西部、中部至东南部；生于海拔1000~3000米的林下、灌丛下、山坡草地或沟边、路旁
625		鱼眼草属	小鱼眼草	*Dichrocephala benthamii*	湿生草本；全省大部分地区有分布；生于海拔1100~3600米的林下、灌丛下、草地、路边、田边和荒地
626			菊叶鱼眼草	*Dichrocephala chrysanthemifolia*	湿生草本；产东南部
627			鱼眼草	*Dichrocephala integrifolia*	湿生草本；全省广泛分布；生于海拔(200~)600~3880米的林下、林缘、灌丛下、草坡、路边、田边、水沟边或荒地
628		鳢肠属	鳢肠	*Eclipta prostrata*	湿生草本；全省大部分地区有分布；生于海拔250~1500(~2200)米的疏林缘、灌丛中、山坡草地、水边、路旁、田边或荒地
629		地胆草属	地胆草	*Elephantopus scaber*	湿生草本；产南部；生于海拔480~1750米的林下、林缘、灌丛下、山坡草地或村边、路旁
630		沼菊属	沼菊	*Enydra fluctuans*	湿生草本；产景洪、勐海、瑞丽等地；生于海拔560~1750米的沼泽地或水塘中
631		飞蓬属	苏门白酒草	*Erigeron sumatrensis*	湿生草本；全省大部分地区有分布；生于海拔100~2450米的林下、灌丛下、草地、路边、溪旁或荒地
632		泽兰属	异叶泽兰	*Eupatorium heterophyllum*	湿生草本；产东北部至西北部；生于海拔1400~3900米的林下、林缘、灌丛中、山坡草地或溪边、路旁
633		牛膝菊属	辣子草	*Galinsoga parviflora*	湿生草本；全省大部分地区有分布；生于海拔(850~)1500~2800米的林下、山坡草地、路边、沟边、田边或荒地
634		旋覆花属	水朝阳花	*Inula helianthus-aquatilis*	湿生草本；产全省大部分地区；生于海拔1200~3000米的林下、灌丛下、山坡草地的湿润处，也常见于水沟边、田边
635		火绒草属	美头火绒草	*Leontopodium calocephalum*	湿生草本；产东北部至西北部；生于海拔2800~4000(~4500)米的林下、灌丛下、山坡草地、高山草甸
636			银叶火绒草	*Leontopodium souliei*	湿生草本；产德钦、中甸；生于海拔3200~4060米的林下、灌丛下、草地或沼泽地
637		橐吾属	翅柄橐吾	*Ligularia alatipes*	湿生草本；产丽江、永胜、维西、大理、永德；生于海拔2200~3660米的草坡或沼泽草地
638			舟叶橐吾	*Ligularia cymbulifera*	湿生草本；产丽江、中甸、德钦；生于海拔3000~4200米的林缘草地或高山草甸

（续）

序	科	属	种		分　　布
			中文名	拉丁名	
639	菊科	橐吾属	齿叶橐吾	*Ligularia dentata*	湿生草本；产昆明、嵩明、大理、鹤庆、腾冲；生于海拔2050～2480米的溪边或湿草地
640			网脉橐吾	*Ligularia dictyoneura*	湿生草本；产大理、宾川、鹤庆、丽江、中甸、德钦；生于海拔(1900～)2550～3500(～4400)米的云、冷杉林下或林缘草地
641			鹿蹄橐吾	*Ligularia hodgsonii*	湿生草本；产屏边、砚山、麻栗坡、西畴、绥江；生于海拔(800～)1100～1600米的林缘草坡或溪边草丛中
642			沼生橐吾	*Ligularia lamarum*	湿生草本；产维西、中甸、德钦；生于海拔3300～4200米的冷杉林缘或高山草甸
643			黑苞橐吾	*Ligularia melanocephala*	湿生草本；产洱源、丽江、中甸、德钦；生于海拔3300～3850米的林下或草坡
644			莲叶橐吾	*Ligularia nelumbifolia*	湿生草本；产禄劝、中甸、德钦；生于海拔3500～3900米的灌丛草地和高山草甸
645			奇形橐吾	*Ligularia paradoxa*	湿生草本；产丽江、维西、中甸、德钦；生于海拔3600～4300米的林间草地或草坡
646			鞘叶橐吾	*Ligularia phyllocolea*	湿生草本；产镇康、腾冲、大理、兰坪、贡山、维西；生于海拔2600～3650(～4150)米的林缘草地或草坡的水沟边
647			侧茎橐吾	*Ligularia pleurocaulis*	湿生草本；产鹤庆、丽江、中甸、维西、贡山、德钦；生于海拔3000～3900米的山坡草地、沟边或沼泽地
648			翼齿橐吾	*Ligularia pterodonta*	湿生草本；产永德、腾冲、丽江、维西、贡山、德钦；生于海拔3400～4100米的草坡或灌丛边缘
649			黑毛橐吾	*Ligularia retusa*	湿生草本；产贡山、德钦；生于海拔3500～4200米的高山草甸
650			穗序橐吾	*Ligularia subspicata*	湿生草本；产中甸；生于海拔3500～3900米的林缘草坡
651			东俄洛橐吾	*Ligularia tongolensis*	湿生草本；产会泽、丽江、中甸；生于海拔3200～3850(～4300)米的灌丛草地或高山草甸
652			苍山橐吾	*Ligularia tsangchanensis*	湿生草本；产东北部至西北部；生于海拔2900～4100米的草坡、林间草地及高山草甸
653			棉毛橐吾	*Ligularia vellerea*	湿生草本；产会泽、洱源、剑川、鹤庆、丽江、维西、中甸、德钦；生于海拔(2050～)2600～3800米的草坡、林间或林缘草地
654			黄帚橐吾	*Ligularia virgaurea*	湿生草本；产丽江、中甸、德钦；生于海拔3600～4300米的林间草地或高山草甸
655		蟹甲草属	蟹甲草	*Parasenecio forrestii*	湿生草本；产贡山、福贡、永胜、宁蒗、大理、昆明；生于海拔2250～3300米的林下
656			掌裂蟹甲草	*Parasenecio palmatisectus*	湿生草本；产会泽、德钦、贡山、福贡、维西、中甸；生于海拔3100～4000米的山坡林下、林缘或灌丛
657		银胶菊属	银胶菊	*Parthenium hysterophorus*	湿生草本；产师宗、路南、石屏、开远、蒙自、元阳、金平、河口、文山等地；生于海拔(100～)750～1400(～2400)米的灌丛、草坡、路边、沟边或田埂边

（续）

序	科	属	种		分　布
			中文名	拉丁名	
658	菊科	拟鼠麹草属	拟鼠麹草	*Pseudognaphalium affine*	湿生草本；全省大部分地区均产；生于海拔(330～)1500～2700(～3600)米的各种生境中，以山坡、荒地、路边、田边最常见
659	菊科	拟鼠麹草属	秋拟鼠麹草	*Pseudognaphalium hypoleucum*	湿生草本；除西双版纳地区外广泛分布；生于海拔(520～)1200～3000(～3800)米的林下、山坡草地、路边、村旁或空旷地等
660	菊科	风毛菊属	湿地雪兔子	*Saussurea uliginosa*	湿生草本；产德钦、中甸、丽江；生于海拔3660～4200米的多石山坡、林下、林缘、灌丛中
661	菊科	千里光属	菊状千里光	*Senecio analogus*	湿生草本；产全省大部分地区；生于海拔1400～3750米的林下、林缘、草坡、田边、路边
662	菊科	千里光属	田野千里光	*Senecio oryzetorum*	湿生草本；产丽江、大理、腾冲；生于海拔1500～2400米的湿草地
663	菊科	千里光属	蕨叶千里光	*Senecio pteridophyllus*	湿生草本；产罗平、中甸、丽江、维西、贡山、宁蒗、鹤庆、大理、腾冲；生于海拔3000～3800米的林缘
664	菊科	虾须草属	虾须草	*Sheareria nana*	湿生草本；产彝良等地；生于海拔450米附近的河岸边、湖边湿地或田边
665	菊科	豨莶属	豨莶	*Sigesbeckia orientalis*	湿生草本；产全省大部分地区；生于海拔110～2500米的林下、灌丛中、草地、路边、溪边
666	菊科	豨莶属	腺梗豨莶	*Sigesbeckia pubescens*	湿生草本；产德钦、贡山、维西、福贡、兰坪、丽江和昆明、禄劝；生于海拔1800～2700米的山坡草地、路边、沟旁
667	菊科	蒲儿根属	耳柄蒲儿根	*Sinosenecio euosmus*	湿生草本；产彝良、巧家、维西、贡山、德钦(澜沧江与怒江分水岭)、中甸；生于海拔3050～4200米的高山草甸、林缘
668	菊科	蒲儿根属	蒲儿根	*Sinosenecio oldhamianus*	湿生草本；产全省大部分地区；生于海拔600～3000米的田边、溪边、草坡、林缘
669	菊科	蒲儿根属	三脉蒲儿根	*Sinosenecio trinervius*	湿生草本；产漾濞、文山、绿春
670	菊科	蟛蜞菊属	蟛蜞菊	*Sphagneticola calendulacea*	湿生草本；产龙陵、景东、沧源、孟连、勐海、勐腊等；生于海拔700～2400米的林下、灌丛中、山坡或溪边
671	菊科	联毛紫菀属	钻叶紫菀	*Symphyotrichum subulatum*	湿生草本；见于蒙自、江川、安宁、昆明、宜良、路南、师宗、楚雄、镇雄、威信等地；生于海拔1100～1900米的山坡灌丛中、草坡、沟边
672	菊科	金腰箭属	金腰箭	*Synedrella nodiflora*	湿生草本；产潞西、耿马、勐海、景洪、勐腊、绿春、河口、景东；生于海拔110～1000米的山谷灌丛、路边草地、旷野或耕地
673	菊科	羽芒菊属	羽芒菊	*Tridax procumbens*	广生态幅草本；产元江、元阳、景洪；生于海拔330～500米的旷野、荒坡及路边等
674	龙胆科	穿心草属	罗星草	*Canscora andrographioides*	湿生草本；产澜沧、勐腊、景东、云县、元阳；生于海拔380～1600米的草坡、灌丛草坡
675	龙胆科	喉毛花属	蓝钟喉毛花	*Comastoma cyananthiflorum*	湿生草本；产洱源、丽江、维西、中甸；生于海拔3100～4200米的高山草甸、山坡草地
676	龙胆科	喉毛花属	喉毛花	*Comastoma pulmonarium*	湿生草本；产洱源、中甸等地；生于海拔2800～4000米的山坡草地
677	龙胆科	杯药草属	杯药草	*Cotylanthera paucisquama*	湿生草本；产孟连、镇康、腾冲、贡山；生于海拔2000～2350米的山坡常绿阔叶林下

（续）

序	科	属	种		分　布
			中文名	拉丁名	
678	龙胆科	蔓龙胆属	大花蔓龙胆	*Crawfurdia angustata*	湿生草本；产贡山、福贡、梁河；生于海拔1500～3200米的山坡草地、路边灌丛
679			云南蔓龙胆	*Crawfurdia campanulacea*	湿生草本；产福贡、贡山、维西、泸水、龙陵、腾冲、景东；生于海拔1900～2800米的山坡灌丛及杂木林内
680		藻百年属	圆茎藻百年	*Exacum teres*	湿生草本；产龙陵、腾冲、梁河；生于海拔1000～1650米的路边潮湿地及林下
681			藻百年	*Exacum tetragonum*	湿生草本；产楚雄、景东、思茅、镇康、瑞丽、麻栗坡；生于海拔800～1500米山坡疏林
682		龙胆属	椭叶龙胆	*Gentiana altigena*	湿生草本；产贡山、中甸；生于海拔3700～4200米的高山草地及草甸
683			头花龙胆	*Gentiana cephalantha*	湿生草本；产大理、洱源、丽江、维西、中甸、德钦、贡山；生于海拔1800～3300米的灌丛草地
684			粗茎秦艽	*Gentiana crassicaulis*	湿生草本；产丽江、维西、中甸、德钦；生于海拔2800～4300米的山坡草地、林缘、林下
685			髯毛龙胆	*Gentiana cuneibarba*	湿生草本；产中甸、德钦；生于海拔3200～4000米的山地草地、云杉林下
686			深裂龙胆	*Gentiana damyonensis*	湿生草本；产贡山；生于海拔3900～4000米的山坡灌丛草地
687			微籽龙胆	*Gentiana delavayi*	湿生草本；产东川、昆明、洱源、鹤庆、剑川、丽江；生于海拔2100～3350米山坡草地及灌丛
688			丝瓣龙胆	*Gentiana exquisita*	湿生草本；产贡山；生于海拔3000～4000米的高山草甸及沼泽边
689			毛喉龙胆	*Gentiana faucipilosa*	湿生草本；产贡山等地；生于海拔3200米的山坡林下
690			长流苏龙胆	*Gentiana grata*	湿生草本；产贡山、景东等地；生于海拔2900～4000米的山坡草地、高山沼泽地
691			喜湿龙胆	*Gentiana helophila*	湿生草本；产中甸、丽江；生于海拔2900～3100米的山坡草地
692			四数龙胆	*Gentiana lineolata*	湿生草本；产昆明、东川、洱源、鹤庆；生于海拔1900～3200米的山坡草地及林下
693			寡流苏龙胆	*Gentiana mairei*	湿生草本；产东北部巧家一带；生于海拔3400米的高山草甸、灌丛中
694			菔根龙胆	*Gentiana napulifera*	湿生草本；产宾川、永胜、鹤庆、蒙自、景东；生于海拔1600～2400米的山坡草地、林下
695			华丽龙胆	*Gentiana ornata*	湿生草本；产丽江、维西、德钦；生于海拔2500～3800米的山坡草地
696			耳褶龙胆	*Gentiana otophora*	湿生草本；产维西、贡山、中甸、大理；生于海拔2800～4200米的山坡草地或林下
697			类耳褶龙胆	*Gentiana otophoroides*	湿生草本；产贡山等地；生于海拔4000～4500米的山坡草地
698			流苏龙胆	*Gentiana panthaica*	湿生草本；产东川、巧家、鹤庆、洱源、丽江、大理、弥勒；生于海拔2500～3650米的山坡草地、灌丛、林下
699			糙毛龙胆	*Gentiana pedicellata*	湿生草本；产西部地区；生于海拔2100～3400米的山坡草地

（续）

序	科	属	种		分布
			中文名	拉丁名	
700	龙胆科	龙胆属	叶萼龙胆	*Gentiana phyllocalyx*	湿生草本；产大理、丽江、维西、中甸、德钦、贡山；生于海拔3300～4400米的高山草甸、草地、岩石缝中
701			着色龙胆	*Gentiana picta*	湿生草本；产西部至西北部；生于海拔2000～2800米山坡草地、林缘
702			草甸龙胆	*Gentiana praticola*	湿生草本；产昆明、呈贡、思茅、蒙自、镇雄；生于海拔1900～2500米的山地草地、林下
703			报春花龙胆	*Gentiana primuliflora*	湿生草本；产昆明、禄劝、大理、鹤庆；生于海拔1600～2500米的山坡草地及林下
704			翼萼龙胆	*Gentiana pterocalyx*	湿生草本；产洱源、鹤庆；生于海拔3300～3500米的山坡草地
705			红花龙胆	*Gentiana rhodantha*	湿生草本；产中部、西北部、东北部；生于海拔1300～2600米的山坡草地及灌丛中
706			深红龙胆	*Gentiana rubicunda*	湿生草本；产巧家、大关、威信、盐津；生于海拔1800～2500米的林下，路边草地、沟边
707			锡金龙胆	*Gentiana sikkimensis*	湿生草本；产德钦、贡山、大理、丽江；生于海拔3600～4200米的高山草地、冷杉林下、林缘、山坡石隙
708			西藏秦艽	*Gentiana tibetica*	湿生草本；产丽江、中甸；生于海拔3000～4200米的山坡草地、林缘
709			蓝玉簪龙胆	*Gentiana veitchiorum*	湿生草本；产贡山、丽江；生于海拔2000～3000米高山草甸
710			云南龙胆	*Gentiana yunnanensis*	湿生草本；产昭通、巧家、东川、宾川、大理、洱源、丽江、中甸等地；生于海拔2500～3500米的山坡草地、高山草甸、林下、灌丛中
711		假龙胆属	密花假龙胆	*Gentianella gentianoides*	湿生草本；产禄劝、洱源、宾川、丽江；生于海拔2900～3600米的山坡草地、林下
712		扁蕾属	扁蕾	*Gentianopsis barbata*	湿生草本；产昆明、嵩明、富民、大理、丽江、中甸、巧家；生于海拔2400～3700米山坡草地、灌丛、林缘
713			大花扁蕾	*Gentianopsis grandis*	湿生草本；产兰坪、丽江、维西、中甸、永善、巧家；生于海拔2800～3700米的山坡草地、潮湿地、林缘
714			湿生扁蕾	*Gentianopsis paludosa*	湿生草本；产大理、洱源、中甸、德钦、会泽、东川；生于海拔2500～3300米山坡草地、林缘
715		花锚属	椭圆叶花锚	*Halenia elliptica*	湿生草本；产滇东北至滇西北；生于海拔1800～3300米的山坡林下、草地及灌丛中
716		匙叶草属	匙叶草	*Latouchea fokienensis*	湿生草本；产威信大雪山；成片生于海拔1400～1700米的山坡阴湿林下
717		肋柱花属	肋柱花	*Lomatogonium carinthiacum*	湿生草本；产中甸、德钦、贡山；生于海拔2900～4100米的山坡灌丛、草地及高山草甸
718			云贵肋柱花	*Lomatogonium forrestii* var. *bonatianum*	湿生草本；产昆明、武定、禄劝、东川、大理；生于海拔1900～2400米的山坡草地、灌丛
719			云南肋柱花	*Lomatogonium forrestii* var. *forrestii*	湿生草本；产昆明、寻甸、禄劝、武定、大理、丽江、洱源、漾濞、维西、宁蒗、德钦；生于海拔2200～3600米的草坡、灌丛及林下

（续）

序	科	属	种		分　布
			中文名	拉丁名	
720	龙胆科	肋柱花属	长叶肋柱花	*Lomatogonium longifolium*	湿生草本；产贡山、中甸、德钦、维西；生于海拔3400~3900米的高山灌丛草地、草甸
721			宿根肋柱花	*Lomatogonium perenne*	湿生草本；产德钦等地；生于海拔4000~4100米的山坡草地、高山草甸
722		大钟花属	大钟花	*Megacodon stylophorus*	湿生草本；产漾濞、大理、丽江、德钦、维西、中甸、贡山、碧江；生于海拔3100~4400米的冷杉林、杜鹃灌丛及山坡草地
723		翼萼蔓属	翼萼蔓	*Pterygocalyx volubilis*	湿生草本；产德钦(茨中)；生于海拔2100米的林下
724		獐牙菜属	獐牙菜	*Swertia bimaculata*	湿生草本；产彝良、澜沧、南涧、大理、漾濞、洱源、邓川、潞西、腾冲、广南、文山；生于海拔1200~2700米的灌丛草地、林缘、林下
725			圈纹獐牙菜	*Swertia cincta*	湿生草本；产嵩明、富民、景东、麻栗坡、漾濞、大理、丽江、鹤庆、中甸、永善、昭通等地；生于海拔1700~3500米的山坡草地、灌丛或林下
726			高獐牙菜	*Swertia elata*	湿生草本；产大理、贡山、中甸；生于海拔3000~4100米的山坡草甸、灌丛及山坡草地
727			贵州獐牙菜	*Swertia kouitchensis*	湿生草本；产东北部；生于海拔2000米的林缘、林下
728			大籽獐牙菜	*Swertia macrosperma*	湿生草本；产泸水、大理、丽江、腾冲、景东、元江、永善、大关、彝良等地；生于海拔2000~3150米的山坡草地、水边、路边灌丛、林下
729			显脉獐牙菜	*Swertia nervosa*	湿生草本；产昆明、峨山、富民、呈贡、丽江、大理、贡山、宁蒗、景东、砚山等；生于海拔1800~2700米的山坡草地、灌丛、松林中、江边沙地
730			大药獐牙菜	*Swertia tibetica*	湿生草本；产中甸、德钦、东川；生于海拔3000~4200米的高山坡草甸及山坡流石滩上
731			云南獐牙菜	*Swertia yunnanensis*	湿生草本；产蒙自、师宗、丽江、中甸等地；生于海拔1400~3000米的山坡草地
732		双蝴属	双蝴蝶	*Tripterospermum chinense*	湿生草本；产潞西、腾冲等地；生于海拔1600~1800米的山坡林下
733			尼泊尔双蝴蝶	*Tripterospermum volubile*	湿生草本；产禄劝、漾濞、丽江、中甸、德钦、贡山、凤庆等地；生于海拔2700~3300米的林下、灌丛中或路边
734		黄秦艽属	黄秦艽	*Veratrilla baillonii*	湿生草本；产西部至西北部；生于海拔3600~4800米的高山沼泽草甸
735	睡菜科	睡菜属	睡菜	*Menyanthes trifoliata*	挺水植物；产维西、中甸、丽江、宁浪、昆明、昭通；生于海拔1900~3350米的湖滨沼泽地
736		莕菜属	金银莲花	*Nymphoides indica*	浮叶植物；产西双版纳、思茅、鹤庆；生于海拔500~1600米的池塘、浅水湖、积水草坝中
737			荇菜	*Nymphoides peltata*	浮叶植物；产丽江、剑川、洱源、大理、昆明、江川、通海；生于海拔1600~2300米的湖滨，池塘水深2米以内的浅水区
738	报春花科	点地梅属	硃红点地梅	*Androsace bulleyana*	湿生草本；产洱源、丽江、中甸、德钦；生于海拔1800~3300(~3850)米的山坡阳处、砾石地、松林下或草地
739			圆叶点地梅	*Androsace graceae*	湿生草本；产贡山、德钦、中甸；生于海拔3800~4600米的岩壁、岩坡或流石滩石隙中

（续）

序	科	属	种		分　　布
			中文名	拉丁名	
740	报春花科	点地梅属	柔软点地梅	*Androsace mollis*	湿生草本；产大理、漾濞、福贡、贡山、德钦；生于海拔3200～4300米的高山草地、草甸、山坡岩石边或冷杉林下
741			高原点地梅	*Androsace zambalensis*	湿生草本；产德钦、中甸；生于海拔3500～4200米的灌丛下、灌丛草地或高山草地
742		珍珠菜属	双花香草	*Lysimachia biflora*	湿生草本；产景东；生于海拔1400～2200米的混交林下或箐沟边
743			星宿菜	*Lysimachia candida*	湿生草本；产凤庆、景东、思茅、景洪、勐腊，也见于大理、绥江；生于海拔500～2000米的水田、旱田中、田埂边、潮湿草丛或河沟边
744			细梗香草	*Lysimachia capillipes*	湿生草本；产金平；生于海拔750米的河谷湿地
745			过路黄	*Lysimachia christiniae*	湿生草本；产全省大部分地区；生于海拔(850～)1300～2500米的山箐边、杂木林下、松林边或草地，通常见于湿润、背阴处
746			矮桃	*Lysimachia clethroides*	湿生草本；产全省大部分地区；生于海拔1300～2300(～2700)米的云南松林、云南油杉林下或昆交林、杂木林、灌丛、水沟边
747			临时救	*Lysimachia congestiflora*	湿生草本；产全省大部分地区；生于海拔700～2200(～3200)米的林内、林缘草地、溪沟边，通常见于湿处
748			锈毛过路黄	*Lysimachia drymarifolia*	湿生草本；产禄劝、宾川、漾濞、丽江、维西、中甸；生于海拔2200～2800米的山箐边、路旁或灌丛下，通常见于湿润处
749			长蕊珍珠菜	*Lysimachia lobelioides*	湿生草本；产全省大部分地区；生于海拔800～2800米的林下、草坡或路边
750			落地梅	*Lysimachia paridiformis*	湿生草本；产盐津成凤山；生于海拔1120米的灌丛下荫处
751			小叶星宿菜	*Lysimachia parvifolia*	湿生草本；产蒙自、砚山、昆明、鹤庆、丽江、中甸；生于海拔1200～2500(～3000)米的水田、田边、沟边或山坡
752			叶头过路黄	*Lysimachia phyllocephala*	湿生草本；产东北部和东南部；生于海拔1500～2400米的箐沟边、林下、岩石隙、路边草丛阴湿处
753		独花报春属	大理独花报春	*Omphalogramma delavayi*	湿生草本；产大理、漾濞、碧江；生于海拔3400～3900米的冷杉林下、杜鹃矮林下草地、杂木林内潮湿处
754			独花报春	*Omphalogramma vinciflorum*	湿生草本；产洱源、丽江、维西、中甸、德钦；海拔3200～3700米的草坡或杜鹃灌丛草地
755		报春花属	紫晶报春	*Primula amethystina*	湿生草本；产大理、漾濞；生于海拔3800～4000米的高山灌丛草地
756			茴香灯台报春	*Primula anisodora*	湿生草本；产中甸；生于海拔3300米的高山草甸
757			橙红灯台报春	*Primula aurantiaca*	湿生草本；产剑川、丽江；生于海拔2900～3200米溪边、草地或松林缘
758			霞红灯台报春	*Primula beesiana*	湿生草本；产永胜、丽江、宁蒗、中甸、易门、禄劝、文山；生于海拔2000～3150米的湿草地或空旷草地

（续）

序	科	属	种		分　　布
			中文名	拉丁名	
759	报春花科	报春花属	山丽报春	*Primula bella*	湿生草本；产禄劝、大理、剑川、丽江、中甸、德钦、维西、贡山；生于海拔 3500～4300 米的冷杉林下、山坡石上、石隙或高山草地
760			皱叶报春	*Primula bullata*	湿生草本；产大理、洱源、鹤庆；生于海拔 3000 米左右的松栎林下、林缘或箐沟边岩石上
761			橘红灯台报春	*Primula bulleyana*	湿生草本；产丽江、永胜；生于海拔 2900～3100 米的沼泽草地
762			美花报春	*Primula calliantha*	湿生草本；产大理、漾濞；生于海拔(2500～)3300～3900 米的冷杉林下、杜鹃苔藓林下、冲沟边阴湿处或高山草甸
763			垂花穗状报春	*Primula cernua*	湿生草本；产鹤庆、剑川、永胜和宁蒗的永宁之间；生于海拔 2500～3200 米的山坡草地、岩石上或路边
764			紫花雪山报春	*Primula chionantha*	湿生草本；产禄劝、大理、洱源、鹤庆、丽江、中甸、维西、德钦；生于海拔 3000～4500 米的高山草甸、草地、灌丛草地或冷杉林下
765			腾冲灯台报春	*Primula chrysochlora*	湿生草本；产腾冲；生于海拔 1600～1800 米的沼泽地或河边林下
766			中甸灯台报春	*Primula chungensis*	湿生草本；产中甸；生于海拔 3000～3300 米云杉林中、松－栎林下、草地或水沟边
767			穗花报春	*Primula deflexa*	湿生草本；产禄劝、中甸、维西、德钦、贡山；生于海拔 3300～4200 米的林下、草坡、沼泽
768			垂花报春	*Primula flaccida*	湿生草本；产嵩明、大姚、宾川、洱源邓川、鹤庆、大理、镇康；生于海拔 2100～3100 米的阔叶林内、林缘、草坡或石隙
769			小报春	*Primula forbesii*	湿生草本；产昆明、宜良、易门、澄江、蒙自、镇康、鹤庆、洱源、丽江；生于海拔 1500～2000(～2800)米的田边、水沟边湿草地或路边草坡
770			长瓣穗花报春	*Primula gracilenta*	湿生草本；产丽江、宁蒗、中甸；生于海拔 3000～4000 米的高山松林下或草地
771			泽地灯台报春	*Primula helodoxa*	湿生草本；产腾冲；生于海拔 2000 米的沼泽草甸、溪边或牧草地
772			白背小报春	*Primula hypoleuca*	湿生草本；产昆明、大理；生于海拔 1800～2000 米的湖边湿地
773			雅江报春	*Primula involucrata*	湿生草本；产禄劝、丽江、中甸、德钦、维西；生于海拔 3600～4300 米的杜鹃灌丛草地、高山草甸或湿草地
774			云南卵叶报春	*Primula klaveriana*	湿生草本；产腾冲；生于海拔 2700～3700 米的灌丛和溪边的荫蔽处
775			报春花	*Primula malacoides*	湿生草本；产滇西北和滇南；生于海拔(750～)1600～2500 米的林内、灌丛中或箐沟边
776			葵叶报春	*Primula malvacea*	湿生草本；产大姚、宾川、鹤庆、永胜、丽江；生于海拔 2000～2800 米的路边、林缘或草地
777			芒齿灯台报春	*Primula melanodonta*	湿生草本；产贡山；生于海拔 3500～4000 米的高山湿草地或溪边
778			中甸海水仙	*Primula monticola*	湿生草本；产丽江、中甸、维西；生于海拔 2400～3300 米的湿草地

（续）

序	科	属	种		分　　布
			中文名	拉丁名	
779	报春花科	报春花属	鄂报春	*Primula obconica*	湿生草本；产全省大部分地区；生于海拔1700～2500（～3000）米的混交林下、箐沟边，通常生岩石上
780			羽叶穗花报春	*Primula pinnatifida*	湿生草本；产禄劝、昆明东川、会泽、巧家、丽江、中甸、维西、贡山；生于海拔2800～4200（～4600）米的草地、草甸或石隙
781			海仙花	*Primula poissonii*	湿生草本；产滇中至滇西北；生于海拔1900～3300（3600～3800）米的沼泽草地、溪流边湿处，有时也见于林缘湿草地
782			云龙报春	*Primula prevernalis*	湿生草本；产云龙；生于海拔2800～3200米的混交林或冷杉林下
783			滇海水仙花	*Primula pseudodenticulata*	湿生草本；产大理、洱源、剑川、丽江、中甸、景东、昆明、玉溪、蒙自；生于海拔1500～2300（～3300）米的湿草地
784			丽花报春	*Primula pulchella*	湿生草本；产鹤庆、丽江、中甸、德钦；生于海拔2500～3600（～3900）米的林下、林缘、草地或石隙
785			偏花报春	*Primula secundiflora*	湿生草本；产丽江、维西（东珠岭）、中甸、德钦；生于海拔2800～4100米的草地、高山沼泽草地或高山针叶林缘
786			钟花报春	*Primula sikkimensis*	湿生草本；产鹤庆、永胜至宁蒗、丽江、维西、中甸、贡山、德钦；生于海拔3000～3700（～4200）米的林下、林边、高山草地、高山灌丛草地
787			车前草叶报春	*Primula sinoplantaginea*	湿生草本；产中甸、德钦；生于海拔3500～4600米的高山草地、杜鹃灌丛草地或冷杉林缘
788			苣叶报春	*Primula sonchifolia*	湿生草本；产大理、漾濞、鹤庆、丽江、永胜、维西、中甸、德钦；生于海拔2700～3800米的草地或林下湿处
789			高穗花报春	*Primula vialii*	湿生草本；产宾川、洱源、鹤庆、丽江、宁蒗、中甸；生于海拔2800～3200米的灌丛草地、草地或水沟边
790			靛蓝穗花报春	*Primula watsonii*	湿生草本；产德钦；生于海拔3600米左右的林下
791			香海仙报春	*Primula wilsonii*	湿生草本；产昭通、东川、寻甸、昆明、富民、永仁、大姚、中甸、兰坪、思茅；生于海拔2000～3400米的溪边湿地或开旷林地
792			云南报春	*Primula yunnanensis*	湿生草本；产禄劝、大理、漾濞、镇康、鹤庆、丽江、中甸；生于海拔3000～3950米的石隙或岩石上湿处
793	车前科	车前属	车前	*Plantago asiatica*	湿生草本；产东北部至西北部；生于山坡草地、路边、沟边或灌丛下，海拔900～2800米
794			大车前	*Plantago major*	湿生草本；产中部、西北部及西南部；生于海拔1000～2900米的草坡、路边湿润处及沟边
795	桔梗科	风铃草属	藏滇风铃草	*Campanula immodesta*	湿生草本；产中甸、维西、德钦；生于海拔3400～4150米高山草甸中
796		党参属	大萼党参	*Codonopsis benthamii*	湿生草本；产丽江、中甸、德钦、贡山；生于海拔2800～3700（～4000）米山坡草地、沟边、林缘或灌丛中

（续）

序	科	属	种		分　布
			中文名	拉丁名	
797	桔梗科	蓝钟花属	黄钟花	*Cyananthus flavus*	湿生草本；产丽江、中甸；生于海拔 3000～3600 米草地或疏林下
798			蓝钟花	*Cyananthus hookeri*	湿生草本；产丽江、中甸、德钦、大理、洱源、鹤庆、会泽、巧家；生于海拔 2700～4200 米山坡草地
799			胀萼蓝钟花	*Cyananthus inflatus*	湿生草本；产大理、洱源、中甸、丽江、保山、昆明、文山；生于海拔 2300～3600 米山坡灌丛及草坡中
800			裂叶蓝钟花	*Cyananthus lobatus*	湿生草本；产贡山、独龙江上游；生于海拔(3700～)4200～4500 米高山草地或灌丛中
801		轮钟花属	轮钟花	*Cyclocodon lancifolius*	湿生草本；产思茅、勐腊、富宁、西畴、麻栗坡、屏边、临沧；生于海拔 400～1600 米草坡、沟边或林中
802		同钟花属	同钟花	*Homocodon brevipes*	湿生草本；产镇雄、嵩明、昆明、大理、景东、凤庆、澜沧、马关、西畴；生于海拔 1000～2050(～2900)米的沟边、林下、灌丛边及山坡草地中
803		袋果草属	袋果草	*Peracarpa carnosa*	湿生草本；产全省大部分地区；生于海拔 3000 米以下林下、林缘、或水沟边湿地
804	五膜草科	五膜草属	五膜草	*Pentaphragma sinense*	湿生草本；分布南部及东南部(河口、屏边、西双版纳)；生于海拔 1150～1270 米林下及沟边湿处
805	尖瓣花科	尖瓣花	尖瓣花	*Sphenoclea zeylanica*	湿生草本；产西双版纳；生于海拔 580～780 米水田、池塘边及沼泽湿地
806	半边莲科	半边莲属	铜锤玉带草	*Lobelia nummularia*	湿生草本；全省均有分布；生于海拔 500～2300 米的湿草地，溪沟边，田边草地
807			山梗菜	*Lobelia sessilifolia*	湿生草本；产西北部(维西、中甸、丽江、洱源)；生于海拔 1400～3200 米；湿润草地、沼泽中
808			红雪柳	*Lobelia taliensis*	湿生草本；产西部、西北至西南部；生于海拔 1780～2600～(3000)米的水沟边，路边灌丛
809	紫草科	琉璃草属	倒提壶	*Cynoglossum amabile*	湿生草本；产东部、中部和西北部；生于海拔 1100～3600 米的林下、灌丛下、草地、路旁等
810		勿忘草属	湿地勿忘草	*Myosotis caespitosa*	湿生草本；产丽江；生于海拔 2000～2900 米的潮湿草地
811		附地菜属	附地菜	*Trigonotis peduncularis*	湿生草本；产丽江、兰坪、漾濞、寻甸、昆明、易门、景东、砚山、广南等地；生于海拔 1200～2300 米的林下、草坡、田边或水沟边
812			高山附地菜	*Trigonotis rockii*	湿生草本；产丽江；生于海拔 2700～2900 米的沼泽地或河边水沟中
813			毛叶附地菜	*Trigonotis vestita*	湿生草本；产丽江、德钦、中甸；生于海拔 2300～3900 米的沟边林中或路边草丛中
814	茄科	天蓬子属	天蓬子	*Atropanthe sinensis*	湿生草本；产彝良；海拔 1380～2000 米的杂木林下阴湿处或沟边
815		枸杞属	云南枸杞	*Lycium yunnanense*	湿生灌木；产禄劝、景东、富宁、砚山、麻栗坡等处；生于河边沙地潮湿处或丛林中海拔700～2200 米
816		假酸浆属	假酸浆	*Nicandra physalodes*	湿生草本；产丽江、中甸、鹤庆、腾冲、昆明、西双版纳(勐混)等地区；生于海拔 1200～2400 米的村边路旁
817		散血丹属	江南散血丹	*Physaliastrum heterophyllum*	湿生草本；产丽江县；生于海拔 1900 米的河边小路旁

（续）

序	科	属	种		分　　布
			中文名	拉丁名	
818	茄科	酸浆属	挂金灯	*Physalis alkekengi*	湿生草本；产西北部德钦、维西、丽江等地
819		茄属	少花龙葵	*Solanum americanum*	湿生草本；见于南部及东南部；生于海拔 1100～1420 米的溪边、密林阴湿处或林边荒地
820			刺苞茄	*Solanum barbisetum*	湿生草本；见于景洪、勐仑、澜沧等地；生于海拔 700～1300 米的山地、水边、山谷潮湿地及灌木丛中
821			珊瑚豆	*Solanum pseudocapsicum*	湿生草本；产全省大部分地区；生于海拔 1100～2800 米的田边、路旁、丛林中或水沟边
822			水茄	*Solanum torvum*	湿生草本；见于云南东南部、南部及西南部生于海拔 200～1650 米的热带地方的路旁、荒地、灌木丛中，沟谷及村庄附近等潮湿地方
823	旋花科	马蹄金属	马蹄金	*Dichondra micrantha*	湿生草本；全省均有分布；生于海拔 1300～1980 米的山坡草地、路旁或沟边
824		鱼黄草属	鱼黄草	*Merremia hederacea*	湿生草本；产勐腊、元江、红河、元阳、河口、富宁等地；生于海拔 130～760 米的灌丛或路旁草丛较潮湿处
825			北鱼黄草	*Merremia sibirica*	湿生草本；产贡山、福贡、兰坪、鹤庆、昆明以至东南的蒙自、屏边、文山等地；生于海拔 600～2800 米的路边、田边和山坡灌丛，或生于岩石上
826			掌叶鱼黄草	*Merremia vitifolia*	湿生草本；产耿马、沧源、景洪、勐腊、金平、屏边、个旧、河口、文山等地；生于海拔(120～)400～1600 米的路旁、灌丛或林中
827	玄参科	假马齿苋属	假马齿苋	*Bacopa monnieri*	湿生草本；产蒙自、开远、禄劝、巧家、永胜、风庆、勐腊、勐海、元阳；生于海拔 500～1800 米的沙滩湿地、稻田、沼泽、池塘边
828		虻眼属	虻眼	*Dopatrium junceum*	湿生草本；产昆明、大理、洱源、景东；生于海拔 1000～2400 米的稻田、沼泽、水沟湿地
829		小米草属	短腺小米草	*Euphrasia regelii*	湿生草本；产香格里拉、维西、大关；生于海拔 2700～3300 米的高山草地、湿地及林缘
830		水八角属	水八角	*Gratiola japonica*	湿生草本；产昆明、文山、麻栗坡；生于海拔 1470～1900 米的水沟淤泥上及稻田中
831		鞭打绣球属	鞭打绣球	*Hemiphragma heterophyllum*	湿生草本；产全省(除河谷地区外)各县；生于海拔 1800～3500(～4100)米的高山草坡灌丛、林缘、竹林、裸露岩石、沼泽草地、湿润山坡
832		石龙尾属	中华石龙尾	*Limnophila chinensis*	沉水植物；产景洪、勐海、勐腊、思茅、砚山、麻栗坡、禄春、景东、澜沧、元江；生于海拔 600～1300 米的旷野、林边及溪旁
833			抱茎石龙尾	*Limnophila connata*	沉水植物；产蒙自、砚山、景东、绿春、腾冲；生于海拔 1000～1800 米的溪边、草丛、湿处、水中
834			石龙尾	*Limnophila sessiliflora*	沉水植物；产勐腊、景洪、勐海、沧源、景东、砚山、大理、洱源、鹤庆、昆明；生于海拔 560～2300 米的水塘、沼泽、稻田或路旁沟边
835		水茫草属	水茫草	*Limosella aquatica*	湿生草本；产昆明；生于海拔 1900～2300 米的河滩、多水潭中及沼泽草甸，常浮于水中
836		钟萼草属	钟萼草	*Lindenbergia philippensis*	广生态幅草本；产全省大部分地区；生于海拔 1200～2600 米的山坡、岩缝、墙脚边
837		母草属	泥花母草	*Lindernia antipoda*	湿生草本；产罗平、金平、元阳、勐腊、景洪、勐海、昆明、峨山、景东、泸水；生于海拔 330～1500 米的沟谷、河滩、田边及草坡灌丛阴湿处

（续）

序	科	属	种		分　　布
			中文名	拉丁名	
838	玄参科	母草属	母草	*Lindernia crustacea*	湿生草本；产彝良、富宁、屏边、河口、禄春、景洪、勐腊、大姚、大理；生于海拔110～1759米的草地、荒坡等低湿疏林中
839			尖果母草	*Lindernia hyssopoides*	湿生草本；产全省大部分地区；生于海拔650～2000米的田边、河边、林中沼泽等
840			旱田草	*Lindernia ruellioides*	湿生草本；产全省大部分地区；生于海拔200～2000米的溪边、路旁、草丛及山坡林中
841		通泉草属	琴叶通泉草	*Mazus celsioides*	湿生草本；产贡山；生于海拔2000米左右的杂木林中、山坡、沟边草地
842			低矮通泉草	*Mazus humilis*	湿生草本；产昆明、永胜、丽江、宁蒗、贡山；生于海拔1300～2800米的湿润草地或沼泽
843			莲座叶通泉草	*Mazus lecomtei*	湿生草本；产丽江、宾川、鹤庆、洱源；生于海拔约2250米的荒地山坡
844			长蔓通泉草	*Mazus longipes*	湿生草本；产砚山；生海拔2100米的干田中、路边及草地上
845			通泉草	*Mazus pumilus*	湿生草本；产全省大部分地区；生于海拔330～2600米的草地湿处
846		山罗花属	滇川山罗花	*Melampyrum klebelsbergianum*	湿生草本；产全省大部分地区；生于海拔1200～3200米的山坡草丛中及杂木林内
847		虾子草属	沼生虾子草	*Mimulicalyx paludigenus*	湿生草本；产蒙自、砚山；生于海拔1100～1520米的沼泽浅水及水田和沟边
848			虾子草	*Mimulicalyx rosulatus*	湿生草本；产建水羊街坝；生于海拔1300米
849		沟酸浆属	匍生沟酸浆	*Mimulus bodinieri*	湿生草本；产广南、漾濞、宾川、丽江、维西、香格里拉、贡山；生于海拔1850～3000米的林间沼泽、沟边及草地潮湿处
850			四川沟酸浆	*Mimulus szechuanensis*	湿生草本；产彝良、永善、大关、泸水、福贡、保山、丽江；生于海拔2200～2800米的林下阴湿处
851			尼泊尔沟酸浆	*Mimulus tenellus*	湿生草本；产全省大部分地区；生于海拔600～3400米的路旁，溪边潮湿处及山坡岩石上
852		马先蒿属	阿墩子马先蒿	*Pedicularis atuntsiensis*	湿生草本；产香格里拉、德钦；生于海拔4200～4500米的高山草甸
853			金黄马先蒿	*Pedicularis aurata*	湿生草本；产香格里拉、德钦、贡山、维西；生于海拔3300～3600米的高山草甸、箭竹、冷杉林下
854			短盔马先蒿	*Pedicularis brachycrania*	湿生草本；产香格里拉、德钦、贡山、泸水；生于海拔3500～4500米的高山草地、流石滩、林缘
855			俯垂马先蒿	*Pedicularis cernua*	湿生草本；产德钦、贡山、福贡；生于海拔3800～4000米的高山草甸
856			细波齿马先蒿	*Pedicularis crenularis*	湿生草本；产大理、鹤庆；生于海拔2800～3000米的高山草甸
857			环喙马先蒿	*Pedicularis cyclorhyncha*	湿生草本；产丽江、香格里拉；生于海拔3400～3500米的潮湿草甸、山坡上
858			舟形马先蒿	*Pedicularis cymbalaria*	湿生草本；产香格里拉、德钦；生于海拔3400～4300米的高山草甸、岩石山坡
859			三角叶马先蒿	*Pedicularis deltoidea*	湿生草本；产东川、会泽、巧家、丽江、香格里拉、贡山、福贡、大理、兰坪、鹤庆；生于海拔2600～3300米的高山草甸

（续）

序	科	属	种		分　　布
			中文名	拉丁名	
860	玄参科	马先蒿属	密穗马先蒿	*Pedicularis densispica*	湿生草本；产东北部至西北部；生于海拔1880～4400米的山坡草地、灌丛中
861			德钦马先蒿	*Pedicularis deqinensis*	湿生草本；产德钦；生于海拔3400～3900米的栎树林间、溪边
862			修花马先蒿	*Pedicularis dolichantha*	湿生草本；产东川、会泽；生于海拔3300～3600米的水沟边、草地与小溪边
863			鹤首马先蒿	*Pedicularis gruina*	湿生草本；产丽江、维西、大理、洱源、鹤庆、宾川、凤庆；生于海拔2600～3000米的高山草地中，沟边与杂木林下、石灰岩地
864			条纹马先蒿	*Pedicularis lineata*	湿生草本；产丽江、维西、鹤庆、福贡、镇康；生于海拔1900～4570米的山坡草地水边
865			长喙马先蒿	*Pedicularis macrorhyncha*	湿生草本；产丽江、香格里拉，剑川；生于海拔3400～4260米的高山草甸
866			大管马先蒿	*Pedicularis macrosiphon*	湿生草本；产香格里拉、德钦、维西、贡山；生于海拔1700～3800米的山沟阴湿处，沟边及林下
867			山萝花马先蒿	*Pedicularis melampyriflora*	湿生草本；产丽江、香格里拉、德钦、鹤庆、洱源；生于海拔2700～3600米的高山草甸、林下
868			尖果马先蒿	*Pedicularis oxycarpa*	湿生草本；产东北部至西北部；生于海拔2800～4360米的高山草地、路旁、溪边
869			大王马先蒿	*Pedicularis rex*	湿生草本；产全省大部分地区；生于海拔2500～4300米的高山草甸、稀疏针叶林、灌丛
870			变色马先蒿	*Pedicularis variegata*	湿生草本；产西北部；生于海拔4100～4200米的沼泽草地中
871		松蒿属	松蒿	*Phtheirospermum japonicum*	湿生草本；产东北至西北部；生于海拔150～3000米山坡灌丛草坡、阳处松林下、碎石堆上、江边草地
872		穗花属	水蔓菁	*Pseudolysimachion linariifolium*	湿生草本；产昆明、大理；生于海拔约2200米的草地及灌丛中
873		野甘草属	野甘草	*Scoparia dulcis*	湿生草本；产金平、河口、景洪、勐海、勐腊、孟连、沧源、耿马、临沧、潞西及大理；生于海拔1220～1700米的荒地、路旁及山坡灌丛中
874		玄参属	高玄参	*Scrophularia elatior*	湿生草本；产兰坪、景东、昆明；生于海拔2000～3000米的山坡、草地、溪边灌丛中
875		蝴蝶草属	西南蝴蝶草	*Torenia cordifolia*	湿生草本；产景东；生于海拔约1700米的湿润沟边
876			黄花蝴蝶草	*Torenia flava*	湿生草本；产富宁、景洪、勐腊、孟连、沧源；生于海拔200～1000米的草地、林缘及竹丛
877			蓝猪耳	*Torenia fournieri*	湿生草本；南部广布
878			紫萼蝴蝶草	*Torenia violacea*	湿生草本；产全省大部分地区；生于海拔200～2000米的山坡灌丛及江边林缘
879		婆婆纳属	北水苦荬	*Veronica anagallisaquatica*	挺水植物；产全省大部分地区；生于海拔1200～3100米的水边、沟谷及沼泽地
880			有柄水苦荬	*Veronica beccabunga*	挺水植物；产巧家、丽江、宁蒗、德钦；生于海拔830～2500米的山坡流水处及河滩湿地
881			华中婆婆纳	*Veronica henryi*	湿生草本；产威信、大关、彝良、师宗、广南、西畴、文山、马关、麻栗坡、蒙自；生于海拔1000～2000米的山谷疏林潮湿处及路旁常绿阔叶林下

（续）

序	科	属	种		分　　布
			中文名	拉丁名	
882	玄参科	婆婆纳属	多枝婆婆纳	*Veronica javanica*	湿生草本；产昭通、师宗、广南、昆明、景东、禄春、贡山；生于海拔600~2550米的草地、河谷、水边及灌丛中
883			疏花婆婆纳	*Veronica laxa*	湿生草本；产全省大部分地区；生于海拔950~3400米的路旁、溪谷潮湿处及山坡林下
884			蚊母草	*Veronica peregrina*	湿生草本；产广南、东川、昆明；生于海拔2200~2500米的田边路旁
885			阿拉伯婆婆纳	*Veronica persica*	湿生草本；产彝良、镇雄、贡山、德钦；生于海拔1650~3350米的溪边、路旁
886			鹿蹄草婆婆纳	*Veronica piroliformis*	湿生草本；产大理、洱源、鹤庆、丽江、宁蒗、香格里拉；生于海拔3000~4000米的山坡草地、林下及石灰岩岩隙中
887			婆婆纳	*Veronica polita*	湿生草本；产东川、昆明、丽江；生于海拔约2500米的水边潮湿地
888			小婆婆纳	*Veronica serpyllifolia*	湿生草本；产全省大部分地区；生于海拔1500~3500米的山坡湿草地及高山草甸
889			水苦荬	*Veronica undulata*	挺水植物；产东北部至西北部；生于海拔480~2900米的路旁、田边、河滩及高山松栎林下
890			云南婆婆纳	*Veronica yunnanensis*	湿生草本；产大理、景东、腾冲、维西、贡山、福贡、泸水；生于海拔2200~4000米的林下、林缘或草地
891	狸藻科	捕虫堇属	捕虫堇	*Pinguicula alpina*	湿生草本；产德钦、中甸、丽江、贡山；生于海拔(2300~)3200~4000米的灌丛、林缘、雪山草地、石岩上
892		狸藻属	怒江挖耳草	*Utricularia salwinensis*	湿生草本；产贡山、维西、大理一带各大纵谷的分水界，生海拔2600~4000米的林缘、灌丛、石山坡、石上苔藓层中
893			黄花狸藻	*Utricularia aurea*	湿生草本；产南部、西部、中部；生于海拔2000米以下的湖泊、池塘、水田、水沟中
894			挖耳草	*Utricularia bifida*	湿生草本；产西部、西北部、南部及东南部；生于海拔600~2100米的水田、沟边、沼泽地、湿草地
895			禾叶挖耳草	*Utricularia graminifolia*	湿生草本；生于海拔100~2100米潮湿石壁或沼泽地
896	苦苣苔科	短筒苣苔属	孔药直蒴苣苔	*Boeica porosa*	湿生草本；产屏边、河口；生于海拔120~1200米的山坡疏林中阴湿处或溪边
897		唇柱苣苔属	滇川唇柱苣苔	*Chirita forrestii*	湿生草本；产永宁、永胜、丽江、中甸；生于林下沟边阴处或被有苔藓的岩石或悬崖上
898			大叶唇柱苣苔	*Chirita macrophylla*	湿生草本；产腾冲、耿马、孟连、凤庆、双江、临沧、镇康、景东、文山、麻栗坡；生于海拔1700~2850米的林下溪边岩石上或树上
899		珊瑚苣苔属	小心叶石花	*Corallodiscus cordatulus*	湿生草本；产禄劝、元谋、贡山；生于海拔700~2100米的山地阴处石崖上
900		漏斗苣苔属	对蕊苣苔	*Didissandra begoniifolia*	湿生草本；产蒙自、绿春、屏边、西畴、麻栗坡；生于海拔1100~2100米的山地林下石上、树干上或溪边
901		长蒴苣苔属	腺毛长蒴苣苔	*Didymocarpus glandulosus*	湿生草本；产屏边、砚山、文山、麻栗坡、广南；生于海拔1100~2200米的山地或沟谷林中岩石上或沟边

（续）

序	科	属	种		分布
			中文名	拉丁名	
902	苦苣苔科	长蒴苣苔属	柔毛长蒴苣苔	*Didymocarpus mollifolius*	湿生草本；产西部（镇康）；生于海拔950米的河边悬崖上阴湿处
903		半蒴苣苔属	全叶半蒴苣苔	*Hemiboea integra*	湿生草本；产金平、麻栗坡、河口；生于海拔120～400米的林中沟边或岩石上
904		密序苣苔属	密序苣苔	*Hemiboeopsis longisepala*	湿生草本；产金平、河口；生于海拔250～800米的山谷灌丛中、芭蕉林下或沟边阴处
905		吊石苣苔属	齿叶吊石苣苔	*Lysionotus serratus*	湿生草本；几遍布全省，但东北至寻甸，东南至富宁；生于海拔770～1700（2500）米的山地林中树上或石上、溪边或高山草地
906			小叶吊石苣苔	*Lysionotus sulphureus*	湿生草本；产维西、福贡、贡山；生于海拔2300～2850米的山谷溪边石上或林中树上
907		喜鹊苣苔属	蛛毛喜鹊苣苔	*Ornithoboea arachnoidea*	湿生草本；产景东、瑞丽、腾冲；生于海拔1800～2700米的沟边岩石上
908		尖舌苣苔属	尖舌苣苔	*Rhynchoglossum obliquum*	湿生草本；产贡山及屏边；生于海拔1500～2200米的林下或林缘的石上和溪边
909		线柱苣苔属	台湾线柱苣苔	*Rhynchotechum formosanum*	湿生草本；产东南部（西畴）；生于林中潮湿的岩石上、山谷阴处或溪畔
910		十字苣苔属	十字苣苔	*Stauranthera umbrosa*	湿生草本；产金平、沧源；生于海拔1100～1200米的山坡灌木丛下或沟谷疏林水边湿地上
911	爵床科	十万错属	白接骨	*Asystasia neesiana*	湿生草本；产南部；生于林下或溪边
912		水蓑衣属	水蓑衣	*Hygrophila ringens*	湿生草本；产勐腊；生于溪沟边或洼地等潮湿处
913		叉序草属	叉序草	*Isoglossa collina*	湿生草本；产景东、勐腊、腾冲；生于海拔2200米的山坡阔叶林下或溪边阴湿地
914		紫云菜属	高原马蓝	*Strobilanthes extensa*	湿生草本；产弥勒（老圭山）、昆明
915			铜毛马蓝	*Strobilanthes inflata*	湿生草本；产维西、贡山；生于溪边阴处或丛林边
916			云南马蓝	*Strobilanthes yunnanensis*	湿生草本；产贡山、丽江、大理、剑川、腾冲、景东；生于海拔2400～3000米
917	马鞭草科	莸属	莸	*Caryopteris divaricata*	湿生草本；产嵩明和维西；生于海拔2100～2900米的山坡草地、疏林、林缘
918			三花莸	*Caryopteris terniflora*	湿生草本；产丽江；生于海拔1500～2400米的山坡灌丛、路旁
919		大青属	长管假茉莉	*Clerodendrum indicum*	湿生草本；产盈江、潞西、耿马、西双版纳；生于海拔450～1000米的田边、路旁或山坡草丛，有时也见于江边沙滩上或山坡林中
920			长毛臭牡丹	*Clerodendrum villosum*	湿生草本；产景洪、勐腊；生于海拔540～900米的山谷溪旁密林中或路边疏林、灌丛中，通常生于较湿润的地方
921		马缨丹属	马缨丹	*Lantana camara*	广生态幅灌木；产德宏州、保山区、西双版纳，昆明有栽培；生于海拔1500米左右逸生
922		过江藤属	过江藤	*Phyla nodiflora*	湿生草本；全省除极西北部外大部分地区有产；生于海拔300～1880（～2300）米的路旁、田边、河滩、荒地
923		马鞭草属	马鞭草	*Verbena officinalis*	广生态幅草本；广布于全省各地；生于海拔（350～）500～2500（～2900）米的荒地上
924	唇形科	筋骨草属	九味一枝蒿	*Ajuga bracteosa*	湿生草本；产中部及东南部；生于海拔1500～1900米的开阔山坡的稀疏矮草丛中、土质略肥沃的地方

（续）

序	科	属	种		分　布
			中文名	拉丁名	
925	唇形科	筋骨草属	金疮小草	*Ajuga decumbens*	湿生草本；产蒙自、西畴等地；生于海拔1400米的溪边、路边、田边及湿润的草坡
926			痢止蒿	*Ajuga forrestii*	湿生草本；产西北部至中部，东至嵩明等地；生于海拔1700～3200米，有时达4000米的开阔路旁、溪边等潮湿草地，有时成片生长
927			大籽筋骨草	*Ajuga macrosperma*	湿生草本；产瑞丽、景东以南等地；生于海拔350～1750米的林下阴湿处及水沟边
928			紫背金盘	*Ajuga nipponensis*	湿生草本；分布甚广；生于海拔100～2300米的大部分地区，但以2000米以下为常见，习见于田边矮草地湿润处
929		水棘针属	水棘针	*Amethystea caerulea*	湿生草本；产西北部为主，东北部亦有少数；习见于田边、旷野、路边及河岸沙地等开阔和略湿润的地方
930		风轮菜属	风轮菜	*Clinopodium chinense*	湿生草本；东北部有分布；生于海拔1000米以下的山坡、草丛、林下
931			寸金草	*Clinopodium megalanthum*	湿生草本；产中部、南部、西北部及东北部；生于海拔1300～3500米山坡草地、路边、疏林下
932			匍匐风轮菜	*Clinopodium repens*	湿生草本；产全省各地；生于海拔高达3400米的山坡草地、林下、路边、沟边
933		火把花属	长毛火把花	*Colquhounia seguinii*	湿生草本；产东南部(蒙自、路南、丘北)；生于海拔1200～1740米的灌丛、溪旁
934		青兰属	松叶青兰	*Dracocephalum forrestii*	湿生草本；产西北部(丽江、中甸)；生于海拔2300～3500米的亚高山多石的灌丛草甸中
935		水蜡烛属	线叶水蜡烛	*Dysophylla linearis*	湿生草本；产腾冲
936			水虎尾	*Dysophylla stellata*	湿生草本；产中部地区；生于海拔1550米的稻田中或水边
937		香薷属	密花香薷	*Elsholtzia densa*	湿生草本；产西北部；生于海拔1800～2100米的林中，林缘、高山草甸及山坡荒地
938			鸡骨柴	*Elsholtzia fruticosa*	湿生草本；全省均有分布；生于海拔1450～3200米的沟边、箐底潮湿地
939			异叶香薷	*Elsholtzia heterophylla*	湿生草本；见于中部地区及澜沧红河中游地带；生于海拔1200～2400米的村旁、田边沼泽及溪、河附近
940			水香薷	*Elsholtzia kachinensis*	湿生草本；除东北至东南部外均有分布；生于海拔1200～2800米的河边、林下、路旁阴湿地、沟谷中或水中
941			淡黄香薷	*Elsholtzia luteola*	湿生草本；产西北部经中部而至东北部；生于海拔2200～3600米的林缘、草坡或溪边潮湿地
942			长毛香薷	*Elsholtzia pilosa*	湿生草本；除南部以外全省均有分布；生于海拔1100～3200米的林中、林缘、山坡草地、河边、路旁、岩石上或沼泽地边缘
943		鼬瓣花属	鼬瓣花	*Galeopsis bifida*	湿生草本；产西北部和东北部；生于海拔2300～3400米的林缘、路旁、灌丛、草地等
944		野芝麻属	宝盖草	*Lamium amplexicaule*	湿生草本；全省各地都有；生于海拔4000米以下的路旁、林缘、沼泽草地
945		地笋属	西南小叶地笋	*Lycopus cavaleriei*	湿生草本；产东南部；生于海拔850～1600米的水塘、沟渠及水田边

（续）

序	科	属	种		分　　布
			中文名	拉丁名	
946	唇形科	地笋属	地笋	*Lycopus lucidus*	湿生草本；产中部、西北部、东北部及东南部；生于海拔1000～2100米的沼泽地、水边、沟边等潮湿处
947		蜜蜂花属	蜜蜂花	*Melissa axillaris*	湿生草本；产大部分地区；生于海拔600～2800米的林中、路旁、山坡、谷地
948		薄荷属	薄荷	*Mentha canadensis*	湿生草本；产大部分地区；生于海拔3500米的水旁潮湿地
949			留兰香	*Mentha spicata*	湿生草本；全省多有栽培或逸生
950		石荠苎属	小鱼仙草	*Mosla dianthera*	湿生草本；产西北部及东南部（西畴）；生于海拔1500～2300米的山坡路旁及水边
951		牛至属	牛至	*Origanum vulgare*	湿生草本；产全省；生于海拔500～3600米的路边、干坡、林下、草地
952		糙苏属	深紫糙苏	*Phlomis atropurpurea*	湿生草本；产西北部（洱源、丽江、中甸）；生于海拔2800～3900米的沼泽草甸上
953			丽江糙苏	*Phlomis likiangensis*	湿生草本；产西北部（丽江、中甸）；生于海拔3500米左右的林下或草地上
954			糙苏	*Phlomis umbrosa*	湿生草本；产东北部至西北部
955		刺蕊草属	水珍珠菜	*Pogostemon auricularius*	湿生草本；产南部热带及亚热带地区；生于海拔300～1700米的林下湿润处或溪边洞侧
956			镰叶水珍珠菜	*Pogostemon falcatus*	湿生草本；产景洪；生于海拔800米的河边石上
957			小刺蕊草	*Pogostemon menthoides*	湿生草本；产南部（西双版纳）；生于海拔1050～1200米的水沟边或密林、洞底阴湿地
958		夏枯草属	夏枯草	*Prunella vulgaris*	湿生草本；除南部外大部分地区有分布；生于海拔1400～2800（～3000）米的荒坡、草地、田埂、溪旁及路边等潮湿地上
959		鼠尾草属	栗色鼠尾	*Salvia castanea*	湿生草本；产丽江；生于海拔2500～2650米的山坡疏林下或林边草坡
960			黄花鼠尾	*Salvia flava*	湿生草本；产德钦、中甸、维西、丽江、鹤庆、洱源、大理；生于海拔2700～4000米的高山针叶林下、山坡灌丛草地或山箐沟边
961			荔枝草	*Salvia plebeia*	湿生草本；大部分地区有分布；生于海拔350～2800米的路边、田边或山坡草丛及林下
962		黄芩属	半枝莲	*Scutellaria barbata*	湿生草本；产全省大部分地区；生于海拔1500～1800米的水田边、溪边或湿阔草地
963			退色黄芩	*Scutellaria discolor*	湿生草本；产西部、西南部、南部至东南部；生于海拔（20～）610～1800米的山地林下、草坡、路边或溪旁
964		水苏属	破布草	*Stachys kouyangensis*	湿生草本；产西部、西北部、中部、东南部；生于海拔900～2100（～2800）米的山坡草地、荒地及潮湿沟边
965			针筒菜	*Stachys oblongifolia*	湿生草本；产中部（昆明）河岸、竹丛等处
966			甘露子	*Stachys sieboldii*	湿生草本；昆明和丽江栽培；生于海拔达3200米的湿润地及积水处
967			直花水苏	*Stachys strictiflora*	湿生草本；产西部（凤庆）；生于海拔2100米的草坡

（续）

序	科	属	种		分　　布
			中文名	拉丁名	
968	唇形科	直花水苏	大理水苏	*Stachys taliensis*	湿生草本；产大理；生于海拔约2000米的杂木林内
969	花蔺科	拟花蔺属	拟花蔺	*Butomopsis latifolia*	挺水植物；产梁河及西双版纳（勐腊）；生于海拔560～860米的水田中
970		黄花蔺属	黄花蔺	*Limnocharis flava*	挺水植物；产西双版纳；生于海拔600～700米的坝子沼泽地或浅水地，常成片
971	水鳖科	水筛属	无尾水筛	*Blyxa aubertii*	沉水植物；产孟连、澜沧、勐海和广南等地；生于海拔1700米以下，生长于水田、浅水塘
972			水筛	*Blyxa japonica*	沉水植物；产勐海、洱源、剑川、下关；生于海拔1200～2200米的低洼沼泽地、水田、池塘和缓流沟渠中
973		黑藻属	黑藻	*Hydrilla verticillata*	沉水植物；产全省淡水湖泊中，也见于沟渠、积水田、水池和龙潭中；生于海拔3000米以下水深7米以内的水域
974		水鳖属	水鳖	*Hydrocharis dubia*	浮叶植物；产洱源、大理、昆明、江川、通海、西双版纳；生于海拔500～2100米的湖滨、池塘、沼泽、水沟中
975		水车前属	海菜花	*Ottelia acuminata*	沉水植物；产全省大部分地区；生于海拔2700米以下的湖泊、池塘、沟渠和水田中
976			龙舌草	*Ottelia alismoides*	沉水植物；产孟连、澜沧、西双版纳、普文、洱源、大理（下关）；生于海拔500～1980米的水田、田间沟渠和水塘中
977		苦草属	苦草	*Vallisneria natans*	沉水植物；产大部分湖区以及湖区的河渠内；生于海拔2400米以下水深7米以内的水域
978	泽泻科	泽泻属	泽泻	*Alisma plantago – aquatica*	挺水植物；产全省大部分地区（除西双版纳等热带地区外）；生于海拔580～2500米的水田、水沟、湖滨、沼泽地
979		泽苔草属	泽薹草	*Caldesia parnassifolia*	挺水植物；产思茅至勐海一带；生于海拔1300～1530米的水田、沟渠中
980		慈姑属	慈姑	*Sagittaria trifolia*	挺水植物；全省大部分地区栽培
981	水麦冬科	水麦冬属	海韭菜	*Triglochin maritima*	湿生草本；产贡山、中甸一带；生于海拔2900～4000米的草甸，沟边沼泽地
982			水麦冬	*Triglochin palustris*	湿生草本；产贡山、中甸、丽江、鹤庆；生于海拔2900～3500米的高山草甸、沼泽、流水碎石坡
983	眼子菜科	眼子菜属	扁茎眼子菜	*Potamogeton compressus*	沉水植物；仅见于洱源茈碧湖和宁蒗泸沽湖内；生于海拔1960～2700米
984			菹草	*Potamogeton crispus*	沉水植物；产全省大部分地区；生于海拔570～2300米的湖泊、池塘、龙潭、水库和溪流沟渠中，也见于水田
985			牙齿菜	*Potamogeton distinctus*	浮叶植物；全省广布；生于池塘、水田和水沟等静水中
986			异叶眼子菜	*Potamogeton gramineus*	浮叶植物；产贡山、鹤庆、丽江；生于海拔2000～3000米的池塘、草坝和水田中
987			光叶眼子菜	*Potamogeton lucens*	沉水植物；产丽江、宁蒗、剑川、洱源、大理、下关、昆明、江川、通海、石屏等地；生于海拔1400～2700米的湖泊水深0.8～4.5米内水域

（续）

序	科	属	种		分　　布
			中文名	拉丁名	
988	眼子菜科	眼子菜属	微齿眼子菜	*Potamogeton maackianus*	沉水植物；产维西、中甸、丽江、剑川、洱源、大理、宁蒗、昆明；生于海拔1900～3700米的湖泊的浅水地带和泉水龙潭
989			马来眼子菜	*Potamogeton nodosus*	沉水植物；产全省大部分地区；生于海拔1400～2700米的淡水湖泊水深4米以内的浅水区和水库、河沟
990			南方眼子菜	*Potamogeton octandrus*	浮叶植物；产勐腊、勐海、洱源、昆明；生于海拔650～2060米的池塘、浅水湖或沟渠
991			穿叶眼子菜	*Potamogeton perfoliatus*	沉水植物；产全省大部分地区；生于海拔1400～3300米的湖泊、水库、积水沼泽和河川中
992			丝草	*Potamogeton pusillus*	沉水植物；产全省大部分地区；生于海拔900～3500米的浅水湖沼、沟渠、河流和水田
993		篦齿眼子菜属	红线草	*Stuckenia pectinata*	沉水植物；产全省大部分地区；生于海拔1600～2700米的各地淡水湖泊、池沼和溪流中
994	角果藻科	角果藻属	角果藻	*Zannichellia palustris*	沉水植物；产昆明、呈贡、通海等地；生于海拔1500～2200米的小河、湖沟和秧田中
995	茨藻科	茨藻属	草茨藻	*Najas graminea*	沉水植物；产中部及以南地区；生于浅水湖沼、池塘、缓流溪沟中
996			茨藻	*Najas marina*	沉水植物；产全省各湖泊；生于江湖水深0.5～2米的水域
997			小茨藻	*Najas minor*	沉水植物；产剑川、洱源、下关至中部地区；生于湖沼、水田及沟渠中
998	鸭跖草科	假紫万年青属	假紫万年青	*Belosynapsis ciliata*	湿生草本；产勐仑；生于海拔500米的路旁林下或水沟旁
999		鸭跖草属	饭包草	*Commelina benghalensis*	湿生草本；产勐海、勐仑、蒙自、元阳、鹤庆、丽江、贡山等地；生于海拔(350)1500～1700(～2300)米的溪旁或林中阴湿处
1000			鸭跖草	*Commelina communis*	湿生草本；产盐津、大关等地；生于海拔1200米的田边、山坡阴湿处
1001			地地藕	*Commelina maculata*	湿生草本；产中甸、丽江、鹤庆、大理、漾濞至昆明、会泽等地；生于海拔1200～2700米的溪旁、山坡草地及林下阴湿处
1002			大苞鸭跖草	*Commelina paludosa*	湿生草本；产全省大部分地区；生于海拔1000～2000(～2700)米的溪边、山谷及山坡林下阴湿处
1003		蓝耳草属	露水草	*Cyanotis arachnoidea*	湿生草本；产勐海、勐连、景洪，景东、凤庆、砚山、蒙自、屏边、安宁、昆明等地；生于海拔1100～2700米的山坡、路旁向阳缓坡草地或湿处
1004			四孔草	*Cyanotis cristata*	湿生草本；产西北部和南部；生于海拔300～2750米的山坡、荒地、岩石向阳处或混交林下
1005			蓝耳草	*Cyanotis vaga*	湿生草本；产全省大部分地区；生于海拔1510～2700米间的山坡、草地及疏林下
1006		水竹叶属	大苞水竹叶	*Murdannia bracteata*	湿生草本；产勐腊、勐仑、金平、绿春等地；生于海拔530～850米的箐沟水边及密林下
1007			紫背鹿衔草	*Murdannia divergens*	湿生草本；除东部外，几遍布全省；生于海拔1100～2900米的山坡草地、沟谷及林下
1008			竹叶参	*Murdannia japonica*	湿生草本；产勐海、勐连、易武、思茅、蒙自、临沧、沧源等地；生于海拔680～1600米沟边及林下

（续）

序	科	属	种		分布
			中文名	拉丁名	
1009	鸭跖草科	水竹叶属	水竹叶	*Murdannia triquetra*	湿生草本；产勐海、凤庆；生于海拔1540~1600米的溪边，水中或草地潮湿处
1010		杜若属	长柄杜若	*Pollia siamensis*	湿生草本；产东南和南部；生于海拔220~1540米沟谷林下
1011			伞花杜若	*Pollia subumbellata*	湿生草本；产勐海、易武、景洪、富宁、马关、绿春、福贡等地；生于海拔630~1500米的河谷、灌丛及林下
1012		竹叶吉祥草属	竹叶吉祥草	*Spatholirion longifolium*	湿生草本；本省广布；生于海拔1200~2500米山坡草地、溪旁及山谷林下
1013		竹叶子属	竹叶子	*Streptolirion volubile*	湿生草本；产全省大部分地区；生于海拔1100~3000米的山谷、杂林或密林下
1014	黄眼草精科	黄眼草属	黄眼草	*Xyris capensis*	湿生草本；产丽江、永胜、鹤庆、大理、临沧、西双版纳、大姚、广通、楚雄、昆明；生于海拔1600~2600米水沟边、池塘、沼泽地
1015			少花黄眼草	*Xyris pauciflora*	湿生草本；产西双版纳；生于海拔900米的沟边潮湿地
1016	谷精草科	谷精草属	高山谷精草	*Eriocaulon alpestre*	湿生草本；产中甸、维西、大理、江川、镇雄；生于海拔1700~2800米的沼泽、湿草地或水田中
1017			印度谷精草	*Eriocaulon brownianum*	湿生草本；产腾冲、瑞丽；生于沼泽地及向阳湿地
1018			谷精草	*Eriocaulon buergerianum*	湿生草本；产江川；生于海拔1900米的水田中
1019			蒙自谷精草	*Eriocaulon henryanum*	湿生草本；产宾川、大理、丽江、蒙自；生于海拔1200~3000米的沟边湿处或沼泽
1020			南投谷精草	*Eriocaulon nantoense*	湿生草本；产文山、西畴、勐腊、孟连；生于海拔1200~1400米的沼泽草地或水中
1021			尼泊尔谷精草	*Eriocaulon nepalense*	湿生草本；产贡山、福贡、泸水、景东、昆明、麻栗坡；生于海拔1200~1400米的路旁湿处及沼泽
1022			玉龙山谷精草	*Eriocaulon rockianum*	湿生草本；产丽江；生于潮湿地或浅水区中
1023			云贵谷精草	*Eriocaulon schochianum*	湿生草本；产洱源、大理、宾川、剑川、芒市、大姚、昆明(昆阳)、东川；生于海拔1900~2300米的水边、池塘
1024			大药谷精草	*Eriocaulon sollyanum*	湿生草本；产维西；生于海拔2300~2800米的池塘或沼泽
1025	芭蕉科	象腿蕉属	野芭蕉	*Ensete wilsonii*	湿生草本；产全省各地；生于海拔2700米以下沟谷潮湿肥沃土中
1026		芭蕉属	芭蕉	*Musa basjoo*	湿生草本；南部多有栽培
1027	姜科	豆蔻属	宽丝豆蔻	*Amomum petaloideum*	湿生草本；产勐腊、勐海；生于海拔580~650米的林下沟边潮湿处
1028			红花砂仁	*Amomum scarlatinum*	湿生草本；产景洪、勐海；生于海拔800~900米的林下阴湿处或沟边
1029		闭鞘姜属	长圆闭鞘姜	*Costus oblongus*	湿生草本；产盈江、瑞丽、腾冲、临沧等地；生于海拔1200~1500米的林下或水沟边
1030			闭鞘姜	*Costus speciosus*	湿生草本；产东南部至西南部；生于海拔300~1400米的山坡林下、沟边与荒坡等地
1031		姜黄属	莪术	*Curcuma phaeocaulis*	湿生草本；产东南部至南部；生于海拔800~1200米的林下或河边，有时栽培逸生

（续）

序	科	属	种		分　　布
			中文名	拉丁名	
1032	姜科	象牙参属	长柄象牙参	*Roscoea debilis*	湿生草本；产昆明、嵩明、大理、路南、腾冲、砚山与文山；生于海拔1300～2000米的林下
1033			无柄象牙参	*Roscoea schneideriana*	湿生草本；产德钦、中甸、丽江、洱源；生于海拔2000～3300米的针阔混交林下或松林、杜鹃花林下，稀山坡林缘草地上
1034	百合科	粉条儿菜属	高山粉条儿菜	*Aletris alpestris*	湿生草本；产贡山、丽江、彝良；生于海拔1850～3880米的山坡、水沟边或高山草甸
1035			星花粉条儿菜	*Aletris gracilis*	湿生草本；产贡山、福贡、德钦、中甸、维西；生于海拔2500～3880米的竹林下、灌丛边缘或高山草甸；
1036			少花粉条儿菜	*Aletris pauciflora*	湿生草本；产贡山、福贡、腾冲、德钦、中甸、兰坪、维西、大理、巧家、禄劝；生于海拔3400～3800米的山坡草地、杂木林下或竹林下
1037		绵枣儿属	绵枣儿	*Barnardia japonica*	湿生草本；产中旬、丽江、洱源、鹤庆、东川；生于海拔1600～2600米的林缘、江边
1038		开口箭属	弯蕊开口箭	*Campylandra wattii*	湿生草本；产贡山、沧源、西盟、景东、蒙自、绿春、屏边、金平、文山、西畴、麻栗坡、广南、富宁；生于海拔800～2800米的林下、溪边、山谷
1039		洼瓣花属	洼瓣花	*Lloydia serotina*	湿生草本；产中甸哈巴雪山和德钦白马雪山；生于海拔3500～4500米的高山草甸、流石滩
1040		舞鹤草属	管花鹿药	*Maianthemum henryi*	湿生草本；产东北部至西北部；生于海拔2580（维西）～3900米的高山草甸、流石滩
1041		豹子花属	开瓣豹子花	*Nomocharis aperta*	湿生草本；产贡山、福贡、兰坪、洱源、大理；生于海拔（2800～）3000～3200（～4000）米的箐边杂木林、铁杉林、草地中
1042			豹子花	*Nomocharis pardanthina*	湿生草本；产中部至西北部；生于海拔2800～3500米的云杉冷杉林或草坡
1043		假百合属	假百合	*Notholirion bulbuliferum*	湿生草本；产德钦、中甸、维西、丽江、鹤庆、宁蒗、禄劝；生于海拔3200～4100（～4350）米的冷杉林、竹林、灌丛、草甸和河滩上
1044		沿阶草属	沿阶草	*Ophiopogon bodinieri*	湿生草本；产全省大部分地区；生于海拔1000～4000米的山坡、山谷潮湿处、沟边、灌木丛下和密林下
1045			间型沿阶草	*Ophiopogon intermedius*	湿生草本；产全省大部分地区；生于海拔800～3000米的山坡、沟谷、溪边阴湿处
1046			麦冬	*Ophiopogon japonicus*	湿生草本；产德钦、中甸、丽江、永胜、漾濞、元江；生于海拔2600～3400米松林和灌丛下
1047			大花沿阶草	*Ophiopogon megalanthus*	湿生草本；产镇康、漾濞、砚山、文山、西畴；生于海拔1100～2800米的沟谷、溪边林下或灌丛下
1048			匍茎沿阶草	*Ophiopogon sarmentosus*	湿生草本；产耿马、凤庆、临沧、景东；生于海拔1350～2700米的河边、山坡常绿阔叶林下
1049			滇西沿阶草	*Ophiopogon yunnanensis*	湿生草本；产泸水；生于海拔1700～2200米河边林下
1050		黄精属	卷叶黄精	*Polygonatum cirrhifolium*	湿生草本；产全省大部分地区；生于海拔1750～4100米的林下、山坡、草地、河谷、溪边
1051			滇黄精	*Polygonatum kingianum*	湿生草本；产全省大部分地区；生于海拔620～3650米的常绿阔叶林下、竹林下、林缘、山坡阴湿处、水沟边或岩石上

（续）

序	科	属	种		分布
			中文名	拉丁名	
1052	百合科	岩菖蒲属	叉柱岩菖蒲	*Tofieldia divergens*	湿生草本；产砚山、蒙自以西和以北地区；生于海拔1000～4300米的草坡、溪边、林下
1053			岩菖蒲	*Tofieldia thibetica*	湿生草本；产东北部(大关)；生于海拔700～2300米的山坡灌丛、草坡或沟旁的石壁
1054		丫蕊花属	丫蕊花	*Ypsilandra thibetica*	湿生草本；产昭通、彝良；生于海拔1800米的林下、路旁湿地或沟边
1055	雨久花科	凤眼蓝属	凤眼莲	*Eichhornia crassipes*	漂浮植物；大部分地区栽培或逸生；生于池塘、沟渠、沼泽内
1056		雨久花属	雨久花	*Monochoria korsakowii*	挺水植物；产全省各地；生于海拔500～2300米的池沼、湖湾和藕塘中
1057			鸭舌草	*Monochoria vaginalis*	挺水植物；产全省各地；生于海拔500～2300米的水田，沼泽、溪沟
1058	天南星科	菖蒲属	菖蒲	*Acorus calamus*	挺水植物；产西北部、中部、东南部；生于海拔600～2650米的水边或沼泽湿地
1059			石菖蒲	*Acorus gramineus*	挺水植物；产全省各地；生于海拔850～2600米的密林中湿地或水边石上
1060		海芋属	海芋	*Alocasia odora*	湿生草本；产中部以南、西部至东南部；生于海拔200～1100米的热带雨林及野芭蕉林中
1061		天南星属	一把伞南星	*Arisaema erubescens*	湿生草本；产全省大部分地区；生于海拔1100～3200米的于林下、灌丛、草坡或荒地
1062			象头花	*Arisaema franchetianum*	湿生草本；产大部分地区(除滇南、西南)
1063		芋属	野芋	*Colocasia antiquorum*	湿生草本；各地栽培，或野生于林下潮湿处
1064			芋	*Colocasia esculenta*	湿生草本；栽培或逸野，常见
1065		千年健属	千年健	*Homalomena occulta*	湿生草本；产西双版纳、红河、屏边、河口；生于海拔80～1070米的山谷溪旁、密林下湿润处
1066		刺芋属	刺芋	*Lasia spinosa*	湿生草本；产元江、新平、普文、西双版纳、华宁、永德、梁河；生于海拔650～1530米的田边、沟边、箐沟、阴湿草丛、竹丛中
1067		大薸属	大薸	*Pistia stratiotes*	漂浮植物；产中部及以南各热带、亚热带地区；生于海拔200～1900米的水塘、水田、沟渠
1068		犁头尖属	水半夏	*Typhonium flagelliforme*	湿生草本；产东南部(金屏)；生于海拔100～350米水田边或其他湿地
1069	浮萍科	浮萍属	稀脉浮萍	*Lemna aequinoctialis*	漂浮植物；产全省各地；生于水田、池沼和其他静水水域
1070			浮萍	*Lemna minor*	漂浮植物；产全省各地；生于水田、池沼或其他静水水域
1071			品藻	*Lemna trisulca*	漂浮植物；产宁蒗、丽江、大理等地；生于海拔2700以下的静水池沼、水塘、龙潭或湖泊
1072		紫萍属	紫萍	*Spirodela polyrhiza*	漂浮植物；产全省大部分地区；生于海拔3000米以下的水田、水塘、湖湾、水沟
1073		芜萍属	芜萍	*Wolffia globosa*	漂浮植物；产全省大部分地区；已采到标本的有景洪、昆明、宜良、石屏，生于水塘、水池或积水沼泽中
1074	黑三棱科	黑三棱属	小黑三棱	*Sparganium emersum*	湿生草本；产丽江、宁蒗、中甸；生于海拔2400～3400米的湖泊、河滩、沟渠和池塘

（续）

序	科	属	种		分布
			中文名	拉丁名	
1075	黑三棱科	黑三棱属	沼生黑三棱	*Sparganium limosum*	湿生草本；产贡山县怒江河谷；生于海拔1750米的沼泽地
1076			云南黑三棱	*Sparganium yunnanense*	湿生草本；产勐海；生于海拔1530米的水塘中
1077	香蒲科	香蒲属	狭叶香蒲	*Typha angustifolia*	挺水植物；产洱源、丽江等地；生于海拔1900～2300米的河边、池塘边、湖滨或浅水沼泽地
1078			香蒲	*Typha orientalis*	挺水植物；产砚山、蒙自、建水、石屏；生于海拔1200～2000米的湖滨、沼泽地
1079	石蒜科	葱属	蓝花韭	*Allium beesianum*	湿生草本；产中甸、丽江、鹤庆、大理；生于海拔3000～4350米的岩石陡坡、荒草地、高山草甸、流石滩
1080			小根蒜	*Allium macrostemon*	湿生草本；产德钦、丽江、维西、宁蒗、永胜、云龙、昆明、澄江、师宗、东川；生于海拔1500～3200米的山坡灌丛、草地、水沟边
1081			滇韭	*Allium mairei*	湿生草本；产东北部至西北部；生于海拔1200～4200米的松林、杂木林、草坡、石坝、石灰岩山石缝、草地
1082			青甘韭	*Allium przewalskianum*	湿生草本；产德钦、洱源、邓川；生于海拔3500～5100米的干旱山坡、石缝、灌丛下、草坡、冲沟或流石滩上
1083			高山韭	*Allium sikkimense*	湿生草本；产贡山、德钦、中甸；生于海拔2100～4200(～5200)米的山地水边、林缘、冷杉林、高山灌丛和草甸
1084			多星韭	*Allium wallichii*	湿生草本；产东北部至西北部；生于海拔2700～4150米的云南松林、草坡、荒地、石缝、草甸、流石滩
1085	鸢尾科	鸢尾属	西南鸢尾	*Iris bulleyana*	湿生草本；产中甸、维西、丽江、鹤庆、兰坪、贡山、德钦、大理、昆明及会泽；生于海拔2300～3500米的山坡草地或溪流旁的湿草地上
1086			高原鸢尾	*Iris collettii*	湿生草本；产中甸、维西、丽江、洱源、漾濞、大理、昆明及蒙自；生于海拔1650～3500米高山草地及向阳山坡的干燥草地
1087			扁竹兰	*Iris confusa*	湿生草本；产昆明、景东、富民、双柏、西畴、宾川、凤庆；生于疏林下、林缘、沟谷湿地或山坡草地
1088			尼泊尔鸢尾	*Iris decora*	湿生草本；产丽江、石鼓、巨甸、中甸、维西、大理、禄劝及砚山；生于海拔1500～3000米高山带的荒山坡、草地、岩石缝隙及疏林下
1089			鸢尾	*Iris tectorum*	湿生草本；产丽江、德钦、维西、漾濞、景东、麻栗坡；生于林缘及水边湿地
1090			扇形鸢尾	*Iris wattii*	湿生草本；产西北部至东南部；生于海拔1200～2300米左右的林缘草地或河边湿地
1091	箭根薯科	蒟蒻薯属	箭根薯	*Tacca chantrieri*	湿生草本；产南部；生于海拔1300米以下的沟谷季雨林或雨林下
1092	水玉簪科	水玉簪属	三品一枝花	*Burmannia coelestis*	湿生草本；产临沧、景东、景洪、勐腊；生于海拔580～1200米的近水湿草地、沼泽地
1093			水玉簪	*Burmannia disticha*	湿生草本；产大理、西双版纳、绿春、屏边、蒙自、河口、西畴、马关、麻栗坡、广南；生于海拔1000～2100米的常绿阔叶林缘、灌丛草地

（续）

序	科	属	种		分布
			中文名	拉丁名	
1094	兰科	苞叶兰属	长叶苞叶兰	*Brachycorythis henryi*	湿生草本；产腾冲、思茅、景洪、勐腊、蒙自；生于海拔500～1750米的山坡阔叶林下或丢荒草地上
1095		虾脊兰属	剑叶虾脊兰	*Calanthe davidii*	湿生草本；产贡山、泸水、龙陵、维西、漾濞、昆明、富源、罗平、屏边、西畴、麻栗坡；生于海拔1300～3000米的山谷、溪边或山坡林下
1096			长距虾脊兰	*Calanthe sylvatica*	湿生草本；产勐腊、屏边、河口、马关；生于海拔800～2000米的山坡林下或山谷河边等阴湿处
1097		头蕊兰属	头蕊兰	*Cephalanthera longifolia*	湿生草本；产西北部；生于海拔2000～3600米的山坡阔叶林、高山栎林及云杉林下、路旁或河滩草地上
1098		杜鹃兰属	杜鹃兰	*Cremastra appendiculata*	湿生草本；产贡山、腾冲、鹤庆、漾濞、凤庆、玉溪、永善、昭通、西畴；生于海拔2900米以下的湿地或沟边湿地上以及山坡林下阴湿处
1099		杓兰属	西藏杓兰	*Cypripedium tibeticum*	湿生草本；产贡山、维西、德钦、中甸、丽江、漾濞、镇康；生于海拔2500～4200米的林下、灌丛草地或乱石滩上
1100		斑叶兰属	多叶斑叶兰	*Goodyera foliosa*	湿生草本；产贡山、勐腊、景洪；生于海拔1300～1500米的江边或山坡常绿阔叶林下
1101			小斑叶兰	*Goodyera repens*	湿生草本；产贡山、福贡、维西、德钦、中甸、丽江；生于海拔2400～3500米的山坡铁杉、云杉、冷杉林下或箭竹林下
1102		手参属	西南手参	*Gymnadenia orchidis*	湿生草本；产西北部；生于海拔2170～4100米的山坡混交林、红杉林、黄栎林下、灌丛中、草坡、高山草甸或沼泽中
1103		玉凤花属	落地金钱	*Habenaria aitchisonii*	湿生草本；产中甸、德钦、丽江、鹤庆、漾濞、昆明、安宁；生于海拔2100～3550米的山坡松林下、石灰岩山灌丛中、草坡、沙地和草地上
1104			鹅毛玉凤花	*Habenaria dentata*	湿生草本；产全省大部分地区；生于海拔750～2300米的沟边密林中、山坡灌丛、草坡或沼泽地
1105			粉叶玉凤花	*Habenaria glaucifolia*	湿生草本；产维西、中甸、德钦、丽江、洱源、大理、蒙自；生于海拔2800～3300米山坡林下、林缘、杜鹃灌丛中、石岩上、草甸或草坝上
1106			湿地玉凤花	*Habenaria humidicola*	湿生草本；产思茅；生于海拔1500米的山坡林下或阴湿岩石上
1107			宽药隔玉凤花	*Habenaria limprichtii*	湿生草本；产全省大部分地区；生于海拔1900～3200米的林下、灌丛、草坡、荒地、草坝或溪旁草地上
1108			坡参	*Habenaria linguella*	湿生草本；产孟连、勐海、鹤庆；生于海拔1450～1800米的林下、沼泽地或草坝
1109			棒距玉凤花	*Habenaria mairei*	湿生草本；产中甸、会泽；生于海拔2400～3500米的草坡、草甸和草坝
1110		角盘兰属	角盘兰	*Herminium monorchis*	湿生草本；产中甸、丽江、宁蒗；生于海拔2300～4300米的山坡林下、林缘灌丛中、山坡草地上和河漫滩草地上
1111		阔蕊兰属	凸孔阔蕊兰	*Peristylus coeloceras*	湿生草本；产东北至西北部；生于海拔2050～3300米的松林、栎林、山坡针阔叶混交林下、灌丛中和草坡上、草坝中、荒地中

（续）

序	科	属	种		分　　布
			中文名	拉丁名	
1112	兰科	阔蕊兰属	大花阔蕊兰	*Peristylus constrictus*	湿生草本；产腾冲、瑞丽、镇康、凤庆、思茅、景洪、洱源、宾川、嵩明；生于海拔1500～2200米的混交林、山坡灌丛中、石灰岩草坡
1113		鹤顶兰属	鹤顶兰	*Phaius tancarvilleae*	湿生草本；产西北部至西南部；生于海拔700～1800米的林缘、沟谷或溪旁
1114		鸟足兰属	缘毛鸟足兰	*Satyrium nepalense* var. *ciliatum*	湿生草本；产全省大部分地区；生于海拔1200～4000米的山坡林下、竹灌丛中、箐沟、草坡、火烧迹地或石上
1115			鸟足兰	*Satyrium nepalense* var. *nepalense*	湿生草本；产贡山、保山、澜沧、景东、思茅、昆明、宜良、蒙自、砚山；生于海拔1200～2200米的林下或草坡上
1116			云南鸟足兰	*Satyrium yunnanense*	湿生草本；产中甸、丽江、临沧、鹤庆、大理、昆明；生于海拔2100～2800米的疏林下，灌丛中、山坡岩石间、草坡或山脚草坝中
1117		绶草属	绶草	*Spiranthes sinensis*	湿生草本；产全省大部分地区；生于海拔3400米以下的山坡、田边、草地、灌丛中、沼泽、路边或沟边草丛中
1118	灯心草科	灯心草属	翅茎灯心草	*Juncus alatus*	湿生草本；产绥江；生于海拔1400米的溪边
1119			葱状灯心草	*Juncus allioides*	湿生草本；产全省大部分地区；生于海拔2000～4000米的草坡、石坡和高山沼泽地
1120			走茎灯心草	*Juncus amplifolius*	湿生草本；产大理、泸水、维西、福贡、贡山；生于海拔2700～4100米的高山草地、山坡林下
1121			小灯心草	*Juncus bufonius*	湿生草本；产昆明、嵩明、富民、大理、永胜、德钦等地；生于海拔2000～3700米的河边、田中
1122			印度灯心草	*Juncus clarkei*	湿生草本；产泸水、中甸、福贡、德钦、贡山；生于海拔3500～4100米的草甸、水沟边
1123			雅灯心草	*Juncus concinnus*	湿生草本；产全省大部分地区；生于海拔2400～3600米的路边、草地
1124			灯心草	*Juncus effusus*	湿生草本；产昆明、景东、元江、屏边、广南、西畴、麻栗坡、临沧、盈江、剑川、维西、中甸；生于海拔1200～3400米的沼泽地
1125			片髓灯心草	*Juncus inflexus*	湿生草本；产全省大部分地区；生于海拔1300～3000米的干燥草坡和沼泽地
1126			密花灯心草	*Juncus lanpinguensis*	湿生草本；产兰坪、中甸、宁蒗；生于海拔3000～3600米的草坡和水沟旁
1127			长苞灯心草	*Juncus leucomelas*	湿生草本；产丽江、德钦；生于海拔3000～4500米的高山草甸、河滩、草地
1128			矮灯心草	*Juncus minimus*	湿生草本；产维西、贡山、德钦；生于海拔3300～4800米的草坡、山坡岩石上
1129			笄石菖	*Juncus prismatocarpus*	湿生草本；产全省大部分地区；生于海拔1200～2800米的山坡林下、沼泽地
1130			长柱灯心草	*Juncus przewalskii*	湿生草本；产巧家、中甸、德钦；生于海拔3000～4200米的路边草坡及高山草甸
1131			野灯心草	*Juncus setchuensis*	湿生草本；全省广布；生于海拔1100～3500米的山谷溪边、林中湿处以及田边、水塘边
1132			锡金灯心草	*Juncus sikkimensis*	湿生草本；产大理、福贡、中甸、德钦、贡山；生于海拔3400～4700米的高山草甸、水边草丛中

（续）

序	科	属	种		分　布
			中文名	拉丁名	
1133	灯心草科	灯心草属	展苞灯心草	*Juncus thomsonii*	湿生草本；产维西、丽江、中甸、德钦；生于海拔3200～4000米的高山沼泽地
1134		地杨梅属	地杨梅	*Luzula campestris*	湿生草本；产丽江；生于海拔2800米的草坡；欧亚大陆及北美均有分布
1135			散序地杨梅	*Luzula effusa*	湿生草本；产禄劝、大理、泸水、维西、福贡、中甸、贡山；生于海拔2900～3500米的山坡林下或山谷湿处
1136			西藏地杨梅	*Luzula jilongensis*	湿生草本；产维西、丽江、中甸；生于海拔3400～3600米的林沟草坡、空旷山坡
1137			多花地杨梅	*Luzula multiflora*	湿生草本；产中部至西北部；生于海拔1800～4050米的山坡、山顶草丛或灌丛中
1138	莎草科	扁穗草属	华扁穗草	*Blysmus sinocompressus*	湿生草本；产中甸、维西、丽江、兰坪、宁蒗；生于海拔2300～3700米的山坡草地、沼泽草地和溪边
1139		三棱草属	扁秆荆三棱	*Bolboschoenus planiculmis*	湿生草本；产丽江、蒙自；生于海拔1400～2500米的水田中或沼泽地
1140		球柱草属	球柱草	*Bulbostylis barbata*	湿生草本；据报道西北部金沙江流域和云南西南部有分布，但未见标本；生于河滩沙地上或田边湿地
1141			丝叶珠序草	*Bulbostylis densa*	湿生草本；产西北部至南部；生于海拔1600～3700米的潮湿处、林下和路边
1142		薹草属	丝秆薹草	*Carex capilliculmis*	湿生草本；产维西、中甸等西北部地区；生于海拔2700～4000米的针叶林下、灌木丛中或高山草甸
1143			亮绿薹草	*Carex finitima*	湿生草本；产兰坪、福贡、维西、贡山；生于2100～3400米林下、溪边、路边或草甸
1144			溪生薹草	*Carex fluviatilis*	湿生草本；产西北部至南部；生于海拔1300～3200米的山谷溪旁和林下湿地
1145			毛囊薹草	*Carex inanis*	湿生草本；产维西、贡山；生于海拔2000～3500米林下、河边或山坡湿地
1146			膨囊薹草	*Carex lehmannii*	湿生草本；产西北部；生于海拔2900～4100米的针叶林下和林间草地、湿润草地和沼泽
1147			木里薹草	*Carex muliensis*	湿生草本；产中甸、丽江、宁蒗；生于海拔3400～4600米的高山草甸和沼泽草甸
1148			云雾薹草	*Carex nubigena*	广生态幅草本；产全省大部分地区；生于海拔2400～3000米的林下、河边湿草地或高山草甸
1149			刺囊薹草	*Carex obscura*	湿生草本；产西北部；生于海拔2700～3950米的高山针叶林下荫湿处和浅水中
1150			卵穗薹草	*Carex ovatispiculata*	湿生草本；产大关、德钦、中甸、丽江、维西、昆明；生于海拔2300～3500米的山坡、溪边和湿地
1151			小薹草	*Carex parva*	湿生草本；产西北部；生于海拔2300～4000米的沼泽草甸或河边草地、林缘
1152			高山薹草	*Carex pseudosupina*	湿生草本；产中甸、维西、剑川；生于海拔2700～3600米针叶林缘、采伐迹地或亚高山草甸
1153			松叶薹草	*Carex rara*	湿生草本；产高黎贡山、丽江、大理、嵩明；生于海拔2600～3250米的沼泽、疏林下、溪边
1154			丝引薹草	*Carex remotiuscula*	湿生草本；产德钦、贡山、中甸、福贡、维西、丽江、漾濞；生于海拔2300～3700米的林下或林缘、沼泽草地

（续）

序	科	属	种		分　　布
			中文名	拉丁名	
1155	莎草科	薹草属	大理薹草	*Carex rubrobrunnea*	湿生草本；产全省大部分地区；生于海拔 1150～2800 米的山谷沟边或石隙间、林下
1156			川滇薹草	*Carex schneideri*	湿生草本；产西北部；生于海拔 2900～4300 米的高山灌丛草甸、草坡
1157			云南薹草	*Carex yunnanensis*	湿生草本；产大理、洱源、丽江、维西、贡山等西北部地区；生于海拔 3000～3500 米山坡、路边、溪边或林下
1158		翅鳞莎属	刺鳞莎草	*Courtoisia cyperoides*	湿生草本；产中部和南部；生于山坡草地上或沟边
1159		莎草属	密穗砖子苗	*Cyperus compactus*	湿生草本；产勐腊、景洪、河口、文山等南部和东南部地区；生于水田中或沼泽地
1160			长尖莎草	*Cyperus cuspidatus*	湿生草本；产勐海、景洪、思茅、屏边、河口、蒙自、晋宁、大理、福贡等地；生于海拔 960～2000 米河边沙地
1161			莎草砖子苗	*Cyperus cyperinus*	湿生草本；除东北部和西北部，其他地区均产；生于海拔 2600～2700 米的山谷中、缓坡潮湿处或草地上
1162			砖子苗	*Cyperus cyperoides*	湿生草本；产全省大部分地区；生于海拔 200～3200 米山坡阳处、路旁草地、松林下或溪边
1163			异型莎草	*Cyperus difformis*	湿生草本；产蒙自、勐海、勐腊、临沧、凤庆、大理、鹤庆、安宁、昆明、寻甸等地；生于海拔 850～2000 米稻田或水边潮湿处
1164			多脉莎草	*Cyperus diffusus*	湿生草本；产富宁、屏边、景洪等南部地区；生于山坡草丛中或河边湿处
1165			疏穗莎草	*Cyperus distans*	湿生草本；产勐海、思茅、临沧、凤庆等地；生于山坡或河滩较干的地方
1166			云南莎草	*Cyperus duclouxii*	湿生草本；产全省大部分地区；生于海拔约 2500 米的水边或山地湿草地上
1167			移穗莎草	*Cyperus eleusinoides*	湿生草本；产昆明、元谋、鹤庆、剑川、大理、蒙自；生于海拔 1000～1500 米山谷湿地或林下潮湿处
1168			畦畔莎草	*Cyperus haspan*	湿生草本；产勐海、景洪、屏边、河口、澜沧等南部地区；生于海拔 1000～1500 米水田或浅水塘等浅水中
1169			碎米莎草	*Cyperus iria*	湿生草本；产全省大部分地区；生于海拔 1450～2500 米田间、山坡、路旁等阴湿处
1170			具芒碎米莎草	*Cyperus microiria*	湿生草本；产全省；生于河岸边、路旁或草地湿处
1171			垂穗莎草	*Cyperus nutans*	湿生草本；产瑞丽、镇康、勐海、勐腊、金平、蒙自、文山、西畴；生于海拔 1380 米左右的山谷湿处
1172			香附子	*Cyperus rotundus*	湿生草本；产勐海、勐腊、河口、蒙自、昆明、大理、凤庆、鹤庆；生于海拔 200～2600 米山坡荒地草丛中或水边潮湿处
1173			水莎草	*Cyperus serotinus*	湿生草本；产思茅、砚山；多生于浅水中、水边沙土上，也见于路旁
1174			假香附子	*Cyperus tuberosus*	湿生草本；产昆明、楚雄、东川、曲靖等地；生于路边草丛中
1175		荸荠属	紫果蔺	*Eleocharis atropurpurea*	湿生草本；产东北部、东部、东南部和中部；生于海拔 1400 米左右水田中或田边湿地

（续）

序	科	属	种		分 布
			中文名	拉丁名	
1176	莎草科	荸荠属	密花荸荠	*Eleocharis congesta*	湿生草本；产屏边、勐海；生于海拔1300～1400米池塘边、溪边或森林边缘
1177			刘氏荸荠	*Eleocharis liouana*	湿生草本；产昆明、嵩明、双柏、漾濞、丽江、中甸、德钦、宁蒗；生于海拔1900米左右路旁
1178			卵穗荸荠	*Eleocharis ovata*	湿生草本；产东北部；生于海拔约2500米的沼泽中
1179			透明鳞荸荠	*Eleocharis pellucida*	湿生草本；产双江、勐海、勐腊、河口、昭通、盐津等地；生于水稻田、水塘和湖边
1180			三面秆荸荠	*Eleocharis trilateralis*	湿生草本；产勐海；生于海拔约1800米左右的沼泽中
1181			具刚毛槽秆荸荠	*Eleocharis valleculosa*	湿生草本；产鹤庆、丽江；生于海拔1350～3000米的浅水中
1182			牛毛毡	*Eleocharis yokoscensis*	湿生草本；产昆明、呈贡、丽江等地；生于海拔1800～3000米水田、池塘或潮湿草地
1183			云南荸荠	*Eleocharis yunnanensis*	湿生草本；产丽江、维西、昆明、大理、贡山、怒江和澜沧江流域、勐海；生于海拔1800～3270米山谷中、溪边
1184		飘拂草属	复序飘拂草	*Fimbristylis bisumbellata*	湿生草本；产蒙自、金平、勐海、景洪；生于海拔450～1530米的江边、沙地潮湿处以及山坡潮湿处
1185			两歧飘拂草	*Fimbristylis dichotoma*	湿生草本；产全省大部分地区；生于海拔1420～2600米的溪边、山谷林缘湿润处及草坡
1186			起绒飘拂草	*Fimbristylis dipsacea*	湿生草本；生于潮湿地
1187			暗褐飘拂草	*Fimbristylis fusca*	湿生草本；产贡山、昌宁；生于海拔1280～2000米的草坡或溪边
1188			水虱草	*Fimbristylis littoralis*	湿生草本；产大关至盐津、贡山、福贡、勐海、临沧；生于海拔1090～2000米的田野和水边
1189			褐鳞飘拂草	*Fimbristylis nigrobrunnea*	湿生草本；产屏边、保山、大理、维西；生于海拔1200～2500米的溪边、沼地或山涧
1190			畦畔飘拂草	*Fimbristylis squarrosa*	湿生草本；产大理；生于海拔1500米的潮湿处
1191			匍匐茎飘拂草	*Fimbristylis stolonifera*	湿生草本；产鹤庆、大理、昆明；生于海拔约2600米的山坡水沟边
1192			西南飘拂草	*Fimbristylis thomsonii*	湿生草本；产金平、蒙自、勐海；生于海拔1100～1500米的山顶或林下草地
1193		细莞属	细莞	*Isolepis setacea*	湿生草本；产德钦、中甸、丽江、宁蒗；生于海拔2600～3500米的山坡草地、河边
1194		嵩草属	截形嵩草	*Kobresia cuneata*	湿生草本；产中甸、德钦、禄劝；生于海拔3000～4650米的高山灌丛草甸、高山草甸带
1195			线形嵩草	*Kobresia duthiei*	湿生草本；产中甸、德钦；生于海拔4100～4700米的高山草甸、大石上
1196			蕨状嵩草	*Kobresia filicina*	湿生草本；产丽江、中甸、德钦、维西；生于海拔2900～3500米的林缘、河滩、沟谷
1197			囊状嵩草	*Kobresia fragilis*	湿生草本；产丽江、宁蒗、中甸和德钦；生山海拔2700～4300米的坡草地、沟谷及高山草甸
1198			禾叶嵩草	*Kobresia graminifolia*	湿生草本；产丽江、中甸、德钦；生于海拔3000～4700米的高山草甸、石坡、沟谷

（续）

序	科	属	种		分　布
			中文名	拉丁名	
1199	莎草科	嵩草属	尼泊尔嵩草	*Kobresia nepalensis*	湿生草本；产巧家、丽江、中甸、德钦、维西；生于海拔3400～4400米的高山草甸、高山灌丛草甸、流石滩、岩壁上
1200	莎草科	嵩草属	高山嵩草	*Kobresia pygmaea*	湿生草本；产丽江、中甸、德钦；生于海拔3200～5400米的高山草甸
1201	莎草科	嵩草属	西藏嵩草	*Kobresia tibetica*	湿生草本；产西北部；生于海拔3000～4600米的河滩地、湿润草地、高山灌丛草甸
1202	莎草科	嵩草属	钩状嵩草	*Kobresia uncinioides*	湿生草本；产东北部至西北部；生于海拔2900～4400米的高山灌丛草甸、河滩草地、高山草甸、林缘
1203	莎草科	嵩草属	发秆嵩草	*Kobresia vaginosa*	湿生草本；产德钦；生于海拔4000～4800米的高山草甸、石上
1204	莎草科	水蜈蚣属	短叶水蜈蚣	*Kyllinga brevifolia*	湿生草本；产全省大部分地区；生于海拔1500～3000米山坡荒地、路旁田边草丛、溪边
1205	莎草科	水蜈蚣属	圆筒穗水蜈蚣	*Kyllinga cylindrica*	湿生草本；产勐海、金平、马关、蒙自等南部地区；生于海拔1300～2000米路旁湿地或河边沙土上
1206	莎草科	水蜈蚣属	单穗水蜈蚣	*Kyllinga nemoralis*	湿生草本；产勐海、金平、河口、马关和澜沧江中下游地区；生于海拔380～570米山坡林下、沟边、田边潮湿地
1207	莎草科	水蜈蚣属	冠鳞水蜈蚣	*Kyllinga squamulata*	湿生草本；产砚山、昆明、嵩明、临沧、贡山等地；生于山谷林下或潮湿地
1208	莎草科	湖瓜草属	华湖瓜草	*Lipocarpha chinensis*	湿生草本；除西北部和东北部地区外，其他各地均产；生于海拔1100～2100米水边或沼泽中
1209	莎草科	湖瓜草属	湖瓜草	*Lipocarpha microcephala*	湿生草本；产勐海、屏边等南部和东南部地区；生于海拔约400米左右的水边、潮湿地和沼泽中
1210	莎草科	扁莎属	黑鳞扁莎	*Pycreus delavayi*	湿生草本；产大理、昆明；生沼泽或浅水中
1211	莎草科	扁莎属	宽穗扁莎	*Pycreus diaphanus*	湿生草本；产金沙江流域、澜沧江中游以及东南部地区；生于海拔650～1750米潮湿处
1212	莎草科	扁莎属	球穗扁莎	*Pycreus flavidus*	湿生草本；产全省大部分地区；生于海拔600～3400米田边、沟边潮湿处或溪边
1213	莎草科	扁莎属	丽江扁莎	*Pycreus lijiangensis*	湿生草本；产丽江；生于海拔2000米溪边潮湿处
1214	莎草科	扁莎属	红鳞扁莎	*Pycreus sanguinolentus*	湿生草本；产全省大部分地区；生于海拔1200～3400米山谷、田边、河旁潮湿处或浅水
1215	莎草科	扁莎属	禾状扁莎	*Pycreus unioloides*	湿生草本；产昆明、鹤庆；生于山谷溪边潮湿处
1216	莎草科	刺子莞属	三俭草	*Rhynchospora corymbosa*	湿生草本；产中部及河口、景洪；生于海拔120～2000米山谷、溪边及沼泽地
1217	莎草科	刺子莞属	刺子莞	*Rhynchospora rubra*	湿生草本；产东南部和南部；生于海拔780～1500米的沼泽地
1218	莎草科	刺子莞属	白喙刺子莞	*Rhynchospora rugosa*	湿生草本；产东川、大理；生于海拔1000～2400米的山坡、沼泽及河边潮湿处
1219	莎草科	水葱属	大理水葱	*Schoenoplectus chenmoui*	挺水植物；产大理；生于海拔约1800米的田野
1220	莎草科	水葱属	萤蔺	*Schoenoplectus juncoides*	挺水植物；产贡山、鹤庆、洱源、宾川、昆明、金平、景洪、勐海、景东、双江；生于海拔2000～2600米的池塘及溪边
1221	莎草科	水葱属	水毛花	*Schoenoplectus mucronatus*	挺水植物；产丽江、大理、昆明；生于海拔1890～2820米的塘边及沼泽

（续）

序	科	属	种		分布
			中文名	拉丁名	
1222	莎草科	水葱属	滇水葱	*Schoenoplectus schoofii*	挺水植物；产东川；生于海拔约2300米的湖边以及湿地
1223			水葱	*Schoenoplectus tabernae-montani*	挺水植物；产中甸、维西、剑川、昆明、蒙自、思茅；生于湖边或浅水塘中
1224			三棱水葱	*Schoenoplectus triqueter*	挺水植物；产昆明；生于水沟、山溪边
1225			猪毛草	*Schoenoplectus wallichii*	挺水植物；产砚山、景洪；生于海拔800～1000米的溪边和稻田中
1227		藨草属	庐山藨草	*Scirpus lushanensis*	湿生草本；产维西；生于海拔3300米的沼地溪旁、阴湿草丛中和山坡路旁
1228			百球藨草	*Scirpus rosthornii*	湿生草本；产全省大部分地区；生于海拔1000～2600米山坡林中、林缘、溪边和路旁
1229	禾本科	尖稃草属	尖稃草	*Acrachne racemosa*	湿生草本；产永胜、石屏；生于海拔350～1350米的河岸沙滩上
1230		剪股颖属	剪股颖	*Agrostis clavata*	湿生草本；生于全省海拔300～3900米的山坡草地、路旁、林缘、溪边及湿润的生境
1231			小糠草	*Agrostis gigantea*	湿生草本；产昆明，试种牧草
1232			疏花剪股颖	*Agrostis hookeriana*	湿生草本；产德钦、中甸、维西、兰坪、丽江；生于海拔3200～4000米的灌丛、林缘或草甸
1233			多花剪股颖	*Agrostis micrantha*	湿生草本；产全省900～3700米的道旁、山坡、草地、林下、河边、湿地、沼泽
1234		看麦娘属	看麦娘	*Alopecurus aequalis*	湿生草本；生于全省海拔1200～3500米的沟谷、田野、湿地、沼泽、林缘及亚高山草甸
1235			日本看麦娘	*Alopecurus japonicus*	湿生草本；产玉溪、屏边、潞西；生于海拔800～1900米的麦田或湿地
1236		沟稃草属	沟稃草	*Aniselytron treutleri*	湿生草本；生于海拔1300～2000米的疏林下、山谷湿地或草丛中
1237		黄花茅属	西南黄花茅	*Anthoxanthum hookeri*	湿生草本；产全省大部分地区；生于海拔1800～3700米的山坡草地、疏林灌丛中
1238		水蔗草属	水蔗草	*Apluda mutica*	广生态幅草本；生于全省海拔2200米以下的山坡草地、丘陵灌丛、道旁田野、河谷岸边
1239		荩草属	荩草	*Arthraxon hispidus*	湿生草本；全省有分布；生于海拔1300～1800米的田野草地、丘陵灌丛、山坡疏林、湿润或干燥地带都有
1240			矛叶荩草	*Arthraxon prionodes*	湿生草本；全省各地均有分布；生于旷野或丘陵灌丛阴湿处
1241			无芒荩草	*Arthraxon submuticus*	湿生草本；产临沧；生于海拔1600～2100米的沼泽及河岸边
1242		野古草属	西南野古草	*Arundinella hookeri*	湿生草本；生于全省海拔1800～3200米的山坡草地及疏林中
1243		芦竹属	芦竹	*Arundo donax*	湿生高草；产全省；生于海拔2300米以下的河岸、沟边、沼泽边缘
1244		菵草属	菵草	*Beckmannia syzigachne*	湿生草本；产全省；生于海拔1500～3300米的水边湿地
1245		孔颖草属	臭根子草	*Bothriochloa bladhii*	广生态幅草本；产南部；生于海拔2500米以下的山坡草地、旷野及道旁草丛中
1246			白羊草	*Bothriochloa ischaemum*	广生态幅草本；产全省大部分地区；生于海拔500～3000米的山坡草地、丘陵灌丛

（续）

序	科	属	种		分　　布
			中文名	拉丁名	
1247	禾本科	短柄草属	草地短柄草	*Brachypodium pratense*	湿生草本；生于全省海拔1700～3700米的山坡草地
1248			短柄草	*Brachypodium sylvaticum*	湿生草本；产昭通、中甸、贡山、兰坪、丽江、永胜、剑川、楚雄、永德
1249		凌风草属	凌风草	*Briza media*	湿生草本；产维西、贡山；生于海拔3000～4000米的草甸及水沟边
1250		雀麦属	扁穗雀麦	*Bromus catharticus*	湿生草本；全省各地多有栽培
1251			喜马拉雅雀麦	*Bromus himalaicus*	湿生草本；产泸水、昆明、禄劝；生于海拔2400～3500米山坡疏林灌丛中
1252			西南雀麦	*Bromus staintonii*	湿生草本；产德钦、兰坪；生于海拔2900～3500米的山坡草地或林缘
1253		拂子茅属	单蕊拂子茅	*Calamagrostis emodensis*	湿生草本；产德钦、中甸、维西、贡山、兰坪、泸水、剑川、大理及腾冲；生于海拔1900～4000米之山坡、高山草甸及灌丛
1254			拂子茅	*Calamagrostis epigeios*	湿生草本；产昆明、富宁等地；生于海拔500～3000米之山坡潮湿处及河岸溪边
1255		沿沟草属	沿沟草	*Catabrosa aquatica*	湿生草本；产中甸、德钦、永平；生于海拔3400～4500米的高山灌丛草甸及河滩草地
1256		虎尾草属	异序虎尾草	*Chloris pycnothrix*	广生态幅草本；产全省大部分地区；生于海拔400～1500米干热河谷的河岸沙滩、道旁荒野
1257			虎尾草	*Chloris virgata*	广生态幅草本；生于全省海拔500～3700米的房顶及墙头、路旁荒野、河岸沙滩
1258		金须茅属	竹节草	*Chrysopogon aciculatus*	广生态幅草本；生于全省大部分地区；生于海拔150～1500米山坡及平坝的路边草地
1259		薏苡属	水生薏苡	*Coix aquatica*	湿生草本；产景洪(小勐养)；生于山脚湿地灌丛中
1260			薏苡	*Coix lacrymajobi*	湿生草本；全省温暖地带有野生或栽培；喜生于河岸、沟边、湖边或阴湿山谷中
1261		狗牙根属	狗牙根	*Cynodon dactylon*	湿生草本；产全省2300米以下的道旁荒野、田野间或撂荒地、河岸沙滩、荒坡草地
1262		鸭茅属	鸭茅	*Dactylis glomerata*	湿生草本；产全省海拔1500～4000米的丘陵、灌丛、林缘、山坡草地、亚高山草甸
1263		发草属	发草	*Deschampsia cespitosa* ssp. *cespitosa*	湿生草本；产丽江、中甸、德钦、维西、大理、洱源、剑川；生于海拔2200～4200米灌丛草甸及河岸沙滩
1264			短枝发草	*Deschampsia cespitosa* ssp. *ivonovae*	湿生草本；产丽江；生于海拔4000米的河滩草地
1265			东方发草	*Deschampsia cespitosa* ssp. *orientalis*	湿生草本；产德钦、中甸、剑川；生于海拔3200～3800米的山坡疏林沼泽、苔藓沼泽中
1265		野青茅属	疏穗野青茅	*Deyeuxia effusiflora*	湿生草本；产永善、镇雄、昭通、东川、昆明；生于海拔1800～2900米的山谷、河边阴湿处
1267			小丽茅	*Deyeuxia pulchella*	湿生草本；产德钦、中甸、丽江、剑川等；生于海拔3200～4800米的高山草甸
1268			野青茅	*Deyeuxia pyramidalis*	湿生草本；产东北部至西北部；生于海拔1700～3600米之山坡草地、灌丛、溪边
1269			玫红野青茅	*Deyeuxia rosea*	湿生草本；产中甸，少见；生于海拔3500～5000米的高山草甸

（续）

序	科	属	种		分　　布
			中文名	拉丁名	
1270			升马唐	*Digitaria ciliaris*	湿生草本；产全省，常见优良牧草；生于海拔2200米以下的山坡草地、丘陵灌丛、路旁田野、荒山荒地
1271		马唐属	十字马唐	*Digitaria cruciata*	湿生草本；生于全省海拔100～3200米的大部分山坡草地
1272			紫马唐	*Digitaria violascens*	湿生草本；生于全省海拔1900米以下温暖地区的山坡草地、道旁林缘、田野荒地
1273			长芒稗	*Echinochloa caudata*	湿生草本；全省多见
1274		稗属	稗	*Echinochloa crusgalli*	湿生草本；产全省大部分地区；生于海拔2500米以下的沼泽地上、沟边湿地及稻田中
1275			水田稗	*Echinochloa oryzoides*	湿生草本；稻田常见杂草
1276		䅟属	牛筋草	*Eleusine indica*	广生态幅草本；生于全省海拔100～2500米地区，为道旁、田野间、荒地中常见杂草
1277		披碱草属	麦宾草	*Elymus tangutorum*	湿生草本；产德钦、中甸；生于海拔2500～3500米的山坡道旁草丛中
1278		总苞草属	总苞草	*Elytrophorus spicatus*	湿生草本；产瑞丽、龙陵；生于海拔700～900米的沟渠或池塘边、短期干涸的沙滩
1279		箭竹属	滇西箭竹	*Fargesia communis*	湿生灌木；产维西、漾濞；生于海拔2500～3250米的林下
1280			伞把竹	*Fargesia utilis*	湿生灌木；产东川；生于海拔2700～3650米
1281	禾本科		苇状羊茅	*Festuca arundinacea*	湿生草本；引种栽培，且有逸生
1282			大理羊茅	*Festuca forrestii*	湿生草本；产丽江、剑川、大理；生于海拔3300～4400米的高山草甸
1283			日本羊茅	*Festuca japonica*	湿生草本；产兰坪、永胜；生于海拔2600～3100米的林缘或疏林下
1284		羊茅属	弱须羊茅	*Festuca leptopogon*	湿生草本；产昭通、贡山、德钦、中甸、剑川、昆明、腾冲、金屏；生于海拔2000～3000米的山坡及林缘草地
1285			昆明羊茅	*Festuca mazzettiana*	湿生草本；产东北部至西北部；生于海拔1800～3300米的山坡草地、湿地或水沟边
1286			羊茅	*Festuca ovina*	湿生草本；产巧家、昭通、中甸、丽江；生于海拔2700～4000米山坡灌丛草甸
1287			滇藏羊茅	*Festuca vierhapperi*	湿生草本；全省广布；生于海拔1800～3500米山坡灌丛草地或疏林下
1288			甜茅	*Glyceria acutiflora*	湿生草本；产盐津；生于海拔700米水边和湿地
1289			中华甜茅	*Glyceria chinensis*	湿生草本；产东部及东北部
1290		甜茅属	卵花甜茅	*Glyceria tonglensis*	湿牛草本；产德钦、中甸、丽江、永胜、剑川、洱源、安宁、昆明、大姚、临沧、双江；生于海拔2000～3500米的水边湿地
1291			水甜茅	*Glyceria triflora*	湿生草本；产中甸、丽江、剑川、昆明；生于海拔2000～3300米的浅水或湿地
1292		球穗草属	球穗草	*Hackelochloa granularis*	广生态幅草本；产双柏、易门、元江、西畴、富宁、河口、景洪、勐腊；生于海拔1500米以下路旁、沟边、田野

（续）

序	科	属	种		分布
			中文名	拉丁名	
1293	禾本科	异燕麦属	洱源异燕麦	*Helictotrichon delavayi*	湿生草本；产丽江、永胜、中甸、德钦、维西、洱源、剑川；生于海拔2600～3800米的山坡草地，灌丛草甸
1294			变绿异燕麦	*Helictotrichon junghuhnii*	湿生草本；产东北部至西北部；生于海拔1800～3800米之间的山坡草地、疏林和灌丛、林缘和林间空地
1295		牛鞭草属	牛鞭草	*Hemarthria altissima*	湿生草本；产华坪、易门、临沧、瑞丽；生于海拔700～1900米田边、沼泽地、水沟边、路旁草丛
1296		水禾属	水禾	*Hygroryza aristata*	漂浮植物；产耿马、盈江；生于海拔400～800米之水田及池沼中
1297		柳叶箬属	二型柳叶箬	*Isachne pulchella*	湿生草本；产绿春、临沧、耿马、沧源、梁河、盈江；生于海拔1500米以下的田野、沼泽、沟边、谷底及林间湿地
1298		鸭嘴草属	田间鸭嘴草	*Ischaemum rugosum*	湿生草本；产全省大部分地区；生于海拔500～1800米间的沟边、河边、田地中、荒地
1299		假稻属	李氏禾	*Leersia hexandra*	挺水植物；大部分地区有分布；常见于田边及水沟边
1300		黑麦草属	多花黑麦草	*Lolium multiflorum*	湿生草本；全省各地多有栽培
1301			黑麦草	*Lolium perenne*	湿生草本；全省各地多有栽培
1302		粟草属	粟草	*Milium effusum*	湿生草本；产剑川老君山；生于海拔3000米山沟边
1303		类芦属	类芦	*Neyraudia reynaudiana*	湿生草本；产全省2300米以下的河湖岸边、山坡灌丛
1304		稻属	瘤粒野生稻	*Oryza meyeriana*	湿生草本；澜沧江、怒江、红河、李仙江、南汀河等河流下游地段；生于海拔425～1000米之山坡、疏林、灌丛、竹林及湿地
1305			药用稻	*Oryza officinalis*	湿生草本；产普洱、耿马、永德；生于海拔520～1000米之湿润山谷水沟旁
1306			野生稻	*Oryza rufipogon*	湿生草本；产元江、景洪；生于湿地、沼泽、水塘中
1307		黍属	糠稷	*Panicum bisulcatum*	湿生草本；产贡山、耿马、镇源、澜沧；生于海拔500米湿地、沼泽或水田中
1308			水生黍	*Panicum dichotomiflorum*	湿生草本；产昆明、禄丰、富宁、砚山、景洪、镇康、双江、潞西、瑞丽；生于海拔2000米以下的静水或池边淤泥、沙滩湿地
1309		类雀稗属	类雀稗	*Paspalidium flavidum*	湿生草本；产全省大部分地区；生于海拔80～2100米的河岸沙滩、沼泽附近、田野湿地、疏林下或林缘草地
1310		雀稗属	云南雀稗	*Paspalum delavayi*	湿生草本；产师宗、永胜、屏边、绿春、永德、腾冲；生于海拔700～1900米山坡草地、路旁田野、水沟边
1311			毛花雀稗	*Paspalum dilatatum*	湿生草本；产嵩明、昆明、保山、潞西；生于海拔800～2000米的河岸边、溪沟边、田野湿地
1312			双穗雀稗	*Paspalum distichum*	挺水植物；产全省大部分地区；生于海拔1000～2000米的河岸、沟边、田野潮湿地区
1313			海雀稗	*Paspalum vaginatum*	湿生草本；产陆良、宾川、腾冲、永德、双江；生于海拔1000～1800米的沟边、湖边、旷野湿地

（续）

序	科	属	种		分　布
			中文名	拉丁名	
1314	禾本科	狼尾草属	狼尾草	*Pennisetum alopecuroides*	湿生草本；产全省大部分地区；生于海拔1400～2100米的河湖岸边及沼泽边缘
1315			白草	*Pennisetum flaccidum*	湿生草本；产德钦、中甸、兰坪、大理、昆明、腾冲；常生于海拔1600～3100米山坡草地、道旁及田野
1316			象草	*Pennisetum purpureum*	湿生草本；热区水边栽培或逸生
1317		芦苇属	芦苇	*Phragmites australis*	挺水植物；产东川；生于海拔1150米的山谷中河岸边
1318			大芦苇	*Phragmites karka*	挺水植物；产全省；生于海拔2000米以下的江河岸边、湖泊及沼泽边缘
1319		刚竹属	水竹	*Phyllostachys heteroclada*	湿生灌木；产勐海；生于海拔1200米的地带，多生于河流两岸及山谷中
1320		早熟禾属	毛稃早熟禾	*Poa mairei*	湿生草本；产东川市、洱源、丽江；生于海拔1500～3000米的山坡草地
1321			尼泊尔早熟禾	*Poa nepalensis*	湿生草本；产泸水；生于海拔2650米道旁水沟边
1322			云生早熟禾	*Poa nubigena*	湿生草本；产德钦、中甸、维西、丽江、永胜、剑川、鹤庆；生于海拔3200～4200米的山坡草甸
1323			锡金早熟禾	*Poa sikkimensis*	湿生草本；产德钦、贡山、泸水、昆明、临沧；生于海拔2000～3200米的灌丛草甸或林间草地
1324			四川早熟禾	*Poa szechuensis*	湿生草本；产中甸、维西；生于海拔3500～3800米高山沼泽草甸或流石滩上
1325		金发草属	金丝草	*Pogonatherum crinitum*	湿生草本；产全省大部分地区；常生河岸及田地埂上、潮湿山坡
1326			金发草	*Pogonatherum paniceum*	湿生草本；多产南部；生于海拔100～2000米山坡草地、路旁阳处、溪边草地
1327		棒头草属	棒头草	*Polypogon fugax*	湿生草本；产全省；生于海拔1300～3900米的田野、道旁、河岸沙滩及湿地沼泽
1328		甘蔗属	斑茅	*Saccharum arundinaceum*	湿生草本；产西部及南部；常见于海拔1500米以下的河岸、湖边、谷底或丘陵边缘
1329			金猫尾	*Saccharum fallax*	湿生草本；产广南、河口、镇康、畹町；常生于1500米以下的山坡草地或丘陵灌丛中
1330			滇蔗茅	*Saccharum longesetosum*	湿生草本；产全省大部分地区；常生于海拔2300米以下的山坡草地、河谷盆地
1331			河八王	*Saccharum narenga*	湿生草本；产耿马(孟定)；生于海拔500米的稀树灌丛中
1332			狭叶斑茅	*Saccharum procerum*	湿生草本；产泸水、元谋、屏边、河口、临沧、耿马；生于海拔1500米以下的河谷灌丛或疏林中
1333			蔗茅	*Saccharum rufipilum*	广生态幅草本；产全省；生于海拔1200～2700米的山坡、路旁、荒山、荒地、灌丛、林缘或疏林中
1334			甜根子草	*Saccharum spontaneum*	湿生草本；产全省大部分地区；生于海拔2000米以下水分条件好的河岸、沟边、谷底
1335		沟颖草属	沟颖草	*Sehima nervosum*	广生态幅草本；产禄丰、易门、峨山、开远、建水、红河、蒙自、元阳；生于海拔800～1600米草地
1336		狗尾草属	皱叶狗尾草	*Setaria plicata*	广生态幅草本；产全省；生于2400米以下的田野、沟边、道旁、灌丛、林缘及各种较湿润的生境

（续）

序	科	属	种		分　布
			中文名	拉丁名	
1337	禾本科	狗尾草属	狗尾草	*Setaria viridis*	广生态幅草本；产全省；生于海拔3500米以下的荒地、田野、道旁常见
1338		针茅属	狭穗针茅	*Stipa regeliana*	湿生草本；产宁蒗、中甸；生于海拔3500～3700米的高山草甸
1339		菅属	苇菅	*Themeda arundinacea*	湿生草本；产昆明、镇康、耿马、沧源、腾冲、梁河、陇川等地；生于海拔600～1900米山坡草地
1340		棕叶芦属	棕叶芦	*Thysanolaena latifolia*	广生态幅草本；产南部；生于海拔1600米以下的山坡、山谷、溪边、灌丛及林缘
1341		尾稃草属	尾稃草	*Urochloa reptans*	湿生草本；产双柏、新平、元江、河口、镇康；生于海拔100～1000米的河岸沙滩荒地
1342		菰属	菰	*Zizania latifolia*	挺水植物；全省各地均有栽培

附录2 云南湿地调查区域动物名录

序	目	科	种		保护等级
			中文名	拉丁名	
一、脊椎动物					
(一)鱼类					
1	鲼形目 MYLIOBATIFORMES	魟科 Dasyatidae	老挝魟	*Dasyatis laosensis*	
2	鲟形目 ACIPENSERIFORMES	鲟科 Acipenseridae	达氏鲟	*Acipenser dabryanus*	国家Ⅰ级
3			西伯利亚鲟	*Acipenser baerii*	
4			中华鲟	*Acipenser sinensis*	国家Ⅰ级
5	鲑形目 SALMOIFORMES	鲑科 Salmonidae	河鳟	*Salmo trutta fario*	
6			虹鳟	*Oncorhynchus mykiss*	
7	胡瓜鱼目 OSMERIFORMES	胡瓜鱼科 Osmeridae	池沼公鱼	*Hypomesus olidus*	
8		银鱼科 Salangidae	中国大银鱼	*Protosalanx chinensis*	
9			太湖新银鱼	*Neosalanx taihuensis*	
10	鳗鲡目 ANGUILLIFORMES	鳗鲡科 Anguillidae	双色鳗鲡	*Anguilla bicolor*	
11			云纹鳗鲡	*Anguilla nebulosa*	省级
12	脂鲤目 CHARACIFORMES	脂鲤科 Characidae	短盖肥脂鲤	*Piaractus brachypomus*	
13	鲤形目 CYPRINIFORMES	亚口鱼科 Catostomidae	胭脂鱼	*Myxocyprinus asiaticus*	国家Ⅱ级
14		双孔鱼科 Gyrinocheilidae	双孔鱼	*Gyrinocheilus aymonieri*	省级
15		鲤科 Cyprinidae	布朗神鲋	*Danio browni*	
16			珍珠神鲋	*Devario albolineata*	
17			红蚌神鲋	*Devario kakhienensis*	
18			半线神鲋	*Devario interrupta*	
19			掸邦神鲋	*Devario shanensis*	
20			缺须神鲋	*Devario apogon*	
21			金线神鲋	*Devario chrysotaeniatus*	
22			条纹裸鲋	*Gymnodanio strigatus*	
23			小眼小波鱼	*Microrasbora microphthalma*	
24			丽色低线鱲	*Barilius pulchellus*	
25			滇西低线鱲	*Barilius barila*	
26			斑尾低线鱲	*Barilius caudiocellatus*	

（续）

序	目	科	种		保护等级
			中文名	拉丁名	
27	鲤形目 CYPRINIFORMES	鲤科 Cyprinidae	泰国低线鱲	*Barilius koratensis*	
28			长嘴鱲	*Raiamas guttatus*	
29			黄尾波鱼	*Rasbora dusonensis*	
30			黑背波鱼	*Rasbora atridorsalis*	
31			北方波鱼	*Rasbora septentrionalis*	
32			异鱲	*Parazacco spilurus*	
33			宽鳍鱲	*Zacco platypus*	
34			马口鱼	*Opsariichthys bidens*	
35			异鲴	*Cabdio morar*	
36			中华细鲫	*Aphyocypris chinensis*	
37			丁鲹	*Tinca tinca*	
38			青鱼	*Mylopharyngdon piceus*	
39			鯮	*Luciobrama macrocephalus*	
40			草鱼	*Ctenopharyngodon idella*	
41			赤眼鳟	*Squaliobarbus curriculus*	
42			鳤	*Ochetobius elongatus*	
43			鳡	*Elopichthys bambusa*	
44			飘鱼	*Pseudolaubuca sinensis*	
45			寡鳞飘鱼	*Pseudolaubuca engraulis*	
46			似鲚	*Toxabramis swinhonis*	
47			海南似鲚	*Toxabramis houdermeri*	
48			罗碧鱼	*Paralaubuca barroni*	
49			拟华鳊	*Sinibrama affinis*	
50			线纹梅氏鳊	*Metzia lineata*	
51			山白鱼	*Anabarilius transmontanus*	
52			西昌白鱼	*Anabarilius liui*	
53			宜良白鱼	*Anabarilius liui yiliangensis*	
54			程海白鱼	*Anabarilius liui chenghaiensis*	
55			阳宗白鱼	*Anabarilius yangzonensis*	
56			斑白鱼	*Anabarilius maculatus*	
57			大鳞白鱼	*Anabarilius macrolepis*	
58			鱇鲌白鱼	*Anabarilius grahami*	
59			星云白鱼	*Anabarilius andersoni*	
60			杞麓白鱼	*Anabarilius qiluensis*	
61			寻甸白鱼	*Anabarilius xundianensis*	

（续）

序	目	科	种		保护等级
			中文名	拉丁名	
62	鲤形目 CYPRINIFORMES	鲤科 Cyprinidae	多鳞白鱼	*Anabarilius polylepis*	
63			银白鱼	*Anabarilius alburnops*	省级
64			多衣河白鱼	*Anabarilius duoyiheensis*	
65			长尾白鱼	*Anabarilius longicaudatus*	
66			嵩明白鱼	*Anabarilius songmingensis*	
67			路南金线白鱼	*Anabarilius goldenlineus*	
68			南方拟鳘	*Pseudohemiculter dispar*	
69			海南拟鳘	*Pseudohemiculter hainanensis*	
70			鳘	*Hemiculter leucisculus*	
71			大鳞半鳘	*Hemiculterella macrolepis*	
72			大鳍鱼	*Macrochirichthys macrochirius*	省级
73			大眼红鲌	*Erythroculter hypselonotus*	
74			程海鲌	*Culter mongolicus elongates*	
75			翘嘴鲌	*Culter alburnus*	
76			红鳍原鲌	*Cultrichthys erythropterus*	
77			鳊	*Parabramis pekinensis*	
78			团头鲂	*Megalobrama amblycephala*	
79			大鳞鲴	*Xenocypris macrolepis*	
80			云南鲴	*Xenocypris yunnanensis*	
81			大眼圆吻鲴	*Distoechodon macrophthalmus*	
82			鳙	*Hypophthalmichthys nobilis*	
83			鲢	*Hypophthalmichthys molitrix*	
84			黑鳍鳈	*Sarcocheilichthys nigripinnis*	
85			华坪点纹银鮈	*Squalidus wolterstorffi huapingensis*	
86			圆口铜鱼	*Coreius guichenoti*	
87			花䱻	*Hemibarbus maculatus*	
88			间䱻	*Hemibarbus medius*	
89			麦穗鱼	*Pseudorasbora parva*	
90			棒花鱼	*Abbotina rivularis*	
91			银鮈	*Squalidus argentatus*	
92			长鳍吻鮈	*Rhinogobio ventralis*	
93			裸腹片唇鮈	*Platysmacheilus nudiventris*	
94			云南小鳔鮈	*Microphysogobio yunnanensis*	
95			蛇鮈	*Saurogobio dabryi dabryi*	
96			程海蛇鮈	*Saurogobio dabryi chenghaiensis*	

（续）

序	目	科	种		保护等级
			中文名	拉丁名	
97	鲤形目 CYPRINIFORMES	鲤科 Cyprinidae	无斑蛇𬶋	*Saurogobio immaculatus*	
98			胡𬶋	*Huigobio chenhsienensis*	
99			异鳔鳅鮀	*Xenophysogobio boulengeri*	
100			南方鳅鮀	*Gobiobotia meridionalis*	
101			元江鳅鮀	*Gobiobotia yuanjiangensis*	
102			高体鳑鲏	*Rhodeus ocellatus*	
103			刺鳍鳑鲏	*Rhodeus spinalis*	
104			大鳍鱊	*Acheilognathus macropterus*	
105			越南鱊	*Acheilognathus tonkinensis*	
106			短须鱊	*Acheilognathus barbatulus*	
107			兴凯鱊	*Acheilognathus chankaensis*	
108			长身鱊	*Acheilognathus elongatus*	
109			小鳔鱊	*Acheilognathus microphysa*	
110			短尾鱊	*Acheilognathus brevicaudatus*	
111			小口猪嘴鲃	*Systomus orphoides*	
112			斑尾小鲃	*Puntius sophore*	
113			条纹小鲃	*Puntius semifasciolatus*	
114			异斑佩西鲃	*Pethia ticto*	
115			似野结鱼	*Tor tambroides*	
116			半刺结鱼	*Tor hemispinus*	
117			桥街结鱼	*Tor qiaojiensis*	
118			盈江结鱼	*Tor yingjiangensis*	
119			野结鱼	*Tor tambra*	
120			中国结鱼	*Tor sinensis*	
121			多鳞结鱼	*Tor polylepis*	
122			侧带结鱼	*Tor laterivittatus*	
123			云南瓣结鱼	*Folifer yunnanensis*	
124			瓣结鱼	*Folifer brevifilis*	
125			叶结鱼	*Parator zonatus*	
126			软鳍新光唇鱼	*Neolissochilus benasi*	
127			保山新光唇鱼	*Neolissochilus baoshanensis*	
128			异口新光唇鱼	*Neolissochilus heterostomus*	
129			小盘齿鲃	*Discherodontus parvus*	
130			大鳞高须鱼	*Hypsibarbus vernayi*	
131			油吻孔鲃	*Poropuntius exiguus*	

（续）

序	目	科	种		保护等级
			中文名	拉丁名	
132	鲤形目 CYPRINIFORMES	鲤科 Cyprinidae	颌突吻孔鲃	*Poropuntius cogginii*	
133			棱吻孔鲃	*Poropuntius carinatus*	
134			常氏吻孔鲃	*Poropuntius chonglingchungi*	
135			抚仙吻孔鲃	*Poropuntius fuxianhuensis*	
136			后鳍吻孔鲃	*Poropuntius opisthopterus*	
137			云南吻孔鲃	*Poropuntius huangchuchieni*	
138			鲂形吻孔鲃	*Poropuntius rhomboides*	
139			太平吻孔鲃	*Poropuntius margarianus*	
140			河口吻孔鲃	*Poropuntius krempfi*	
141			爪哇无名鲃	*Barbonymus gonionotus*	
142			裂峡鲃	*Hampala macrolepidota*	
143			刺鲃	*Spinibarbus cadweli*	
144			中华倒刺鲃	*Spinibarbus sinensis*	
145			倒刺鲃	*Spinibarbus denticulatus*	
146			云南倒刺鲃	*Spinibarbus yunnanensis*	
147			多鳞倒刺鲃	*Spinibarbus polylepis*	
148			异倒刺鲃	*Paraspinibarbus macracanthus*	
149			单纹似鳡	*Luciocyprinus langsoni*	省级
150			细纹似鳡	*Luciocyprinus striolatus*	
151			红鳍方口鲃	*Cosmochilus cardinalis*	
152			南腊方口鲃	*Cosmochilus nanlaensis*	
153			短吻鱼	*Sikukia gudgeri*	
154			长须短吻鱼	*Sikukia longibarbata*	
155			黄尾短吻鱼	*Sikukia flavicaudata*	
156			金沙鲈鲤	*Percocypris pingi*	
157			花鲈鲤	*Percocypris regani*	
158			后背鲈鲤	*Percocypris retrodorslis*	
159			云南光唇鱼	*Acrossocheilus yunnanensis*	
160			长鳍光唇鱼	*Acrossocheilus longipinis*	
161			多耙光唇鱼	*Acrossocheilus clivosius*	
162			小口光唇鱼	*Acrossocheilus microstoma*	
163			白甲鱼	*Onychostoma simum*	
164			细身白甲鱼	*Onychostoma elongatum*	
165			南方白甲鱼	*Onychostoma gerlachi*	
166			纺锤白甲鱼	*Onychostoma fusiforme*	

（续）

序	目	科	种		保护等级
			中文名	拉丁名	
167	鲤形目 CYPRINIFORMES	鲤科 Cyprinidae	细尾白甲鱼	*Onychostoma leptura*	
168			卵形白甲鱼	*Onychostoma ovale ovale*	
169			菱形白甲鱼	*Onychostoma ovale rhomboides*	
170			长鳍舟齿鱼	*Scaphiodonichthys macracanthus*	
171			少鳞舟齿鱼	*Scaphiodonichthys acanthopterus*	
172			短须圆唇鱼	*Cyclocheilichthys repasson*	
173			裸腹盲鲃	*Typhlobarbus nudiventris*	省级
174			长臀鲃	*Mystacoleucus marginatus*	
175			细尾长臀鲃	*Mystacoleucus lepturus*	
176			陆良金线鲃	*Sinocyclocheilus macroscalus*	
177			邱北金线鲃	*Sinocyclocheilus quibeiensis*	
178			狭孔金线鲃	*Sinocyclocheilus angustiporus*	
179			无眼金线鲃	*Sinocyclocheilus anophthalmus*	
180			滇池金线鲃	*Sinocyclocheilus grahami*	国家Ⅱ级
181			圭山金线鲃	*Sinocyclocheilus guishanensis*	
182			华宁金线鲃	*Sinocyclocheilus huaningensis*	
183			透明金线鲃	*Sinocyclocheilus hyalinus*	
184			旧城金线鲃	*Sinocyclocheilus jiuchengensis*	
185			侧条金线鲃	*Sinocyclocheilus lateristriatus*	
186			长鳍金线鲃	*Sinocyclocheilus longifinus*	
187			罗平金线鲃	*Sinocyclocheilus luopingensis*	
188			大头金线鲃	*Sinocyclocheilus macrocephalus*	
189			麻花金线鲃	*Sinocyclocheilus maculatus*	
190			麦田河金线鲃	*Sinocyclocheilus maitianheensis*	
191			软鳍金线鲃	*Sinocyclocheilus malacopterus*	
192			多斑金线鲃	*Sinocyclocheilus multipunctatus*	
193			尖头金线鲃	*Sinocyclocheilus oxycephalus*	
194			紫色金线鲃	*Sinocyclocheilus purpureus*	
195			犀角金线鲃	*Sinocyclocheilus rhinocerous*	
196			瓦状角金线鲃	*Sinocyclocheilus tileihornes*	
197			抚仙金线鲃	*Sinocyclocheilus tingi*	
198			乌蒙山金线鲃	*Sinocyclocheilus wumengshanensis*	
199			阳宗金线鲃	*Sinocyclocheilus yangzongensis*	
200			易门金线鲃	*Sinocyclocheilus yimenensis*	
201			原鲮	*Protolabeo protolabeo*	

（续）

序	目	科	种		保护等级
			中文名	拉丁名	
202	鲤形目 CYPRINIFORMES	鲤科 Cyprinidae	澜沧湄公鱼	*Mekongina lancangensis*	
203			皮氏野鲮	*Labeo pierrei*	
204			露斯塔野鲮	*Labeo rohita*	
205			桂孟加拉鲮	*Bangana decora*	
206			戴氏孟加拉鲮	*Bangana devdevi*	
207			元江孟加拉鲮	*Bangana lemassoni*	
208			脂孟加拉鲮	*Bangana lippa*	
209			河口孟加拉鲮	*Bangana tonkinensis*	
210			伍氏孟加拉鲮	*Bangana wui*	
211			黄颊孟加拉鲮	*Bangana xanthogenys*	
212			云南孟加拉鲮	*Bangana yunnanensis*	
213			朱氏孟加拉鲮	*Bangana zhui*	
214			长背鲃	*Labiobarbus lineatus*	
215			角鱼	*Akrokolioplax bicornis*	
216			卷口鱼	*Ptychidio jordani*	省级
217			单吻鱼	*Henicorhynchus lineatus*	
218			纹唇鱼	*Osteochilus salsburyi*	
219			唇鱼	*Semilabeo notabilis*	
220			暗色唇鱼	*Semilabeo obscurus*	省级
221			泉水鱼	*Pseudogyrinocheilus prochilus*	
222			舌唇鱼	*Lobocheilos melanotaenia*	
223			缅甸缨唇鲃	*Crossocheilus burmanicus*	
224			网纹缨唇鲃	*Crossocheilus reticulatus*	
225			鲮	*Cirrhinus molitorella*	
226			变形直口鲮	*Rectoris mutabilis*	
227			长鳍直口鲮	*Rectoris longifinus*	
228			三齿拟缨鱼	*Pseudocross ocheilus*	
229			五洛河盘唇鲮	*Discocheilus wuluoheensis*	
230			双棘墨头鱼	*Garra bispinosa*	
231			裂唇墨头鱼	*Garra findolabium*	
232			缺须墨头鱼	*Garra imberba*	
233			宜良墨头鱼	*Garra yiliangensis*	
234			小垫墨头鱼	*Garra micropulvinus*	
235			奇额墨头鱼	*Garra mirofronits*	
236			怒江墨头鱼	*Garra nujiangensis*	

（续）

序	目	科	种		保护等级
			中文名	拉丁名	
237	鲤形目 CYPRINIFORMES	鲤科 Cyprinidae	东方墨头鱼	*Garra orientalis*	
238			桥街墨头鱼	*Garra qiaojiensis*	
239			圆鼻墨头鱼	*Garra rotundinasus*	
240			萨尔温墨头鱼	*Garra salweenica*	
241			柬埔寨墨头鱼	*Garra cambodgiensis*	
242			腾冲墨头鱼	*Garra tengchongensis*	
243			独龙盆唇鱼	*Placocheilus dulongensis*	
244			纹尾盆唇鱼	*Placocheilus caudofasciatus*	
245			缺须盆唇鱼	*Placocheilus cryptonemus*	
246			双珠盘鮈	*Discogobio bismargaritus*	
247			短鳔盘鮈	*Discogobio brachyphysallidos*	
248			长体盘鮈	*Discogobio elongatus*	
249			宽头盘鮈	*Discogobio laticeps*	
250			长须盘鮈	*Discogobio longibarbatus*	
251			长鳔盘鮈	*Discogobio macrophysallidos*	
252			四须盘鮈	*Discogobio tetrabarbatus*	
253			云南盘鮈	*Discogobio yunnanensis*	
254			长丝裂腹鱼	*Schizothorax dolichonema*	
255			独龙裂腹鱼	*Schizothorax dulongensis*	
256			细身裂腹鱼	*Schizothorax elongatus*	
257			贡山裂腹鱼	*Schizothorax gongshanensis*	
258			昆明裂腹鱼	*Schizothorax grahami*	
259			灰裂腹鱼	*Schizothorax griseus*	
260			四川裂腹鱼	*Schizothorax kozlovi*	
261			厚唇裂腹鱼	*Schizothorax labrosus*	
262			澜沧裂腹鱼	*Schizothorax lantsangensis*	
263			鳞胸裂腹鱼	*Schizothorax lepidothorax*	
264			光唇裂腹鱼	*Schizothorax lissolabiata*	
265			软刺裂腹鱼	*Schizothorax malacanthus*	
266			南方裂腹鱼	*Schizothorax meridionalis*	
267			小口裂腹鱼	*Schizothorax microstomus*	
268			吸口裂腹鱼	*Schizothorax myzostomus*	
269			宁蒗裂腹鱼	*Schizothorax ninglangensis*	
270			怒江裂腹鱼	*Schizothorax nukiangensis*	
271			少鳞裂腹鱼	*Schizothorax oligolepis*	

（续）

序	目	科	种		保护等级
			中文名	拉丁名	
272	鲤形目 CYPRINIFORMES	鲤科 Cyprinidae	小裂腹鱼	*Schizothorax parva*	
273			大理裂腹鱼	*Schizothorax taliensis*	国家Ⅱ级
274			短须裂腹鱼	*Schizothorax wangchiachii*	
275			保山裂腹鱼	*Schizothorax yunnanensis paoshanensis*	
276			云南裂腹鱼	*Schizothorax yunnanensis*	
277			北盘裂腹鱼	*Schizothorax beipanensis*	
278			异鳔裂腹鱼	*Schizothorax heterophysallidos*	
279			裸腹裂腹鱼	*Schizothorax nudiventris*	
280			中甸叶须鱼	*Ptychobarbus chungtienensis*	
281			格咱叶须鱼	*Ptychobarbus chungtienensis gezaensis*	
282			裸腹叶须鱼	*Ptychobarbus kaznakovi*	
283			全裸重唇鱼	*Gymnodiptychus integrigymnatus*	
284			硬刺裸鲤	*Gymnocypris firmispinata*	
285			软刺裸裂尻鱼	*Schizopygopsis malacanthus*	
286			镰鲃鲤	*Puntioplites falcifer*	
287			爪哇鲃鲤	*Puntioplites waandersi*	
288			乌原鲤	*Procypris merus*	
289			岩原鲤	*Procypris rabaudi*	
290			鲤	*Cyprinus carpio*	
291			小鲤	*Cyprinus micristius*	
292			抚仙鲤	*Cyprinus fuxianensis*	省级
293			异龙鲤	*Cyprinus yilongensis*	
294			洱海鲤	*Cyprinus barbatus*	省级
295			华南鲤	*Cyprinus rubrofuscus*	
296			杞麓鲤	*Cyprinus carpio chilia*	
297			大眼鲤	*Cyprinus megalophthalmus*	
298			春鲤	*Cyprinus longipectoralis*	省级
299			大头鲤	*Cyprinus pellegrini*	国家Ⅱ级
300			云南鲤	*Cyprinus yunnanensis*	省级
301			大理鲤	*Cyprinus daliensis*	省级
302			翘嘴鲤	*Cyprinus ilishaectomus*	省级
303			鲫	*Carassius auratus auratus*	
304			白鲫	*Carassius auratus cuvieri*	
305		沙鳅科 Botiidae	伊洛瓦底沙鳅	*Botia histrionica*	
306			斑鳍连穗沙鳅	*Syncrossus beauforti*	

（续）

序	目	科	种		保护等级
			中文名	拉丁名	
307	鲤形目 CYPRINIFORMES	沙鳅科 Botiidae	缅甸连穗沙鳅	*Syncrossus berdmorei*	
308			黑线安巴沙鳅	*Ambastaia nigrolineata*	
309			壮体华沙鳅	*Sinibotia robusta*	
310			中华华沙鳅	*Sinibotia superciliaris*	
311			长腹华沙鳅	*Sinibotia longiventralis*	
312			长薄鳅	*Leptobotia elongata*	
313		鳅科 Cobitidae	马头鳅	*Acantopsis choirorhynchos*	
314			细头鳅	*Paralepidocephalus yui*	
315			伯氏似鳞头鳅	*Lepidocephalichthys berdmorei*	
316			赫氏似鳞头鳅	*Lepidocephalichthys hasselti*	
317			拟长鳅	*Acanthopsoides gracilis*	
318			泥鳅	*Misgurnus anguillicaudatus*	
319			大鳞副泥鳅	*Paramisgurnus dabryanus*	
320		条鳅科 Nemacheilidae	高体云南鳅	*Yunnanilus altus*	
321			长臀云南鳅	*Yunnanilus analis*	
322			巴江云南鳅	*Yunnanilus bajiangensis*	
323			北盘江云南鳅	*Yunnanilus beipanjiangensis*	
324			褚氏云南鳅	*Yunnanilus chui*	
325			异色云南鳅	*Yunnanilus discoloris*	
326			纺锤云南鳅	*Yunnanilus elakatis*	
327			叉尾云南鳅	*Yunnanilus forkicaudalis*	
328			干河云南鳅	*Yunnanilus ganheensis*	
329			长鳔云南鳅	*Yunnanilus longibulla*	
330			长背云南鳅	*Yunnanilus longidorsalis*	
331			鼓腹云南鳅	*Yunnanilus macrogaster*	
332			大斑云南鳅	*Yunnanilus macroistaius*	
333			大鳞云南鳅	*Yunnanilus macrolepis*	
334			南盘江云南鳅	*Yunnanilus nanpanjiangensis*	
335			黑体云南鳅	*Yunnanilus niger*	
336			黑斑云南鳅	*Yunnanilus nigromaculatus*	
337			牛栏云南鳅	*Yunnanilus niulanensis*	
338			钝吻云南鳅	*Yunnanilus obtusirostris*	
339			宽头云南鳅	*Yunnanilus pachycephalus*	
340			沼泽云南鳅	*Yunnanilus paludosus*	
341			小云南鳅	*Yunnanilus parvus*	

（续）

序	目	科	种		保护等级
			中文名	拉丁名	
342	鲤形目 CYPRINIFORMES	条鳅科 Nemacheilidae	侧纹云南鳅	*Yunnanilus pleurotaenia*	
343			横斑云南鳅	*Yunnanilus spanisbripes*	
344			阳宗海云南鳅	*Yunnanilus yanzonghaiensis*	
345			孟定新条鳅	*Neonoemacheilus mengdingensis*	
346			拟鳗荷马条鳅	*Homatula anguillioides*	
347			红尾荷马条鳅	*Homatula variegata*	
348			寡鳞荷马条鳅	*Homatula oligolepis*	
349			洱海荷马条鳅	*Homatula erhaiensis*	
350			尖头荷马条鳅	*Homatula acuticephalus*	
351			长背荷马条鳅	*Homatula longidorsalis*	
352			多鳞荷马条鳅	*Homatula pycnolepis*	
353			南盘江荷马条鳅	*Homatula nanpanjiangensis*	
354			无量荷马条鳅	*Homatula wuliangensis*	
355			长鳍原条鳅	*Protonemacheilus longipectoralis*	
356			大嘴南鳅	*Schistura mgastoma*	
357			多纹南鳅	*Schistura polytaenia*	
358			盈江南鳅	*Schistura yingjiangensis*	
359			白鼻南鳅	*Schistura albirostris*	
360			版纳南鳅	*Schistura bannaensis*	
361			短头南鳅	*Schistura breviceps*	
362			鼓颊南鳅	*Schistura bucculenta*	
363			美斑南鳅	*Schistura callichromus*	
364			叉尾南鳅	*Schistura caudofurca*	
365			锥吻南鳅	*Schistura conirostris*	
366			隐斑南鳅	*Schistura cryptofasciata*	
367			异斑南鳅	*Schistura disparizona*	
368			横纹南鳅	*Schistura fasciolatus*	
369			华坪南鳅	*Schistura huapingensis*	
370			湄南南鳅	*Schistura kengtungensis*	
371			克氏南鳅	*Schistura kloetzliae*	
372			宽纹南鳅	*Schistura latifasciatus*	
373			长南鳅	*Schistura longus*	
374			大头南鳅	*Schistura macrocephalus*	
375			大斑南鳅	*Schistura macrotaenia*	
376			云纹南鳅	*Schistura malaisei*	

（续）

序	目	科	种		保护等级
			中文名	拉丁名	
377	鲤形目 CYPRINIFORMES	条鳅科 Nemacheilidae	棒状南鳅	*Schistura pertica*	
378			密带南鳅	*Schistura poculi*	
379			宽带南鳅	*Schistura prolixifasciata*	
380			多鳞南鳅	*Schistura schultzi*	
381			锡克曼南鳅	*Schistura sikmaiensis*	
382			密纹南鳅	*Schistura vinciguerrae*	
383			瓦氏南鳅	*Schistura waltoni*	
384			波托斯南鳅	*Schistura porthos*	
385			双江游鳔条鳅	*Physoschistura shuangjiangensis*	
386			拉奥游鳔条鳅	*Physoschistura raoi*	
387			南方翅条鳅	*Pteronemacheilus meridionalis*	
388			异颌棱唇条鳅	*Sectoria heterognathos*	
389			戴氏山鳅	*Claea dabryi*	
390			阿庐高原鳅	*Triplophysa aluensis*	
391			短尾高原鳅	*Triplophysa brevicauda*	
392			抚仙高原鳅	*Triplophysa fuxianensis*	
393			个旧盲高原鳅	*Triplophysa gejiuensis*	省级
394			昆明高原鳅	*Triplophysa grahami*	
395			剑川高原鳅	*Triplophysa jianchuanensis*	
396			湖高原鳅	*Triplophysa lacustris*	
397			平头高原鳅	*Triplophysa laticeps*	
398			大斑高原鳅	*Triplophysa macromaculatus*	
399			大眼高原鳅	*Triplophysa macrophthalma*	
400			南盘江高原鳅	*Triplophysa nanpanjiangensis*	
401			宁蒗高原鳅	*Triplophysa ninglangensis*	
402			怒江高原鳅	*Triplophysa nujiangense*	
403			小高原鳅	*Triplophysa parvus*	
404			石林盲高原鳅	*Triplophysa shilinensis*	
405			邱北盲高原鳅	*Triplophysa qiubeiensis*	
406			细尾高原鳅	*Triplophysa stenura*	
407			秀丽高原鳅	*Triplophysa venusta*	
408			响水箐高原鳅	*Triplophysa xiangshuingensis*	
409			云南高原鳅	*Triplophysa yunnanensis*	
410			滇池球鳔鳅	*Sphaerophysa dianchiensis*	
411			沙棘鳅	*Acanthocobitis botia*	

（续）

序	目	科	种		保护等级
			中文名	拉丁名	
412	鲤形目 CYPRINIFORMES	爬鳅科 Balitoridae	四叶原缨口鳅	*Vanmanenia tetraloba*	
413			斑原缨口鳅	*Vanmanenia striata*	
414			平舟原缨口鳅	*Vanmanenia pingchowensis*	
415			条斑爬岩鳅	*Beaufortia zebroida*	
416			爬岩鳅	*Beaufortia leveretti*	
417			牛栏爬岩鳅	*Beaufortia niulanensis*	
418			多鳞爬岩鳅	*Beaufortia polylepis*	
419			圆体爬岩鳅	*Beaufortia cyclica*	
420			云南原爬鳅	*Balitoropsis yunnanensis*	
421			原爬鳅	*Balitoropsis vulgaris*	
422			犁头鳅	*Lepturichthys fimbriata*	
423			广西爬鳅	*Balitora kwangsiensis*	
424			澜沧江爬鳅	*Balitora lancangjiangensis*	
425			缅甸爬鳅	*Balitora burmanica*	
426			南汀爬鳅	*Balitora nantingensis*	
427			长须爬鳅	*Balitora longibarbata*	
428			长体间吸鳅	*Hemimyzon elongata*	
429			彭氏间吸鳅	*Hemimyzon pengi*	
430			张氏间吸鳅	*Hemimyzon tchangi*	
431			怒江间吸鳅	*Hemimyzon nujiangensis*	
432			大鳍间吸鳅	*Hemimyzon macroptera*	
433			盈江间吸鳅	*Hemimyzon yinjiangensis*	
434			大眼间吸鳅	*Hemimyzon megalopseos*	
435			矮身间吸鳅	*Hemimyzon pumilicorporora*	
436			中华金沙鳅	*Jinshaia sinensis*	
437			短身金沙鳅	*Jinshaia abbreviata*	
438			牛栏江金沙鳅	*Jinshaia nulanjingensis*	
439			云南爬岩鳅	*Paraprotomyzon yunnanensis*	
440			牛栏江似原吸鳅	*Paraprotomyzon niulanjiangensis*	
441			伍氏华吸鳅	*Sinogastromyzon wui*	
442			越南华吸鳅	*Sinogastromyzon tonkinensis*	
443			西昌华吸鳅	*Sinogastromyzon sichangensis*	
444			红河华吸鳅	*Sinogastromyzon chapaensis*	
445			李仙江华吸鳅	*Sinogastromyzon lixianjiangensis*	
446			大口华吸鳅	*Sinogastromyzon macrostoma*	

（续）

序	目	科	种		保护等级
			中文名	拉丁名	
447	鲤形目 CYPRINIFORMES	爬鳅科 Balitoridae	多斑华吸鳅	*Sinogastromyzon multiocellum*	
448			南盘江华吸鳅	*Sinogastromyzon nanpanjiangensis*	
449			德泽华吸鳅	*Sinogastromyzon dezeensis*	
450			长尾后平鳅	*Metahomaloptera longicauda*	
451			峨眉后平鳅	*Metahomaloptera omeiensis*	
452	鲇形目 SILURIFORMES	鲇科 Siluridae	鲇	*Silurus asotus*	
453			昆明鲇	*Silurus mento*	
454			抚仙鲇	*Silurus grahami*	
455			大口鲇	*Silurus meridionalis*	
456			越南隐鳍鲇	*Pterocryptis cochinchinensis*	
457			叉尾鲇	*Wallago attu*	
458			湄南细丝鲇	*Micronema moorei*	
459			缺须亮背鲇	*Phalacronotus apogon*	
460			滨河亮背鲇	*Phalacronotus bleekeri*	
461			湄公半鲇	*Hemisilurus mekongensis*	
462		胡子鲇科 Clariidae	蟾胡子鲇	*Clarias batrachus*	
463			胡子鲇	*Clarias fuscus*	
464			尖齿胡子鲇	*Clarias gariepinus*	
465		囊鳃鲇科 Heteropneustidae	印度囊鳃鲇	*Heteropneustes fossilis*	
466		锡伯鲇科 Schilbidae	长臀鲱鲇	*Clupisoma longianalis*	
467			云南鲱鲇	*Clupisoma yunnanense*	
468			中华鲱鲇	*Clupisoma sinensis*	
469		𩷶科 Pangasidae	长丝𩷶	*Pangasius sanitwangsei*	省级
470			短须拟𩷶	*Pseudolais micronemus*	
471			贾巴𩷶	*Pangasius djambal*	
472		长臀鮠科 Cranoglanididae	长臀鮠	*Cranoglanis bouderius*	
473			亨氏长臀鮠	*Cranoglanis henrici*	
474		粒鲇科 Akysidae	短须粒鲇	*Akysis brachybarbatus*	
475			中华拟魾	*Pseudobagarius sinensis*	
476		鲿科 Bagridae	黄颡鱼	*Pelteobagrus fulvidraco*	
477			瓦氏黄颡鱼	*Pelteobagrus vachelli*	
478			乌苏黄颡鱼	*Pelteobagrus ussuriensis*	
479			粗唇鮠	*Leiocassis crassilabris*	
480			叉尾鮠	*Leiocassis tenuifurcatus*	
481			条纹鮠	*Leiocassis virgatus*	

（续）

序	目	科	种		保护等级
			中文名	拉丁名	
482	鲇形目 SILURIFORMES	鲿科 Bagridae	短尾拟鲿	*Pseudobagrus brevicaudatus*	
483			长吻鮠	*Leiocassis longirostris*	
484			长须鮠	*Leiocassis longibarbus*	
485			越南拟鲿	*Pseudobagrus kyphus*	
486			中臀拟鲿	*Pseudobagrus medianalis*	
487			切尾拟鲿	*Pseudobagrus truncatus*	
488			凹尾拟鲿	*Pseudobagrus emarginatus*	
489			丝尾鳠	*Hemibagrus wyckioides*	
490			斑鳠	*Hemibagrus guttatus*	
491			红河鳠	*Hemibagrus hongus*	
492			越鳠	*Hemibagrus pluriradiatus*	
493			大鳍鳠	*Hemibagrus macropterus*	
494		钝头鮠科 Amblycipitidae	白缘鉠	Liobagrus marginatus	
495			黑尾鉠	*Liobagrus nigricauda*	
496			金氏鉠	*Liobagrus kingi*	
497			拟缘鉠	*Liobagrus marginatoides*	
498		鮡科 Sisoridae	魾	*Bagarius bagarius*	
499			巨魾	*Bagarius yarrelli*	
500			红魾	*Bagarius rutilus*	
501			长丝黑鮡	*Gagata dolichnema*	
502			缅甸纹胸鮡	*Glyptothorax burmanicus*	
503			德钦纹胸鮡	*Glyptothorax deqinensis*	
504			似亮背纹胸鮡	*Glyptothorax ngapang*	
505			异色纹胸鮡	*Glyptothorax fucatus*	
506			长须纹胸鮡	*Glyptothorax longinema*	
507			纺锤纹胸鮡	*Glyptothorax fuscus*	
508			粒线纹胸鮡	*Glyptothorax granosus*	
509			红河纹胸鮡	*Glyptothorax honghensis*	
510			间棘纹胸鮡	*Glyptothorax interspinalum*	
511			矛形纹胸鮡	*Glyptothorax lanceatus*	
512			老挝纹胸鮡	*Glyptothorax laosensis*	
513			长尾纹胸鮡	*Glyptothorax longicauda*	
514			龙江纹胸鮡	*Glyptothorax longjiangensis*	
515			大斑纹胸鮡	*Glyptothorax macromaculatus*	
516			细斑纹胸鮡	*Glyptothorax minimaculatus*	

（续）

序	目	科	种		保护等级
			中文名	拉丁名	
517	鲇形目 SILURIFORMES	鮡科 Sisoridae	斜斑纹胸鮡	*Glyptothorax obliquimaculatus*	
518			四斑纹胸鮡	*Glyptothorax quadriocellatus*	
519			中华纹胸鮡	*Glyptothorax sinensis*	
520			三线纹胸鮡	*Glyptothorax trilineatus*	
521			扎那纹胸鮡	*Glyptothorax zanaensis*	
522			似黄斑褶鮡	*Pseudecheneis sulcatoides*	
523			细尾褶鮡	*Pseudecheneis stenura*	
524			长鳍褶鮡	*Pseudecheneis longipectoralis*	
525			无斑褶鮡	*Pseudecheneis immaculate*	
526			平吻褶鮡	*Pseudecheneis paviei*	
527			少斑褶鮡	*Pseudecheneis paucipunctata*	
528			粗尾褶鮡	*Pseudecheneis brachyura*	
529			细身褶鮡	*Pseudecheneis gracilis*	
530			长须石爬鮡	*Chimarrichthys longibarbatus*	
531			长石爬鮡	*Chimarrichthys longus*	
532			中华鮡	*Pareuchiloglanis sinensis*	
533			大孔鮡	*Pareuchiloglanis macrotrema*	
534			长尾鮡	*Pareuchiloglanis longicauda*	
535			细尾鮡	*Pareuchiloglanis gracilicaudata*	
536			兰坪鮡	*Pareuchiloglanis myzostoma*	
537			短腹鮡	*Pareuchiloglanis abbreviata*	
538			长背鮡	*Pareuchiloglanis prolixdorsalis*	
539			短鳍异鮡	*Creteuchiloglanis brachypterus*	
540			大鳍异鮡	*Creteuchiloglanis macropterus*	
541			贡山异鮡	*Creteuchiloglanis gongshanensis*	
542			长胸异鮡	*Creteuchiloglanis longipectoralis*	
543			凿齿鮡	*Glaridoglanis andersonii*	
544			拟鰋	*Pseudexostoma yunnanensis*	
545			短体拟鰋	*Pseudexostoma brachysoma*	
546			长鳍拟鰋	*Pseudexostoma longipterus*	
547			大鳍异齿鰋	*Oreoglanis macropterus*	
548			显斑异齿鰋	*Oreoglanis insignis*	
549			穗缘异齿鰋	*Oreoglanis setigera*	
550			景东异齿鰋	*Oreoglanis jingdongensis*	
551			无斑异齿鰋	*Oreoglanis immaculatus*	

(续)

序	目	科	种		保护等级
			中文名	拉丁名	
552	鲇形目 SILURIFORMES	𩷶科 Sisoridae	藏𩼧	*Exostoma labiatum*	
553		甲鲇科 Loricariidae	下口鲇	*Hypostomus plecostomus*	
554		鮰科 Ictaluridae	斑点叉尾鮰	*Ictalurus punctatus*	
555			褐首鲇	*Ameiurus nebulosus*	
556	颌针鱼目 BELONIFORMES	怪颌鳉科 Adrianichthyidae	小青鳉	*Oryzias minutillus*	
557			中华青鳉	*Oryzias sinensis*	
558		颌针鱼科 Belonidae	似灰异齿颌针鱼	*Xenentodon canciloides*	
559		鱵科 Hemiramphidae	间下鱵鱼	*Hyporhamphus intermedius*	
560	鳉形目 CYPRINODONTIFORMES	胎鳉科 Poeciliidae	食蚊鱼	*Gambusia affinis*	
561	合鳃鱼目 SYNBRANCHIFORMES	合鳃鱼科 Synbranchidae	黄鳝	*Monopterus albus*	
562			山黄鳝	*Monopterus cuchia*	
563		刺鳅科 Mastacebelidae	大刺鳅	*Mastacembelus armatus*	
564	鲈形目 FERCIFORMES	鳜科 Sinipercidae	斑鳜	*Siniperca scherzeri*	
565			大眼鳜	*Siniperca knerii*	
566			鳜	*Siniperca chuatsi*	
567			中国少鳞鳜	*Coreperca whiteheadi*	
568		变色鲈科 Badidae	大盈江黛鲈	*Dario dayingensis*	
569		丽鱼科 Cichlidae	奥利亚罗非鱼	*Oreochromis aureus*	
570			莫桑比克罗非鱼	*Oreochromis mossambica*	
571			尼罗罗非鱼	*Oreochromis nilotica*	
572		沙塘鳢科 Odontobutidae	小黄黝鱼	*Micropercops swinhonis*	
573		鰕虎鱼科 Gobiidae	子陵吻鰕虎鱼	*Rhinogobius giurinus*	
574			波氏吻鰕虎鱼	*Rhinogobius cliffordpopei*	
575			褐吻鰕虎鱼	*Rhinogobius brunneus*	
576			红河吻鱼叚虎鱼	*Rhinogobius honghensis*	
577			颈斑吻鰕虎鱼	*Rhinogobius maculicervix*	
578			李氏吻鰕虎鱼	*Rhinogobius leavelii*	
579		攀鲈科 Anabantidae	攀鲈	*Anabas testudineus*	
580		斗鱼科 Belontiidae	叉尾斗鱼	*Macropodus opercularis*	
581			线足鲈	*Trichopodus trichopterus*	
582		鳢科 Channidae	带鳢	*Channa lucius*	
583			宽额鳢	*Channa gachua*	
584			乌鳢	*Channa argus*	
585			线鳢	*Channa striata*	

（续）

序	目	科	种		保护等级
			中文名	拉丁名	
586	鲈形目FERCIFORMES	鳢科 Channidae	月鳢	*Channa asiatica*	
587	鲀形目 TETRAODONTIFORMES	鲀科 Tetraodontidae	涠公鲀	*Pao turgidus*	
			（二）两栖类		
1	蚓螈目 GYMNOPHIONA	鱼螈科 Ichthyophidae	版纳鱼螈	*Ichthyophis bannanicus*	
2	有尾目 CAUDATA	小鲵科 Hynobiidae	山溪鲵	*Batrachuperus pinchonii*	
3		隐鳃鲵科 Cryptobranchidae	大鲵	*Andrias davidianus*	国家Ⅱ级
4		蝾螈科 Salamandridae	呈贡蝾螈	*Cynops chenggongensis*	
5			蓝尾蝾螈	*Cynops cyanurus*	
6			滇池蝾螈	*Cynops wolterstorffi*	国家Ⅱ级
7			贵州疣螈	*Tylototriton kweichowensis*	国家Ⅱ级
8			红瘰疣螈	*Tylototriton verrucosus*	国家Ⅱ级
9	无尾目 ANURA	盘舌蟾科 Discoglossidae	大蹼铃蟾	*Bombina maxima*	
10			微蹼铃蟾	*Bombina microdeladigitora*	
11		角蟾科 Megophryidae	平头短腿蟾	*Brachytarsophrys Platyparietus*	
12			菲氏短腿蟾	*Brachytarsophrys feae*	
13			哀牢髭蟾	*Vibrissaphora ailaonica*	
14			沙巴拟髭蟾	*Leptobrachium chapaensis*	
15			高山掌突蟾	*Leptolalax alpinus*	
16			掌突蟾	*Leptolalax pelodytoides*	
17			腹斑掌突蟾	*Leptolalax ventripunctatus*	
18			大围山角蟾	*Megophrys daweimontis*	
19			大花角蟾	*Megophrys giganticus*	
20			腺角蟾	*Megophrys glandulosa*	
21			景东角蟾	*Megophrys jingdongensis*	
22			白颌大角蟾	*Megophrys lateralis*	
23			小角蟾	*Megophrys minor*	
24			景东角蟾	*Megophrys jingdongensis*	
25			粗皮角蟾	*Megophrys palpebralespinosa*	
26			凹顶角蟾	*Megophrys parva*	
27			棘指角蟾	*Megophrys spinatus*	
28			无量山角蟾	*Megophrys wuliangshanensis*	
29			小口拟角蟾	*Ophryophryne microstoma*	
30			突肛拟角蟾	*Ophryophryne pachyproctus*	
31			棘疣齿蟾	*Oreolalax granulosus*	

（续）

序	目	科	种		保护等级
			中文名	拉丁名	
32	无尾目 ANURA	角蟾科 Megophryidae	平疣齿蟾	*Amolops tuberodepressus*	
33			疣刺齿蟾	*Oreolalax rugosus*	
34			乡城齿蟾	*Oreolalax xiangchengensis*	
35			胸腺齿突蟾	*Scutiger glandulatus*	
36			贡山齿突蟾	*Scutiger gongshanensis*	
37			刺胸齿突蟾	*Scutiger mammatus*	
38		蟾蜍科 Bufonidae	哀牢蟾蜍	*Bufo ailaoanus*	
39			华西蟾蜍	*Bufo andrewsi*	
40			隐耳蟾蜍	*Bufo cryptotympanicus*	
41			中华蟾蜍	*Bufo gargarizans*	
42			喜山蟾蜍	*Bufo himalayanus*	
43			黑眶蟾蜍	*Bufo melanostictus*	
44			西藏蟾蜍	*Bufo tibetanus*	
45			无棘溪蟾	*Torrentophryne aspinia*	
46			疣棘溪蟾	*Torrentophryne tuberospinia*	
47		雨蛙科 Hylidae	华西雨蛙	*Hyla annectans*	
48			贡山雨蛙	*Hyla gongshanensis*	
49		蛙科 Ranidae	西域湍蛙	*Amolops afghanus*	
50			片马湍蛙	*Amolops bellulus*	
51			沙巴湍蛙	*Amolops chapaensis*	
52			崇安湍蛙	*Amolops chunganensis*	
53			景东湍蛙	*Amolops jingdongensis*	
54			金江湍蛙	*Amolops jinjiangensis*	
55			突吻湍蛙	*Amolops macrorhynchus*	
56			勐养湍蛙	*Amolops mengyangensis*	
57			华南湍蛙	*Amolops ricketti*	
58			绿点湍蛙	*Amolops viridimaculatus*	
59			刘氏小岩蛙	*Micrixalus liui*	
60			腹斑倭蛙	*Nanorana ventripunctata*	
61			尖舌浮蛙	*Occidozyga lima*	
62			圆舌浮蛙	*Occidozyga martensii*	
63			缅北棘蛙	*Paa arnoldi*	
64			棘腹蛙	*Paa boulengeri*	
65			无声囊棘蛙	*Paa liui*	
66			花棘蛙	*Paa maculosa*	

（续）

序	目	科	种		保护等级
			中文名	拉丁名	
67	无尾目 ANURA	蛙科 Ranidae	棘胸蛙	*Paa spinosa*	
68			棘肛蛙	*Paa unculuanus*	
69			多疣棘蛙	*Paa verrucospinosa*	
70			双团棘胸蛙	*Paa yunnanensis*	
71			弹琴蛙	*Rana adenopleura*	
72			云南臭蛙	*Rana andersonii*	
73			版纳蛙	*Rana bannanica*	
74			牛蛙(外来物种)	*Rana catesbeiana*	
75			昭觉林蛙	*Rana chaochiaoensis*	
76			无指盘臭蛙	*Rana grahami*	
77			沼蛙	*Rana guentheri*	
78			大头蛙	*Rana kuhlii*	
79			泽蛙	*Rana limnocharis*	
80			江城蛙	*Rana lini*	
81			大绿臭蛙	*Rana livida*	
82			长趾蛙	*Rana macrodactyla*	
83			大耳臭蛙	*Rana macrotympana*	
84			黑斜线蛙	*Rana nigrolineata*	
85			黑斑蛙	*Rana nigromaculata*	
86			黑带蛙	*Rana nigrovittata*	
87			滇蛙	*Rana pleuraden*	
88			虎纹蛙	*Rana rugulosa*	国家Ⅱ级，CITES附录Ⅱ
89			黑耳蛙	*Rana varians*	
90			胫腺蛙	*Rana shuchinae*	
91			细线蛙	*Annandia delacouri*	
92			台北蛙	*Rana taipehensis*	
93			滇南臭蛙	*Rana tiannanensis*	
94			威宁蛙	*Rana weiningensis*	
95		树蛙科 Rhacophoridae	背条跳树蛙	*Chirixalus doriae*	
96			侧条跳树蛙	*Chirixalus vittatus*	
97			白斑小树蛙	*Philautus albopunctatus*	
98			锯腿小树蛙	*Kurixalus odontotarsus*	
99			黑眼睑小树蛙	*Philautus gracilipes*	
100			金秀小树蛙	*Philautus jinxiuensis*	
101			陇川小树蛙	*Philautus longchuanensis*	

（续）

序	目	科	种		保护等级
			中文名	拉丁名	
102	无尾目 ANURA	树蛙科 Rhacophoridae	勐腊小树蛙	*Philautus menglaensis*	
103			白颊小树蛙	*Philautus palpebralis*	
104			红吸盘小树蛙	*Philautus rhododiscus*	
105			杜氏泛树蛙	*Polypedates dugritei*	
106			棕褶泛树蛙	*Polypedates feae*	
107			斑腿泛树蛙	*Polypedates leucomystax*	
108			无声囊泛树蛙	*Polypedates mutus*	
109			屏边泛树蛙	*Polypedates pingbianensis*	
110			普洱泛树蛙	*Polypedates puerensis*	
111			贡山树蛙	*Rhacophorus gongshanensis*	
112			白颌大树蛙	*Rhacophorus maximus*	
113			黑点树蛙	*Rhacophorus nigropunctatus*	
114			峨眉树蛙	*Rhacophorus omeimontis*	
115			黑蹼树蛙	*Rhacophorus reinwardtii*	
116			红蹼树蛙	*Rhacophorus rhodopus*	
117		姬蛙科 Microhylidae	云南小狭口蛙	*Calluella yunnanensis*	
118			孟连细狭口蛙	*Kalophrynus menglianicus*	
119			花细狭口蛙	*Kalophrynus pleurostigma*	
120			花狭口蛙	*Kaloula pulchra*	
121			多疣狭口蛙	*Kaloula verrucosa*	
122			粗皮姬蛙	*Microhyla butleri*	
123			大姬蛙	*Microhyla fowleri*	
124			小弧斑姬蛙	*Microhyla heymonsi*	
125			德力姬蛙	*Microhyla inornata*	
126			饰纹姬蛙	*Microhyla ornata*	
127			花姬蛙	*Microhyla pulchra*	
			（三）爬行类		
1	龟鳖目 TESTUDINATA	平胸龟科 Platysternidae	平胸龟	*Platysternon megacephalum*	CITES 附录 I
2		龟科 Emydidae	乌龟	*Chinemys reevesii*	
3			黄喉拟水龟	*Clemmys mutica*	
4			马来闭壳龟	*Cuora amboinensis*	CITES 附录 II
5			潘氏闭壳龟	*Cuora pani*	CITES 附录 II
6			云南闭壳龟	*Cuora yunnanensis*	国家 II 级，CITES 附录II
7			齿缘摄龟	*Cyclemys dentata*	

（续）

序	目	科	种		保护等级
			中文名	拉丁名	
8	龟鳖目 TESTUDINATA	龟科 Emydidae	锯缘摄龟	*Pyxidea mouhotii*	CITES 附录Ⅱ
9			四眼斑水龟	*Sacalia quadriocellata*	
10			红耳龟(外来物种)	*Trachemys scripta*	
11		鳖科 Trionychidae	山瑞鳖	*Palea steindachneri*	国家Ⅱ级
12			中华鳖	*Pelodiscus sinensis*	
13			鼋	*Pelochelys bibroni*	国家Ⅰ级，CITES 附录Ⅱ
14			斯氏鳖(斑鳖)	*Rafetus swinhoei*	
15	有鳞目 SQUAMATA	鬣蜥科 Agamidae	长鬣蜥	*Physignathus cocincinus*	
16		巨蜥科 Varanidae	圆鼻巨蜥	*Varanus salvator*	国家Ⅰ级，CITES 附录Ⅱ
17			伊江巨蜥	*Varanus irrawadicus*	省级，CITES 附录Ⅱ
18		蜥蜴科 Lacertidae	北草蜥	*Takydromus septentrionalis*	
19			南草蜥	*Takydromus sexlineatus*	
20			峨眉地蜥	*Platyplacopus intermedius*	
21		石龙子科 Scincidae	中国石龙子	*Eumeces chinensis*	
22			蓝尾石龙子	*Eumeces elegans*	
23			长尾南蜥	*Mabuya longicaudata*	
24			多线南蜥	*Mabuya multifasciata*	
25			长肢滑蜥	*Scincella doria*	
26			山滑蜥	*Scincella monticola*	
27			昆明滑蜥	*Scincella barbouri*	
28			股鳞蜓蜥	*Sphenomorphus incognitus*	
29			蜓蜥	*Sphenomorphus indicus*	
30			斑蜓蜥	*Sphenomorphus maculatus*	
31			缅甸棱蜥	*Tropidophorus berdmorei*	
32		蛇蜥科 Anguidae	脆蛇蜥	*Ophisaurus harti*	
33			细蛇蜥	*Ophisaurus gracilis*	
34		闪鳞蛇科 Xenopeltidae	闪鳞蛇	*Xenopeltis unicolor*	
35		蟒蛇科 Boidae	蟒蛇	*Python molurus bivittatus*	国家Ⅰ级，CITES 附录Ⅰ
36		游蛇科 Colubridae	无颞鳞腹链蛇	*Amphiesma atemporalis*	
37			黑带腹链蛇	*Amphiesma bitaeniata*	
38			白眉腹链蛇	*Amphiesma boulengeri*	
39			锈链腹链蛇	*Amphiesma craspedogaster*	

（续）

序	目	科	种		保护等级
			中文名	拉丁名	
40	有鳞目 SQUAMATA	游蛇科 Colubridae	棕网腹链蛇	*Amphiesma johannis*	
41			卡西腹链蛇	*Amphiesma khasiensis*	
42			腹斑腹链蛇	*Amphiesma modesta*	
43			八线腹链蛇	*Amphiesma octolineata*	
44			丽纹腹链蛇	*Amphiesma optata*	
45			双带腹链蛇	*Amphiesma parallela*	
46			坡普腹链蛇	*Amphiesma popei*	
47			棕黑腹链蛇	*Amphiesma sauteri*	
48			草腹链蛇	*Amphiesma stolata*	
49			滇西蛇	*Atretium yunnanensis*	
50			金花蛇	*Chrysopelea ornata*	
51			翠青蛇	*Cyclophiops major*	
52			横纹翠青蛇	*Cyclophiops multicinctus*	
53			赤练蛇	*Dinodon rufozonatum*	
54			白链蛇	*Dinodon septentrionalis*	
55			紫灰锦蛇	*Elaphe porphyracea*	
56			黑眉锦蛇	*Elaphe taeniura*	
57			铅色水蛇	*Enhydris plumbea*	
58			白环蛇	*Lycodon aulicus*	
59			双全白环蛇	*Lycodon fasciatus*	
60			老挝白环蛇	*Lycodon laoensis*	
61			喜山小头蛇	*Oligodon albocinctus*	
62			方花小头蛇	*Oligodon bellus*	
63			中国小头蛇	*Oligodon chinensis*	
64			紫棕小头蛇	*Oligodon cinereus*	
65			管状小头蛇	*Oligodon cyclurus*	
66			台湾小头蛇	*Oligodon formosanus*	
67			昆明小头蛇	*Oligodon kunmingensis*	
68			圆斑小头蛇	*Oligodon lacroixi*	
69			山斑小头蛇	*Oligodon taeniatus*	
70			沙坝后棱蛇	*Opisthotropis jacobi*	
71			老挝后棱蛇	*Opisthotropis praemaxillaris*	
72			灰鼠蛇	*Ptyas korros*	
73			滑鼠蛇	*Ptyas mucosus*	
74			颈槽蛇	*Rhabdophis nuchalis*	

（续）

序	目	科	种		保护等级
			中文名	拉丁名	
75	有鳞目 SQUAMATA	游蛇科 Colubridae	喜山颈槽蛇	*Rhabdophis himalayanus*	
76			缅甸颈槽蛇	*Rhabdophis leonardi*	
77			黑纹颈槽蛇	*Rhabdophis nigrocinctus*	
78			红脖颈槽蛇	*Rhabdophis subminiatus*	
79			虎斑颈槽蛇	*Rhabdophis tigrinus*	
80			黄腹杆蛇	*Rhabdops bicolor*	
81			环纹华游蛇	*Sinonatrix aequifasciata*	
82			华游蛇	*Sinonatrix percarinata*	
83			云南华游蛇	*Sinonatrix yunnanensis*	
84			渔游蛇	*Xenochrophis piscator*	
85		眼镜蛇科 Elapidae	金环蛇	*Bungarus fasciatus*	
86			银环蛇	*Bungarus muliticinctus*	
87			丽纹蛇	*Calliophis macclellandi*	
88			孟加拉眼镜蛇	*Naja kaouthia*	CITES 附录Ⅱ
89			舟山眼镜蛇	*Naja altra*	CITES 附录Ⅱ
90			眼镜王蛇	*Ophiophagus hannah*	CITES 附录Ⅱ
91		蝰科 Viperidae	雪山蝮	*Gloydius monticla*	
92			白唇竹叶青	*Trimeresurus albolabris*	
93			竹叶青	*Trimeresurus stejnegeri*	
94			云南竹叶青蛇	*Trimeresurus yunnanensis*	
（四）鸟类					
1	鸊鷉目 PODICIPEDIFORMES	鸊鷉科 Podicipedidae	小鸊鷉	*Tachybaptus ruficollis*	
2			黑颈鸊鷉	*Podiceps nigricollis*	
3			凤头鸊鷉	*Podiceps cristatus*	
4	鹱形目 PROCELLARIIFORMES	鹱科 Procellariidae	纯褐鹱	*Bulweria bulwerii*	
5	鹈形目 PELECANIFORMES	鹈鹕科 Pelecanidae	斑嘴鹈鹕	*Pelecanus philippensis*	国家Ⅱ级
6		鸬鹚科 Phalacrocoracidae	［普通］鸬鹚	*Phalacrocorax carbo*	
7			斑头鸬鹚	*Phalacrocorax capillatus*	
8			黑颈鸬鹚	*Phalacrocorax niger*	国家Ⅱ级
9		蛇鹈科 Anhingas	黑腹蛇鹈	*Anhinga melanogaster*	
10	鹳形目 CICONIFORMES	鹭科 Ardeidae	苍鹭	*Ardea cinerea*	
11			草鹭	*Ardea purpurea*	
12			绿鹭	*Butorides striatus*	
13			池鹭	*Ardeola bacchus*	
14			牛背鹭	*Bubulcus ibis*	

（续）

序	目	科	种		保护等级
			中文名	拉丁名	
15	鹳形目 CICONIFORMES	鹭科 Ardeidae	大白鹭	*Egretta alba*	
16			白鹭	*Egretta garzetta*	
17			黄嘴白鹭	*Egretta eulophotes*	国家Ⅱ级
18			中白鹭	*Egretta intermedia*	
19			黑冠夜鹭	*Nycticorax nycticorax*	
20			海南鳽	*Gorsachius magnificus*	国家Ⅱ级
21			黑冠虎斑鳽	*Gorsachius melanolophus*	
22			小苇鳽	*Ixobrychus minutus*	国家Ⅱ级
23			黄斑苇鳽	*Ixobrychus sinensis*	
24			紫背苇鳽	*Ixobrychus eurhythmus*	
25			栗苇鳽	*Ixobrychus cinnamomeus*	
26			黑鳽	*Dupetor flavicollis*	
27			大麻鳽	*Botaurus stellaris*	
28		鹳科 Ciconiidae	白头鹮鹳	*Ibis leucocephalus*	国家Ⅱ级
29			东方白鹳	*Ciconia boyciana*	国家Ⅰ级，CITES附录Ⅰ
30			黑鹳	*Ciconia nigra*	国家Ⅰ级，CITES附录Ⅱ
31			白颈鹳	*Ciconia episcopus*	
32			秃鹳	*Leptoptilos javanicus*	
33			钳嘴鹳	*Anastomus oscitans*	
34		鹮科 Threskiornithidae	圣鹮	*Threskiornis aethiopicus*	国家Ⅱ级
35			黑鹮	*Pseudibis papillosa*	国家Ⅱ级
36			白琵鹭	*Platalea leucorodia*	国家Ⅱ级，CITES附录Ⅱ
37	雁形目 ANSERIFORMES	鸭科 Anatidae	鸿雁	*Anser cygnoides*	
38			豆雁	*Anser fabalis*	
39			小白额雁	*Anser erythropus*	
40			灰雁	*Anser anser*	
41			斑头雁	*Anser indicus*	
42			大天鹅	*Cygnus cygnus*	国家Ⅱ级
43			小天鹅	*Cygnus columbianus*	国家Ⅱ级
44			［栗］树鸭	*Dendrocygna javanica*	
45			赤麻鸭	*Tadorna ferruginea*	
46			翘鼻麻鸭	*Tadorna tadorna*	
47			针尾鸭	*Anas acuta*	
48			绿翅鸭	*Anas crecca*	

（续）

序	目	科	种		保护等级
			中文名	拉丁名	
49	雁形目 ANSERIFORMES	鸭科 Anatidae	花脸鸭	*Anas formosa*	CITES 附录 Ⅱ
50			罗纹鸭	*Anas falcata*	
51			绿头鸭	*Anas platyrhynchos*	
52			斑嘴鸭	*Anas poecilorhyncha*	
53			赤膀鸭	*Anas strepera*	
54			赤颈鸭	*Anas penelope*	
55			白眉鸭	*Anas querquedula*	
56			琵嘴鸭	*Anas clypeata*	
57			赤嘴潜鸭	*Netta rufina*	
58			红头潜鸭	*Aythya ferina*	
59			白眼潜鸭	*Aythya nyroca*	
60			青头潜鸭	*Aythya baeri*	
61			凤头潜鸭	*Aythya fuligula*	
62			斑背潜鸭	*Aythya marila*	
63			鸳鸯	*Aix galericulata*	国家 Ⅱ 级
64			棉凫	*Nettapus coromandelianus*	
65			瘤鸭	*Sarkidiornis melanotos*	CITES 附录Ⅱ
66			鹊鸭	*Bucephala clangula*	
67			斑头秋沙鸭	*Mergus albellus*	
68			中华秋沙鸭	*Mergus squamatus*	国家 Ⅰ 级
69			普通秋沙鸭	*Mergus merganser*	
70	隼形目 FALCONIFORMES	鹰科 Accipitridae	鹗	*Pandion haliaetus*	国家 Ⅱ 级 CITES 附录 Ⅱ
71	鹤形目 GRUIFORMES	鹤科 Gruidae	灰鹤	*Grus grus*	国家 Ⅱ 级， CITES 附录 Ⅱ
72			黑颈鹤	*Grus nigricollis*	国家 Ⅰ 级， CITES 附录 Ⅰ
73			白头鹤	*Grus monacha*	国家 Ⅰ 级， CITES 附录 Ⅰ
74			丹顶鹤	*Grus japonensis*	国家 Ⅰ 级， CITES 附录 Ⅰ
75			赤颈鹤	*Grus antigone*	国家 Ⅰ 级， CITES 附录 Ⅱ
76			蓑羽鹤	*Anthropoides virgo*	国家 Ⅱ 级， CITES 附录 Ⅱ
77		秧鸡科 Rallidae	普通秧鸡	*Rallus aquaticus*	
78			长脚秧鸡	*Crex crex*	国家 Ⅱ 级
79			蓝胸秧鸡	*Rallus striatus*	
80			白喉斑秧鸡	*Rallus eurizonoides*	

（续）

序	目	科	种		保护等级
			中文名	拉丁名	
81	鹤形目 GRUIFORMES	秧鸡科 Rallidae	小田鸡	*Porzana pusilla*	
82			红胸田鸡	*Porzana fusca*	
83			棕背田鸡	*Porzana bicolor*	国家Ⅱ级
84			花田鸡	*Porzana exquisita*	国家Ⅱ级
85			红脚苦恶鸟	*Amaurornis akool*	
86			白胸苦恶鸟	*Amaurornis phoenicurus*	
87			董鸡	*Gallicrex cinerea*	
88			黑水鸡	*Gallinula chloropus*	
89			紫水鸡	*Porphyrio porphyrio*	
90			骨顶鸡，白骨顶	*Fulica atra*	
91	鸻形目 CHARADRIIFORMES	雉鸻科 Jacanidae	铜翅水雉	*Metopidius indicus*	国家Ⅱ级
92			水雉	*Hydrophasianus chirurgus*	
93		彩鹬科 Rostratulidae	彩鹬	*Rostratula benghalensis*	
94		鸻科 Charadriidae	凤头麦鸡	*Vanellus vanellus*	
95			灰头麦鸡	*Vanellus cinereus*	
96			肉垂麦鸡	*Vanellus indicus*	
97			距翅麦鸡	*Vanellus duvaucelii*	
98			灰斑鸻	*Pluvialis squatarola*	
99			金斑鸻	*Pluvialis dominica*	
100			长嘴鸻	*Charadrius placidus*	
101			金眶鸻	*Charadrius dubius*	
102			环颈鸻	*Charadrius alexandrinus*	
103		鹬科 Scolopacidae	白腰杓鹬	*Numenius arquata*	
104			黑尾塍鹬	*Limosa limosa*	
105			鹤鹬	*Tringa erythropus*	
106			红脚鹬	*Tringa totanus*	
107			青脚鹬	*Tringa nebularia*	
108			白腰草鹬	*Tringa ochropus*	
109			林鹬	*Tringa glareola*	
110			矶鹬	*Tringa hypoleucos*	
111			翘嘴鹬	*Xenus cinereus*	
112			长嘴鹬	*Limnodromus scolopaceus*	
113			孤沙锥	*Capella solitaria*	
114			林沙锥	*Capella nemoricola*	
115			针尾沙锥	*Capella stenura*	

（续）

序	目	科	种		保护等级
			中文名	拉丁名	
116	鸻形目 CHARADRIIFORMES	鹬科 Scolopacidae	大沙锥	*Gallinago megala*	
117			扇尾沙锥	*Capella gallinago*	
118			丘鹬	*Scolopax rusticola*	
119			红胸滨鹬	*Calidris ruficollis*	
120			长趾滨鹬	*Calidris subminuta*	
121			乌脚滨鹬	*Calidris temminckii*	
122			尖尾滨鹬	*Calidris acuminata*	
123		反嘴鹬科 Recurvirostridae	鹮嘴鹬	*Ibidorhyncha struthersii*	
124			黑翅长脚鹬	*Himantopus himantopus*	
125			反嘴鹬	*Recurvirostra avosetta*	
126		瓣蹼鹬科 Phalaropodidae	红颈瓣蹼鹬	*Phalaropus lobatus*	
127		石鸻科 Burhinidae	石鸻	*Esacus magnirostris*	
128		燕鸻科 Glareolidae	普通燕鸻	*Glareola maldivarum*	
129			灰燕鸻	*Glareola lactea*	国家Ⅱ级
130	鸥形目 LARIFORMES	鸥科 Laridae	黑尾鸥	*Larus crassirostris*	
131			海鸥	*Larus canus*	
132			银鸥	*Larus argentatus*	
133			小黑背银鸥	*Larus fuscus*	
134			灰背鸥	*Larus schistisagus*	
135			渔鸥	*Larus ichthyaetus*	
136			遗鸥	*Larus relictus*	国家Ⅰ级，CITES 附录Ⅰ
137			红嘴鸥	*Larus ridibundus*	
138			棕头鸥	*Larus brunnicephalus*	
139			细嘴鸥	*Larus genei*	
140			黑嘴鸥	*Larus saundersi*	
141			三趾鸥	*Rissa tridactyla*	
142			须浮鸥	*Chlidonias hybrida*	
143			白翅浮鸥	*Chlidonias leucopterus*	
144			鸥嘴噪鸥	*Gelochelidon nilotica*	
145			普通燕鸥	*Sterna hirundo*	
146			红嘴巨燕鸥	*Sterna caspia*	
147			黄嘴河燕鸥	*Sterna aurantia*	国家Ⅱ级
148			黑腹燕鸥	*Sterna acuticauda*	
149			白额燕鸥	*Sterna albifrons*	

（续）

序	目	科	种		保护等级
			中文名	拉丁名	
150	鸮形目 STRIGIFORMES	鸱鸮科 Strigidae	马来渔鸮	*Ketupa ketupu*	国家Ⅱ级，CITES 附录Ⅱ
151			褐渔鸮	*Ketupa zeylonensis*	国家Ⅱ级，CITES 附录Ⅱ
152			黄脚渔鸮	*Ketupa flavipes*	国家Ⅱ级，CITES 附录Ⅱ
153	佛法僧目 CORACIIFORMES	翠鸟科 Alcedinidae	白胸翡翠	*Halcyon smyrnensis perpulchra*	
154			斑头大翠鸟	*Alcedo hercules*	
155			斑鱼狗	*Ceryle rudis*	
156			赤翡翠	*Halcyon coromanda*	
157			冠鱼狗	*Ceryle lugubris*	
158			鹳嘴翡翠	*Pelargopsis capensis*	国家Ⅱ级
159			蓝耳翠鸟	*Alcedo meninting*	国家Ⅱ级
160			蓝翡翠	*Halcyon pileata*	
161			普通翠鸟	*Alcedo atthis*	
162			三趾翠鸟	*Ceyx erithacus*	
（五）哺乳类					
1	食虫目 EULIPOTYPHLA	猬科 Erinaceidae	毛猬	*Hylomys suillus*	
2			鼩猬	*Neotetracus sinensis*	
3		鼩鼱科 Soricidae	微尾鼩	*Anourosorex squamipes*	
4			喜马拉雅水鼩	*Chimarrogale himalayica*	
5			灰腹水鼩	*Chimarrogale styani*	
6			蹼足鼩	*Nectogale elegans*	
7	翼手目 CHIROPTERA	蝙蝠科 Vespertilionidae	大足鼠耳蝠	*Myotis ricketti*	
8			华南水鼠耳蝠	*Myotis laniger*	
9	灵长目 PRIMATES	猴科 Cercopithecidae	短尾猴	*Macaca arctoides*	国家Ⅱ级，CITES 附录Ⅱ
10	食肉目 CANIVORA	犬科 Canidae	赤狐	*Vulpes vulpes*	
11			貉	*Nyctereutes procyonoides*	
12		熊科 Ursidae	棕熊	*Ursus arctos*	国家Ⅱ级，CITES 附录Ⅰ
13		鼬科 Mustelidae	黄鼬	*Mustela sibirica*	
14			黄腹鼬	*Mustela kathiah*	
15			水獭	*Lutra lutra*	国家Ⅱ级，CITES 附录Ⅱ
16			江獭	*Lutra perspicillata*	国家Ⅱ级，CITES 附录Ⅰ
17			小爪水獭	*Aonyx cinerea*	国家Ⅱ级，CITES 附录Ⅱ

（续）

序	目	科	种		保护等级
			中文名	拉丁名	
18	食肉目 CANIVORA	灵猫科 Viverridae	大灵猫	*Viverra zibetha*	国家Ⅱ级
19			小灵猫	*Viverricula indica*	国家Ⅱ级
20	长鼻目 PROBOSCIDEA	象科 Elephantidae	亚洲象	*Elephas maximus*	国家Ⅰ级
21	偶蹄目 ARTIODACTYLA	猪科 Suidae	野猪	*Sus scrofa*	
22		鼷鹿科 Tragulidae	威氏小鼷鹿	*Tragulus williamsoni*	国家Ⅰ级
23		鹿科 Cervidae	豚鹿	*Axis porcinus*	国家Ⅰ级
24			水鹿	*Rusa unicolor*	国家Ⅱ级
25		牛科 Bovidae	中华鬣羚	*Capricornis milneedwardsii*	国家Ⅱ级，CITES 附录Ⅰ
26			印度野牛	*Bos gaurus*	国家Ⅰ级，CITES 附录Ⅰ
27			爪哇野牛	*Bos javanicus*	
28	啮齿目 REDENTIA	鼠科 Rodentia	巢鼠	*Micromys minutus*	
29			澜沧江姬鼠	*Apodemus ilex*	
30			社鼠	*Niviventer confucianus*	
31			刺毛鼠	*Niviventer fulvescens*	
32			青毛硕鼠	*Berylmys bowersi*	
33			大泡硕鼠	*Berylmys berdmorei*	
34		仓鼠科 Cricetidae	麝鼠	*Ondatra zibethicus*	
35		豪猪科 Hystricidae	中国豪猪	*Hystrix hodgsoni*	
36	兔形目 LAGOMORPHA	兔科 Leporidae	云南兔	*Lepus comus*	
二、无脊椎动物					
（一）软体动物					
1	基眼目 BASOMMATOPHORA	扁蜷螺科 Planorbidae	白旋螺	*Gyraulus albus*	
2			扁旋螺	*Gyraulus compressus*	
3			凸旋螺	*Gyraulus convexiusculus*	
4			尖口圆扁螺	*Hippeutis cantori*	
5			大脐圆扁螺	*Hippeutis umbilicalis*	
6			半球多脉扁螺	*Polypylis hemisphaerula*	
7		膀胱螺科 Physidae	泉膀胱螺	*Physella fontinalis*	
8			尖膀胱螺	*Physella acuta*	
9		椎实螺科 Lymnaeidae	安氏土蜗	*Galba andersoniana*	
10			小土蜗	*Galba pervia*	
11			截口土埚	*Galba truncatula*	
12			印度扁蜷螺	*Indoplanorbis exustus*	
13			静水椎实螺	*Lymnaea stagnalis*	

（续）

序	目	科	种		保护等级
			中文名	拉丁名	
14	基眼目 BASOMMATOPHORA	椎实螺科 Lymnaeidae	尖萝卜螺	*Radix acuminata*	
15			扁桃萝卜螺	*Radix amygdalus*	
16			耳萝卜螺	*Radix auricularia*	
17			斗蓬萝卜螺	*Radix chlamys*	
18			霍氏萝卜螺	*Radix hookeri*	
19			污萝卜螺	*Radix impura*	
20			狭萝卜螺	*Radix lagotis*	
21			梯旋萝卜螺	*Radix latispira*	
22			琵琶萝卜螺	*Radix luteola*	
23			胖萝卜螺	*Radix ovalis*	
24			卵萝卜螺	*Radix ovata*	
25			延伸萝卜螺	*Radix patuila*	
26			长萝卜螺	*Radix pereger*	
27			折叠萝卜螺	*Radix plicatula*	
28			微红萝卜螺	*Radix rubiginosa*	
29			桔色萝卜螺	*Radix rufescens*	
30			泰国萝卜螺	*Radix siamensis*	
31			琥珀萝卜螺	*Radix succinea*	
32			椭圆萝卜螺	*Radix swinhoei*	
33			云南萝卜螺	*Radix yunnanensis*	
34	中腹足目 MESOGASTROPODA	厚唇螺科 Pachychilidae	云南赤蜷	*Brotia yunnanensis*	
35		豆螺科 Bithyniidae	德拉维豆螺	*Bithynia delavayana*	
36			赤豆螺	*Bithynia fuchsiana*	
37			槲豆螺	*Bithynia misella*	
38			纹沼螺	*Parafossarulus striatulus*	
39		短沟蜷科 Semisulcospiridae	尾鼻华沟蜷	*Hua telonaria*	
40			欧氏短沟蜷	*Semisulcospira aubryana*	
41			方格短沟蜷	*Semisulcospira cancellata*	
42			衰弱粗壳短沟蜷	*Semisulcospira debilis*	
43			美丽短沟蜷	*Semisulcospira dulcis*	
44			优雅短沟蜷	*Semisulcospira lauta*	
45			放逸短沟蜷	*Semisulcospira libertina*	
46			仙女短沟蜷	*Semisulcospira naiadarum*	
47			粗壳短沟蜷	*Semisulcospira scrupea*	
48			光滑短沟蜷	*Semisulcospira vultuosa*	

（续）

序	目	科	种		保护等级
			中文名	拉丁名	
49	中腹足目 MESOGASTROPODA	拟沼螺科 Assimineidae	琵琶拟沼螺	*Assiminea lutea*	
50			堇拟沼螺	*Assiminea violacea*	
51		盘螺科 Valvatidae	泸盘螺	*Valvata luguensis*	
52		跑螺科 Thiaridae	瘤拟黑螺	*Melanoides tuberculata*	
53			粗糙帆蜷	*Plotia scabra*	
54			斜粒粒蜷	*Tarebia granifera*	
55		瓶螺科 Pilaidae	球瓶螺	*Ampullaria globosa*	
56			光瓶螺	*Ampullaria polita*	
57			带瓶螺	*Ampullaria tischbeini*	
58			金苹果螺	*Pomacea canaliculata*	
59		田螺科 Viviparidae	尖龙骨角螺	*Angulyagra oxytropoides*	
60			多棱角螺	*Angulyagra polyzonata*	
61			铜锈环棱螺	*Bellamya aeruginosa*	
62			角形环棱螺	*Bellamya angularis*	
63			德拉维环棱螺	*Bellamya delavayana*	
64			双旋环棱螺	*Bellamya dispiralis*	
65			绘环棱螺	*Bellamya limnophila*	
66			环棱螺	*Bellamya maegryoides*	
67			曼洪环棱螺	*Bellamya manhongensis*	
68			梨形环棱螺	*Bellamya purificata*	
69			方形环棱螺	*Bellamya quadrata*	
70			膨胀圆田螺	*Cipangopaludina ampullacea*	
71			球圆田螺	*Cipangopaludina ampulliformis*	
72			欧氏圆田螺	*Cipangopaludina aubryana*	
73			中华圆田螺	*Cipangopaludina cathayensis*	
74			中国圆田螺	*Cipangopaludina chinensis*	
75			滇池圆田螺	*Cipangopaludina dianchiensis*	
76			河圆田螺	*Cipangopaludina fluminalis*	
77			赫氏圆田螺	*Cipangopaludina haasi*	
78			罐形圆田螺	*Cipangopaludina latissima*	
79			瓶圆田螺	*Cipangopaludina lecythis*	
80			似瓶圆田螺	*Cipangopaludina lecythoides*	
81			白口圆田螺	*Cipangopaludina leucostoma*	
82			勐腊圆田螺	*Cipangopaludina menglaensis*	
83			胀肚圆田螺	*Cipangopaludina ventricosa*	

（续）

序	目	科	种		保护等级
			中文名	拉丁名	
84	中腹足目 MESOGASTROPODA	田螺科 Viviparidae	云南圆田螺	*Cipangopaludina yunnanensis*	
85			克氏龙骨螺	*Fenouilia kreitneri*	
86			门河泰国田螺	*Filopaludina* (*Siamopaludina*) *martensi munensis*	
87			孟加拉色带田螺	*Filopaludina bengalensis*	
88			二肋螺蛳	*Margarya bicotata*	
89			长螺蛳	*Margarya elongata*	
90			方氏螺蛳	*Margarya francheti*	
91			光肋螺蛳	*Margarya mansuyi*	
92			螺蛳	*Margarya melanioides*	
93			牟氏螺蛳	*Margarya monodi*	
94			张氏螺蛳	*Margarya tchangsii*	
（二）虾、蟹类					
1	端足目 AMPHIPODA	钩虾科 Gammaridae	碧塔海钩虾	*Gammarus bitaensis*	
2			钩虾	*Gammarus sp.*	
3			钱氏钩虾	*Gammarus qiani*	
4			少刺钩虾	*Gammarus paucispinus*	
5	十足目 DECAPODA	螯虾科 Astacidae	克氏原螯虾	*Procambarus clarkii*	
6		匙指虾科 Atyidae	尖肢米虾	*Caridina acutipoda*	
7			版纳米虾	*Caridina bannica*	
8			滇池米虾	*Caridina dianchiensis*	
9			异齿米虾	*Caridina disparidentata*	
10			飞霞米虾	*Caridina feixiana*	
11			异指米虾	*Caridina heterodactyla*	
12			昆明米虾	*Caridina kunmingensis*	
13			禄丰米虾	*Caridina lufengensis*	
14			勐海米虾	*Caridina menghaiensis*	
15			蒙自米虾	*Caridina mongziensis*	
16			异龙米虾	*Caridina yilong*	
17			喻氏米虾	*Caridina yui*	
18			云南米虾	*Caridina yunnanensis*	
19			细足米虾	*Caridina nilotica gracilipes*	
20			中华新米虾	*Neocaridina sinensis*	
21			锯齿新米虾中华亚种	*Neocaridina denticulata sinensis*	
22			异足新米虾指名亚种	*Neocaridina heteropoda heteropoda*	

（续）

序	目	科	种		保护等级
			中文名	拉丁名	
23	十足目 DECAPODA	匙指虾科 Atyidae	柯氏新米虾	*Neocaridina keunbaei*	
24			尖肢华米虾	*Sinodina acutipoda*	
25			角肢华米虾	*Sinodina angulata*	
26			版纳华米虾	*Sinodina bannica*	
27			双刺华米虾	*Sinodina bispinosa*	
28			迪安华米虾	*Sinodina dianica*	
29			葛氏华米虾	*Sinodina grogoriana*	
30			异指华米虾	*Sinodina heterodactyla*	
31			狭掌华米虾	*Sinodina leptopropoda*	
32			丽江华米虾	*Sinodina lijiang*	
33			王台华米虾	*Sinodina wangtai*	
34			永胜华米虾	*Sinodina yongshengica*	
35			喻氏华米虾	*Sinodina yui*	
36		长臂虾科 Palaemonidae	秀丽白虾	*Exopalaemon modestus*	
37			胖掌沼虾	*Macrobrachium inflatum*	
38			扩手沼虾	*Macrobrachium amplimanus*	
39			粗糙沼虾	*Macrobrachium asperulum*	
40			毛螯沼虾	*Macrobrachium dienbienphuense*	
41			韩氏沼虾	*Macrobrachium hendersoni*	
42			江西沼虾	*Macrobrachium jiangxiense*	
43			日本沼虾	*Macrobrachium nipponense*	
44			毛手沼虾	*Macrobrachium pilimanus*	
45			多毛沼虾	*Macrobrachium pilosum*	
46			罗氏沼虾	*Macrobrachium rosenbergii*	
47			细螯沼虾	*Macrobrachium superbum*	
48			喻氏沼虾	*Macrobrachium yui*	
49			葛氏长臂虾	*Palaemon gravieri*	
50			中华小长臂虾	*Palaemonetes sinensis*	
51		束腹蟹科 Parathelphusidae	常氏束腰蟹	*Somanniathelphusa chongi*	
52			巨螯束腰蟹	*Somannuathelphusa megachela*	
53		溪蟹科 Potamidae	弓肢非拟溪蟹	*Aparapotamon arcuatum*	
54			无齿非拟溪蟹	*Aparapotamon grahami*	
55			肿掌非拟溪蟹	*Aparapotamon inflomanum*	
56			盘肢非拟溪蟹	*Aparapotamon molarum*	
57			突齿非拟溪蟹	*Aparapotamon protinum*	

（续）

序	目	科	种		保护等级
			中文名	拉丁名	
58	十足目 DECAPODA	溪蟹科 Potamidae	相似非拟溪蟹	*Aparapotamon similium*	
59			圆顶非拟溪蟹	*Aparapotamon tholosum*	
60			扁肢紧腹溪蟹	*Artopotamon compressum*	
61			白眼眶潭蟹	*Lacunipotamon albusorbitum*	
62			锐刺拟溪蟹	*Parapotamon spinescens*	
63			美丽仿拟溪蟹	*Parapotamonoides endymion*	
64			半月拟川蟹	*Pararanguna semilunatum*	
65			玉溪小巧溪蟹	*Parvuspotamon yuxiense*	
66			云龙溪蟹	*Poatmon yunlongense*	
67			沧源近溪蟹	*Potamiscus cangyuanensis*	
68			山区近溪蟹	*Potamiscus montosus*	
69			云南近溪蟹永胜亚种	*Potamiscus yunnanense yongshengense*	
70			云南近溪蟹指名亚种	*Potamiscus yunnanense yunnanense*	
71			安德森溪蟹	*Potamon andersonianum*	
72			长坡溪蟹	*Potamon changpoense*	
73			景洪溪蟹	*Potamon chinghungense*	
74			大围山溪蟹	*Potamon daweishanense*	
75			疣掌溪蟹	*Potamon edwardsi*	
76			艾氏溪蟹	*Potamon edwardsi*	
77			耿马溪蟹	*Potamon gengmaense*	
78			毛足溪蟹保山亚种	*Potamon hispidum boshanense*	
79			毛足溪蟹指名亚种	*Potamon hispidum hispidum*	
80			毛足溪蟹剑川亚种	*Potamon hispidum jianchuanense*	
81			河口溪蟹	*Potamon hokuoense*	
82			金平溪蟹	*Potamon jinpingense*	
83			胖溪蟹泸水亚种	*Potamon tumidum lushuiense*	
84			胖溪蟹腾冲亚种	*Potamon tumidum tengchongense*	
85			新平溪蟹	*Potamon xinpingense*	
86			紫小溪蟹	*Tenuipotamon purpura*	

附录3 云南重点调查湿地概况

一、基本情况

本次调查对省内符合以下条件之一的85处湿地进行了重点调查：

(1)已列入《湿地公约》的国际重要湿地名录的湿地；

(2)已列入《中国湿地保护行动计划》的国家重要湿地名录的湿地；

(3)已建立的各级各类自然保护区中的湿地；

(4)已建立的湿地公园中的湿地；

除以上条件之外，符合下列条件之一的湿地：

(1)分布有特有的濒危保护物种的湿地；

(2)面积≥10000公顷的湖泊湿地、沼泽湿地和水库；

(3)其他具有特殊保护意义的湿地。

重点调查湿地总面积为25.34万公顷，占全省湿地面积(56.35万公顷)的44.97%。在重点调查湿地中，自然湿地面积17.80万公顷，占重点调查湿地总面积的70.24%，人工湿地面积7.54万公顷，占重点调查湿地总面积的29.76%。在自然湿地中，河流湿地面积5.60万公顷，占重点调查湿地总面积的22.10%；湖泊湿地面积10.66万公顷，占重点调查湿地总面积的42.08%；沼泽湿地面积1.54万公顷，占重点调查湿地总面积的6.06%。附表1。

附表1 重点调查湿地按类型面积统计

湿地类	面积(公顷)	比例(%)	湿地型	面积(公顷)	比例(%)
河流湿地	55993.53	22.10	永久性河流	51548.45	20.35
			季节性或间歇性河流	61.27	0.02
			洪泛湿地	4315.35	1.70
			喀斯特溶洞湿地	68.46	0.03
湖泊湿地	106623.37	42.08	永久性淡水湖	106466.16	42.02
			季节性淡水湖	157.21	0.06
沼泽湿地	15352.25	6.06	草本沼泽	3386.60	1.34
			灌丛沼泽	1783.95	0.70
			森林沼泽	1573.42	0.62
			沼泽化草甸	8608.28	3.40
人工湿地	75399.17	29.76	库塘	75391.39	29.76
			运河/输水河	7.78	
合　计	253368.32	100	合　计	253368.32	100

二、重点调查湿地概况

1. 大山包国际重要湿地

大山包国际重要湿地重点调查湿地范围面积0.5958万公顷，湿地面积为0.1261万公顷，主要湿地类型为洪泛平原湿地、沼泽化草甸和库塘。地理坐标为东经103°14′50″～103°23′52″，北纬27°18′38″～27°28′42″；位于昭通市昭阳区内。

调查记录到湿地高等植物2门32科63属86种。记录到外来入侵植物2科2属2种。

湿地植被划分为1个植被型组，2个植被型，8个群系。

调查记录到脊椎动物5纲12目16科26种。其中，鱼类3目4科6种，两栖类1目4科4种，爬行类1目1科2种，鸟类4目4科9种，哺乳类3目3科5种。

记录到国家重点保护野生动物1种，为国家Ⅰ级保护鸟类。

于1994年建立省级自然保护区，2003年晋升为国家级自然保护区，受林业部门管理，成立了大山包黑颈鹤国家级自然保护区管理局管理机构。

主要受到水利工程、引排水工程、过度放牧、外来物种入侵等威胁。

2. 碧塔海国际重要湿地

碧塔海国际重要湿地重点调查湿地范围面积1.4133万公顷，湿地面积为0.0257万公顷，主要湿地类型为永久性淡水湖和沼泽化草甸。地理坐标东经99°54′12″～100°08′10″，北纬27°46′03″～27°57′21″；位于迪庆州香格里拉市内。

调查记录到湿地高等植物1门13科15属18种。

湿地植被划分为2个植被型组，3个植被型，4个群系。

调查记录到脊椎动物4纲10目16科25种。其中，鱼类1目2科2种，两栖类2目4科7种，鸟类2目2科3种，哺乳类5目8科13种。

记录到国家重点保护野生动物5种。其中，国家Ⅰ级保护野生动物1种，国家Ⅱ级保护野生动物4种。在国家重点保护野生动物中，湿地鸟类1种，为国家Ⅰ级保护鸟类。

于1984年建立省级自然保护区，受林业部门管理，成立了碧塔海省级自然保护区管理所管理机构。

主要受到过度放牧和旅游等威胁。

3. 纳帕海国际重要湿地

纳帕海国际重要湿地重点调查湿地范围面积0.3435万公顷，湿地面积为0.3236万公顷，主要湿地类型为永久性淡水湖和沼泽化草甸。地理坐标东经99°35′～99°40′，北纬27°47′～27°55′；位于迪庆州香格里拉市内。

调查记录到湿地高等植物1门21科42属52种。记录到外来入侵植物2科2属2种。

湿地植被划分为2个植被型组，3个植被型，6个群系。

调查记录到脊椎动物4纲15目22科47种。其中，鱼类1目2科5种，两栖类2目4科7种，

鸟类7目9科24种，哺乳类5目7科11种。

记录到国家重点保护野生动物4种。其中，国家Ⅰ级保护野生动物2种，国家Ⅱ级保护野生动物2种。在国家重点保护野生动物中，有湿地鸟类2种，全部为国家Ⅰ级保护鸟类。

于1984年建立省级自然保护区，受林业部门管理，成立了纳帕海省级自然保护区管理所。

主要受到围垦、污染、外来物种入侵、过度放牧、旅游等威胁。

4. 拉市海国际重要湿地

拉市海国际重要湿地重点调查湿地范围面积0.6523万公顷，湿地面积为0.1165万公顷，主要湿地类型为永久性淡水湖、草本沼泽和库塘。地理坐标东经100°06′~100°11′，北纬26°51′~26°55′；位于丽江市玉龙县内。

调查记录到湿地高等植物1门14科22属27种。

湿地植被划分为2个植被型组，5个植被型，11个群系。

调查记录到脊椎动物5纲19目28科63种。其中，鱼类5目7科15种，两栖类2目5科6种，爬行类1目2科3种，鸟类7目8科30种，哺乳类4目6科9种。

记录到国家重点保护野生动物4种。全部为国家Ⅱ级保护野生动物。在国家重点保护野生动物中，有湿地鸟类1种，为国家Ⅱ级保护鸟类。

于1998年建立省级自然保护区，受林业部门管理，成立了拉市海省级自然保护区管理局。

主要受到基建和城镇化、围垦、污染、过度放牧、外来物种入侵等威胁。

5. 会泽黑颈鹤栖息地国家重要湿地

会泽黑颈鹤栖息区国家重要湿地重点调查湿地范围面积1.2911万公顷，湿地面积为0.0716万公顷，主要湿地类型为永久性河流、季节性或间歇性河流、草本沼泽和库塘。地理坐标东经103°34′~103°38′，北纬26°38′~26°45′；位于曲靖市会泽县内。

调查记录到湿地高等植物2门26科47属61种。记录到外来入侵植物1科1属1种。

湿地植被划分为2个植被型组，5个植被型，8个群系。

调查记录到脊椎动物5纲17目28科58种。其中，鱼类4目6科13种，两栖类1目4科7种，爬行类1目2科3种，鸟类7目9科25种，哺乳类4目7科10种。

记录到国家重点保护野生动物3种。其中，国家Ⅰ级保护野生动物1种，国家Ⅱ级保护野生动物2种。在国家重点保护野生动物中，有湿地鸟类2种。其中，国家Ⅰ级保护鸟类1种，国家Ⅱ级保护鸟类1种。

记录到外来入侵动物1门1纲1目1科1种。其中，无脊椎动物1纲1目1科1种。

于1994年建立省级自然保护区，2006年晋升为国家级自然保护区，受林业部门管理，由会泽县林业局行使管理职能。

主要受基建和城镇化、过度放牧、外来物种入侵、水利负面影响、其他威胁等威胁。

6. 洱海国家重要湿地

洱海国家重要湿地重点调查湿地范围面积7.9700万公顷，湿地面积为2.5043万公顷，主要湿地类型为永久性淡水湖和草本沼泽。地理坐标东经100°05′~100°17′，北纬25°36′~25°58′；位于大理州大理市内。

调查记录到湿地高等植物1门13科21属22种。记录到外来入侵植物3科3属3种。

湿地植被划分为2个植被型组，5个植被型，8个群系。

调查记录到脊椎动物5纲17目24科60种。其中，鱼类5目8科30种，两栖类2目5科7种，爬行类1目2科3种，鸟类6目6科16种，哺乳类3目3科4种。

记录到国家重点保护野生动物2种，全部为国家Ⅱ级保护野生动物。

记录到外来入侵动物1门1纲1目1科1种。其中，无脊椎动物1纲1目1科1种。

于1994年建立国家级自然保护区，受环保部门管理，成立了云南大理苍山洱海国家级自然保护区管理局和洱海管理局。

主要受到基建和城镇化、泥沙淤积、污染、外来物种入侵等威胁。

7. 泸沽湖国家重要湿地

泸沽湖国家重要湿地重点调查湿地范围面积0.8133万公顷，湿地面积为0.2622万公顷，主要湿地类型为永久性淡水湖。地理坐标东经100°45′~100°51′，北纬27°41′~27°45′；位于云南、四川两省交界处，云南部分在丽江市宁蒗彝族自治县内。

调查记录到湿地高等植物1门15科25属26种。记录到外来入侵植物2科2属2种。

湿地植被划分为2个植被型组，4个植被型，6个群系。

调查记录到脊椎动物5纲10目15科43种。其中，鱼类2目4科12种，两栖类1目3科6种，爬行类1目2科3种，鸟类4目4科17种，哺乳类2目2科5种。未记录到国家重点保护野生动物。

于1986年建立省级自然保护区，受林业部门管理，成立了云南省泸沽湖省级自然保护区管理局。

主要受到外来物种入侵、水利负面影响、城镇化建设等威胁。

8. 滇池国家重要湿地

滇池国家重要湿地重点调查湿地范围面积2.9763万公顷，湿地面积为2.9763万公顷，主要湿地类型为永久性淡水湖。地理坐标东经102°37′~102°48′，北纬24°40′~25°02′；位于昆明市内。

调查记录到湿地高等植物1门10科11属11种。记录到外来入侵植物3科3属3种。

湿地植被划分为2个植被型组，4个植被型，6个群系。

调查记录到脊椎动物5纲20目31科76种。其中，鱼类5目10科34种，两栖类2目4科5种，爬行类1目2科3种，鸟类7目7科19种，哺乳类5目8科15种。

记录到国家重点保护野生动物4种，全部为国家Ⅱ级保护野生动物。

记录到外来入侵动物1门2纲2目2科2种。其中，无脊椎动物2纲2目2科2种。

受政府部门管理，成立了昆明市滇池管理局。

主要受到基建和城镇化、围垦、泥沙淤积、污染、外来物种入侵、水利负面影响等威胁。

9. 抚仙湖国家重要湿地

抚仙湖国家重要湿地重点调查湿地范围面积2.1604万公顷，湿地面积为2.1604万公顷，主要湿地类型为永久性淡水湖。地理坐标东经102°49′~102°58′，北纬24°21′~24°38′；位于玉溪市内。

调查记录到湿地高等植物1门11科15属18种。记录到外来入侵植物3科5属5种。

湿地植被划分为2个植被型组，2个植被型，6个群系。

调查记录到脊椎动物5纲17目29科66种。其中，鱼类7目12科39种，两栖类1目5科7种，爬行类1目2科2种，鸟类3目3科5种，哺乳类5目7科13种。

记录到国家重点保护野生动物2种，全部为国家Ⅱ级保护野生动物。

记录到外来入侵动物1门1纲1目1科1种，为无脊椎动物。

受林业部门管理，成立了抚仙湖保护管理局。

主要受到泥沙淤积、污染、外来物种入侵等威胁。

10. 异龙湖国家重要湿地

异龙湖国家重要湿地重点调查湿地范围面积0.3628万公顷，湿地面积为0.3628万公顷，主要湿地类型为永久性淡水湖和草本沼泽。地理坐标东经102°28′~102°38′，北纬23°38′~23°42′；位于红河州的石屏县内。

调查记录到湿地高等植物1门9科16属18种。记录到外来入侵植物4科5属5种。

湿地植被划分为1个植被型组，3个植被型，5个群系。

调查记录到脊椎动物5纲18目31科64种。其中，鱼类6目9科24种，两栖类1目4科7种，爬行类1目2科3种，鸟类5目8科16种，哺乳类5目8科14种。

记录到国家重点保护野生动物3种，全部为国家Ⅱ级保护野生动物。

记录到外来入侵动物1门1纲1目1科1种，为无脊椎动物。

受水务、环保、农业部门管理，成立了石屏县异龙湖管理局。

主要受到围垦、泥沙淤积、污染、外来物种入侵、水利负面影响等威胁。

11. 程海国家重要湿地

程海国家重要湿地重点调查湿地范围面积0.7589万公顷，湿地面积为0.7589万公顷，主要湿地类型为永久性淡水湖。地理坐标东经100°38′~100°41′，北纬26°27′~26°38′；位于丽江市永胜县内。

调查记录到湿地高等植物1门6科6属6种。

湿地植被划分为2个植被型组，2个植被型，3个群系。

调查记录到脊椎动物5纲17目28科48种。其中，鱼类5目10科21种，两栖类1目4科6种，爬行类1目2科3种，鸟类5目5科9种，哺乳类5目7科9种。

记录到国家重点保护野生动物1种，为国家Ⅱ级保护野生动物。

受政府部门管理，成立了永胜县程海管理局管理机构。

主要受到泥沙淤积、污染、外来物种入侵等威胁。

12. 西双版纳国家级自然保护区

西双版纳国家级自然保护区重点调查湿地范围面积24.2510万公顷，湿地面积为0.2740万公顷，主要湿地类型为永久性河流湿地、库塘湿地。地理坐标东经100°16′~101°50′，北纬21°10′~22°24′；位于西双版纳州境内。

调查记录到湿地高等植物1门6科9属9种。记录到外来入侵植物1科1属1种。

湿地植被划分为1个植被型组，3个植被型，3个群系。

调查记录到脊椎动物5纲15目45科132种。其中，鱼类6目20科59种，两栖类3目7科36种，爬行类2目12科31种，鸟类1目1科1种，哺乳类3目5科5种。

记录到国家重点保护野生动物10种。其中，国家Ⅰ级保护野生动物5种，国家Ⅱ级保护野生动物5种。

记录到外来入侵动物2门2纲2目2科2种。其中，无脊椎动物1纲1目1科1种。脊椎动物1纲1目1科1种。

于1958年建立国家级自然保护区，受林业部门管理，成立了西双版纳国家级自然保护区管理局。

主要受到建坝、垃圾污染威胁。

13. 南滚河国家级自然保护区

南滚河国家级自然保护区重点调查湿地范围面积5.0887万公顷，湿地面积为0.0301万公顷，主要湿地类型为永久性河流湿地、库塘湿地。地理坐标东经98°57′~99°26′，北纬23°09′~23°40′；位于云南省西南部，地跨临沧市的沧源佤族自治县和耿马傣族佤族自治县内。

调查记录到湿地高等植物2门9科10属10种。

湿地植被划分为1个植被型组，2个植被型，4个群系。

调查记录到脊椎动物4纲10目21科37种。其中，鱼类5目9科19种，两栖类1目2科5种，爬行类1目5科7种，哺乳类3目5科6种。

记录到国家重点保护野生动物5种。其中，国家Ⅰ级保护野生动物2种，国家Ⅱ级保护野生动物3种。

于1980年建立国家级自然保护区，受林业部门管理，成立了沧源南滚河国家级自然保护区管理局。

没有明显的威胁因子。

14. 高黎贡山国家级自然保护区

高黎贡山国家级自然保护区重点调查湿地范围面积40.5549万公顷，湿地面积为0.2851万公顷，主要湿地类型为永久性河流、永久性淡水湖和草本沼泽。地理坐标东经98°08′~98°50′，北纬24°56′~28°22′；位于怒江州的泸水县、福贡县、贡山县和保山市的隆阳区、腾冲市境内。

调查记录到湿地高等植物1门28科61属115种。记录到外来入侵植物1科1属1种。

湿地植被划分为2个植被型组，3个植被型，6个群系。

调查记录到脊椎动物5纲17目33科85种。其中，鱼类6目11科36种，两栖类2目7科14种，爬行类1目3科8种，鸟类2目2科4种，哺乳类6目10科23种。

记录到国家重点保护野生动物8种，全部为国家Ⅱ级保护野生动物。

于1983年建立省级自然保护区，1986年晋升为国家级自然保护区，受林业部门管理，成立了高黎贡山国家级自然保护区保山管理局和高黎贡山国家级自然保护区怒江管理局。

主要受到外来物种入侵威胁。

15. 白马雪山国家级自然保护区

白马雪山国家级自然保护区重点调查湿地范围面积28.1640万公顷，湿地面积为0.1203万公顷，主要湿地类型为永久性河流、永久性淡水湖、草本沼泽、灌丛沼泽、森林沼泽和沼泽化草甸。地理坐标东经98°57′~99°25′，北纬27°24′~28°36′；位于迪庆州德钦县和维西县境内。

调查记录到湿地高等植物4门25科38属42种。

湿地植被划分为3个植被型组，3个植被型，4个群系。

调查记录到脊椎动物3纲3目5科7种。其中，两栖类1目3科5种，爬行类1目1科1种，哺乳类1目1科1种。

记录到国家重点保护野生动物1种，为国家Ⅱ级保护野生动物。

于1983年建立省级自然保护区，1988年晋升为国家级自然保护区，受林业部门管理，成立了白马雪山国家级自然保护区管理局。

主要受到过度放牧威胁。

16. 哀牢山国家级自然保护区

哀牢山国家级自然保护区重点调查湿地范围面积6.7700万公顷，湿地面积为0.0375万公顷，主要湿地类型为永久性河流、草本沼泽、沼泽化草甸和人工库塘湿地。地理坐标东经100°44′~101°30′，北纬23°36′~24°56′；位于楚雄州的楚雄市、双柏县、南华县；思茅市的景东县、镇源县内。

调查记录到湿地高等植物1门11科15属16种。

湿地植被划分为1个植被型组，2个植被型，5个群系。

调查记录到脊椎动物4纲7目16科26种。其中，两栖类2目8科14种，爬行类1目3科5种，鸟类1目1科1种，哺乳类3目4科6种。

记录到国家重点保护野生动物3种，全部为国家Ⅱ级保护野生动物。在国家重点保护野生动物中，有湿地鸟类1种，为国家Ⅱ级保护鸟类。

记录到外来入侵动物1门1纲1目1科1种，为无脊椎动物。

1986年晋升为国家级自然保护区，受林业部门管理，成立了楚雄、双柏、南华、景东、镇源、新平6个管理分局。

主要受到外来物种入侵威胁。

17. 文山国家级自然保护区

文山国家级自然保护区重点调查湿地范围面积2.6867万公顷，湿地面积为0.0064万公顷，主要湿地类型为永久性河流、草本沼泽、沼泽化草甸和人工库塘湿地。地理坐标东经103°53′~104°52′，北纬23°16′~23°25′；位于文山州的文山县和西畴县内。

调查记录到湿地高等植物1门4科5属6种。

湿地植被划分为1个植被型组，2个植被型，2个群系。

调查记录到脊椎动物4纲10目29科76种。其中，鱼类4目14科43种，两栖类2目8科22种，爬行类2目5科9种，哺乳类2目2科2种。

记录到国家重点保护野生动物5种。其中，国家Ⅰ级保护野生动物1种，国家Ⅱ级保护野生动物4种。

于1986年建立省级自然保护区，2003年晋升为国家级自然保护区，受林业部门管理，成立了文山国家级自然保护区管理局。

没有明显的威胁因子。

18. 黄连山国家级自然保护区

黄连山国家级自然保护区重点调查湿地范围面积6.5058万公顷，湿地面积为0.0528万公顷，主要湿地类型为永久性河流和人工库塘湿地。地理坐标东经102°03′33.5″~102°36′59″，北纬22°30′18.9″~22°55′35.7″；位于红河州绿春县境内。

调查记录到湿地高等植物2门28科72属79种。国家重点保护野生植物1种，全部为国家Ⅱ级保护野生植物。记录到外来入侵植物3科5属5种。

湿地植被划分为2个植被型组，4个植被型，14个群系。

调查记录到脊椎动物4纲11目31科103种。其中，鱼类5目13科53种，两栖类2目7科30种，爬行类2目8科17种，哺乳类2目3科3种。

记录到国家重点保护野生动物6种。其中，国家Ⅰ级保护野生动物3种，国家Ⅱ级保护野生动物3种。

于1983年建立省级自然保护区，2003年晋升为国家级自然保护区，受林业部门管理，成立了黄连山国家级自然保护区管理局。

没有明显的威胁因子。

19. 大围山国家级自然保护区

大围山国家级自然保护区重点调查湿地范围面积4.3993万公顷，湿地面积为0.0146万公顷，主要湿地类型为永久性河流。地理坐标东经103°20′~104°03′，北纬22°35′~23°07′；位于红河州屏边、河口、蒙自、个旧四县(市)内。

调查记录到湿地高等植物2门5科6属6种。记录到外来入侵植物1科1属1种。

湿地植被划分为1个植被型组，2个植被型，3个群系。

调查记录到脊椎动物5纲14目35科107种。其中，鱼类5目15科50种，两栖类2目7科

29种，爬行类2目8科21种，鸟类3目3科5种，哺乳类2目2科2种。

记录到国家重点保护野生动物5种。其中，国家Ⅰ级保护野生动物2种，国家Ⅱ级保护野生动物3种。

记录到外来入侵动物1门1纲1目1科1种，为无脊椎动物。

于1986年建立省级自然保护区，2001年晋升为国家级自然保护区，受林业部门管理，成立了屏边、河口管理分局和个旧、蒙自管理所。

没有明显的威胁因子。

20. 金平分水岭国家级自然保护区

金平分水岭国家级自然保护区重点调查湿地范围面积4.2027万公顷，湿地面积为0.0141万公顷，主要湿地类型为永久性河流。地理坐标东经102°31′36″~103°31′50″，北纬22°26′36″~22°57′44″；位于红河州金平县境内。

调查记录到湿地高等植物2门13科25属29种。

湿地植被划分为1个植被型组，2个植被型，10个群系。

调查记录到脊椎动物4纲10目20科45种。其中，鱼类4目7科13种，两栖类2目6科19种，爬行类2目5科11种，哺乳类2目2科2种。

记录到国家重点保护野生动物5种。其中，国家Ⅰ级保护野生动物1种，国家Ⅱ级保护野生动物4种。

记录到外来入侵动物1门1纲1目1科1种，为无脊椎动物。

于1986年建立省级自然保护区，2001年晋升为国家级自然保护区，受林业部门管理，成立了金平分水岭国家级自然保护区管理局。

主要受到外来入侵植物威胁。

21. 无量山国家级自然保护区

无量山国家级自然保护区重点调查湿地范围面积3.0938万公顷，湿地面积为0.0043万公顷，主要湿地类型为永久性河流和沼泽化草甸。地理坐标东经100°19′~100°45′，北纬24°17′~24°55′；位于普洱市景东县和大理州南涧县内。

调查记录到湿地高等植物1门13科16属17种。记录到外来入侵植物1科1属1种。

湿地植被划分为1个植被型组，1个植被型，5个群系。

调查记录到脊椎动物4纲6目19科59种。其中，两栖类2目8科31种，爬行类1目7科22种，鸟类1目2科4种，哺乳类2目2科2种。

记录到国家重点保护野生动物3种。其中，国家Ⅰ级保护野生动物1种，国家Ⅱ级保护野生动物2种。

于1986年建立省级自然保护区，2000年晋升为国家级自然保护区，受林业部门管理，成立了无量山国家级自然保护区景东管理局和无量山国家级自然保护区南涧管理局。

主要受到外来物种入侵威胁。

22. 药山国家级自然保护区

药山国家级自然保护区重点调查湿地范围面积2.0141万公顷，湿地面积为0.1674万公顷，主要湿地类型为永久性河流和沼泽化草甸。地理坐标东经102°57′47″～103°10′13″，北纬26°50′38″～27°25′31″；位于昭通市巧家县境内

调查记录到湿地高等植物1门25科52属64种。

湿地植被划分为3个植被型组，4个植被型，6个群系。

调查记录到脊椎动物3纲7目13科28种。其中，两栖类1目3科7种，爬行类1目1科4种，哺乳类5目9科17种。

记录到国家重点保护野生动物5种，全部为国家Ⅱ级保护野生动物。

于1984年建立省级自然保护区，2005年晋升为国家级自然保护区，受林业部门管理，成立了药山国家级自然保护区管理局。

没有明显的威胁因子。

23. 大山包黑颈鹤国家级自然保护区

大山包黑颈鹤国家级自然保护区重点调查湿地范围面积1.92万公顷，湿地面积为0.0492万公顷，主要湿地类型为永久性河流、洪泛平原湿地和沼泽化草甸。地理坐标东经103°14′55″～103°23′49″，北纬27°18′38″～27°29′15″；位于昭通市昭阳区境内。

调查记录到湿地高等植物2门32科63属85种。记录到外来入侵植物2科2属2种。

湿地植被划分为1个植被型组，2个植被型，8个群系。

调查记录到脊椎动物4纲9目12科20种。其中，两栖类1目4科4种，爬行类1目1科2种，鸟类4目4科9种，哺乳类3目3科5种。

记录到国家重点保护野生动物1种，为国家Ⅰ级保护野生动物，即湿地鸟类黑颈鹤。

于1994年建立省级自然保护区，2003年晋升为国家级自然保护区，受林业部门管理，成立了大山包黑颈鹤国家级自然保护区管理局。

主要受到无序旅游、过度放牧及生产生活污染威胁。

24. 永德大雪山国家级自然保护区

永德大雪山国家级自然保护区重点调查湿地范围面积1.7541万公顷，湿地面积为0.0067万公顷，主要湿地类型为永久性河流湿地和草本沼泽。地理坐标东经99°33′50″～99°43′53″，北纬24°01′26″～24°11′50″；位于临沧市永德县境内。

调查记录到湿地高等植物1门7科7属8种。记录到外来入侵植物1科1属1种。

湿地植被划分为1个植被型组，1个植被型，2个群系。

调查记录到脊椎动物3纲6目10科15种。其中，两栖类2目3科6种，爬行类1目3科5种，哺乳类3目4科4种。

记录到国家重点保护野生动物3种，全部为国家Ⅱ级保护野生动物。

于1986年建立省级自然保护区，2006年晋升为国家级自然保护区，受林业部门管理，成立

了永德县大雪山国家级自然保护区管理局。

主要受到外来物种入侵威胁。

25. 纳板河流域国家级自然保护区

纳板河流域国家级自然保护区重点调查湿地范围面积2.6600万公顷，湿地面积为0.0573万公顷，主要湿地类型为永久性河流湿地和人工库塘湿地。地理坐标东经100°32′~100°44′，北纬22°04′~22°17′；位于西双版纳州景洪市和勐海县境内。

调查记录到湿地高等植物2门8科10属10种。记录到外来入侵植物1科1属1种。

湿地植被划分为1个植被型组，3个植被型，3个群系。

调查记录到脊椎动物3纲8目22科53种。其中，两栖类3目5科17种，爬行类2目12科31种，哺乳类3目5科5种。

记录到国家重点保护野生动物9种。其中，国家Ⅰ级保护野生动物5种，国家Ⅱ级保护野生动物4种。

记录到外来入侵动物1门1纲1目1科1种，为无脊椎动物。

于1991年建立省级自然保护区，2006年晋升为国家级自然保护区，受环保部门管理，成立了纳板河国家级自然保护区管理局。

主要受到外来物种入侵威胁。

26. 轿子山国家级自然保护区

轿子山国家级自然保护区重点调查湿地范围面积1.6456万公顷，湿地面积为0.0025万公顷，主要湿地类型为沼泽化草甸湿地。地理坐标东经102°48′49″~102°58′50″，北纬26°00′23″~26°10′20″；位于昆明市禄劝县和东川区内。

调查记录到湿地高等植物2门32科59属77种。

湿地植被划分为1个植被型组，1个植被型，2个群系。

调查记录到脊椎动物3纲4目9科21种。其中，两栖类1目5科12种，爬行类1目2科6种，哺乳类2目2科3种。

于1994年建立省级自然保护区，2011年晋升为国家级自然保护区，受林业部门管理，成立了昆明倘甸产业园区、昆明轿子山旅游开发区管理委员会。

主要受到过度放牧、旅游垃圾污染威胁。

27. 云龙天池国家级自然保护区

云龙天池国家级自然保护区重点调查湿地范围面积1.4475万公顷，湿地面积为0.024万公顷，主要湿地类型为永久性河流、永久性淡水湖和草本沼泽。地理坐标东经99°11′36″~99°20′34″，北纬25°49′48″~26°14′16″；位于大理州云龙县境内。

调查记录到湿地高等植物1门16科21属21种。记录到外来入侵植物1科1属1种。

湿地植被划分为1个植被型组，2个植被型，2个群系。

调查记录到脊椎动物5纲8目13科25种。其中，鱼类1目1科6种，两栖类1目4科6种，

爬行类1目2科4种，鸟类1目1科2种，哺乳类4目5科7种。

于1986年建立省级自然保护区，2011年晋升为国家级自然保护区，受林业部门管理，成立了云龙天池国家级自然保护区管理局。

主要受到外来物种入侵及过度放牧等威胁。

28. 元江国家级自然保护区

元江国家级自然保护区重点调查湿地范围面积2.2300万公顷，湿地面积为0.0209万公顷，主要湿地类型为永久性河流和人工库塘湿地。地理坐标东经101°21′24″～102°21′12″，北纬23°19′12″～23°46′12″；位于玉溪市元江县境内。

调查记录到脊椎动物5纲15目33科82种。其中，鱼类5目12科41种，两栖类2目7科12种，爬行类1目3科5种，鸟类1目1科1种，哺乳类6目10科23种。

记录到国家重点保护野生动物7种，全部为国家Ⅱ级保护野生动物。

记录到外来入侵动物1门1纲1目1科1种，为无脊椎动物。

于2002年建立省级自然保护区，2012年晋升为国家级自然保护区，受林业部门管理，成立了元江国家级自然保护区管理局。

主要受到外来物种入侵威胁。

29. 长江上游珍稀特有鱼类国家级自然保护区

长江上游珍稀特有鱼类国家级自然保护区重点调查湿地范围面积0.0724万公顷，湿地面积为0.0718万公顷，主要湿地类型为永久性河流湿地。地理坐标东经104°18′～105°08′，北纬27°17′～27°45′；位于昭通市威信县和镇雄县境内。

调查记录到湿地高等植物2门25科45属54种。记录到外来入侵植物4科4属4种。

湿地植被划分为2个植被型组，3个植被型，6个群系。

调查记录到脊椎动物4纲9目20科44种。其中，鱼类3目8科21种，两栖类1目4科6种，爬行类1目2科5种，哺乳类4目6科12种。

记录到国家重点保护野生动物5种。其中，国家Ⅰ级保护野生动物2种，国家Ⅱ级保护野生动物3种。

2006年晋升为国家级自然保护区，受农业部门管理，成立了长江上游珍稀、特有鱼类国家级自然保护区镇雄管理站、威信管理站。

主要受到生活污水和工业污染威胁。

30. 哈巴雪山省级自然保护区

哈巴雪山省级自然保护区重点调查湿地范围面积2.1908万公顷，湿地面积为0.0143万公顷，主要湿地类型为永久性河流、永久性淡水湖和沼泽化草甸。地理坐标东经100°02′18″～100°14′30″，北纬27°10′00″～27°24′28″；位于迪庆州香格里拉市内。

调查记录到湿地高等植物1门7科10属10种。

湿地植被划分为2个植被型组，2个植被型，2个群系。

调查记录到脊椎动物3纲8目17科31种。其中，两栖类2目4科8种，爬行类1目2科3种，哺乳类5目11科20种。

记录到国家重点保护野生动物5种，全部为国家Ⅱ级保护野生动物。

于1984年建立省级自然保护区，受林业部门管理，成立了哈巴雪山省级自然保护区管理所。

主要受到过度放牧和非法采矿威胁。

31. 玉龙雪山省级自然保护区

玉龙雪山省级自然保护区重点调查湿地范围面积2.6000万公顷，湿地面积为0.0941万公顷，主要湿地类型为永久性河流湿地、森林沼泽湿地和沼泽化草甸。地理坐标东经100°04′10″～100°16′30″，北纬27°03′20″～27°40′00″；位于丽江市玉龙县境内。

调查记录到湿地高等植物2门23科34属38种。

湿地植被划分为3个植被型组，3个植被型，6个群系。

调查记录到脊椎动物4纲8目14科25种。其中，两栖类2目6科10种，爬行类1目2科6种，鸟类2目2科3种，哺乳类3目4科6种。

记录到国家重点保护野生动物1种，为国家Ⅱ级保护野生动物。

于1984年建立省级自然保护区，受林业部门管理，成立了玉龙雪山省级自然保护区管理局。

主要受到旅游污染和过度放牧威胁。

32. 观音山省级自然保护区

观音山省级自然保护区重点调查湿地范围面积1.6187万公顷，湿地面积为0.0042万公顷，主要湿地类型为永久性河流。地理坐标东经102°43′～103°13′，北纬22°51′～23°16′；位于红河州元阳县境内。

调查记录到湿地高等植物1门10科18属19种。

湿地植被划分为1个植被型组，3个植被型，5个群系。

调查记录到脊椎动物3纲7目24科117种。其中，两栖类3目9科76种，爬行类2目12科35种，哺乳类2目3科6种。

记录到国家重点保护野生动物12种。其中，国家Ⅰ级保护野生动物3种，国家Ⅱ级保护野生动物9种。

于1994年建立省级自然保护区，受林业部门管理，成立了观音山省级自然保护区管理所。

没有明显的威胁因子。

33. 阿姆山省级自然保护区

阿姆山省级自然保护区重点调查湿地范围面积1.4756万公顷，湿地面积为0.0032万公顷，主要湿地类型为人工库塘湿地。地理坐标东经102°09′～102°27′，北纬23°09′～23°17′；位于红河州红河县内。

调查记录到湿地高等植物1门6科6属7种。

湿地植被划分为1个植被型组，3个植被型，3个群系。

调查记录到脊椎动物 3 纲 5 目 11 科 13 种。其中，两栖类 2 目 6 科 8 种，爬行类 1 目 3 科 3 种，哺乳类 2 目 2 科 2 种。

记录到国家重点保护野生动物 2 种，全部为国家Ⅱ级保护野生动物。

于 1995 年建立省级自然保护区，受林业部门管理，成立了阿姆山省级自然保护区管理局。

没有明显的威胁因子。

34. 威远江省级自然保护区

威远江省级自然保护区重点调查湿地范围面积 0.7704 万公顷，湿地面积为 0.0050 万公顷，主要湿地类型为永久性河流湿地。地理坐标东经 100°31′～100°35′，北纬 23°06′～23°17′；位于普洱市景谷县境内。

调查记录到湿地高等植物 2 门 4 科 6 属 6 种。记录到外来入侵植物 1 科 2 属 2 种。

湿地植被划分为 1 个植被型组，2 个植被型，2 个群系。

调查记录到脊椎动物 2 纲 3 目 11 科 39 种。其中，两栖类 2 目 6 科 23 种，爬行类 1 目 5 科 16 种。

记录到国家重点保护野生动物 3 种。其中，国家Ⅰ级保护野生动物 1 种，国家Ⅱ级保护野生动物 2 种。

于 1983 年建立省级自然保护区，受林业部门管理，成立了威远江省级自然保护区管理所。

主要受到外来物种入侵威胁。

35. 太阳河省级自然保护区

太阳河省级自然保护区重点调查湿地范围面积 0.7035 万公顷，湿地面积为 0.0066 万公顷，主要湿地类型为永久性河流湿地。地理坐标东经 101°07′～101°15′，北纬 22°30′～22°38′；位于普洱市思茅区境内。

调查记录到湿地高等植物 1 门 8 科 8 属 8 种。

湿地植被划分为 1 个植被型组，1 个植被型，2 个群系。

调查记录到脊椎动物 3 纲 7 目 19 科 29 种。其中，两栖类 2 目 4 科 8 种，爬行类 2 目 9 科 15 种，哺乳类 3 目 6 科 6 种。

记录到国家重点保护野生动物 9 种。其中，国家Ⅰ级保护野生动物 2 种，国家Ⅱ级保护野生动物 7 种。

于 1986 年建立省级自然保护区，受林业部门管理，成立了隶属于普洱市思茅区林业局的太阳河省级自然保护区管理所。

36. 糯扎渡省级自然保护区

糯扎渡省级自然保护区重点调查湿地范围面积 1.8997 万公顷，湿地面积为 0.0043 万公顷，主要湿地类型为永久性河流。地理坐标东经 100°22′18″～100°33′36″，北纬 22°30′13″～22°46′31″；位于普洱市的思茅区和澜沧县境内。

调查记录到湿地高等植物 2 门 9 科 20 属 20 种。记录到外来入侵植物 2 科 2 属 2 种。

湿地植被划分为1个植被型组，2个植被型，6个群系。

调查记录到脊椎动物3纲5目12科16种。其中，两栖类2目6科8种，爬行类2目5科7种，哺乳类1目1科1种。

记录到国家重点保护野生动物3种。其中，国家Ⅰ级保护野生动物1种，国家Ⅱ级保护野生动物2种。

于1996年建立省级自然保护区，受林业部门管理，成立了糯扎渡省级自然保护区思茅管理所和澜沧管理所。

主要受到围垦、外来物种入侵威胁。

37. 墨江西歧桫椤省级自然保护区

墨江西歧桫椤省级自然保护区重点调查湿地范围面积0.6222万公顷，湿地面积为0.0020万公顷，主要湿地类型为永久性河流和间歇性河流。地理坐标东经101°45′~101°50′，北纬22°53′~22°58′；位于普洱市墨江县内。

调查记录到湿地高等植物1门15科21属23种。记录到外来入侵植物1科2属3种。

湿地植被划分为2个植被型组，3个植被型，3个群系。

调查记录到脊椎动物3纲6目15科24种。其中，两栖类2目5科8种，爬行类1目5科8种，哺乳类3目5科8种。

记录到国家重点保护野生动物7种。其中，国家Ⅰ级保护野生动物2种，国家Ⅱ级保护野生动物5种。

于2001年建立市级自然保护区，2005年晋升为省级自然保护区，受林业部门管理，由墨江县林业局行使管理职能。

没有明显的威胁因子。

38. 剑川剑湖省级自然保护区

剑川剑湖省级自然保护区重点调查湿地范围面积0.4630万公顷，湿地面积为0.0677万公顷，主要湿地类型为永久性淡水湖和永久性河流湿地。地理坐标东经99°55′~99°59.5′，北纬26°25′~26°31.5′；位于大理州的剑川县境内。

调查记录到湿地高等植物1门9科12属12种。记录到外来入侵植物2科2属2种。

湿地植被划分为2个植被型组，3个植被型，5个群系。

调查记录到脊椎动物5纲13目19科43种。其中，鱼类3目4科13种，两栖类1目4科7种，爬行类1目2科3种，鸟类4目4科13种，哺乳类4目5科7种。未记录到国家重点保护野生动物。

于2006年建立省级自然保护区，受林业部门管理，由剑川县林业局行使管理职能。

主要受到围垦、泥沙淤积、污染和外来物种入侵威胁。

39. 兰坪云岭省级自然保护区

兰坪云岭省级自然保护区重点调查湿地范围面积7.5894万公顷，湿地面积为0.0528万公顷，主要湿地类型为永久性河流和草本沼泽湿地。地理坐标东经 99°09′58″～99°31′19″，北纬 26°10′01″～26°41′08″；位于怒江州兰坪县境内

调查记录到湿地高等植物 1 门 12 科 13 属 14 种。

湿地植被划分为 2 个植被型组，2 个植被型，3 个群系。

调查记录到脊椎动物 3 纲 7 目 15 科 27 种。其中，两栖类 1 目 4 科 7 种，爬行类 1 目 2 科 3 种，哺乳类 5 目 9 科 17 种。

记录到国家重点保护野生动物 3 种，全部为国家 Ⅱ 级保护野生动物。

于 2003 年建立省级自然保护区，受林业部门管理，由兰坪县林业局行使管理职能。

没有明显的威胁因子。

40. 腾冲北海湿地省级自然保护区

腾冲北海湿地省级自然保护区重点调查湿地范围面积 0.1629 万公顷，湿地面积为 0.0222 万公顷，主要湿地类型为永久性淡水湖和草本沼泽。地理坐标东经 98°30′55″～98°35′02″，北纬 25°06′42″～25°08′49″；位于保山市腾冲市内。

调查记录到湿地高等植物 2 门 35 科 70 属 87 种。记录到外来入侵植物 2 科 2 属 2 种。

湿地植被划分为 2 个植被型组，6 个植被型，12 个群系。

调查记录到脊椎动物 4 纲 13 目 21 科 36 种。其中，鱼类 5 目 7 科 14 种，两栖类 2 目 5 科 6 种，爬行类 1 目 2 科 2 种，哺乳类 5 目 7 科 14 种。

记录到国家重点保护野生动物 3 种，全部为国家 Ⅱ 级保护野生动物。

于 2000 年建立市级自然保护区，2005 年晋升为省级自然保护区，受林业部门管理，由腾冲市林业局行使管理职能。

主要受到基建和城镇化、旅游、污染和外来物种入侵威胁。

41. 龙陵小黑山省级自然保护区

龙陵小黑山省级自然保护区重点调查湿地范围面积 0.5805 万公顷，湿地面积为 0.0132 万公顷，主要湿地类型为永久性河流湿地。地理坐标东经 98°38′～99°10′，北纬 24°15′～24°51′；位于保山市龙陵县境内。

调查记录到湿地高等植物 2 门 10 科 12 属 12 种。国家重点保护野生植物 1 种，全部为国家 Ⅱ 级保护野生植物。

湿地植被划分为 1 个植被型组，1 个植被型，3 个群系。

调查记录到脊椎动物 4 纲 9 目 19 科 61 种。其中，鱼类 4 目 7 科 25 种，两栖类 2 目 5 科 17 种，爬行类 1 目 5 科 17 种，哺乳类 2 目 2 科 2 种。

记录到国家重点保护野生动物 3 种。其中，国家 Ⅰ 级保护野生动物 1 种，国家 Ⅱ 级保护野生动物 2 种。

记录到外来入侵动物 1 门 1 纲 1 目 1 科 1 种。其中，无脊椎动物 1 纲 1 目 1 科 1 种。

于 1995 年建立省级自然保护区，受林业部门管理，成立了小黑山省级自然保护区管理所。

主要受到外来物种入侵威胁。

42. 铜壁关省级自然保护区

铜壁关省级自然保护区重点调查湿地范围面积5.1651万公顷，湿地面积为0.0882万公顷，主要湿地类型为永久性河流、草本沼泽和沼泽化草甸。地理坐标东经97°31′40″~98°06′36″，北纬23°54′30″~25°20′24″；位于德宏州盈江县、瑞丽市和陇川县境内。

调查记录到湿地高等植物2门8科9属10种。记录到外来入侵植物2科2属2种。

湿地植被划分为1个植被型组，2个植被型，3个群系。

调查记录到脊椎动物4纲11目28科71种。其中，鱼类5目11科27种，两栖类2目8科29种，爬行类1目5科11种，哺乳类3目4科4种。

记录到国家重点保护野生动物5种。其中，国家Ⅰ级保护野生动物2种，国家Ⅱ级保护野生动物3种。

于1986年建立省级自然保护区，受林业部门管理，由铜壁关省级自然保护区盈江管理所、陇川管理所、瑞丽管理所行使管理职能。

主要受到外来物种入侵威胁。

43. 临沧澜沧江省级自然保护区

临沧澜沧江省级自然保护区重点调查湿地范围面积14.3896万公顷，湿地面积为0.3064万公顷，主要湿地类型为永久性河流和库塘湿地。地理坐标东经99°40′34″~100°22′01″，北纬23°17′52″~24°57′28″；位于临沧市临翔区、云县、凤庆、双江、耿马、沧源六县境内

调查记录到湿地高等植物2门11科20属24种。记录到外来入侵植物1科1属1种。

湿地植被划分为1个植被型组，3个植被型，5个群系。

调查记录到脊椎动物4纲16目37科117种。其中，鱼类7目16科57种，两栖类2目6科23种，爬行类1目5科16种，哺乳类6目10科21种。

记录到国家重点保护野生动物9种。其中，国家Ⅰ级保护野生动物1种，国家Ⅱ级保护野生动物8种。

于1999年建立省级自然保护区，受林业部门管理，由所在地县级林业主管部门行使管理职能。

主要受到外来物种入侵威胁。

44. 镇康南捧河省级自然保护区

镇康南捧河省级自然保护区重点调查湿地范围面积3.6970万公顷，湿地面积为0.0143万公顷，主要湿地类型为永久性河流湿地。地理坐标东经98°41′~99°18′，北纬23°45′~24°04′；位于临沧市镇康县境内。

调查记录到湿地高等植物1门3科8属8种。记录到外来入侵植物1科2属2种。

湿地植被划分为1个植被型组，1个植被型，2个群系。

调查记录到脊椎动物3纲6目9科15种。其中，两栖类2目3科7种，爬行类1目3科5种，哺乳类3目3科3种。

记录到国家重点保护野生动物3种，全部为国家Ⅱ级保护野生动物。

于1999年建立省级自然保护区，受林业部门管理，由镇康县林业局行使管理职能。

主要受到外来物种入侵威胁。

45. 珠江源省级自然保护区

珠江源省级自然保护区重点调查湿地范围面积11.7934万公顷，湿地面积为0.2548万公顷，主要湿地类型为永久性河流、季节性或间歇性河流、永久性淡水湖和库塘湿地。地理坐标东经103°46′~104°23′，北纬25°44′~26°26′；位于曲靖市沾益县、宣威市境内。

调查记录到湿地高等植物2门15科26属34种。

湿地植被划分为2个植被型组，3个植被型，4个群系。

调查记录到脊椎动物3纲7目13科26种。其中，两栖类1目4科8种，爬行类1目2科5种，哺乳类5目7科13种。

记录到国家重点保护野生动物2种，全部为国家Ⅱ级保护野生动物。

于2000年建立省级自然保护区，受林业部门管理，由云南珠江源省级自然保护区管理局行使管理职能。

主要受到旅游污染威胁。

46. 沾益海峰省级自然保护区

沾益海峰省级自然保护区重点调查湿地范围面积2.6610万公顷，湿地面积为0.0725万公顷，主要湿地类型为永久性河流、永久性淡水湖和库塘湿地。地理坐标东经103°29′36.6″~103°43′19.7″，北纬25°35′05.7″~25°57′19.7″；位于曲靖市沾益县境内。

调查记录到湿地高等植物1门17科29属41种。

湿地植被划分为2个植被型组，3个植被型，6个群系。

调查记录到脊椎动物5纲16目26科49种。其中，鱼类4目6科11种，两栖类1目5科11种，爬行类1目2科6种，鸟类5目5科7种，哺乳类5目8科14种。

记录到国家重点保护野生动物2种，全部为国家Ⅱ级保护野生动物。

于2002年建立省级自然保护区，受林业部门管理，由沾益县林业局行使管理职能。

主要受到过度放牧威胁。

47. 紫溪山省级自然保护区

紫溪山省级自然保护区重点调查湿地范围面积1.6000万公顷，湿地面积为0.0101万公顷，主要湿地类型为永久性河流。地理坐标东经101°23′01″~101°26′53″，北纬24°59′03″~25°04′02″；位于楚雄州楚雄市境内。

调查记录到湿地高等植物1门6科12属12种。记录到外来入侵植物2科2属2种。

湿地植被划分为1个植被型组，2个植被型，2个群系。

调查记录到脊椎动物2纲3目9科15种。其中，两栖类2目6科10种，爬行类1目3科5种，于1982年建立州级自然保护区，1994年晋升为省级自然保护区，受林业部门管理，由楚雄州自然保护区管理局行使管理职能。

主要受到外来物种入侵威胁。

48. 乌蒙山省级自然保护区

乌蒙山省级自然保护区重点调查湿地范围面积2.6187万公顷，湿地面积为0.0475万公顷，主要湿地类型为永久性河流湿地和草本沼泽湿地。地理坐标东经103°15′~105°53′，北纬27°04′~28°31′；位于昭通市的大关县、永善县、盐津县、彝良县和威信县境内。

调查记录到湿地高等植物3门31科69属87种。记录到外来入侵植物1科1属1种。

湿地植被划分为3个植被型组，4个植被型，5个群系。

调查记录到脊椎动物3纲8目17科45种。其中，两栖类2目6科16种，爬行类1目3科13种，哺乳类5目8科16种。

记录到国家重点保护野生动物5种，全部为国家Ⅱ级保护野生动物。

于2012年建立省级自然保护区，受林业部门管理，由大关县、永善县、盐津县、彝良县和威信县5个县的林业局行使管理职能。

主要受到基建和城镇化威胁。

49. 驮娘江省级自然保护区

驮娘江省级自然保护区重点调查湿地范围面积1.9128万公顷，湿地面积为0.0434万公顷，主要湿地类型为永久性河流和库塘湿地。地理坐标东经105°37′~106°07′，北纬23°35′~24°07′；位于文山州富宁县境内。

调查记录到湿地高等植物1门3科5属5种。

湿地植被划分为2个植被型组，2个植被型，2个群系。

调查记录到脊椎动物4纲12目33科100种。其中，鱼类4目17科71种，两栖类1目6科12种，爬行类2目4科6种，哺乳类5目6科11种。

记录到国家重点保护野生动物4种，全部为国家Ⅱ级保护野生动物。

于2002年建立省级自然保护区，受林业部门管理，由富宁县林业局行使管理职能。

主要受到水利负面影响威胁。

50. 丘北普者黑省级自然保护区

丘北普者黑省级自然保护区重点调查湿地范围面积1.0746万公顷，湿地面积为0.2309万公顷，主要湿地类型为永久性淡水湖、草本沼泽和库塘湿地。地理坐标东经103°56′55″~104°08′18″，北纬24°06′15″~24°11′42″；位于文山州丘北县内。

调查记录到湿地高等植物1门6科9属9种。记录到外来入侵植物3科3属3种。

湿地植被划分为2个植被型组，3个植被型，4个群系。

调查记录到脊椎动物4纲11目21科42种。其中，鱼类4目7科17种，两栖类1目4科6种，爬行类1目3科5种，哺乳类5目7科14种。

记录到国家重点保护野生动物2种，全部为国家Ⅱ级保护野生动物。

于2002年建立省级自然保护区，受林业部门管理，由丘北县普者黑湿地管理所行使管理职能。

主要受到旅游开发和环境污染威胁。

51. 广南八宝省级自然保护区

广南八宝省级自然保护区重点调查湿地范围面积0.5232万公顷，湿地面积为0.0273万公顷，主要湿地类型为永久性河流、喀斯特溶洞湿地和库塘湿地。地理坐标东经105°22′59.3″～105°30′40.9″，北纬23°39′05.2″～23°48′00″；位于文山州广南县境内。

调查记录到湿地高等植物1门3科4属4种。记录到外来入侵植物1科1属1种。

湿地植被划分为2个植被型组，2个植被型，2个群系。

调查记录到脊椎动物4纲7目14科26种。其中，两栖类1目4科7种，爬行类1目3科5种，鸟类1目1科1种，哺乳类4目6科13种。

记录到国家重点保护野生动物2种，全部为国家Ⅱ级保护野生动物。

记录到外来入侵动物1门1纲1目1科1种，为无脊椎动物。

于2002年建立省级自然保护区，受林业部门管理，由广南县林业局行使管理职能。

主要受到植被退化、环境污染和八宝河断流现象威胁。

52. 麻栗坡老山省级自然保护区

麻栗坡老山省级自然保护区重点调查湿地范围面积2.0500万公顷，湿地面积为0.0098万公顷，主要湿地类型为永久性河流。地理坐标东经104°43′～104°52′，北纬22°51′～23°15′；位于文山州麻栗坡县境内。

调查记录到湿地高等植物1门4科8属8种。记录到外来入侵植物1科2属2种。

湿地植被划分为1个植被型组，1个植被型，2个群系。

调查记录到脊椎动物2纲4目16科41种。其中，两栖类2目7科24种，爬行类2目9科17种，

记录到国家重点保护野生动物4种。其中，国家Ⅰ级保护野生动物2种，国家Ⅱ级保护野生动物2种。

于2005年建立省级自然保护区，受林业部门管理，由麻栗坡县林业局行使管理职能。

主要受到外来物种入侵威胁。

53. 洱源茈碧湖州级自然保护区

洱源茈碧湖州级自然保护区重点调查湿地范围面积0.0850万公顷，湿地面积为0.0833万公顷，主要湿地类型为永久性淡水湖。地理坐标东经99°51′～99°58′，北纬26°06′～26°14′；位于大理州洱源县境内。

调查记录到湿地高等植物1门4科4属4种。记录到外来入侵植物1科1属1种。

湿地植被划分为2个植被型组，3个植被型，3个群系。

调查记录到脊椎动物5纲14目21科45种。其中，鱼类2目3科9种，两栖类2目5科7种，爬行类1目2科3种，鸟类5目5科16种，哺乳类4目6科10种。

记录到国家重点保护野生动物3种，全部为国家Ⅱ级保护野生动物。

于1998年建立州级自然保护区，受林业部门管理，由洱源县林业局行使管理职能。

主要受到基建和城镇化、围垦、外来物种入侵、水利负面影响等因子威胁。

54. 南涧大龙潭州级自然保护区

南涧大龙潭州级自然保护区重点调查湿地范围面积0.1073万公顷，湿地面积为0.0026万公顷，主要湿地类型为人工库塘湿地。地理坐标东经100°32′42″～100°35′52″，北纬24°53′27″～24°55′09″；位于大理州南涧县内。

调查记录到湿地高等植物1门4科7属7种。记录到外来入侵植物1科2属2种。

湿地植被划分为1个植被型组，2个植被型，2个群系。

调查记录到脊椎动物2纲3目9科21种。其中，两栖类2目6科14种，爬行类1目3科7种，

于2001年建立州级自然保护区，受林业部门管理，由南涧县大龙潭水库管理所行使管理职能。

主要受到外来物种入侵威胁。

55. 鹤庆母屯海州级自然保护区

鹤庆母屯海州级自然保护区重点调查湿地范围面积0.0400万公顷，湿地面积为0.0099万公顷，主要湿地类型为永久性淡水湖。地理坐标东经100°10′～100°12′，北纬26°35′～26°37′；位于大理州鹤庆县境内。

调查记录到湿地高等植物1门5科5属5种。

湿地植被划分为1个植被型组，2个植被型，2个群系。

调查记录到脊椎动物4纲12目18科44种。其中，两栖类1目4科7种，爬行类1目2科3种，鸟类6目7科26种，哺乳类4目5科8种。

于2001年建立州级自然保护区，受环保部门管理，由鹤庆县环保局、林业局、农业局和水利局等部门协同行使管理职能。

主要受到围垦、泥沙淤积、污染、外来物种入侵、水利负面影响等因子威胁。

56. 洱源海西海州级自然保护区

洱源海西海州级自然保护区重点调查湿地范围面积1.4000万公顷，湿地面积为0.0441万公顷，主要湿地类型为永久性淡水湖。地理坐标中心东经99°59′，北纬26°17′；位于大理州洱源县境内。

调查记录到湿地高等植物1门4科10属10种。记录到外来入侵植物1科1属1种。

湿地植被划分为1个植被型组，2个植被型，3个群系。

调查记录到脊椎动物5纲11目18科30种。其中，鱼类3目5科9种，两栖类1目4科6种，

爬行类1目2科4种，鸟类2目2科2种，哺乳类4目5科9种。

记录到国家重点保护野生动物1种，为国家Ⅱ级保护野生动物。

于2004年建立州级自然保护区，受环保部门管理，由洱源县环境保护局行使管理职能。

主要受到水体污染和外来物种入侵威胁。

57. 寻甸黑颈鹤市级自然保护区

寻甸黑颈鹤市级自然保护区重点调查湿地范围面积0.7217万公顷，湿地面积为0.0252万公顷，主要湿地类型为永久性河流湿地和沼泽化草甸。地理坐标东经102°58′~103°03′，北纬25°34′~25°40′；位于昆明市寻甸县内。

调查记录到湿地高等植物19科41属53种。记录到外来入侵植物1科1属1种。

湿地植被划分为1个植被型，2个植被亚型6个群系。

调查记录到脊椎动物2纲目科种。其中，鸟类13目25科59种，哺乳动物共8目17科38种。分布有国家*I*级保护动物2种，国家Ⅱ级保护动物10种。

于2011年建立市级自然保护区，受林业部门管理，由寻甸县林业局行使管理职能。

主要受到水利负面影响、过度放牧威胁。

58. 罗平多依河鱼类市级自然保护区

罗平多依河鱼类市级自然保护区重点调查湿地范围面积0.0100万公顷，湿地面积为0.0043万公顷，主要湿地类型为永久性河流湿地。地理坐标东经104°28′05″~104°31′15″，北纬24°44′18″~24°45′57″；位于曲靖市罗平县内。

调查记录到湿地高等植物1门2科4属4种。记录到外来入侵植物1科2属2种。

湿地植被划分为1个植被型组，1个植被型，1个群系。

调查记录到脊椎动物3纲5目12科32种。其中，鱼类2目3科13种，两栖类2目6科12种，爬行类1目3科7种。未记录到国家重点保护野生动物。

于2006年建立市级自然保护区，受农业部门管理，由罗平县农业局行使管理职能。

主要受到生产、生活污水污染、过度养殖捕捞和旅游活动威胁。

59. 罗平牛街河鱼类市级自然保护区

罗平牛街河鱼类市级自然保护区重点调查湿地范围面积0.0120万公顷，湿地面积为0.0049万公顷，主要湿地类型为永久性河流。地理坐标东经104°12′50″~104°19′23″，北纬24°56′54″~25°00′00″；位于曲靖市罗平县境内。

调查记录到湿地高等植物1门3科3属3种。记录到外来入侵植物1科1属1种。

湿地植被划分为1个植被型组，1个植被型，1个群系。

调查记录到脊椎动物2纲3目9科18种。其中，两栖类2目6科12种，爬行类1目3科6种。

未记录到国家重点保护野生动物。

于2006年建立市级自然保护区，受农业部门管理，由罗平县农业局行使管理职能。

主要受到生产、生活污水污染威胁。

60. 师宗五洛河鱼类市级自然保护区

师宗五洛河鱼类市级自然保护区重点调查湿地范围面积0.0150万公顷，湿地面积为0.0054万公顷，主要湿地类型为永久性河流。地理坐标东经104°17′08″~104°19′22″，北纬24°32′40″~24°38′06″；位于曲靖市师宗县境内。

调查记录到脊椎动物7纲9目9科25种。其中，鱼类4目6科13种，两栖类2目6科8种，爬行类1目3科4种。未记录到国家重点保护野生动物。

于2006年建立市级自然保护区，受农业部门管理，由师宗县农业局行使管理职能。

主要受到生产、生活污水污染威胁。

61. 宣威北盘江鱼类市级自然保护区

宣威北盘江鱼类市级自然保护区重点调查湿地范围面积0.0500万公顷，湿地面积为0.0497万公顷，主要湿地类型为永久性河流。地理坐标东经104°03′10″~104°36′45″，北纬26°30′37″~26°42′57″；位于曲靖市宣威市境内。

调查记录到湿地高等植物1门4科10属11种。记录到外来入侵植物2科4属5种。

湿地植被划分为1个植被型组，2个植被型，4个群系。

调查记录到脊椎动物3纲7目15科27种。其中，鱼类4目6科14种，两栖类2目6科9种，爬行类1目3科4种。未记录到国家重点保护野生动物。

于2006年建立市级自然保护区，受农业部门管理，由宣威市农业局行使管理职能。

主要受到食品工业和生活排放的有机污染，以及煤矿排放的矿井水污染威胁。

62. 曲靖牛栏江鱼类市级自然保护区

曲靖牛栏江鱼类市级自然保护区重点调查湿地范围面积0.2500万公顷，湿地面积为0.1961万公顷，主要湿地类型为永久性河流、洪泛平原湿地和库塘湿地。地理坐标东经103°25′22″~103°52′25″，北纬25°40′10″~27°03′19″；位于曲靖市沾益县、会泽县和宣威市境内的牛栏江部分河段内。

调查记录到湿地高等植物1门6科11属12种。记录到外来入侵植物2科2属3种。

湿地植被划分为1个植被型组，2个植被型，3个群系。

调查记录到脊椎动物3纲8目20科64种。其中，鱼类5目14科52种，两栖类2目4科7种，爬行类1目2科5种。未记录到国家重点保护野生动物。

于2006年建立市级自然保护区，受农业部门管理，由宣威市农业局行使管理职能。

主要受到食品工业和生活排放的有机污染以及煤矿排放的矿井水污染威胁。

63. 河口南溪河水生野生动物州级自然保护区

河口南溪河水生野生动物州级自然保护区重点调查湿地范围面积0.0175万公顷，湿地面积为0.0165万公顷，主要湿地类型为永久性河流湿地。地理坐标东经103°52′30″~104°00′42″，北纬

22°31′25″~22°43′51″；位于红河州河口县南溪河下段内。

调查记录到脊椎动物3纲8目28科110种。其中，鱼类4目11科41种，两栖类2目7科44种，爬行类2目10科25种，

记录到国家重点保护野生动物6种。其中，国家Ⅰ级保护野生动物2种，国家Ⅱ级保护野生动物4种。

记录到外来入侵动物1门1纲1目1科1种，为无脊椎动物。

于2007年建立州级自然保护区，受林业部门管理，由河口县农业局行使管理职能。

主要受到外来物种入侵威胁。

64. 勐梭龙潭县级自然保护区

勐梭龙潭县级自然保护区重点调查湿地范围面积0.4200万公顷，湿地面积为0.0064万公顷，主要湿地类型为永久性河流和永久性淡水湖。地理坐标东经99°33′24″~99°36′26″，北纬20°34′25″~22°40′41″；位于普洱市西盟县内。

调查记录到湿地高等植物1门3科3属3种。

湿地植被划分为1个植被型组，1个植被型，1个群系。

调查记录到脊椎动物3纲7目16科36种。其中，两栖类1目5科14种，爬行类1目3科5种，哺乳类5目8科17种。

记录到国家重点保护野生动物4种，全部为国家Ⅱ级保护野生动物。

于1995年建立县级自然保护区，受林业部门管理，由西盟县林业局行使管理职能。

主要受到生活污水排放的有机污染以及外来物种入侵威胁。

65. 师宗大堵水库县级自然保护区

师宗大堵水库县级自然保护区重点调查湿地范围面积0.0160万公顷，湿地面积为0.0013万公顷，主要湿地类型为人工库塘湿地。地理坐标东经104°01′51″~104°02′13″，北纬24°51′33″~24°51′55″；位于曲靖市师宗县境内。

调查记录到湿地高等植物1门3科3属3种。

湿地植被划分为1个植被型组，1个植被型，1个群系。

调查记录到脊椎动物2纲2目8科17种。其中，两栖类1目5科12种，爬行类1目3科5种，

于1999年建立县级自然保护区，受水务部门管理，由师宗县水务局行使管理职能。

主要受到污染威胁。

66. 师宗东风水库县级自然保护区

师宗东风水库县级自然保护区重点调查湿地范围面积0.496万公顷，湿地面积为0.0149万公顷，主要湿地类型为人工库塘湿地。地理坐标东经103°58′50″~104°01′21″，北纬24°55′01″~24°56′10″；位于曲靖市师宗县境内。

调查记录到脊椎动物2纲2目8科16种。其中，两栖类1目5科11种，爬行类1目3科

5 种。

于 1999 年建立县级自然保护区，受水务部门管理，由师宗县水务局行使管理职能。

主要受到污染威胁。

67. 巧家马树县级自然保护区

巧家马树县级自然保护区重点调查湿地范围面积 0.0403 万公顷，湿地面积为 0.0064 万公顷，主要湿地类型为人工库塘湿地和草本沼泽。地理坐标东经 103°02′~103°24′，北纬 26°41′~26°52′；位于昭通市巧家县境内。

调查记录到湿地高等植物 1 门 23 科 47 属 57 种。记录到外来入侵植物 3 科 4 属 4 种。

湿地植被划分为 1 个植被型组，1 个植被型，3 个群系。

调查记录到脊椎动物 4 纲 12 目 21 科 43 种。其中，两栖类 1 目 4 科 9 种，爬行类 1 目 2 科 4 种，鸟类 5 目 7 科 16 种，哺乳类 5 目 8 科 14 种。

记录到国家重点保护野生动物 4 种。其中，国家Ⅰ级保护野生动物 1 种，国家Ⅱ级保护野生动物 3 种。在国家重点保护野生动物中，有湿地鸟类 2 种。其中，国家Ⅰ级保护鸟类 1 种，国家Ⅱ级保护鸟类 1 种。

于 2007 年建立县级自然保护区，受林业部门管理，由巧家马树县级自然保护区管理站行使管理职能。

主要受到水利负面影响、过度放牧和外来物种入侵威胁。

68. 昌宁澜沧江县级自然保护区

昌宁澜沧江县级自然保护区重点调查湿地范围面积 3.0354 万公顷，湿地面积为 0.2089 万公顷，主要湿地类型为人工库塘湿地和永久性河流。地理坐标东经 99°29′15″~99°51′47″，北纬 24°48′59″~25°07′57″；位于保山市昌宁县内。

调查记录到湿地高等植物 1 门 1 科 1 属 1 种。

湿地植被划分为 1 个植被型组，1 个植被型，1 个群系。

调查记录到脊椎动物 3 纲 5 目 13 科 41 种。其中，两栖类 2 目 6 科 23 种，爬行类 1 目 5 科 16 种，哺乳类 2 目 2 科 2 种。

记录到国家重点保护野生动物 4 种。其中，国家Ⅰ级保护野生动物 1 种，国家Ⅱ级保护野生动物 3 种。

记录到外来入侵动物 1 门 1 纲 1 目 1 科 1 种，为无脊椎动物。

于 1997 年建立县级自然保护区，受林业部门管理，由天堂、江边国营林场行使管理职能。

主要受到外来物种入侵威胁。

69. 普洱五湖国家湿地公园

普洱五湖国家湿地公园重点调查湿地范围面积 0.0314 万公顷，湿地面积为 0.0314 万公顷，主要湿地类型为永久性河流和库塘。地理坐标东经 100°56′~101°00′，北纬 22°42′~22°51′；位于普洱市思茅区内。

调查记录到湿地高等植物1门7科12属12种。记录到外来入侵植物1科2属2种。

湿地植被划分为1个植被型组，3个植被型，3个群系。

调查记录到脊椎动物4纲5目11科25种。其中，两栖类1目5科16种，爬行类1目3科6种，鸟类2目2科2种，哺乳类1目1科1种。

记录到国家重点保护野生动物1种，为国家Ⅱ级保护野生动物。

受水务部门管理，成立了普洱市城区水库管理局管理机构。

主要受到围垦、污染、外来物种入侵等威胁。

70. 丘北普者黑国家湿地公园

丘北普者黑国家湿地公园重点调查湿地范围面积0.0776万公顷，湿地面积为0.0776万公顷，主要湿地类型为草本沼泽和库塘湿地。地理坐标东经104°08′25″~104°09′03″，北纬24°03′53″~31°07′36″；位于文山州丘北县内。

调查记录到湿地高等植物1门5科10属10种。记录到外来入侵植物1科1属1种。

湿地植被划分为2个植被型组，4个植被型，5个群系。

调查记录到脊椎动物5纲14目24科53种。其中，鱼类4目7科17种，两栖类1目4科9种，爬行类1目3科7种，鸟类3目3科6种，哺乳类5目7科14种。

记录到国家重点保护野生动物3种，全部为国家Ⅱ级保护野生动物。

受林业部门管理，成立了丘北普者黑国家湿地公园管理所。

主要受到污染、外来物种入侵等威胁。

71. 洱源西湖国家湿地公园

洱源西湖国家湿地公园重点调查湿地范围面积0.0319万公顷，湿地面积为0.0319万公顷，主要湿地类型为永久性河流、永久性淡水湖和草本沼泽。地理坐标东经100°00′04″~100°04′56″，北纬25°59′43″~26°02′10″；位于云南省大理白族自治州洱源县内。

调查记录到湿地高等植物1门7科8属8种。

湿地植被划分为2个植被型组，3个植被型，4个群系。

调查记录到脊椎动物5纲14目20科39种。其中，鱼类2目3科8种，两栖类2目5科7种，爬行类1目2科2种，鸟类5目5科13种，哺乳类4目5科9种。

记录到国家重点保护野生动物2种，全部为国家Ⅱ级保护野生动物。

记录到外来入侵动物1门1纲1目1科1种。其中，无脊椎动物1纲1目1科1种。

受林业部门管理，成立了洱源湿地保护管理局。

主要受到基建和城镇化、污染、围垦、养殖、外来物种入侵、过度捕捞和采集等威胁。

72. 长江干流

长江干流重点调查湿地范围面积2.0114万公顷，湿地面积为2.0114万公顷，主要湿地类型为永久性河流、洪泛平原湿地和库塘湿地。地理坐标东经99°06′45″~104°25′24″，北纬28°37′39″~29°13′26″；位于迪庆州、丽江市、大理州、楚雄州、昆明市、昭通市内。

调查记录到湿地高等植物2门8科14属14种。记录到外来入侵植物2科3属3种。

湿地植被划分为3个植被型组，4个植被型，6个群系。

调查记录到脊椎动物5纲11目20科49种。其中，鱼类3目7科22种，两栖类1目3科5种，爬行类1目2科5种，鸟类1目1科1种，哺乳类5目7科16种。

记录到国家重点保护野生动物6种。其中，国家Ⅰ级保护野生动物2种，国家Ⅱ级保护野生动物4种。

受林业、渔业、环保、农业、水利等多部门管理。

主要受到外来物种入侵、水利负面影响等威胁。

73. 怒江干流

怒江干流重点调查湿地范围面积0.8404万公顷，湿地面积为0.8404万公顷，主要湿地类型为永久性河流和洪泛湿地。地理坐标东经98°28′54″～98°35′33″，北纬24°04′59″～28°09′14″；位于怒江州、保山市、临沧市、德宏州、大理州内。

调查记录到湿地高等植物2门11科37属39种。记录到外来入侵植物1科2属2种。

湿地植被划分为1个植被型组，2个植被型，4个群系。

调查记录到脊椎动物4纲10目19科44种。其中，鱼类3目4科15种，两栖类1目5科5种，爬行类1目2科4种，哺乳类5目8科20种。

记录到国家重点保护野生动物4种，全部为国家Ⅱ级保护野生动物。

记录到外来入侵动物1门1纲1目1科1种，为无脊椎动物。

受林业、渔业、环保、农业、水利等多部门管理。

没有明显的威胁因子。

74. 澜沧江干流

澜沧江干流重点调查湿地范围面积6.0058万公顷，湿地面积为6.0058万公顷，主要湿地类型为永久性河流、洪泛平原湿地和库塘湿地。地理坐标东经98°38′49″～101°08′37″，北纬21°33′52″～28°58′34″；位于云南省迪庆州、怒江州、楚雄州、保山市、临沧市、思茅市、西双版纳州内

调查记录到湿地高等植物1门6科11属12种。记录到外来入侵植物2科2属2种。

湿地植被划分为1个植被型组，2个植被型，5个群系。

调查记录到脊椎动物5纲16目35科105种。其中，鱼类5目13科53种，两栖类2目6科15种，爬行类1目5科13种，鸟类2目2科2种，哺乳类6目9科22种。

记录到国家重点保护野生动物8种。其中，国家Ⅰ级保护野生动物2种，国家Ⅱ级保护野生动物6种。

记录到外来入侵动物1门1纲1目1科1种，为无脊椎动物。

受林业、渔业、环保、农业、水利等多部门管理。

主要受到水利负面影响等威胁。

75. 红河干流

红河干流重点调查湿地范围面积 0.9320 万公顷，湿地面积为 0.9320 万公顷，主要湿地类型为永久性河流、洪泛平原湿地和库塘湿地。地理坐标东经 100°10′01″～103°57′50″，北纬 22°30′22″～25°27′40″；位于大理州、楚雄州、玉溪市、红河州内

调查记录到湿地高等植物 2 门 11 科 18 属 18 种。记录到外来入侵植物 3 科 3 属 3 种。

湿地植被划分为 1 个植被型组，2 个植被型，5 个群系。

调查记录到脊椎动物 5 纲 13 目 24 科 69 种。其中，鱼类 2 目 4 科 20 种，两栖类 2 目 5 科 14 种，爬行类 2 目 4 科 12 种，鸟类 2 目 3 科 4 种，哺乳类 5 目 8 科 19 种。

记录到国家重点保护野生动物 8 种，全部为国家Ⅱ级保护野生动物。

受林业、渔业、环保、农业、水利等多部门管理。

主要受到水利负面影响等威胁。

76. 珠江干流

珠江干流重点调查湿地范围面积 0.7221 万公顷，湿地面积为 0.7221 万公顷，主要湿地类型为永久性河流和库塘湿地。地理坐标东经 103°48′44″～104°31′36″，北纬 24°44′05″～25°37′28″；位于曲靖市、昆明市、玉溪市、红河州和文山州境内。

调查记录到湿地高等植物 1 门 12 科 17 属 17 种。记录到外来入侵植物 4 科 5 属 5 种。

湿地植被划分为 2 个植被型组，4 个植被型，7 个群系。

调查记录到脊椎动物 4 纲 12 目 24 科 78 种。其中，鱼类 4 目 9 科 46 种，两栖类 1 目 5 科 10 种，爬行类 2 目 3 科 5 种，哺乳类 5 目 7 科 17 种。

记录到国家重点保护野生动物 4 种，全部为国家Ⅱ级保护野生动物。

受林业、渔业、环保、农业、水利等多部门管理。

主要受到水利负面影响等威胁。

77. 伊洛瓦底江干流

伊洛瓦底江干流重点调查湿地范围面积 0.0652 万公顷，湿地面积为 0.0652 万公顷，主要湿地类型为永久性河流。地理坐标东经 98°12′32″～98°15′56″，北纬 27°40′07″～28°13′59″；位于怒江州贡山县内。

调查记录到湿地高等植物 2 门 12 科 37 属 38 种。记录到外来入侵植物 2 科 4 属 4 种。

湿地植被划分为 1 个植被型组，2 个植被型，3 个群系。

调查记录到脊椎动物 4 纲 12 目 22 科 65 种。其中，鱼类 3 目 5 科 24 种，两栖类 2 目 6 科 14 种，爬行类 2 目 4 科 9 种，哺乳类 5 目 7 科 18 种。

记录到国家重点保护野生动物 8 种。其中，国家Ⅰ级保护野生动物 1 种，国家Ⅱ级保护野生动物 7 种。

记录到外来入侵动物 1 门 1 纲 1 目 1 科 1 种，为无脊椎动物。

受渔业、环保、农业、水利等多部门管理。

没有明显的威胁因子。

78. 星云湖

星云湖重点调查湿地范围面积0.3527万公顷，湿地面积为0.3527万公顷，主要湿地类型为永久性淡水湖。地理坐标东经102°45′14″~102°48′31″，北纬24°23′06″~24°17′18″；位于玉溪市江川县内。

调查记录到湿地高等植物1门9科13属14种。记录到外来入侵植物5科6属6种。

湿地植被划分为2个植被型组，2个植被型，3个群系。

调查记录到脊椎动物5纲17目29科58种。其中，鱼类5目10科27种，两栖类1目5科6种，爬行类1目2科3种，鸟类5目5科9种，哺乳类5目7科13种。

记录到国家重点保护野生动物3种，全部为国家Ⅱ级保护野生动物。

受水利部门管理，成立了江川县星云湖管理局。

主要受到围垦、污染、过度捕捞和采集、外来物种入侵等因子威胁。

79. 阳宗海

阳宗海重点调查湿地范围面积0.3142万公顷，湿地面积为0.3142万公顷，主要湿地类型为永久性淡水湖。地理坐标东经102°58′49″~103°01′42″，北纬24°58′00″~24°51′16″；位于昆明市和玉溪市内。

调查记录到湿地高等植物1门6科6属7种。记录到外来入侵植物2科2属2种。

湿地植被划分为2个植被型组，2个植被型，3个群系。

调查记录到脊椎动物5纲16目27科61种。其中，鱼类5目9科30种，两栖类1目5科7种，爬行类1目2科3种，鸟类4目4科8种，哺乳类5目7科13种。

记录到国家重点保护野生动物2种，全部为国家Ⅱ级保护野生动物。

受政府部门管理，成立了云南阳宗海管理处管理机构。

主要受到泥沙淤积、过度捕捞和采集、污染、外来物种入侵等因子威胁。

80. 杞麓湖

杞麓湖重点调查湿地范围面积0.3672万公顷，湿地面积为0.3672万公顷，主要湿地类型为永久性淡水湖。地理坐标东经102°43′02″~102°48′57″，北纬24°08′14″~24°12′09″；位于玉溪市通海县内。

调查记录到湿地高等植物1门8科10属10种。记录到外来入侵植物3科3属3种。

湿地植被划分为2个植被型组，4个植被型，5个群系。

调查记录到脊椎动物5纲19目29科58种。其中，鱼类5目8科26种，两栖类1目5科6种，爬行类1目2科3种，鸟类7目7科12种，哺乳类5目7科11种。

记录到国家重点保护野生动物2种，全部为国家Ⅱ级保护野生动物。

受水利部门管理，成立了通海县杞麓湖保护管理局。

主要受到围垦、泥沙淤积、污染、过度捕捞和采集、外来物种入侵、工矿业等因子威胁。

81. 丽江老君山沼泽湿地

丽江老君山沼泽湿地重点调查湿地范围面积0.2152万公顷，湿地面积为0.2152万公顷，主要湿地类型为永久性河流、季节性或间歇性河流、灌丛沼泽、森林沼泽和沼泽化草甸等。地理坐标东经99°30′20″～100°14′30″，北纬26°37′10″～27°18′40″；位于丽江市玉龙县内。

调查记录到湿地高等植物2门21科24属24种。

湿地植被划分为4个植被型组，5个植被型，7个群系。

调查记录到脊椎动物3纲4目7科11种。其中，两栖类1目3科4种，爬行类1目2科2种，哺乳类2目2科5种。

受林业部门管理，成立了丽江老君山国家公园管理局。

主要受到旅游、过度放牧、森林过度采伐等因子威胁。

82. 香格里拉千湖山沼泽湿地

香格里拉千湖山沼泽湿地重点调查湿地范围面积0.1617万公顷，湿地面积为0.1617万公顷，主要湿地类型为永久性河流、永久性淡水湖、灌丛沼泽和沼泽化草甸。地理坐标东经99°32′41″～99°56′17″，北纬27°13′31″～27°48′48″；位于迪庆州香格里拉市内。

调查记录到湿地高等植物1门12科16属16种。

湿地植被划分为2个植被型组，2个植被型，3个群系。

调查记录到脊椎动物4纲8目11科18种。其中，两栖类1目3科4种，爬行类1目1科1种，鸟类2目2科3种，哺乳类4目5科10种。

受林业部门管理。

主要受到旅游、过度放牧、森林过度采伐等威胁。

83. 德钦梅里雪山沼泽湿地

德钦梅里雪山沼泽湿地重点调查湿地范围面积0.0292万公顷，湿地面积为0.0292万公顷，主要湿地类型为永久性河流、草本沼泽和森林沼泽。地理坐标东经98°38′07″～99°54′59″，北纬28°03′24″～28°39′32″；位于迪庆州德钦县内。

调查记录到湿地高等植物2门14科18属19种。

湿地植被划分为2个植被型组，2个植被型，4个群系。

调查记录到脊椎动物3纲5目7科7种。其中，两栖类1目3科3种，爬行类1目1科1种，哺乳类3目3科3种。

受政府部门管理，成立了梅里雪山景区管理局。

主要受到旅游、过度放牧、过度采集等威胁。

84. 宁蒗县沼泽湿地

宁蒗县沼泽湿地重点调查湿地范围面积0.1493万公顷，湿地面积为0.1493万公顷，主要湿地类型为永久性河流、灌丛沼泽、森林沼泽和沼泽化草甸。地理坐标东经100°31′36″～100°44′33″，北纬 27°15′09″~27°49′11″；位于丽江市宁蒗县内。

调查记录到湿地高等植物 1 门 14 科 17 属 20 种。

湿地植被划分为 3 个植被型组，4 个植被型，4 个群系。

调查记录到脊椎动物 3 纲 7 目 11 科 19 种。其中，两栖类 1 目 2 科 5 种，爬行类 1 目 2 科 3 种，哺乳类 5 目 7 科 11 种。

记录到国家重点保护野生动物 1 种，为国家Ⅱ级保护野生动物。

受林业部门管理，由宁蒗县国有森工局行使管理。

主要受到森林过度采伐、过度放牧等威胁。

85. 陆良县湿地

陆良县湿地重点调查湿地范围面积 0.0273 万公顷，湿地面积为 0.0273 万公顷，主要湿地类型为永久性淡水湖。地理坐标东经 103°44′07″~103°45′35″，北纬 25°02′15″~25°04′08″；位于曲靖市陆良县境内。

调查记录到湿地高等植物 1 门 6 科 7 属 7 种。记录到外来入侵植物 2 科 2 属 2 种。

湿地植被划分为 1 个植被型组，1 个植被型，1 个群系。

调查记录到脊椎动物 4 纲 9 目 16 科 22 种。其中，两栖类 1 目 5 科 7 种，爬行类 1 目 2 科 2 种，鸟类 3 目 3 科 5 种，哺乳类 4 目 6 科 8 种。

记录到国家重点保护野生动物 1 种，为国家Ⅱ级保护野生动物。

记录到外来入侵动物 1 门 1 纲 1 目 1 科 1 种，为无脊椎动物。

受陆良县政府部门管理。

主要受到旅游、外来物种入侵等威胁。

参考文献

[1]陈小勇. 云南鱼类名录[J]. 动物学研究，2013，34(4)：281－343.

[2]陈银瑞，杨君兴，季维智. 中国云南野生动物[M]. 北京：中国林业出版社，1999.

[3]成晓，焦瑜. 中国云南野生蕨类植物彩色图鉴[M]. 昆明：云南科学技术出版社，2007.

[4]褚新洛，陈银瑞. 云南鱼类志(上册)[M]. 北京：科学出版社，1989.

[5]褚新洛，陈银瑞. 云南鱼类志(下册)[M]. 北京：科学出版社，1989.

[6]崔丽娟，王义飞. 中国的国际重要湿地[M]. 北京：中国林业出版社，2008.

[7]寸德平，杨林，杨力权，等. 洱海周边钉螺分布调查[J]. 大理学院学报，2009，8(8)：67－69.

[8]戴爱云. 中国动物志节肢动物门甲壳动物亚门软甲纲十足目束腹蟹科溪蟹科[M]. 北京：科学出版社，1999.

[9]段顺琼. 云南高原湖泊地区水资源脆弱性评价研究[J]. 中国农村水利水电，2011(9)：55－59.

[10]方火生，卢家龙. 麻栗坡老山省级自然保护区调研报告[J]. 文山师范高等专科学校学报，2005，18(4)：320－325.

[11]方利英，刘宏茂. 西双版纳傣族村寨对湿地植物的传统利用[J]. 生物多样性，2006，14(4)：300－308.

[12]费梁. 中国两栖动物彩色图鉴[M]. 成都：四川科学技术出版社，2010.

[13]冯照军，赵彦禹，周虹，等. 江苏新沂县骆马湖湿地两栖、爬行及哺乳动物调查[J]. 四川动物，2005，24：385－388.

[14]葛强，雷艳娇. 云南省水资源承载力与可持续利用研究[J]. 人民珠江，2014(1)：29－31.

[15]耿鸿江. 云南少数民族水文化的哲学意义[J]. 中国水利，2006(5)：52－55.

[16]郭辉军，龙春林. 云南的生物多样性[M]. 昆明：云南科技出版社，1998.

[17]国家林业局. 中国湿地保护行动计划[M]. 北京：中国林业出版社，2000.

[18]胡志浩. 杞麓湖地区的种子植物[J]. 云南大学学报(自然科学版). 1988，10(增刊)：63－69.

[19]华朝朗，赵元藩. 云南省生物多样性保护规划研究[M]. 昆明：云南出版集团公司，云南科学技术出版社，2012.

[20]黄旭林. 少数民族地区的水文化教育探讨——以云南省少数民族地区为例[J]. 中国水利，2014，(2)：62－64.

[21]金振洲. 滇中高原昆明、玉溪湖盆地区的植被特征[J]. 云南大学学报(自然科学版)，1988，10(增刊)：1－12.

[22]乐佩琦，陈宜喻. 中国濒危动物红皮书鱼类[M]. 北京：科学出版社，1998.

[23]李恒. 横断山区的湖泊植被[J]. 云南植物研究，1987，9(3)：257－270.

[24]李恒. 杞麓湖水生植被[J]. 云南大学学报(自然科学版)，1988，10(增刊)：81－89.

[25]李恒. 阳宗海水生植物[J]. 云南大学学报(自然科学版)，1988，10(增刊)：148－153.

[26]李恒. 云南高原湖泊水生植被的研究[J]. 云南植物研究，1980，2(2)：113－141.

[27]李恒. 云南湿地植物名录[M]. 北京：科学出版社，2009.

[28]李宏伟. 白马雪山国家级自然保护区[M]. 昆明：云南民族出版社，2003.

[29]李新正，刘瑞玉，梁象秋. 中国动物志无脊椎动物(第44卷，十足目长臂虾总科)[M]. 北京：科学出版

社，2007.
[30]林艺. 云南少数民族水文化与生态旅游[J]. 经济问题探索，2006(4)：110－113.
[31]陆建. 中国湿地[M]. 上海：华东师范大学出版社，1990.
[32]欧晓昆. 杞麓湖湖周石灰岩山地灌草丛植被的研究[J]. 云南大学学报(自然科学版)，1988，10(增刊)：70－75.
[33]潘清华，王应祥，岩崑. 中国哺乳动物彩色图鉴[M]. 北京：中国林业出版社，2007.
[34]钱谷平. 云南水资源现状及可持续利用[J]. 云南农业科技，2009(S2)：8－11.
[35]汪松，解焱. 中国物种红色名录(第一卷)[M]. 北京：高等教育出版社，2004.
[36]汪松，解焱. 中国物种红色名录(无脊椎动物)[M]. 北京：高等教育出版社，2005.
[37]王顺久，张欣莉，等. 水资源优化配置原理及方法[M]. 北京：中国水利水电出版社，2007.
[38]王苏民，窦鸿身，等. 中国湖泊志[M]. 北京：科学出版社，1998.
[39]王云娜，马翡玉. 云南少数民族传统文化对水资源管理的影响研究[J]. 云南农业大学学报，2012，6(5)：1－5.
[40]吴霞，施永宏. 驮娘江自然保护区[M]. 昆明：云南民族出版社，2012.
[41]吴征镒. 云南植被[M]. 北京：科学出版社，1987.
[42]武弋，谢家乔. 西双版纳傣族传统“水文化”的生态伦理思想[J]. 边疆经济与文化，2008(1)：72－74.
[43]西南林学院，云南省林业调查规划院，云南省林业厅. 高黎贡山国家自然保护区[M]. 北京：中国林业出版社，1995.
[44]西双版纳国家级自然保护区管理局，云南省林业调查规划院. 西双版纳国家级自然保护区[M]. 昆明：云南教育出版社，2006.
[45]熊飞. 云南抚仙湖沉水植物分布及群落结构特征[J]. 云南植物研究，2006，28(3)：277－282.
[46]熊清华，朱明育. 高黎贡山周边社区研究[M]. 北京：科学出版社，2006.
[47]许建初. 云南绿春黄连山自然保护区[M]. 昆明：云南科学技术出版社，2003.
[48]杨大同. 云南两栖爬行动物[M]. 昆明：云南出版集团公司，云南科学技术出版社，2008.
[49]杨岚，李恒. 云南湿地[M]. 北京：中国林业出版社，2010.
[50]杨岚，杨晓君. 云南鸟类志(下卷)[M]. 昆明：云南科学技术出版社，2008.
[51]杨晓君，杨岚. 云南湿地鸟类[M]//王月冲，王紫江，高正文，杨岚. 保护鸟类——人鸟和谐. 北京：中国林业出版社，2006：131－135.
[52]杨宇明，杜凡. 中国南滚河国家级自然保护区[M]. 昆明：云南科学技术出版社，2004.
[53]杨宇明，田昆，和世钧. 中国文山国家级自然保护区科学考察研究[M]. 北京. 科学出版社，2008.
[54]于瑶. 云南高原湖泊湿地植物群落分布规律研究[J]. 安徽农业科学，2012，40(12)：7322－7324.
[55]余艳玲，余杨，等. 21世纪云南省水资源可持续利用问题和对策[J]. 云南农业大学学报，2004，19(1)：116－119.
[56]云南河湖编纂委员会. 云南河湖[M]. 昆明：云南科学技术出版社，2010.
[57]云南省地方志编纂委员会. 云南省志(卷一地理志)[M]. 昆明：云南人民出版社，1998.
[58]云南省林业调查规划院，昆明市林业局. 云南轿子山自然保护区[M]. 昆明：云南出版集团公司，云南科学技术出版社，2006.
[59]云南省林业调查规划院，云南省林业厅. 哀牢山国家级自然保护区综合考察报告集[M]. 昆明：云南民族出版社，1988.
[60]云南省林业调查规划院. 云南自然保护区[M]. 北京：中国林业出版社，1989.

[61]云南省林业厅，云南省林业调查规划院. 怒江自然保护区[M]. 昆明：云南美术出版社，1998.
[62]云南省林业厅，中荷合作云南省 FCCDP 办公室，云南省林业调查规划院. 菜阳河自然保护区[M]. 昆明：云南科学技术出版社，2003.
[63]云南省林业厅，中荷合作云南省 FCCDP 办公室，云南省林业调查规划院. 糯扎渡自然保护区[M]. 昆明：云南科学技术出版社，2004.
[64]云南省林业厅，中荷合作云南省 FCCDP 办公室，云南省林业调查规划院. 无量山国家级自然保护区[M]. 昆明：云南科学技术出版社，2004.
[65]云南省林业厅，中荷合作云南省 FCCDP 办公室，云南省林业调查规划院. 小黑山自然保护区[M]. 昆明：云南科学技术出版社，2006.
[66]云南省林业厅. 云南省湿地保护工程规划(2007-2020 年)[Z]. 2007.
[67]云南省人民政府办公厅，云南省统计局，国家统计局云南调查总队. 云南领导干部手册[M]. 昆明：云南科学技术出版社，云南人民出版社，2012.
[68]云南省统计局. 2013 云南统计年鉴[M]. 北京：中国统计出版社，2013.
[69]云南植物志编纂委员会. 云南植物志[M]. 北京：科学出版社，1979-2006.
[70]张荣祖. 中国动物地理[M]. 北京：科学出版社，1999.
[71]张荣祖，等. 中国哺乳动物分布[M]. 北京：中国林业出版社，1997.
[72]张实. 云南迪庆藏族水文化[J]. 云南师范大学学报(哲学社会科学版)，2011，43(3)：64-68.
[73]张学波，舒小林，等. 云南省水资源现状及可持续利用问题探析[J]. 云南地理环境研究，2006，18(2)：53-57.
[74]郑晓云. 云南少数民族的水文化与当代水环境保护[J]. 云南社会科学，2006，(6)：88-92.
[75]中国湿地植被编辑委员会. 中国湿地植被[M]. 北京：科学出版社，1999.
[76]中国科学院中国动物志编辑委员会. 中国动物志[M]. 北京：科学出版社，2004.
[77]中国科学院中国植物志编辑委员会. 中国植物志[M]. 北京：科学出版社，2004.
[78]Brown M T, Cohen M J, Bardi E, et al. Species diversity in the Florida Everglades, USA: A systems approach to calculating biodiversity[J]. Aquat. Sci., 68: 254-277.
[79]C. Max Finlayson C M, John Lowry J, Maria Grazia Bellio MG, et al. Biodiversity of the wetlands of the Kakadu Region, northern Australia[J]. Aquat. Sci., 2006, 68: 374-399.
[80]Campbell I C, Poole C, Giesen W, Valbo-Jorgensen J. Species diversity and ecology of Tonle Sap Great Lake, Cambodia[J]. Aquat. Sci. 2006, 68: 355-373.
[81]IUCN. IUCN Red List of Threatened Species. Version, 2009.
[82]Jean Desbiez A L, Bodmer R E, Tomas W M. Mammalian Densities in a Neotropical Wetland Subject to Extreme Climatic Events[J]. Biotropica, 2010, 42(3): 372-378.
[83]Ramberg L, Hancock P, Lindholm M, et al. Species diversity of the Okavango Delta, Botswana[J]. Aquat. Sci., 2006, 68: 310-337.
[84]Rothschild L. On the Avifauna of Yunnan, with Critical notes[J]. Novitates Zoologicae, 1926, 33(3): 189-343.

附　件

云南省湿地资源调查主要参与单位及人员

一、云南省第二次湿地资源调查工作组织机构

(一)领导小组

组长单位：省政府办公厅

副组长单位：省林业厅

成员单位：省发展改革委　省财政厅　省国土资源厅　省环境保护厅　省农业厅　省水利厅　省气象局　中科院昆明植物研究所　中科院昆明动物研究所

(二)云南省林业厅负责领导

侯新华　云南省林业厅厅长

夏留常　云南省林业厅副厅长

(三)国家技术指导单位

国家林业局中南林业调查规划设计院

(四)调查牵头与技术支持单位

云南省林业调查规划院

(五)调查参与单位

中国科学院昆明植物研究所

中国科学院昆明动物研究所

全省各州(市)、县(区、市)林业局

二、云南省第二次湿地资源调查主要调查人员名单

云南省林业调查规划院

赵元藩　温庆忠　华朝朗　陶　晶　宋劲忻　余昌元　张绍辉　杨忠兴　杨国伟　郑进烜
王　勇　王　钰　邓喜庆　陈春祥　毕艳玲　杨晓松　瞿　林　邓永红　王　革　郑天水
高德祥　袁鸿文　潘正荣　鲜　红　吴　莹　周志坚　黄运荣　胡文萍　董建昌　李荣生
何剑萍　茶枝义　张　羽　周成贵　黄国栋　范宏韬　代　万　袁　军　蒋伟昌　赖兴会
文　兵　吴　鹏　王　馗　杨宏光　朱　力　王洪岩　陈　忠　杨家伟　何冬梅　李世宗
金钱荣　解开宏　杨尹章　易小泉　张冲平　陈文红　洪焰泉　韩文洪　周永兴　阳雄义
戴思勇　潘廷华　范　涛　赵书学　赵金发　徐　斌　金万祥

中国科学院昆明植物研究所

彭　华　李　嵘　王泽欢　陈　丽　唐　颖　董洪进

中国科学院昆明动物研究所

杨晓君 伍和启 孔德军 吴 飞 刘鲁明 罗伟雄 安萌茵 李欣磊 李 婷 蒋学龙 陈 鹏 李学友 倪庆勇 胡廼清 万 韬 李 权 陈俭海 普昌哲 普昌阳 欧阳德才 普仕东 饶定齐 袁思棋 王继山 李 飚 张丽梅 赵桃燕 蒋文静 刘 硕 宋心强 陈小勇 杜丽娜 郑兰平 赵婷怡 辉 宏

昆明市

伍和启 王 伟 景良英 张 涛

五华区

张树清 祁 俊 杨 振 何光淇 谢 超 林树兵 李兴东 刘 旭 施 媛 王灿全 蔡光洪 胡 聘 黄兴龙 赵 伟 李子成 范文洪 徐兴斗 杨 明 尹海波 欧阳文斌

盘龙区

段 辉 肖 俊

官渡区

曹昆平 李进荣 姚 红 赵 瑜 向文琪 赵 留 陈 恭 李加聪 王洪云 陈彦品

西山区

薛祖宏 陈 印 李 丹 刘丕富 段黎芬 熊文仁 杨初升 李学明

东川区

毕天顺 佐红卫 胡 颖 陈云科 余国云 王 红 王天志 徐 斌 张思莲

呈贡县

李建祖 周永鸿

晋宁县

丁 辉 张忆文 施颖超 王海东 李兆昆 龙昆成

富民县

田 永 张 涛 角相银 王一新 何艳琼 张继梅 司 友 钱金发 张逸飞 杨继刚 张继坤 陈炳宝 李学文 李权伟 刘志恩 刘志学

宜良县

崔茂光 刘 燕 张永周 李 贤

石林彝族自治县

张永祥 昂志雄

嵩明县

张建坤 邵 瑞 朱继芬

禄劝彝族苗族自治县

杨述灿 刘海聪 杨应忠 李绍银

寻甸回族彝族自治县

张 武 何宗辉 姜志勇 王 蕊

安宁市

陈锦良 彭卫钢 饶开保 姜 燕 武建兵 陈 芳 角从斌 李 弘 张正美 李 赛

肖正伟 李 强 姜建云 杨华林 顾锦辉 善永明 赵 勇 王玉华 游开顺 段国公
李宗德 蒋成伟 杨志刚 孙伟杰 洪木贵 许学华 杨丽娅 吴建明 刘柏林

曲靖市

温培元 糜劲功 施玲玲 王立苍 浦娅文 杨 惠

麒麟区

林家德 吕元平 崔吉武 李 宏 李绍芬 赵永春 朱洪生 李学飞 李 辉 夏缪华
蒋家贵 黄俊杰 邓自贵 李德慧 刘大双 何正花 雷存全 许家贵 于嗥晴 胡路东
曹 琼 高 群 杨永英 董再昌 关发富 彭海堂 许林春 史留德 周应康 王家华
董志宏 张七宝 严光文 陆红星 崔乃山 李子鑫 杨粉花 姜泽荣 雷冬一 崔柏林
高美娥

马龙县

王所云 向金龙 张桂林 杨丽芬 冯 平 钱 进 汪艳华 李自书 赵家才 何玉春
高金虎 张家谷 刘林云 陈荣华 张云山 李 斌

陆良县

李 彦 罗家书 王现华 李灿忠 资兆飞 朱华文 保绍明 刘 丽 纪国友 高 红
吕佑云 王光明 王 俊 钱冲元 赵正刚 陈杨勇 卢洪坤 孟 斌 陈树祥 张永桥
杨俊淳 段小朗 张国林 保树国 李忠明 宋春城

师宗县

钟 楠 吴永生 马 利 陈老奇 张国富 王进国 蔡 东 朱永兴 陈家森 杨智东
孔德慧 卢宗汉 陈祖顺 刘泽魏 李冲发

罗平县

韩自良 陈寿坤 李 云 朱学武 王学良 段雪芹 钱 路 罗金华 陈冲和 陈卫花
柏建存 尹小强 李宪好 方福华 付喜留 张稳昌 李国顺 何永德 孟成林 张广贤
王顺章 庞关保 王应明 顾克冲 何 来 李 涛 唐绍刚 世家柱 刘顺礼 任春生
郎春海 黄兴祥 宋光平 张 全

富源县

宁富功 刘 锋 管 旭 向明芳 刘稳权 王祖鹏

会泽县

刘祖铭 朱继荣 胡家兴 吕美琨 吴正权 马 勇 李德金 陈兴龙 邱光良 王乔芳
王正云 朱继红 孟兴全 李培荣 曹满俊 杨联海 李锦伟 杨春花 苟华忠 毕明辉
马 娟 代兴志 黄正宽 郭 彦 陈 华 肖文革 徐丽芬 周忠奎 王正益 杨堂顺
黄仕德 潘 明 舒金富 李文亮 赵英明 朱金国 彭云山 陈本润 姚兴品 张国荣
柴红兵 刘世明 高德云 周向平 林 钰 戚发森 王玉志 李 飞 容 庆 高连方
湛兴奎 王松山 张国朋 蔡德稳 尹体俊 刘汉仓 刘国聪 黄吉林 杨正祥 高 林
杨承江 王发冬 杜玉立 高顺全 李绍云 黄忠甫 龚朝清 张万明 蒋汝早 丁绍刚

沾益县

糜劲功 刘光枢 保明升 崔瑰芬 胡家云 何 浩 谢 靖 魏占贵 杨凤词 朱定芬

金德博　崔长宾　薛巧凤　李忠正　周志华　张春友　胡关宝　周丙飞　雷文化　刘云春
蒋春学　付　勤　周爱花　刘琼虎　张玉坤　李文才　周　飞　夏正昌　李正东　王正良
陆仕峰　庄明波　庄乔红　温绍飞　高朝海　钱艳东　陈庆勇

宣威市

田志德　缪祥虎　许兴诚　张金玲　沈吉芬　郭德龙　高连维　范江波　李　飞　代　钧
陈庆行　陈　健　栾元坤　顾庆欢　张应超　张丽萍　彭兴党　余俊彦　向旭仓　张　彪
李　文　陆礼爱　李志伟　宁德本　何天锐　吴兴国　朱　俊　全宪东　袁明奇　袁明威
黄丽琼　罗荣飞　夏耀辉　何家德　蒋成虎　刘　鑫　高　斌　杨家柱　张必旭　沈立孝
符世标　叶远逵　张　雄　邹学启　张正林　刘大礼　李　江　王忠文　王恩操

玉溪市

李志勇　唐永军　蔡利祥　蒋志东　余朝俊　邓春毅

红塔区

黄绪显　赵　江　郭天禄　马　蓉　白建云　葛云荣　金喜宏　代元义　飞　定　许美兰
期永伟　李宏云　徐国荣

江川县

杨四代　陈从云　杨双全　刘明春　代家所　贺会芬　潘云伟　普天龙　丁玉亭　赵云华

澄江县

蹇　云　薛荣坤　刘　翔　余　刚　方水冲

通海县

钟为庆　林德淳　杨红伟

华宁县

郭双继　钟　伟　李福林　周善富　张丽琼　胡海燕　姚永泽　张宝洪　魏忠应　普志平
夏云华

易门县

李朝文　李云吉　麦建文　朱朝贤　赵学武

峨山彝族自治县

杨存寿　杨　波　李发春　赵　东　陶子林　李永伟　晋远航　金美英　徐继国　施绍顺
普林森　杨　玲　施　平　王朝荣　张家顺　李文学　孙云光　吕　晨　徐建荣　普文荣
陈文明　颜永庭

新平彝族傣族自治县

陈文昌　普元红　杨建光　朱正明　李　华　普智清　魏建琦　郝庆玲　李永宁　蔡延生
周宏敏　缪顺能　杨晓莉　吴学智　郭　勇　杨　松　马永新　普存美　白万辉　普顺学
马正才　吴耀东　胡　彬　方　瑞　罗　剑　李家平　王开明　普进明　高海东　杨　勇
肖志福　王平勇　沐荣兴　杨学平　李忠平　王　宏　刘正祥　李学海　赵永林　王　玲

元江哈尼族彝族傣族自治县

张　栋　郑年华　陈永祥　白　波　白永文

保山市

寸瑞红　谢培毅　史永明　周志美　安　瑜

隆阳区

李菊艳　裴　武　徐德凯　陈凤梅　李俊芳　丁云武　李冬梅　明德成　王瑞华　郭胜乾
苏联军　王笑峰　丁永强　李学文　高太平　刘以智　王介华　苏亮萍　张国艳　赵绍强
李麟康　钱桂芳　葛自艳　沈国顺　苏晓梅　杨连卫　江　龙　赵会兴　赵　坤　张　键
余江文　杨　波　赵雪梅　赵连建　万晓斌　李家华　邢春红　孟世良

施甸县

赵启朝　陈　纲　李强会　李海雾　吴建军

腾冲市

柴　贤　车运书　欧阳昭统　张加艳　张　伟　万　华　陈继珍　邵维泽　张　蔚　段治华
方天翔　徐志映　姜加奖　杨维春　张　黎

龙陵县

王兴爵　刘世章　李家龙　刘晓珊　杨晓华　李林清　刘海忠　何庭伟　杨春松　杨　蕊
王秀玲　陈德明　王家传　杨玉国　赵景东　张明助　杨金林　段发勇　唐茂良　王朝苍
赵家春　罗　平

昌宁县

杨建荣　字汉成　戴晓明　高正茂　李根伟　洪　宝　刘治邦　王绍军　周要全　于相和
杨正金　赵兴琦　李　品　王绍楚　杨绍鹏　杨　斌　李信科

昭通市

马廷光　赵　峰　张晓燕　杨龙江

昭阳区

计扬善　訾昌相　吴天伦　曹　成

鲁甸县

姚德林　张　纬　夏文鑫　宋远勇

巧家县

邓成功　邹开成　谭再友　李文虎　何明超

盐津县

解文权　徐　超　唐德维

大关县

李显碧　郭海波　曾天杰　苏海鸿　欧国峰

永善县

乔松涛　胡朝银　谢树银　周雪峰　李　伟

绥江县

鲜昌羽　王民军　蒋顺美　辛　强　王清海

镇雄县

付孟科　胡光德　吴　陶　吴长坤　宋盛红

彝良县

彭泽源 唐正军 张忠斌 罗明超 周 雨

威信县

李联洲 熊 龙

水富县

辛 镇 王 凯 冯斌 陈文容

丽江市

余祖德 树寿成 黄丽春 杨永丽 张映兰 娄玉娥 和杰军 徐 成

古城区

和圣军 和珍笛 和 勇 朱向卿 王 静 杨世谷 和龙江 和 伟 和佳龙 李月琴 李桂林 文鹏程 赵锡华 和永顺 李 萍 和雪松 李佶优 和春梅 和万选 刘继忠 和积军 杨福相 和增禄 和盛刚

玉龙县

和执强 和杰山 杨 婷 段子云 赵宏宇 杨文将 和亮春 李 文 木增麟 和志宏 金诚武 胡农村 和晓雷 李云青

永胜县

陈耕原 李智祥 肖 培 芮荣菊 季正林 何玉辉 王荣周 陈志昌 张金利 谭元彩 成红林 李文华 毕顺和 王跃辉 吴绍锐 王贵云 吴振贵 张 波 阮向勇 李 伟 吴映华 芮爱民 冯树明 杨成光 杨文武 刘云龙 张向龙 王晓波 杨竹荣 欧阳友忠 李鹤振 马有典 陈国华 王 飞 陈其凯 李福兰 尹祥荣 张星星 王 华 刘 宇 赵 宏 汪文峰

华坪县

兰学峰 张成国 王 静 王明峰 涂兴宁 王华林 赵育宏 刘荣华 杨开勇 杨振兵 杨志祥

宁蒗彝族自治县

李正荣 刘 华 曾忠清 李昌金 马学高 卢亚红 李世峰 苏建才 石宝发 陈玉斌 李连翔

普洱市

杨天荣 卢 文 周智韬 杨 罡 徐同美 方杰琦 罗春雷 陈玉华

思茅区

徐崇华 李忠文 李志宏 杨双元 曹 霁 谭本平 余玲江 吴顺权

宁洱哈尼族彝族自治县

徐东旭 吴永华 唐川云 戈丽华 李天学 曾天梁 吴永德 王德琨 鲁 斌 王 丽 罗忠斌 罗天华 周 伟 尚志忠 罗宗海 杨祖坤 李浩伦 张文辉 徐红军 杜益良 沈永文 杨 洪 陈 杰 朱建伟 张 平 徐元泽 沈永文 李晓燕 朱文泽 李 健 蔡正云 白海成

墨江哈尼族自治县

罗 林 高剑平 何建祖 李 刚 祝海波 段 升 岩 改 岩 旺 杨光辉 岩 罗 熊 勇 宗祖恩 许 德 李 忠 周 江 李恩良 马国民 曹云德 李 伟 白春华 刀建国 丁绍益 马俊峰 王家庆 姚文武 吴 杰 吕荣学 李正学 马忠海 李杰昌 李洪江 白元宏 许 霖 孙建伟 杨学伟

景东彝族自治县

谢有能 罗忠华 李先耀 鲁成荣 王春华 刘 东 李景学 罗玉荣 罗 尧 袁小龙 杨华全 杨文凡 杨华军 刘国庆 戴清明 魏大坤 邓官寿 姜贵勇 杨华昌 魏 强 付楚燕 何珊珊 罗 忠 刘 川 朱云武 谭钦碧 唐永发 梁明运 张 斌 毕学赓 孔 云 任志琴 孙志强 李贞强 张汝华 黄培高 李 云 陈朝云 陈 军 杨正宏 黄 健 杨仕友 冯元平 孙 丽 吴曼堆 徐元林 陈 勇 方竞超 梁 彬 苏有顺 杨志宏

景谷傣族彝族自治县

周 亦 罗崇华 张俊林 李永飞 饶兴良 陶文献 王 力 蒋兆东 金有成 吴云仙 徐 俊 董 伟 李其舟 鲁 斌 周志春 刘亚祥 李启忠 李 俊 王 靖 施春锋 杞发贵 赵建秋 王贵良 张会能 袁 春 段代微 张荣超 陶 源 吕仕伟 陈国生 海明良 普国云

镇沅彝族哈尼族拉祜族自治县

祁向阳 李显金 自林雄 肖云龙 解文韬 游升权 马云宽 刘文东 李志林 刘学永 王东林 刘志敏 刘志明 卢开强 李国雁 吴之龙 罗有坤 黎明昌 昌 强 徐有能 马文生 李 魁 罗成文 刀宏宝

江城哈尼族彝族自治县

徐 凯 李 忠 彭秀丽 朱艳春 王 娅 王和能 杨 军 陶 周 杨贵荣 白秋华 苏保荣 李鹏超 徐 锐 万全卫 郭忠德 黄近烈 林 勇 自红平 白梁芳 白庆梅 余 安 李 良

孟连傣族拉祜族佤族自治县

张开远 李其顺 车永革 叶军根 高松和 李其锋

澜沧拉祜族自治县

赵 华 刘文江 杨兴乔 杨春梅 罗 军 罗忠攀 丁杰娴 倪咏娇 冯新荣 刀 振 罗东海 张 琼 王 成 鲍雪东 张 波 陶学文 何洪斌 段懋章 张友明 刀玉华 罗 超 赵云壮 鲍 友 唐志军 蒋 安 吕春林 赵 刚 李进波 毛会强 石 忠 苏春莉 李世武 李振学 赵 华 刘文江 魏 云 王念祖 武中华 杨圣玺 董字军 杨亚春 李继华

西盟佤族自治县

罗 林 高剑平 何建祖 李 刚 祝海波 段 升 岩 改 岩 旺 杨光辉 岩 罗

临沧市

郭 光 窦旭辉 邓桂林

临翔区

徐祖林　勐　毅

凤庆县

朱志荣　汤培彪　杨育安　施如学

云　县

曾家映　李伟安　李建华

永德县

彭双龙　施刘军　张学强　唐文军　字国荣　赵学盛　熊国光　饶卫泽　李向军　艾华忠
奎学华　段开华　李光忠　叶金山　杨平昌　杨平剑　李映德　罗　冰　李忠元　白海东
黄光才　李金发　吕友安　唐文军　字国荣　赵学盛

镇康县

鲁继宏　王双林　刘志国　王文健　罗小春　杨嘉鹏

双江拉祜族佤族布朗族傣族自治县

李华贵　鲁云龙　顾祖君　杨光兴　黄东生　刘明奎　张朝荣　刀　华　李生斌

耿马傣族佤族自治县

张　民　李　明　田立新　陈文娟　谢平华　王永胜　李舒萍　李永倩　尹于昆　王耀林
罗向东　钟源泉　李玉新　何莫坤　关少波　果林达　高建华　李正忠　李绍清

沧源佤族自治县

赵金超　张化龙　杨红强　李春华　邓志明　田世华　田红强　徐向东　熊友明　田伟东
李陲升　刘旭东　陈　海　田　城

楚雄彝族自治州

罗世文　朱志刚　张仁功　周禹发　张学兰

楚雄市

李绍辉　张　振　李胜周　李兴强　李　洪　杨建华　郭　峰　李副华　申世华　杨存金
希从彪　李　萍　李　琴　马志勇　杨　静　张　全　张联聪　徐先银　杨学荣　张晓峰
张晓峰　周禹发

双柏县

王云芬　周　明　谢以昌　文云燕　苏贤海

牟定县

代先久　王金宝　温　琼　秦向东　张建鸿　李世彪　杨应章　王家兰　普正书　王从林
黄元文　王同云　普跃华　黑荣仁　生彦宏　王宽郡　张绍龙　王永贵

南华县

周爱琼　罗开平　罗文富　何开学　杨松朝　罗成富　杨瑞荣　王建朝　陶兴贵　程开相
张体质　李锦义　何正荣　周　海　陆兆光　段正禄　紫开富　张继平　李宏祥　何文勤
欧　勇　何金虎　罗光洲　段兴洲　王朝寿　王永兴　张　俊　张　忠　鲁正贵　郭正德
普永丽

姚安县

吴永清 刘有荣 何 勇 张家云 刘明星 杨 宏 朱丽苹 张家振 刘 勇 孟 菊 李宏明 何 明 罗莹莹

大姚县

刘光学 王知嵘 李富专

永仁县

李晓林 林 清 文淑芳 鲁必发 谭友军 王富谨 文学正 罗胜丽 刘锡珍 杨加艳 起国民

元谋县

杨建华 张诚

武定县

张加亮 盛宏发 杜春勇 姚建华 杜自云 吴光云 付浩伟 闫春荣 王金华 李冬武 饶大明 陈光林 王帮文 龙福贵 李文慧 李红杰

禄丰县

王庆珠 朱 力 王宏远 陈 忠 苏亚林

红河哈尼族彝族自治州

张开平 莫明忠 白作文 杨 彦 李 斌 刘珈含 曾永云 杨剑洪 张 旭 王炳标 王雁波 王 刚 杨知荣

蒙自市

范 勇 苗 伟 杨 明 邱建军 罗 雁 王晓明 杜永平

个旧市

彭天林 邹 策 唐卫红 刘新国 张学俊 李应铭 普卫国 李 军 陆松平 闵成喻 孙志刚 谭桂芸 徐志刚 张声铃 纳 爽 李文清 戴 杰 钟 锐 周晓龙

开远市

刘 东 向丽华 李云峰 初 涛 杜 勇 王 丽 鲁春生 黄庭正 高发兴 张元斌 黄效娟 吴文婷 段文专 李 艳 龙 飞 周 锦 胡应春 张全辉 李飞飞 高竹美 许丽华 李 珩 赵海东 周应彬 赵志春 卢春生 田 涛 李永昌 曾令荣 李文华 杨 庆 王洪志 撒燕萍 罗 超 张跃华

屏边县

李保和 陶保天 罗得芹 陈红彬 杨玉平 唐跃武 马成书 陈学强 李 伟 李永明 蒋学能 唐青华 黄正华 张娟艳 李宣润 陈正阳 朱永庭 杜顺能 赵学清 皮保生 李 杨 陈家华 康建辉 杨丽英 杨明华 李迎美 倪早梅 陈华友 尹荣伟 刘进国 陈 宣 罗加荣 黄 梅 褚建武 黄志德 马兴龙 毛国光 李顺丽 韩绍晶 陈文荣 李兴柱 杨自行 何 倩 陈应李 何永明 钱良超 孔祥勇 张艺献 张 翔 陆进兵

建水县

余家雁 王 洪 朱增喜 张玉福 郭云艳 普玦瑞 赵 明 李 万 熊继伟 武 祥 邵文祥 马建波 黄德伟 曹林达 汤 伟 杨兴鹏 朱正华 李勇成 普增前

石屏县

许红光 苏明元 李国武 李 强 段建平 朱玉叶 李 俊 陆 乔 龙保明 温建昆
丁建昆 马理丽 李艳芝 王成彬 李丽波 黄保德 李成明 苏云勇 杨寿江 谢胜军
白 燕 龙胜伟 李云锋 柏绍伟 赵文才 陈伟军 杨永军 许 春 杨雁鸿 张燕芳
施稳泽 张慕丹 罗 梅

弥勒市

韩丽华 张品英 王智敏 杨 芳 韩绕菊 钱树坤 姜石宏 杨树荣 杨剑武 马明辉
非 燕 谷贵宾 段齐杰 白贺山 万云波 刘 伟 李 波 肖 宇 吴聪林 岳子荣
谢松明 王 俊 陈宝雄 韦 明 顾自云 顾玉良 罗金荣

泸西县

陈 雄 胡礼明 张兴泰 喻 勇 汪建明 陆永德 杨光先 胡荣光 赵连友 鞠延奎
张莹莹 张 涛 杨晓伟 何 丹 朱丽招 马丽华 陈 东 张 宏 王 丽 陆海涛
赵 楠 刘红刚 赵麒鹏 杨勇俊 李显生 全 晶 陈东翔 饶俊东 金正红 段海平
李 伟 张兴法 李 超 吴金火 王永定

元阳县

马泽祥 何胜发 张永福 李德明 李泽章 邓福刚 何 跃 曹骏武 周安禹 车 鑫
普 松 卢 伟 温 永 张志和 李 超 白永光 浦仕梅

红河县

李 元 白批福 潘振华 宗永红 李克黑 李 光 白继昌 孟二甫 龙 强 高正林
白 帆 马正昌 李 鸥 李善周 张勇山 杨里保 钱红斗 李正勇 李龙者 瞿建万
张 源 侬向清 李军华 侬撒斗 马力有 段和松

金平县

毛龙华 孔祥龙 王继章 白迎春 胡成云 罗美莲 盘珍慧 何春雷 陈锦波 高朝忠
白 鑫 李宏伟 王武学 黑正洪 李云玲 马荣斌 雷照兰 梁贻峰 邓志明 黄春林
普志福 李雁飞 杨明松 宋建祝 杨成林 何 江 王宏山 刘成东 万金华 黄 云
林 荫 周生健 李云兵 岳家宽 韦 建 陈建华 周 佺 李 娅 罗永明 梁龙赵
牛绍兴 黄 丰 刘杰勇 朱欣田 喻智勇 梁宗利 李 彬 姚文庆 刘 斌 喻公成
张云飞 李 海 赵志华 王和清 李德祥 李学伟 王玉琴 刘增禄 李永辉 徐金梅
李家文 杨志明 邓小礼 李 婷 王顺勇

绿春县

李成然 李才伟 胡美华 高者福 龙保益 陆依玖 普有亮 普志强 张文伟 白永芳
李核忠 朱正明 何疆海 普付强 黄财福 龙成荣 张 耀 白才福 李东海 李建强
杨玉才 王德春 李万强 李 嘎 罗小冬 杨玉开

河口县

王华武 五书琴 王 韵 牛开林 韦 荣 盘光英 王进林 谢宏伟 李 勇 吴洪娇
徐昌志 马 骏 陈长丽 李 莉 邓春和 刘 峰 周永林 杨治国 张贵良 陶公泯
王 东 张 昆 张贵生 曾志川 白松民 饶 春

文山壮族苗族自治州

付永刚　罗金定　刘先泽　孙定兴

文山市

李家胤　姚廷彬　陈永文　蔡清春　何正流　丰燕飞　沈素娟

砚山县

杨生宏　胡廷华　杨利国　戴永胜　杨明珠　马友波　何建云　龙忠富　黎永明　李茂兵
王　耀　任　伟　李　平　赵应朝　莫　湘　杨正密　沙世梅　胡克伟　李泽岸　杨思顺
陆　剑　余锦会　金　华　廖友文　沈学引　李发友　杨宏松　侬光福　杨廷华　范云勇
张　云　王　焱　王子红　王忠福

西畴县

马顺光　王显文　程　伟　王友德　骆常明　黄定忠　侬孝芳　李　勇　王　翔

麻栗坡县

李贵洪　王理云　赵义江　卢家龙　王　进　杨炳辉　方火生　冯育兴　曹　芳　邓金明
杨江林　杨建华　甘登明　邹定祥

马关县

马树忠　张成琼　高彦华　贺茂林

丘北县

张永云　孟崇文　王正良　袁生勇　李　刚　何文宏　高　伟　徐忠祥　梁云权　李敬玲
黄胜跃

广南县

李海兵　马　斌　张　胤

富宁县

农光应　黄乐田　王美楠　徐子斌　吴应友

西双版纳傣族自治州

杨松海　陈　勇　甘燕君

景洪市

苏光荣　张　勇　李江龙　李春云　彭国华　纳青清　罗　门　罗　伟　三　四　柴新明
铁勇华　肖忠明　李　新　岩　迈　王绍荣　林建斌　克　大　说　明　郭朝龙　岩罕华
王　锋　李金文　白志国　秋建国　周布鲁　白　静　罗勇强　施　华　李建国　杨永德
周建国　龙志春　刘顺朝　李艳华　李忠清　何彩周　李子阳　刘　峰　卜世联　王建青
岩　邦　岩香囡　田茂兴　何　凌　岩光罕　黄　瑞　张培松　曾彩云

勐海县

董志茹　张　晶　胡照阳　张　飞　罗承国　唐　宇　韩　钊　时　权　鄢云飞　黎　平
薛　凯　刀梅春　岩温刀　岩温罕　李兴晨　马光荣　岩说龙　苏　锐　黄文彬　海　培
胡文祥　钟小勇　杨霖鹏　岩赛叫　张之敏　王　斌　李少建　李海峰　华青云　爬　二
林　大　龙海林　杨洪斌　李建春　马建华　岩万恩

勐腊县

孙重民 姜 华 普永山 王 峰 朱先成 王志伟 岩糯香 孙 晴 谢春华 刘绍雄 高 袁 牟 军 黄俊荣 嘎 沙 刘柏和 李红梅 李忠友 李学文 岩坎仓 何永进 李国良 秦于才 吴顺福 盘永刚 陈伟国

大理白族自治州

程永标 尹正权 李保森 尹正权 段锡焕 李福秀 高淑珍 杨艳平 徐屹霄

大理市

李泽峰 李益鹏 赵 全 施约俊 段作元

漾濞彝族自治县

字全忠 秦占虎 王 敏

祥云县

褚德龙 李朝奎 刘文武 许 敏 杨有梅 叶如锦 张学功 杨连才 许学军 王江萍 罗光辉 邹艳兰 张秀慧 李春明 罗云彬 韩向国 贾孟刚 董万辉 杨聪清 汪全文 杨启贤 罗国江 张利平 罗秉富 卫云兴 常永平 王文利 杨建琴 阮泽庆 李明昌

宾川县

杨美福 袁进宝 赵会昌 李从龙 白树雷 张 雄 梁家烈 唐友华 王丽环 罗尚勇 杜家华 陈春光 杨永新 李继春 张正诚 谢克俭 谭金山 陈荣传 王宏东 杨明星 字正西 赵家贵 李建荣 吴玉华 张云界 罗智勇 普艳锋 陈艳美 李富芳 洪建华 杨克敏 陈 彪 严润柳 张玉能 袁继彬

弥渡县

熊 富 熊俊华 邓 丽 张丽芝 朱志红 李汉德 熊缀景 禹美琼 潘映红 李鸿江 李 云 魏美娟 蒲绍涛 环燕翔 罗文昌 张会明 陈绍强 杨济先

南涧县

和永发 张学康 徐思龙 杨增军 周世晖 马 莉 杨勇平 李 俊 薛如发 毕华光

巍山彝族回族自治县

李层斌 危有信 刘兰香 孙明华 左锐东

永平县

马永理 罗亮昌 马晓伟 杨 涛 杨荣伟 李应梅 杨会军 李子林 何福斌 赵清兰 李 杨 车建云 李郭伟 杨家伟 孙继宏 王月平 李成亮 韩晓龙

云龙县

张剑锋 吴灿勋 杨建孙 张汉杰 何 森 却建华 施 乐 苏文才 杨金梅 杨桂梅 徐会民 何绍禹 尹志兵 杨 彪 杨梅芳

洱源县

马利生 魏国文 和正发 杨春冰 赵盛军 梁红玉 赵应江 刘建文 杜飞丽 王锦如 杨延纪 李灼新

剑川县

车桔洪 段忠建 张 瑛 张绪岗 张剑虹 郭 明 张晓丽

鹤庆县

杨文生 赵 波 刘彦平 庄铭保 朱敬敏 田吉全 寸丽庭 李燕秋 庄安荣 杨亚洲

德宏傣族景颇族自治州

钱 强 李发良 张友兵 彭海峰 何全保 思治弘 罗 萍

芒市

陈茂永 排勒卡 蔺以志 张宗合 许庆周 陈自孝 番聚慧 黄总帮

瑞丽市

苏正双 麻 龙 陈 浩 黄 静 赵见明 腊 苗 副所长 郭兆强 窦红佑

梁河县

景玉贤 陈 炎 姚年昌 何艳羚 余春明

盈江县

罗有兆 杨启贤 刘 璋 杨虎章 宋 斌 申官芳 金明芬 张丽群 邹 华 金明华
杨启良 李根涛 思治明 何明垄 寸待辉 刀壮威 段云飞 黄永幸 栋兴强 余兴亮
赵正明 余 九 尹英约 赵 君 李腊保 刀安康 李建云 寸莲平 许强辉 罗 成
汪劲成 徐贵华 何显升 左常盛 岳麻买 王立彦 赵永全 杨万柳 杨 琳

陇川县

杨发鸿 杨荣志 许智华 张 云 郑用文 岳秀庄 杨 帆 周兆海 王润昌 马学进
段必再 线晓磊 郭 刚 何忠邦 鲍金国 王勒软 许元富 韩德刚 杨传荣 杜传刚
代成信 邢德选 何 丁 尚国先 排南途 杜珊珊

怒江傈僳族自治州

和金福 唐卫红 李 明 施学强 杨梅花 褚金龙 雀晓军 六一生 黄 莹

泸水县

邹金禄 段福星 斯龙燕 施云飞 何文龙

福贡县

迪阿布 范友强 杨四哈 朱本祥

贡山县

羊苏华 左杨李 和江黎 余航兵 孙 军 丰志全 和丽昆 肯丽芳 高荣华 杨贵伟
和晓阳

兰坪县

和育超 和兴旺 张发科 李凤艳 和润全 杨瑞文 和献文 熊发堂 和健全 李智宏
和景纯 张胜荣 赵玉华

迪庆藏族自治州

吴琮三 李 贤 秦茂军 王海源 王迎文 和 艳

香格里拉市

唐仕鹏 李浩城 李正海 黄品华 伍文忠 陈永生 和义昌 赵建林 张腊妹 多吉此仁
刘学先 罗 俊 董学军 陈永亮 唐 林 陈真林 田 伟 罗先成 邹昌鹏 杨 君
刘全合 杨四文 金海春 和文浩 安天红 和永华 舒永菊 唐寿岚 余红忠

德钦县

格茸此里　扎史此里　立青都吉　具米顶争　此里拉宗　斯那扎史　陈　斌　鲁茸吉层
夏都此里　王德贵　扎史农布　军　民　甲格其　江　初　斯那农布　李　强　武　柒

维西傈僳族自治县

赵学飞　杨学光　马国杰　曹国鉴　杨艳清　钱义袁　熊黎光　木建英　和文富　和小平
王继和　和荣华　施　军　潘丽军　余立荣　黄志刚　白金光　王丛清　何春荣　杨继光
和　明　蜂新礼　格　桑　陶国庆　蜂　维　李晓斌　张钰华　杨玉芳　余琳峰　和金祥
和晓雷　舒镇海　马丽军　杨文红　杜慧聪　陈维新　周群华

三、云南省第二次湿地资源调查成果编制人员

(一)报告编写人员

华朝朗　云南省林业调查规划院主任/正高级工程师
陶　晶　云南省林业调查规划院副总工程师/正高级工程师
余昌元　云南省林业调查规划院高级工程师
宋劲忻　云南省林业调查规划院高级工程师
郑进烜　云南省林业调查规划院工程师
杨忠兴　云南省林业调查规划院高级工程师
张绍辉　云南省林业调查规划院工程师
李玲芬　云南省林业厅湿地保护管理办公室
彭　华　中国科学院昆明植物研究所研究员
李　嵘　中国科学院昆明植物研究所副研究员
董洪进　中国科学院昆明植物研究所博士研究生
陈　丽　中国科学院昆明植物研究所
唐　颖　中国科学院昆明植物研究所博士研究生
王泽欢　中国科学院昆明植物研究所博士研究生
杨晓君　中国科学院昆明动物研究所研究员
饶定齐　中国科学院昆明动物研究所副研究员
陈小勇　中国科学院昆明动物研究所研究员
蒋学龙　中国科学院昆明动物研究所研究员
杜丽娜　中国科学院昆明动物研究所助理研究员
罗伟雄　中国科学院昆明动物研究所研究实习员
袁思棋　中国科学院昆明动物研究所研究实习员
赵婷怡　中国科学院昆明动物研究硕士研究生
郑兰平　中国科学院昆明动物研究所副研究员

(二)报告统稿

华朝朗　云南省林业调查规划院主任/正高级工程师
郑进烜　云南省林业调查规划院工程师

（三）数据汇总统计

宋劲忻　云南省林业调查规划院高级工程师
张绍辉　云南省林业调查规划院工程师
杨忠兴　云南省林业调查规划院高级工程师
王　勇　云南省林业调查规划院工程师
李玲芬　云南省林业厅湿地保护管理办公室

（四）制　图

王　勇　云南省林业调查规划院工程师
宋劲忻　云南省林业调查规划院高级工程师

（五）成果审核

但新球　国家林业局中南林业调查规划设计院处长/教授级高级工程师
刘世好　国家林业局中南林业调查规划设计院副处长/高级工程师
吴照柏　国家林业局中南林业调查规划设计院工程师
吴后建　国家林业局中南林业调查规划设计院工程师
钟明川　云南省林业厅湿地保护管理办公室主任
赵元藩　云南省林业调查规划院院长/正高级工程师
喻懋坤　云南省林业厅湿地保护管理办公室副主任
温庆忠　云南省林业调查规划院总工程师/正高级工程师
陶　晶　云南省林业调查规划院副总工程师/正高级工程师

后 记

云南省按照国家林业局统一安排，于2012年完成了全省第二次湿地资源调查。本次调查范围为面积8公顷(含8公顷)以上的湖泊湿地、沼泽湿地、人工湿地以及宽度10米以上、长度5公里以上的河流湿地，一般调查内容包括湿地型、面积、分布、平均海拔、所属流域、水源补给状况、植被类型及其面积、主要优势植物种、土地所有权、保护管理状况、河流级别等。根据国家规定的重点调查湿地选择标准及云南省湿地管理需要，此次湿地资源调查共选择重点调查湿地85处，其中国际重要湿地4处，国家重要湿地7处，自然保护区57处，湿地公园3处，其它重要湿地14处，除一般调查内容外，还调查湿地自然环境、水环境、野生动物、植物群落和植被、保护与管理、利用状况、社会经济状况和受威胁状况。

根据本次调查，全省湿地总面积56.35万公顷，其中河流湿地24.18万公顷，湖泊湿地11.85万公顷，沼泽湿地3.22万公顷，人工湿地17.10万公顷。前3类为自然湿地，总面积为39.25万公顷。全省湿地总面积占国土总面积的1.47%，自然湿地面积占国土总面积1.02%，自然湿地面积占湿地总面积69.67%。全省湿地共分为14个湿地型(不含稻田/冬水田)。根据省农业厅2012年提供的数据，云南省有稻田/冬水田湿地面积106.67万公顷。云南省湿地动植物资源丰富。本次调查记录到189个湿地植物群系，分属于6个湿地植被型组12个湿地植被型；调查范围内记录到湿地高等植物204科876属2274种，其中被子植物133科725属1974种，裸子植物4科10属11种，蕨类植物31科71属128种，苔藓植物36科70属161种。生活型较严格归于湿地植物的种类1619种，分属171科642属。国家重点保护野生植物12种，其中，国家Ⅰ级保护野生植物5种，国家Ⅱ级保护野生植物7种。云南野生湿地植物特有种116种，中国特有种489种。根据此次调查，以及2013年完成的鱼类最新调查研究成果，全省记录到湿地脊椎动物5纲37目107科1048种(亚种)；其中，鸟纲11目23科162种，哺乳纲8目17科36种，两栖纲3目11科127种，爬行纲2目13科94种，鱼纲13目43科629种(亚种)。国家重点保护野生动物67种，其中，国家Ⅰ级保护野生动物18种，国家Ⅱ级保护野生动物有49种。云南野生湿地动物特有种290种(鱼类255种，两栖类35种)。

为充分运用本次调查成果为各领域服务，弥补云南湿地资源专著空缺，根据国家林业局的总体安排，云南省林业厅决定编著《中国湿地资源·云南卷》。2014年年初，依托第二次湿地资源调查领导小组成员单位成立了编辑委员会，依托省级调查单位成立了编写组，经撰写及多次校审，历时两年，于2015年底完成了本书的编著与出版工作。

本书第一、二、四、五章及附录3由省林业规划院编著；第三章第一节及附录1由昆明植物所编著，第三章第二节及附录2由昆明动物所编著，本章编著者还参与了其他各章节涉及相关专题内容的编审；第六章由省湿地保护管理办公室编著。具体编著人员，第一章：华朝朗、郑进烜、陶晶、王勇；第二章：余昌元、宋劲忻、张绍辉；第三章：湿地植物和植被：彭华、董洪